가로지나
세로지나
꽃은핀다

카르페XD ◉ 장편 소설

가로지나
세로지나
꽃은핀다

2

목차

七章 : 사냥대회

'내 생각에는, 어쩌면 내가 모란을 조금쯤은 좋아하는지도 모르겠어.'

그리 생각하던 연이 신음했다. 다른 생각을 하는 걸 귀신같이 눈치채고 모란이 엉덩이를 아프게 내리친 탓이었다.

"집중해야지, 연아. 아니면 다른 생각을 할 정도로 내가 부족하게 했을까?"

"으읏, 그게, 아니라……. 아!"

철썩거리는 소리를 내며 마구 흔들린 탓에 연은 하마터면 혀를 깨물 뻔했다. 모란은 밖으로는 소리가 들릴 일이 없다고 했지만, 아래층에서 이따금 희미하게 웃음소리나 비파 연주음 따위가 울릴 때면 연은 온몸이 수치심으로 벌겋게 물들었다. 그들이 있는 곳은 다름 아닌 주루였다.

모란이 연의 엉덩이를 꽉 쥔 채 허리를 움직였다. 연이 올라탄 상태였기 때문에 그저 모란이 흔드는 대로 움직이는 수밖에 없었다. 모란의 성기가 속이 메슥거릴 정도로 안을 깊이 찌를 때마다 통증과 쾌감이 뒤섞였다. 천에 묶여 시야가 깜깜한데도 불꽃이 튀는 듯 느껴졌다.

"아, 앗, 앗! 흐아, 앗!"

너무 깊이 삽입당하는 것 같아 울먹이며 몸을 비틀어 보아도 소용이 없었다. 손이 묶인 탓이었다. 무자비하게 꿰뚫린 채 고개를 젖히자 모란이 덥석 목을 깨물었다. 연은 흠칫하여 저도 모르게 뒤를 조였다가 더욱 빨라진 추삽질에 신음을 내뱉었다.

"흐, 힘들, 힘들, 어, 아웃, 윽!"

결국 얼마 안 가 연이 항복 선언을 하고 말았다. 가뜩이나 떨어지는 체력으로는 모란이 쳐올리는 움직임을 따라가는 것만으로도 힘들었다. 팔과 다리에 힘이 들어가지 않아서 엎어지면 강제로 다시 일으켜 세워졌다. 연이 눈꺼풀을 떨며 입술을 깨물었다.

모란은 연이 예민하게 느끼는 부분들을 핥고 빨면서 꽉 끌어안았다. 꾹꾹 안을 짓이기듯 박아 넣자 오금이 다 저렸다. 절정이 넘실거렸다. 그러나 이미 두 번은 사정한 뒤라 연은 흐느끼며 숨을 가쁘게 쉴 따름이었다.

모란에게 여러 차례 맞아 엉덩이는 화끈거리고 따가웠다. 치료하는 중이라 이따금 속 깊은 곳에서 쿡쿡 찔리는 통증이 느껴지기는 했다. 그러나 모란이 묶인 손 위를 잘근거릴 때나 예상치 못하게 어딘가를 물고 빨 때마다 그 통증은 쉬이 잊혔다.

"묶이는 것도 나쁘지는 않지?"

퍽퍽 박아 올리면서 모란이 귀에 대고 지껄였다. 연이 저도 모르게 고개를 돌리자 모란은 그의 귓바퀴를 아프도록 씹었다. 연은 인정해야 했다. 눈을 가리거나 혹은 묶이거나, 엉덩이를 맞는 것들이 더 흥분을 일으키기는 하였다. 그러나 감각이 지극한 탓에 퍽 힘들었다.

"흐윽, 아, 아……!"

연이 경련하듯 허벅지 안쪽을 떨었다. 온몸이 녹진녹진 녹아내리는 것 같았다. 모란이 박아 넣을 때마다 절정에 가까워지기는 하였으나 다다르지를 못하니 힘들었다. 무슨 생각을 하는지 모란이 잠시 멈추었다. 가고 싶어? 모란의 말에 연이 느리게 고개를 끄덕였다.

"그렇다면."

깊게 입맞춤을 하고는 모란이 제 것을 꺼냈다. 뒤를 빠듯하게 채우고 있던 몽둥이 같은 물건이 느리게 빠져나가는 느낌에 연이 몸서리를 쳤다. 그러자 모란이 퍽 귀엽다는 느낌으로 여기저기를 입술로 지분거려 왔다.

연은 모란이 시키는 대로 이불 위에 엎드렸다. 목덜미를 잘근거리더니 모란이 뒤에 중지와 검지를 밀어 넣었다. 그가 무얼 할지 대충 짐작이 간 연이 몸을 떨었다.

부드럽게 풀린 뒤를 손가락이 찌걱이며 헤집었다. 안쪽을 꾹꾹 눌리자 연이 아웃, 하고 소리를 냈다. 참으로 원초적인 감각이었다. 이렇게 사정을 유도하나 싶어 가늘게 신음 소리를 흘리고 있자니 모란이 연의 것을 손에 쥐었다. 미끌미끌 문지르자 연이 헉, 하고 숨을 집어 삼켰다.

"자, 잠시만······."

벌써부터 다리가 후들거려 연이 고개를 저었다. 그러나 이럴 때에는 항상 그렇듯이, 모란은 연의 말을 들어주지 않았다. 예민하다 못해 발갛게 잔뜩 달아오른 성기를 손에 쥐고 문지르고 흔들면서 그가 안쪽을 문질러 왔다. 흰 별이 튀어 오르는 듯했다.

연이 저도 모르게 앞으로 기어가려 하자 모란이 팔로 꽉 잡아 끌어 당겼다. 그러고는 연에게 이렇게 말했다.

"가고 싶다면서?"

무어라 항변할 만한 여유도 없었다. 안 그래도 두 번의 사정으로 예민한 성기를 쥐고 흔드는 데다 손가락으로 추삽질까지 하는 건 감당하기 힘든 자극이었다.

연은 제가 무슨 소리를 내면서 신음하는지도 알아차리지 못했다. 모란에게 완전히 쥐어짜이는 기분이었다. 쾌감이란 것이 뚝뚝 흘러내렸다.

"아, 아! 힉, 흐윽…… 흐아!"

무얼 부정하려는지 연신 고개를 저은 연이 이불을 쥐어뜯고 발버둥치는 동안 모란은 찍어 누른 채 상대의 반응을 맛보았다. 중간에 연은 제 것이 무언가 질금거린다는 느낌은 받았으나 사정을 하는 것은 아니었다. 그러나 사정하지는 않아도 절정은 찾아왔다. 무언지 모를 선연한 쾌감이 등골을 찔러 댔다. 연이 견디지 못하고 비명에 가까운 신음 소리를 냈다.

엎드린 자세를 버티지도 못할 지경이 되어서야 모란은 연을 자비롭게 놔주었다.

"흐윽, 흐……."

완전히 지친 연이 가만히 누워 가빠진 숨만 골랐다. 모란과 몸을 섞게 되고 나서부터는 한 번도 근원을 치료하는 일이 고통스럽지는 않았다. 그럼에도 모란과의 관계는 지나치고 힘든 구석이 있었다.

아픈 건 괜찮다. 그런 건 참으면 되니까. 그러나 쾌감은 도무지 참을 수가 없는 종류였다. 평소에는 상상도 할 수 없던 야한 소리를 내게 되고, 또 매달리고 발버둥 치게 되고…….

하지만 수치스러운 것과는 별개로 이성이 휘발될 정도로 지극한 감각을 맛본 뒤에 찾아오는 나른함과 탈력감은 좋았다.

힘이 빠진 연이 엎어져 누워 있기만 하자 모란이 눈을 가리고 있던 천을 풀었다. 눈이 부셔 깜박거리고만 있으니 손을 묶었던 끈도 직접 풀어 주었다. 비단으로 된 부드러운 천이었는데도 붉은 자국이 남아 있었다. 기분이 이상해 손목을 만지고 있자 모란이 살근살근 문질렀다.

"아프거나 쓰라려?"

연이 고개를 저었다. 이상하게 모란과 관계하는 횟수가 늘어날

수록 점차 수위가 올라가는 기분이 들었다. 느낌 탓만은 아니었다. 모란이 하는 것들은 민망하기는 하여도 막상 해 보면 퍽 좋았다. 죽어도 입 밖으로 내지는 않겠지만, 묶이는 것도…… 혹은 눈이 가려지는 것도.

아직도 힘이 없어 가만히 누워 있으려니 모란이 바르게 눕히고는 다리며 복부에 질척하게 묻은 것들도 닦아 냈다. 그러고는 항상 그랬듯이 금빛이 영근 눈으로 살펴보다가 문득 미간을 찌푸렸다.

"음……."

"왜? 무슨 문제라도 있어?"

"아무래도 내가 아까 전에 자제하지 못하고 좀 지나치게 쏟아부은 것 같은데."

그가 가슴이며 복부를 손가락으로 살살 쓸었다. 연이 눈을 굴렸다. 자제하지 못했다고? 하긴 오늘따라 좀 심하게 괴롭히는 것 같기는 했다. 모란이 이곳저곳 더듬거리며 가늠해 보고 살살 긁어 보는 듯하더니 어깨를 으쓱했다.

"어쩔 수 없지. 이미 부어 넣은 걸 다시 끄집어낼 수도 없고, 결과적으로는 몸이나 근원에 더 좋으니까."

"그런데 뭘 부어 넣는다는 거야?"

그러고 보니 연은 한 번도 치료가 어떤 식으로 진행되는지에 대해서는 들은 적이 없다. 그저 대충 근원이란 것이 찢어졌는데 그걸 치료한다 정도가 그가 아는 전부였다.

"그러니까…… 이를테면 바느질 같은 거야. 내 일종의, 기운 같은 것으로 찢어진 부분을 한 땀, 한 땀 기워 넣는……. 생으로 바느질을 하니 당연히 아프지. 특히나 잘 안 보이는 상태에서는 거의 불 끄고 바느질하는 셈이거든. 엉뚱한 곳 찌르기도 하고, 좀 잘 보려고 잡아당기며 쥐어뜯다 보니 당연히 더 아프고 오래 걸리고."

"그럼 잘 보이면 덜 아프고 더 빨리 끝나고?"

"그렇지!"

모란의 설명에도 연이 인상을 썼다. 그러면 처음부터 그렇게 설명해야지, 가슴이나 엉덩이를 만지면 어떻겠냐는 둥 말을 하니 오해하는 것 아닌가. 연이 그렇게 따지자 모란이 눈을 굴렸다.

"하지만 난 원래 친절하게 설명해 버릇하는 사람이 아니거든."

연은 모를 것이었다. 모란이 얼마나 예외적으로 친절하고 상냥하게 굴고 있는지…… 평소라면 혼이 갈기갈기 찢겨서 본원지기를 흘리고 죽어 가든 말든 내버려 두었을 것이다. 혹은 알고 지내던 사이라면, 아파서 죽는다고 하건 말건 그냥 엎어 놓고 헤집어 치료를 해 주든가. 그러다가 쇼크사를 하면 재수가 없는 것이고, 살아남는다면 운이 좋은 것이고.

하지만 연은 그리 대할 수가 없었다. 정말로, 말마따나 훅 불면 날아가 버릴 작은 솜털 뭉치처럼 보이는 것이다. 그냥 솜털 뭉치도 아니었다. 귀엽고 예쁘고, 또 귀엽고…… 행여나 날아가 사라져 버리면 모란은 퍽 속이 상할 것 같았다. 그러니 이렇게 공을 들이는 게 아닌가.

"그래도 혹시 모르니까……"

모란이 손가락 끝을 베자 붉은 피가 송글송글 흘러나왔다. 그러나 아슬아슬 떨어지지는 않고 점점 크게 고이더니 마침내 붉은 보석 같은 결정이 되었다. 결정을 떼어 낸 모란은 그 안에 섬세하게 작은 술식을 새겨 넣었다. 그러고는 눈을 크게 뜨고 바라보고 있는 연에게 내밀었다.

"깨물면 안 돼. 그냥 삼켜."

"이게 뭔……데?"

미심쩍게 물어보면서도 연은 몸을 일으켜 물과 함께 꿀꺽 삼켰다. 분명 피로 만든 걸 보았는데, 혀에 올려놓아도 그다지 비린 맛이 느껴지거나 하지는 않았다.

"오늘 밤에 좀 고통스러울 수가 있으니 그걸 예방하는 거야. 부작용이 좀 심해질 수는 있지만 적어도 고통은 없지. 뭐, 부작용이래 봤자 좀 기이한 현상이 일어나는 것 말고는 없을 테지만."

"기이한 현상?"

"알다시피 내가 마법사라서, 내 기운이 말썽을 부리거나 장난질을 칠 수 있다는 이야기야."

모란은 꼭 자신의 기운이 살아 있는 것처럼 말했다. 연은 모두 이해할 수도 없으니 그저 그러려니 할 뿐이었다. 어떤 약이든 부작용은 있기 마련이다. 약이 독이고 독이 약이 되지 않던가? 모란의 치료도 비슷한 것이겠지. 요즘 부쩍 건강해졌으니 연은 부작용 정도는 대수롭지 않게 여겼다.

그나저나 아무리 관계를 맺은 사이라고는 해도 계속 맨몸으로 있기가 좀 민망했다. 연은 이제 조금 힘이 돌아온 몸을 일으켜 주섬주섬 옷을 입었다. 모란이 그 모습을 말끄러미 지켜보고 있다가 허리대를 직접 매 주면서 연의 입술을 소리가 나도록 빨아들였다. 연은 저도 모르게 잠시 숨을 멈추었다. 옷깃을 단정히 해 주며 모란이 다정하게 물었다.

"뭐 좀 먹을까? 항상 하고 나면 지치는 것 같은데."

질문을 하기는 했으나, 그는 연의 대답을 듣기도 전에 기녀를 불렀다. 그가 이것저것 간단히 먹을 음식을 내오라 시키는 동안 연의 얼굴은 잠시 화끈 열기가 올랐다.

기녀가 나가고, 연은 전부터 퍽 궁금했던 것을 물었다.

"그런데 대체 어떻게 주루 주인이 된 거야?"

분명 연이 알기로는 모란에게 이리 많은 돈은 없었다. 그가 제일 잘 알았다. 그래서 전에 여기저기서 돈이며 금을 빌린 것이 아니던가? 무슨 수를 썼는지 금세 다 갚아 버려서 그렇지…….

"내가 좀 능력이 되는 사람이라서."

능청맞게 대꾸하면서 모란이 상의에 옷을 대충 걸쳤다. 연이 잠시 그런 모란을 보다 아직 덜 식은 얼굴의 열기를 어찌하기 위해 자박자박 걸어가 창을 열었다. 호화스러운 주루답게 삼 층이나 되는 높이라 위에서 보는 풍경이 퍽 좋았다.

그동안 기녀가 주안상을 차려 왔다. 마른 과일과 밀떡, 당과 같은 안주와 술이었다. 기녀가 다시 나가고 나서야 연이 창밖을 보는 척 얼굴을 피하고 있던 걸 중단했다. 그사이에 벌써 춥기도 하여 창을 닫고 따뜻한 아랫목으로 파고들었다.

"지난번에는 상단주라고 했잖아? 백매화로 왔을 때."

"뭐, 이것저것 손대다 보니 어쩌다가 작은 상단 하나 맡게 되었지."

그래서 낮 동안 그렇게 나가 있는 건가? 새삼 연은 자신이 모란에 대해 알고 있는 게 그다지 없다는 걸 깨달았다. 모란은 자신에 대해서 모르는 것이 없는 것 같았는데도……. 연이 생각에 잠긴 동안 모란이 은근슬쩍 그 앞에 안주를 죄다 밀어 놓고는 술을 따르며 화제를 돌렸다.

"요즘 남궁사영 처지가 꽤나 곤궁해진 것 알아?"

마침 허기가 진 상태였기에 별생각 없이 주섬주섬 주워 먹고 있던 연이 의아한 얼굴을 했다. 남궁사영이라면 소룡대회부터 이번 모용세가와의 혼인 건까지 사사건건 연을 성가시게 한 그 장로가 아닌가. 아무리 장로직에서 내려온 상태라 하여도 그는 무시할 수 없을 만한 권력과 재력을 쥔 사람이었다.

"남궁사영 장로가 왜?"

"아들이 상단 운영을 잘못해서 황가와 척을 지게 되었다는군. 내부자가 낱낱이 죄다 고발한 모양이야."

"흠, 잘되었네."

사영에게 유감이 많은 연으로서는 듣기 좋은 소식이었다. 먹기 좋게 한입 크기로 잘라 놓은 흰 밀떡을 달큰한 조청에 찍어 우물우물 먹던 연이 멈칫했다. 모란의 얼굴이 지나치게 흐뭇하지 않은가. 설마 남궁사영이 곤궁하게 된 것에 모란이…… 무언가…… 했나? 남궁사영 때문에 자신이 곤란에 처했었으니까?

아니겠지 하면서도 심증은 자꾸만 그쪽으로 가는 것이었다. 하지만 자신이 모란에게 무엇이나 된다고 그렇게까지 하겠나 싶어 밀떡이나 하나 더 먹었다. 그저 지난번 말한 것처럼 심심했거나 혹은 권선징악을 좋아해서 그런 거겠지.

"주루에서 한숨 자고 갈까?"

"아니, 사부님에게 갈 거야."

술을 마시던 모란이 잠깐 멈칫했으나 연은 곶감을 먹느라 눈치채지 못했다. 이 주루는 안주가 꽤 잘 나오는 편이었다.

"그저께도 가지 않았어?"

"아직 사부님에게 배울 게 많아. 실은 사흘에 한 번도 적어."

제 상황에 불만족한 연이 미간을 접었다.

솔직히 모든 것을 털어놓은 날, 은록이 자신의 말을 믿어 주어 연은 얼마나 기뻤는지 모른다. 은록이 제 말을 믿었다는 게 믿기지 않았다. 그도 그럴 게 직접 경험해 보지 않는다면 완전히 허황된 소리로 들릴 게 분명한 것이다. 그런 연에게 은록이 이리 말했다.

ㅡ처음에는 반신반의했다. 알다시피 믿기 힘든 일이었으니까.

처음부터 은록이 보기에는 미심쩍은 일들이 꽤 많았다. 모란이 완전히 다른 사람이 되어 버린 것, 모란과 연이 익히고 있는 내공심법이 같은 것. 그 외에도 바뀐 모란과 연의 관계나……. 의원에 몇 번 오지 않았는데도 오래간 산 사람처럼 구는 연의 행동이 그러했다.

게다가 모란이 바뀌고 난 뒤부터 갑자기 생겨난, 화타의 후손이니 편작의 후계니 하는 소문은 은록의 귀에도 들어왔다. 처음에는 어느 마음 좋은 의원이 봉사 활동을 하나 싶었다. 그런데 주민들이 하는 말이 모란과 함께 돌아다니는 백면의 귀공자가 있다는 것이다. 그것도 귀한 집 자식 같고 얼핏 병약해 보이는…….

결정적인 확신을 가진 건 아무래도 녹림채의 일이 일어난 그날이었다. 연은 은록이 정신을 잃고 있었다고 생각했지만 아니다. 그는 녹림채에 납치되어 간 뒤로 단 한 번도 정신을 잃은 적이 없었다. 거의 그럴 뻔한 위기가 있었으나 끈기 있게 버텼다. 그리고 마침내 확신을 얻었다. 그는 누구보다 제자가 치료하는 방식에 대해 잘 아는 사람이었다.

 ─중완혈, 음교혈의 흐름이 빠르고 두통과 열이 있다. 피부에 발진이 있고 팔다리가 아플 때에는 무슨 처방을 내려야 하지?

 연이 눈을 휘둥그레 떴다. 그는 은록이 자신을 시험함과 동시에 안심시키려는 것임을 알아차렸다. 이 처방은 다른 의원과는 달리 은록만이 터득한, 고유한 것이었다.

 ─천추혈에 침구 처방을 내린 뒤 갈근, 승마와 작약, 생강을 탕으로 처방합니다.

 ─이유는?

 ─천추혈을 자극하여 중완혈과 음교혈의 흐름을 바로잡기 위함입니다. 승마에는 해열과 진통 작용이 있으며 갈근은 기력을 증진시킵니다. 또한 작약과 생강은 피를 잘 돌게 합니다.

 그리 대담하고도 불안하여 연은 가슴이 쾅쾅 뛰었다. 하지만 곧 은록은 희미하게 미소를 지었다. 그러고는 팔을 뻗어 연을 끌어안으며 말해 주었다.

 ─네가 맞구나, 모란아. 아니, 연아.

 제가 가족이라 생각한 사람에게서 그 말을 들을 적에 연은 그만 눈물이 핑 돌고 말았다. 포기했던 인연을 다시 잇게 되었으니 어찌 눈물이 나지 않을 수 있을까.

 그 후부터 연은 아픈 몸을 핑계 삼아 사흘에 한 번은 은록을 찾아갔다. 아무래도 환자들과 면식이 있으니만큼 대놓고 의술을 하지는 못해도 은록이 처방하고 치료하는 걸 보기만 해도 배우는 것이 많았다.

 "흐음. 뭐어, 배우는 것이 나쁠 건 없지."

 모란이 태연한 얼굴로 그리 말하는데 어디서 달금한 꽃향기가 났다. 또 모란이 꽃을 피웠구나 싶어 연이 주위를 두리번거렸다. 그러나 기둥이나 소반 등, 나무로 된 것을 살펴봐도 꽃이 피지 않았다. 그때 모란이 히죽 웃으며 술잔에 술을 따랐다. 그러자 술 대신 꽃이 후두둑 쏟아져 내렸다. 연이 슬금슬금 뒤로 물러나면서 모란을 째릿 노려보았다.

"꽃을 좋아해서 이렇게 피우는 거야?"

"아니? 딱히 꽃을 좋아하지는 않아. 예전에 꽃가루만 맡으면 재채기가 나왔거든."

그러면 대체 왜 시시때때로 꽃을 피운단 말인가! 아무리 생각해도 연은 모란이 자신을 괴롭히기 위해서 이런다는 생각밖엔 들지 않았다.

"그래도 이제는 전처럼 싫지는 않잖아?"

"여전히 싫어. 익숙해진 것뿐이지."

연이 속으로 한숨을 쉬었다. 그래, 꽃 좀 피운다고 대수랴. 처음에는 질색할 정도로 너무 싫었지만, 이제는 그러려니 하고 넘길 수 있었다. 물론 지금도 꽃에 몸이 닿을라치면 등골에 소름이 돋을 지경이나, 모란이 제게 해 준 것이 많았으니 이 정도야 눈감아 줄 수 있었다.

다만 은록의 이야기를 할 때마다 이상하게 심술을 부리는 것 같다면 연의 착각일까? 연은 자신이 자꾸만 모란에 대해 제멋대로 착각하고 기대하는 것 같아 이따금 자존심이 상하기도 했다. 이건 결코 '어쩌면', '조금쯤은' 모란을 좋아하는 것과는 거리가 멀었다…….

그러는 사이 모란이 술잔이 꽉 찰 정도로 커다란 꽃을 피워 냈다. 금빛 가루를 뿌린 듯 반짝거리는 예쁜 꽃이었다. 연이 저도 모르게 시선을 빼앗길 정도였다. 그때 모란이 꽃을 들어 연의 머리카락에 꽂아 주었다. 그러고는 연이 무어라 하기도 전에 입술을 쪽 훔쳐 내고, 세상에서 가장 어여쁜 것을 보듯 웃는 것이다.

얼굴이 벌겋게 익은 연은 잠시나마 제 머리카락에 꽃이 매달려 있다는 것도 잊고 말았다.

'왜 나에게 저런 얼굴을.'

뒤늦게 머리의 꽃을 떼어 내면서 연이 입술을 깨물었다. 모란이 자신에게 좀 덜 잘해 주었으면 좋겠다. 그래야 풍랑같이 흔들리는 이 마음을 바로잡을 수 있을 텐데.

이제 충분히 쉬었다 싶어서 연이 자리에서 일어날 때였다. 그는 돌연 숨이 턱 막혀서 다시 주저앉고 말았다. 처음에는 모란이 말했던 부작용인가 싶었는데 아무래도 아닌 듯했다. 마치 모란이 한위를 훈련시킨다고 아공간을 열었을 때 같았다. 게다가 거북함은 그때보다 훨씬 더했다. 객잔 아래층에서도 나지막이 소란스러운 소리가 들려왔다.

모란을 보니 그는 불쾌한 표정으로 어딘가를 노려보고 있었다. 연이 숨을 헐떡이며 보자 이상하게도…… 허공에 희미하게 너풀거리는 옷자락이 보이는 듯했다.

모란은 연을 힐끔 보고는 손짓 한 번으로 숨 막히는 기운이며 너풀거리는 것까지 단번에 없앴다. 그제야 편해진 연이 크게 숨을 쉬었다. 쯧, 하고 혀를 차며 다가온 모란이 연을 가볍게 달랑 들어 일으켰다. 그러더니 이리저리 살펴보고는 톡톡 어깨를 털어 주었다.

"뭐, 방금 뭐였어, 그건?"

"별거 아냐. 다른 차원에서 좀 깔짝거렸나 봐. 신경 쓸 것 없어."

연이 미심쩍은 얼굴로 다시 쳐다보았으나 이제는 아무것도 없었다. 모란이 진기한 장면을 보여 준 게 처음이 아니었기에 이번에도 그런 것일 테지, 생각하고 털어 버렸다. 무언가 좀 찜찜하기는 하지만…….

연이 다시 뒤를 힐끗거리며 겉옷을 입었다. 주루를 나가 은록의 의원에 당도할 때쯤에는 그 이상했던 현상은 점차 잊히기 시작했다.

의원에는 아직 환자들이 몇 있었다. 안에 들어가 보니 은록은 환자를 치료하는 중이었다. 연은 조용히 한쪽에 앉아 은록이 치료하는 모습을 지켜보았다. 몸이 좀 나른하고 피곤한 게, 아까 주루에서 관계한 여파가 아직 남아 있는 듯했다. 하품까지 나오려는 걸 애써 참았다.

의원에 오면 항상 그렇듯이 모란은 아무 곳에 대충 앉았다. 처음에는 모란이 치료하지 않자 의아해하던 환자들은 이제는 그러려니 여기는 모양이었다. 대놓고 은록에게 모란을 파문하였냐 물어보는 사람도 있었다.

"연 공자."

은록이 연을 불렀다. 그는 다른 환자가 있을 때는 이렇게 예의를 차렸다. 어쨌든 공식적으로 둘은 의사와 환자 사이인 것이다. 연이 일어나 은록에게 다가가려고 할 때였다. 갑자기 시야가 휙 기울더니 바닥이 급속도로 가까워지는 게 아닌가. 연이 꾹 눈을 감았다. 그리고 다시 눈을 떴을 때는 침상에 누워 있는 상태였다.

"어……."

갑자기 바뀐 상황에 연이 당황하여 눈을 깜박거렸다. 진맥을 짚고 있던 은록은 연이 깨어난 걸 바로 알아차렸다. 표정은 언뜻 침착해 보였으나 연은 사부의 눈에서 걱정하는 기색을 읽어 낼 수 있었다. 아까와 달리 밖은 한층 어두워졌고 환자들도 없었다.

기절했나? 기절했다기에는 몸 상태가 그렇게 나쁘지는 않았다. 그저 좀 나른하긴 하였다.

"정신이 드느냐?"

"제가 왜 여기에……."

"갑자기 잠이 들었다. 기면증의 일종인 듯한데."

은록이 몸에 꽂아 두었던 침을 뽑았다. 기둥에 삐딱하게 기대선 모란이 저만치서 소리 없이 입만 벙긋거리며 말했다.

'부작용.'

이런. 아까 말한 그 부작용이구나. 아프지는 않아도 부작용이 심해질 수 있다더니 졸린 증상이 기면 증상으로 심화되었나 보다.

연이 고개를 흔들며 일어났다.

"어제 잠을 설쳤더니……."

"불면증이 있는 것 같기는 하였다. 아무리 그래도 이렇게 갑자기 잠드는 것은 좀 이상한 일이구나. 몸 상태는 전보다 훨씬 나아졌는데."

은록이 미간을 찌푸렸다. 모란의 그 치료는 아무래도 의술적으로 설명할 수 없는 일이었다. 연은 모란과 혼이 바뀌었다고만 했지 그 외의 마법적인 것이나 모란의 정체, 과거는 말하지 않았다. 그러니 오늘 받은 치료에 대해서도 말할 수 있을 리가 만무했다.

아니, 설령 모란의 정체를 말하는 일이 있다 하여도 치료의 종류에 대해서는 절대 입도 벙긋하지 않을 것이다. 왜냐면……

은록이 연의 손목에 묶인 자국을 빤히 쳐다보았기 때문에……

"이건……."

"아무것도 아닙니다."

순간 연은 얼굴이 불타는 듯해, 자리에서 벌떡 일어났다. 모란이 오늘 손을 묶어 둔 채 '치료'했다는 것을 그만 깜박하고 말았다. 은록이 시시콜콜 캐묻는 성격이 아니라는 게 이렇게 다행일 수가 없었다.

"저, 오늘은 몸이 안 좋아 이만 가 보도록 하겠습니다."

은록이 고개를 끄덕이더니 무언가를 꺼내 내밀었다. 잘 빚어 말린 환약이었다. 무언지는 몰라도 몸에 좋을 게 틀림없었다. 연은 소중하게 환약을 받아 들었다. 은록은 환약을 내밀고는 다소 냉랭하게 말했다.

"몸이 제대로 낫기 전에는 용건 없이 여기에 오지 말거라."

연은 그저 고분고분 고개를 끄덕였다.

"알겠습니다."

은록의 지시는 타당했다. 의원에는 진찰과 치료를 받으러 올 때 외에는 들르지 않는 것이 좋았다. 병에 걸린 사람들이 많이 오기 때문에 옮을 가능성이 크기 때문이었다. 건강한 상태면 모를까 허약해진 상태에서는 도리어 병을 얻어 돌아가는 수도 있었다. 연이 환약을 품에 잘 넣어 가지고 의원을 나올 적에 모란이 물었다.

"연아, 여행 가 볼 생각 없느냐?"

"무슨 여행을?"

대꾸를 하면서도 또 잠이 무시무시하게 쏟아져서 연이 휘청휘청하는 걸 모란이 얼른 붙잡았다. 정신을 차리려고 고개를 흔들어도 잠을 이기기가 힘들었다. 연은 반은 걷고 반쯤은 질질 끌려갔다.

결국 성가셨는지 모란이 그를 등에 업었다. 업힐 적에는 잠깐 정신이 번쩍 들었지만 이내 다시 졸음이 쏟아져서 그냥 몸을 내맡겼다. 아늑하고 아주 좋았다. 어차피 어두워서 다른 사람들 눈에도 잘 안 보일 터였다.

그러고 보면 그간 근원을 치료할 때마다 나른하고 졸린 게 절정의 여운이라고 생각했는데 그뿐만은 아닌 모양이었다. 모란이 뭐라 말하는 것 같긴 한데 너무 졸렸던 것이다. 연은 꾸벅꾸벅 졸다가 아예 모란의 어깨에 이마를 댄 채 마음 놓고 잤다.

눈을 떠 보니 품이 갑갑했다. 모란이 편한 자세로 벽에 기대어 저 좋을 대로 연을 끌어안고 있었다. 그러더니 연이 깬 걸 보자마자 태연하게 이어서 묻는 것이다.

"그래서 말인데, 여행 어때? 네 형님에게는 요양 간다 말해 두고 한위 데리고 다녀오는 거야."

"아니, 왜 갑자기 여행을 간다는 건데?"

연은 좀 민망하여 뒤척거리며 물었다. 사실 그는 누구와 이렇게 있는 것 자체가 낯설었다. 그런데도 지금은 조금 갑갑할 따름이지 그 외에는 놀라울 정도로 아늑하고 좋았다.

아, 그러고 보니 사부님이 주셨던 환약. 연이 품을 뒤적거렸다.

"뭐어, 이제 곧 봄도 오겠다……. 저 산 너머 풍경이 그렇게 좋다고도 하고."

그렇게 말하는 모란의 표정은 퍽 심심해 보였다. 쓴 환약을 꼭꼭 씹어 삼키며 연이 눈을 굴렸다. 여행이라…… 좋기야 하겠지. 그가 항상 원하던 게 강호 유람이 아니던가? 모란과 함께 다닌다면 퍽 즐거울 것 같았다. 하지만…… 이번에 세가에는 큰 행사가 하나 있었다.

"당분간은 안 돼. 사…냥대회가 있어서……."

연이 간신히 하품을 삼켰다. 봄이 다가올 때면 남궁세가는 사냥대회를 열었다. 그냥 사냥대회가 아니다. 무인에게 동물 사냥이란 아주 우습고도 쉬운 것이 아니겠는가. 그래서 남궁세가의 사냥대회는 달랐다.

이 년에 한 번 열리는 이 대회는 한 번은 무거운 철환(鐵絙)을 다리에 차고, 또 다음번에는 사 년 동안 키운 일결월산토(一蹶越山兎)들을 풀어…서…….

어느새 가물가물 졸던 연은 가슴을 도닥이는 손길에 푹 잠들어 버리고 말았다. 모란이 드물게도 얕게 한숨을 쉬었으나 이미 잠들어 버린 연에게는 조금도 들리지 않았다.

"으음."

숨 쉬기가 답답하여 연이 몸을 뒤척뒤척했다. 평소 워낙 추위를 타는지라 그는 두터운 이불을 덮고 자고는 했는데, 이 이불은 따뜻하기는 하나 그만큼 무거워서 머리끝까지 뒤집어쓰기에는 그다지 좋지 않았다. 누가 제 머리 끝까지 이불을 덮어 놓았는지. 연이 헉헉거리며 겨우 이불 아래에서 기어 나왔다.

"답답해……."

중얼거리던 연이 이상한 점을 깨닫고는 얼어붙었다. 목소리가 이상할 정도로 앳된 것이다. 목소리뿐이랴, 이불과 베개에 비해 손도 몸도 비이상적일 정도로 작았다. 연의 머릿속에 처음 모란의 몸에 들어갔던 날이 떠오르는 건 어쩔 수 없는 일이었다.

연은 소스라치게 놀라서 몸을 더듬더듬하다가 주위를 둘러보았다. 자신의 방이었다. 그러나 모란은 없었다. 심장이 펄떡펄떡 뛰었다.

연이 후들거리는 몸을 일으켜 필사적으로 면경을 찾았다. 면경을 발견하고는 기어가는데 옷이 너무 커서 줄줄 흘러내렸다. 겨우 까치발을 해 면경으로 얼굴을 본 연이 스륵 주저앉았다. 모란의 얼굴은 아니었다. 다만, 어려진 자기 자신이 그 안에 비쳤다.

"이게 대체 무슨……."

연은 황망하여 그 자리에 엎어져 있다가 겨우 정신을 차렸다. 일단 헐렁헐렁 흘러내리는 옷을 확인했다. 자신이 최근 즐겨 입는 침의다. 그 말은 과거로 간 게 아니라 몸만 어려졌다는 이야기인가? 모란도 없으니 뭘 물어볼 수도 없었다. 이러고는 밖으로 나갈 수도 없고 다른 사람을 부를 수도 없었다. 어찌할 도리가 없으니 연은 그대로 웅크리고 앉았다.

마침내 모란이 나타난 건 배도 고프고 불안하기도 하여 연의 기분이 바닥을 긁고 있을 때였다. 구석에서 모란이 불쑥 나타났을 때 얼마나 안도했는지 모른다. 과거로 돌아간 게 아니라는 확신을 가진 것만으로도 살 것 같았다. 연은 저도 모르게 반가워 외쳤다.

"모란!"

별생각 없이 들어오던 모란이 그제야 연을 발견했다. 연은 모란이 제게 장난을 쳐 놓았다고 생각했다. 하지만 뜻밖에도 어려진 연을 보는 모란의 표정은 멍했다. 단순히 놀랐다거나 충격을 받은 종류와는 거리가 멀었다.

바로 그의 눈에 금빛이 어렸다. 금색 고리가 하나둘 걸리더니 순식간에 여덟 개로 늘어났다. 연이 저도 모르게 고개를 돌려 그 눈을 피했다. 섬뜩하여 기분이 좋지 않았다. 연이 자신의 시선을 피하는 걸 본 모란의 얼굴에는 쓴 미소가 걸렸다.

"이리 와 봐."

모란이 침상에 앉으며 허벅다리를 툭툭 두드렸다. 연은 옷이 몸에 휘감겨 엉금엉금 기다시피 향했다. 모란이 연을 번쩍 들어 다리에 앉히고는 이리저리 살펴보았다. 그리고 중얼거렸다.

"일곱 살이나 되었겠네. 많아 봤자 아홉 살."

그저 나이 판별만 해 준 것인데도 모란이 말하자 연은 안심이 되었다.

"왜 갑자기 이렇게 된 거야?"

"일종의 부작용이야. 그러니까…… 네 근원이 주장하고 있는 거지. 네게 가장 부족한 부분을 달라고."

연이 인상을 쓰며 작아진 제 손을 바라보았다. 자신에게 가장 부족한 부분이 일곱 살의 몸뚱어리란 말인가? 그러나 지금은 작아진 것 따위가 중요한 게 아니었다. 그가 초조하게 물었다.

"설마 이 상태로 계속 머무르게 되는 건 아니지?"

"아마 못해도 며칠은 지속되지 않을까? 운이 좋다면 그 사냥대회 끝날 때까지……."

모란이 드물게도 말꼬리를 늘였다. 연이 한숨을 쉬었다. 사냥대회는 가능하면 참가하고 싶었다. 그가 참가하지 않으면 한위가 혼자 참가해야 했다. 영명과 남궁사영도 틀림없이 있을 텐데 아무리 연오가 있을 것이라고는 해도 불안했다. 그래도 다시 돌아온다니 다행이다.

가만, 그런데 방금 모란이 운이 좋다고 하질 않았나……?

"일단은 아프다고 둘러대야겠네."

자꾸 흘러내리는 옷을 추스르며 연이 방 안을 둘러보았다. 그의 얼굴에 난감한 빛이 어렸다. 평소에 워낙 아픈 일이 많아서 며칠 정도 두문불출했던 건 왕왕 있는 일인데 그래도 행여나 연오가 찾아올까 염려가 되었다.

"형님이 찾아오면 필히 내 얼굴을 보려고 할 거야."

"아, 그 점이야 문제없지."

모란이 주위를 두리번거리더니 자개장 안에서 안 쓰는 여름 이불을 집어 왔다. 그러고는 대충 이래저래 뭉개 놓고 피를 한 방울 뚝 떨어트렸다. 옥으로 된 노리개도 대충 이불 속에 하나 쑤셔 넣은 뒤 무언가 중얼거리며 대충 휘휘 젓자 이불이 꾸물거리며 마치 사람처럼 움직였다. 연의 눈이 커졌다.

"이게…… 뭐야?"

"골렘이란 거야. ……뭐, 이불 골렘은 처음 만들어 보는데, 공격력이 거의 없는 것이나 마찬가지이긴 해도…… 아무튼 골렘은 골렘이지."

뭐가 웃긴지 입꼬리를 씰룩거리던 모란이 뺨을 긁적이고는 이불 골렘이란 것에게 가서 누우라고 명령했다. 이불 골렘이 스르륵 침상에 누웠다. 마치 살아 있는 것처럼 가슴—이라고 추측되는 부분—이 미약하게 들썩였다. 연이 입을 벌리고 그 모습을 보다 얼른 다물었다.

"그냥 이걸로 끝이야?"

"여기에 환각 마법을 걸어 두면 보는 사람들은 다 네가 아파서 누워 자는 거라고 생각할걸. 맥을 짚거나 하면 잡히지 않으니 난감하겠지만……. 그거야 내가 미리 말해 두면 되는 거고."

그러고 보니 모란은 공식적으로 연의 주치의였다. 도무지 의원 같지를 않아서 잊어버리고 있었다. 간단히 문제를 해결한 모란이 오도카니 침상에 앉아 있는 연을 바라보았다. 그 순간 연은 깨달았다. 이불 골렘이 그인 척하고 있는 거라면 이 방에 있어서는 안 되는 것이다. 방뿐만 아니라 세가에 머무르는 것 자체가 좋지 않았다. 세가에는 연의 어릴 적을 기억하는 사람들이 수두룩했다.

연이 저도 모르게 모란을 바라보았다. 그가 퍽 관대해 보이는 미소를 지었다.

"당분간은 나와 지내야겠네."

"으음……."

연이 떨떠름하게 대답했다. 모란은 어쩐지 신이 난 얼굴로 그를 안아 들었다. 훅 높아지는 시야에 연이 기겁해 모란에게 매달렸다. 발아래가 붕 뜨는 느낌은 그다지 좋은 것이 아니었다. 아니, 아주 나쁘지만은 않았지만 아무튼 퍽 낯설었다. 그는 한 번도 누군가에게 이리 안겨 본 적이 없었다. 제 발로 걷고 싶어도 신발이 없는 지금은 어쩔 수가 없었다.

모란은 곧장 주루로 순간이동을 했다. 어제 정사도 나누고 술도 마신 바로 그 방이었다. 모란은 침상 위에 연을 내려 두고는 잠시 나갔다가 이내 옷과 함께 돌아왔다.

별생각 없이 입고 나니 퍽 값비싼 옷이었다. 면경으로 제 모습을 들여다보며 연이 눈썹을 찡그렸다. 영락없이 어린 도련님으로 보였던 탓이다. 아무래도 연의 정신 연령과 신체 연령은 영원히 맞지 않을 모양이었다.

"안고 다닐까?"

"아니."

정색하며 연이 뒤로 물러났다. 아까야 신발이 없고 옷이 흘러내려서 어쩔 수 없이 안겼다지만 지금은 다르지 않은가. 모란은 어깨를 으쓱하고는 문을 열었다.

"걸어 다니기 힘들면 말해. 꽤 여러 군데 돌아다닐 거니까."

연이 고개를 끄덕끄덕했다. 이상하게도 지금의 몸은 정상적인 것처럼 느껴졌다. 그러니까 딱히 병약하게 느껴지지 않았다는 이야기다. 곧장 아래로 내려가는 그의 뒤를 쫓아 종종거리며 내려갔다. 밤과는 달리 다소 편한 복장을 한 기녀들이 삼삼오오 모여 이야기를 나누고 있다가 모란을 보고 자리에서 일어났다.

"루주님을 뵙습니다."

이내 모란의 뒤를 따라 내려온 연을 본 기녀들이 작게 놀란 소리를 냈다. 연의 얼굴이 살짝 붉어졌다. 부끄러움에 입술을 깨물며 모란의 건너편 의자에 앉았다. 그러고는 꾸깃 미간을 구겼다. 이리 앉으니 확실히 몸이 작아졌다는 게 느껴졌다.

"어찌 된 아이인지요? 루주님 아드님이신가요?"

소면이며 딤섬 따위를 날라 오면서 기녀가 호기심 어린 시선을 연에게 보냈다. 음식을 보자 드물게도 아침인데 허기가 졌다.

"아니, 그냥 아는 아이. 당분간 맡게 되었어."

연은 제 앞에 놓인 유별나게 작은 소면 그릇을, 다시 미간을 구기며 바라보았다. 그러다 문득 눈을 굴렸다. 그러고 보니 이제까지 모란이 낮에 밖에 나가서 무얼 하는가 궁금했었는데, 그 의문을 풀 수 있게 되지 않았나. 연은 이렇게 지내는 시간이 그다지 나쁘지만은 않을 것 같다 생각했다. 다소 어색하면서도 야무진 손짓으로 젓가락을 잡았다.

"귀여워라. 뭐 먹고 싶은 것 있니?"

연이 조용히 고개를 저었다. 기녀가 머리를 쓰다듬었지만 딱히 자존심이 상하거나 하지는 않았다. 여자들은 보통 아이들을 퍽 귀여워하는 편이니까.

그보다 뜻밖인 건 모란이 전혀 기녀들에게 추근거리지 않는다는 점이었다. 오히려 모란과 기녀들의 사이는 무엇일까…… 충성 내지는 신뢰하는 사이에 가까웠다.

연은 식사를 하면서 한 가지 사실을 더 깨달았다. 모란이 먹는 양은 제법 대단했다. 기녀가 가져다준 두루마리를 읽으면서도 소룡포니, 소면 두 그릇이 훌쩍 순식간에 사라졌다. 연이 열심히 소면을 먹고 있는 동안 모란이 틈틈이 소룡포를 폭 소면 위에 올려 주었다.

"배불러."

"먹을 수 있을 때 많이 먹어 둬야지."

하는 수 없이 소롱포를 한 입 베어 먹던 연은 문득 뒤늦게 깨달음을 얻었다. 요즘따라 모란이 유독 자신을 먹이고 살찌우는 일에 집중하는 것 같았다. 느낌 탓이 아니라 정말 그랬다. 뭐든 얹어 주고 음식 접시를 제 쪽으로 밀어 주고⋯⋯. 그런데 그 행동이 챙기는 거라기보다는⋯⋯ 뭐랄까⋯⋯. 무언가에 가까운데. 그러나 생각을 미처 잇기도 전에 모란이 슥 접시에 고기완자를 담아 내밀었다.

"이것도 먹어."

연은 고기완자는 결국 반 남짓 남기고 말았다. 배가 불러서 겨우 차를 마시며 그가 모란이 하는 걸 바라보았다. 대개 기녀가 무언가 보고를 하면 모란이 듣고 이것저것 추리는 것이다. 연은 모란이 일하는 모습을 유심히 지켜보았다.

한 시진이 지나서야 기루에서 해야 할 모란의 일은 끝이 났다. 기루를 나서는 연의 손에는 기녀들이 챙겨 준 당과가 들려 있었다. 이러니 정말 아이가 된 것 같아 연이 어색하게 당과를 깨무는데 모란이 손을 내밀었다.

"⋯⋯?"

"손잡아야지 길을 안 잃지."

"내가 무슨 정말 어린애도 아니고 길을 잃어."

이 거리는 연이 모란일 적 셀 수 없이 다닌 곳이었다. 그럼에도 연이 마지못해 모란의 손을 잡았다. 연의 걸음이 종종거렸기에 모란은 그에 맞추어 느리게 걸어 주었다. 연의 얼굴이 다시 벌겋게 물들었다.

모란이 가장 먼저 향한 곳은 어느 좌판이었다. 좌판의 주인은 연의 이웃인 한철이었다.

예전에 모란에게 무언가⋯⋯ 뜯긴 적이 있는 것 같았는데. 모란이 가자 한철은 좀 툴툴거리기는 했으나, 사이는 그다지 나빠 보이지는 않았다. 그저 시시덕거리고 담소를 주거니 받거니 하더니 자리를 옮겼다.

그다음으로 만난 사람은 어느 객잔의 점소이었고, 그다음으로는 포목상을 만나 이야기를 나누었다. 그렇게 몇 사람을 만나고 나자 연은 모란이 지금 하오문의 사람들을 만나는 게 아닌가 하는 느낌이 왔다. 사람들 중 두셋이 보이는 곳에 익숙한 새 문신을 하고 있었다. 한위의 말 못하는 늙은 유모가 하고 있던 문신 말이다.

'그럼 초반에 한철에게서 뜯어낸 것이……'

그냥 왈짜패처럼 삥 뜯고 다니던 게 아니었다 이거군. 하도 껄렁하게 다녀서 그렇게 볼 수밖에 없었다.

'그러고 보면 지난번 백매화로 왔을 적에 하오문의 문주가 신분을 증명해 줄 거란 이야기를 했지.'

정말로 친분이 있어서 그런 말을 한 것이었구나. 영명은 아직 백매화의 백 자도 꺼내지 않았지만—그런 무례를 저지른 자와의 혼인을 추진할 리가 없었다— 분명 신원 조사를 하긴 했을 것이다. 영명을 아주 우습게 본 고수가 아닌가.

물론, 신원 조사가 아주 까다로웠겠지. 환각 마법으로 만들어진 여인이니 본 사람마다 인상착의가 달랐을 터다. 게다가 백매화의 정체는 백모란이니 무슨 수로 찾아낼 수 있겠는가? 존재하지도 않는 사람인 것을.

"그 화전민이 분명 거래를 끊었다 이거지?"

모란이 대장간 주인과 대화를 나누는 걸 멀뚱거리며 바라보다가 연이 흠칫하여 뒤로 물러났다. 또 희미한 옷자락이 모란 근처에서 펄럭이고 있었는데 다른 사람의 눈에는 보이지 않는 모양이었다. 게다가 모란 앞에서 펄럭거리다가 이상하게도 돌연 연을 향해 방향을 돌리는 것 같은 게…….

그때 모란이 힐끔 보더니 정체 모를 것에 손을 내저어 없애 버렸다. 연이 마른침을 삼키며 저도 모르게 쥐고 있던 손을 꽉 잡았다.

'다른 차원에서 깔짝거리니 뭐니 했지만 아무리 봐도 귀신 같단 말이야.'

다시 모란이 걸음을 옮기는 걸 타박거리며 연이 따라갔다. 그리고 슬그머니 모란에게 물었다.

"궁금한 게 있는데…….”

"응?"

"혹시, 그, 뭐……. 귀신 같은 존재가 정말 있을까? 그냥, 궁금해서.”

모란이 왜 그렇게 물어보는지 다 알겠다는 얼굴로 히죽 웃었다. 연은 머쓱한 마음에 얼굴을 붉혔다.

"귀신 같은 존재라면, 이따금 육신을 벗어나 그저 영체인 상태로 돌아다니는 것들이 있긴 해. 그런데 대개 거의 영향도 못 미치는 데다가 오래 버티지 못하고 사라져 버리지. 영체로 돌아다니는 건 꽤 힘들거든.”

있긴 있지만 거의 영향도 못 미치는 데다가 오래 버티지 못하고 사라져 버린다니 연이 안도하여 고개를 끄덕거리다가 의문이 들었다. 꼭 모란이 영체로 돌아다닌 적이 있는 것처럼 말했던 탓이다.

그러나 모란이 인적 드문 곳에 가 덥석 연을 들어 올리는 바람에 그 생각은 잊히고 말았다. 연은 반사적으로 버둥거렸지만 곧 얌전해졌다. 모란이 곧장 순간이동을 했다.

'가만, 평소에는 그냥 손잡는 것으로도 순간이동 잘만 됐잖아?'

일부러 이렇게 안았구나 싶어 연이 어깨를 퍽 때렸지만 모란은 별 타격도 없는지 미동조차 없었다. 어느덧 그들이 이른 곳은 어느 산속이었다. 사람의 발길이 닿지 않았는지 수풀이 우거지고 산세가 거칠었다. 연은 모란이 저를 계속 안고 있자 다시 퍽퍽 때렸지만 모란은 내려놓지 않았다.

"내려 줘.”

"위험한 곳이라서 안 돼. 안기는 게 싫으면 업히련?"

업히는 것도 안기는 것도 싫었다. 연이 미간을 구기며 노려보든 말든 모란은 휘적휘적 잘도 산을 타고 걸어갔다. 확실히 어려진 몸으로도, 그리고 전의 몸으로도 걸어 다니기는 힘들겠다 싶은 험한 산이었다.

"여기는 무슨 일로 왔는데?"

"이 산 주인 좀 설득하려 왔어. 하도 아래 동네 사는 이들이 못 살겠다 난리를 부려서. 하오문에서 종종 이런 일 해결해 달라 의뢰를 넣어 오거든."

산 주인? 이런 크고 깊은 산의 주인이라면 어지간히도 부자인 모양이었다. 모란은 연을 안고서도 한 번도 비틀거리는 일 없이 훌쩍훌쩍 잘도 큰 바위며 고개를 넘어 다녔다. 그럴 때마다 어깨 너머의 풍경을 보면 연은 아찔해지곤 했다. 모란이 저를 떨어트릴 일이 없는데도 그랬다.

그러나 한편으로는 다소 재미있기도 하였다. 어린아이가 아니고서야 이런 경험을 언제 해 보겠는가? 물론 연은 어린아이일 때도 이런 경험은 없었지만.

"다 왔다. 한번 봐."

산채 따위를 기대하며 돌아본 연은 얼이 빠졌다. 산채라고는 조금도 없고 대신 텅 빈 공터만이 있을 따름이었다. 주위를 두리번거려도 딱히 보이는 것은 없었다.

"아무것도 없는데……."

"아냐, 거기 말고 저기. 큰 전나무 옆에."

모란의 손을 따라 시선을 돌린 연이 헉, 하는 소리를 낸다는 게 그만 히끅, 하는 소리를 내고 말았다. 대체 언제부터인지 전나무 바로 옆에 사슴이 한 마리 서 있었다. 그러나 보통 사슴이 아니었다. 몸의 크기가 마치 황소만 했다. 그뿐만이 아니었다. 마치 부채처럼 크고 넓게 퍼진 검은색의 뿔에는 여러 종류의 잎사귀가 파릇파릇 돋아 있었다. 간간이 아직 피지 않은 여린 꽃봉오리나 작은 열매가 있기도 했다. 이상하게도 짐승의 것 같지 않은 깊고 검은 눈동자가 모란을 지그시 응시했다.

연은 모란이 누굴 향해 산 주인이라고 했는지 바로 이해했다. 산의 주인이란 다름 아닌 영물이었다. 터벅거리는 소리를 내며 사슴이 가까이 다가왔다. 그리고 위협적으로 뿔을 흔들었다. 금방이라도 속도를 높이며 달려와 둘을 박을 것 같았다.

"설득……한다고?"

영물은 난생처음 보는 연이 사슴에게서 시선을 떼지 못하며 속닥거렸다. 어쩐지 큰 소리로 떠들면 안 된다는 느낌이 들었다. 사슴에게는 그런 위압감이 있었다. 야생의, 산 것의, 마치 짐승 같은…….

혹은 작은 바다를 보는 듯한.

꼭 이따금 모란에게서 받은 것 같았던 느낌이…….

"그냥 짐승도 아니고 영물이잖아. 당연히 설득이 가능하지."

대수롭지 않게 말한 모란이 껄렁껄렁 손짓을 했다. 연이 보기에는 꼭 공격 좀 하라고 하는 것 같아 보였다. 아니나 다를까 위협적으로 사슴이 머리를 흔들더니 곧장 쏜살같이 달려왔다. 연은 저도 모르게 꾹 눈을 감았다. 이내 쾅, 하고 바위 쪼개지는 듯한 소리가 났다.

슬쩍 눈을 떠 보니 사슴의 뿔이 허공의 금빛 고리에 걸려 있었다. 모양새가 딱 모란의 눈에서 봤던 그런 고리였다. 힘으로 밀어붙이려다가 포기하고 뒤로 물러난 산 주인은 영 심기가 언짢다는 걸 온몸으로 보여 줬다. 들이박고 싶은지 머리를 흔들고 앞발을 치켜들기도 했다.

"이야기 좀 하려고 왔어. 공격하는 걸 봐주는 건 이번 한 번이야."

더 공격이 이어질 줄 알았는데, 놀랍게도 모란의 말을 알아듣기라도 한 것처럼 사슴이 멈추었다. 게다가 모란도 조근조근 타이르기 시작하는 게 아닌가.

"사람들 몇 죽였다며? 하나뿐이나 둘뿐이나 죽인 건 죽인거지……. 그래, 네 새끼 죽어서 억울한 건 알겠는데 너도 아직 어리잖아. 복수를 하고 싶거든 주제 파악을 좀 해."

연이 사슴과 술술 대화를 나누는 모란을 한번, 사슴을 한번 빤히 바라보았다. 진짜 대화가 되긴 되는 건가? 눈으로 보고 귀로 들으면서도 믿을 수가 없었다.

"아무튼 난 경고했어."

그리 말하고는 모란이 뒤돌았다. 사슴은 모란과 연이 사라질 때까지 한참을 그 자리에 산처럼 우뚝 서서 바라보았다. 모란이 성큼성큼 걸어 어느 인적 없는 계곡에 다다를 때까지, 연은 내내 넋이 나간 채였다. 모란이 그를 내려 두었을 때야 그가 정신을 차렸다.

"먹을래?"

언제 챙겨 왔는지 모란이 품에서 빨간 사과를 꺼내며 물었다. 사과 따위가 중요한 게 아니었던 연이 눈을 깜박거렸다.

"아까 그게, 그러니까…… 영물이었어?"

"응. 어린 녀석이야. 보아하니 아직 오십 년 정도밖에 안 되었는데 덕분에 어설퍼서 사람들 눈에도 잘 들키곤 하지."

모란이 사과를 딱 반으로 쪼개 연에게 내밀었다. 연은 그저 받아 들기만 하고는 아까 보았던 광경을 곱씹어 보았다. 비현실적인 장면이었다. 햇빛이 쏟아지는 숲속 사이에 서 있던 거대한 사슴이라니……

털썩 아무렇게나 주저앉은 모란의 곁에 조심스럽게 앉았다. 계곡물이 시원하게 산을 타고 흘러내려 가는 소리가 들렸다.

"너는 사람들을 죽이지 말라고 설득하러 온 거야?"

"딱히 사람들을 죽이건 말건 상관없어. 어린 녀석이 주제도 모르고 날뛰다가 죽어 버리면 이래저래 아깝잖아."

인간들 죽는 것 때문이 아니라 영물 죽는 것이 아까웠구나……. 보는 시각이 참으로 다르기도 하였다. 모란이 대수롭지 않게 설명했다.

"영물이 되기란 쉽지 않아. 짐승들이라면 더더욱 그렇지. 개중 특별나게 타고난 놈들만이 어느 날부터 영물이 되는 거야. 백여 년에 한 번 나올까 말까 하니 아깝지 않겠어?"

"그런……가?"

"그리고 영물이란 녀석들은 본원지기가 샘처럼 줄줄 넘쳐 나는 것들이라 산이 풍성해져. 지나가는 자리마다 꽃이 피고 싹이 트고 열매가 맺히지. 짐승들은 새끼를 잘 배게 되고. 결과적으로는 인간에게도 좋은 일이거든."

본원지기가 어떻게 샘처럼 줄줄 넘쳐 날 수가 있지? 그런 건 난생처음 들어 보는 연의 눈이 휘둥그레 떠졌다. 지나가는 자리마다 꽃이 피고 싹이 튼다……는 걸 듣자 어째서인지, 모란이 자꾸 정원에 피워 대던 꽃이 떠오르는 것이었다. 연은 곧 그럴 리 없다고 생각하며 휘휘 고개를 저었다.

'……한데 분명 전에 꽃 피우는 건 마법이 아니라고 했었는데.'

미간을 찌푸리고 있자 모란이 왜, 피곤해? 하고 물어 왔다. 좀 피곤하기는 하였지만 연이 고개를 저었다. 아직 해도 중천이다. 게다가 자신 때문에 모란의 발목을 잡기는 싫었다.

"혹시 모란 당신도…… 뭐…… 영물(靈物) 비슷한 건가?"

그 말에 모란이 눈썹을 찌푸렸다. 하긴 영물은 엄연히 짐승이니 기분 나쁠 법도 했다. 그런데 하는 말이…….

"칠칠치 못하게 본원지기도 수습 못 하고 질질 흘리고 다니는 것들과 비교하면 안 되지."

……라고 하는 게 아닌가. 그럼 뭐야? 영물이라는 거야, 아니라는 거야? 아니면 영물보다 급이 높다는 거야? 아니 그것보다 사람에게 영물이라는 호칭이 가당키나 하던가? 연이 뒤늦게 아삭아삭 사과를 먹었다. 달고 맛있었다.

그때 연을 흘끔 본 모란이 말을 꺼냈다.

"실은 오늘, 아니 전부터 물어보고 싶은 게 있는데."

"뭐가 궁금한데?"

연이 사과 씨를 빼 땅에 따로 톡톡 묻어 주었다. 산에서도 사과나무가 자랄 수 있을까? 근처에 계곡도 있고 땅도 기름지니 열매들이 잘 자랄 것 같았다.

"넌 네 사부를 좋아하지?"

"좋아하지."

"그럼 주강도?"

연이 사과 씨를 심은 곳 위를 발로 꾹꾹 밟으며 고개를 끄덕였다. 그리고 이번엔 무슨 장난을 치려고 저런 걸 물어보는 걸까 싶어 보자 모란의 얼굴이 진지했다.

"당연한 질문이지만 넌 형을 많이 좋아하지? 남궁연오 말이야."

"무슨 당연한 걸 물어보고 있어? 형제잖아."

"한위도?"

"물론, 한위도."

그리 대답하자 모란이 미간을 접었다. 그리고 보면 모란에게는 형제자매가 없었다. 오로지 어머니가 있었을 뿐이다. 형제자매가 있는 느낌이 궁금해서 물은 걸까? 모란은 생각에 잠겼다. 그리고 연이 한 것처럼 사과 씨를 바로 옆에 심었다.

"만약 그 사람들이 위험에 처하게 된다면 구하겠네? 지인이고 가족이니 말이야."

"……왜 그런 질문을 해?"

불안해진 연이 물었다. 모란이 쓸데없이 이런 걸 물을 것 같지는 않았다. 설마 한위가 위험에 처한 걸까?

"그렇다면 가족이지만 지인만도 못한…… 네 아버지, 남궁영명이 위험에 처한다면?"

기분이 불쾌해진 연이 자리에서 일어났다. 어려진 상태였기 때문에 일어서자 비로소 모란과 눈높이가 비슷해졌다. 영명이 위험에 처하게 되면 구하겠냐고? 대체 왜 지금 그런 질문을 하는지 알 수가 없었다. 모란이 잠시 침묵하다가 입을 열었다.

"질문을 바꾸지. 한위 그 꼬마가 남궁영명에게 복수하고자 한다면 도울 건가? 아니면 내버려 둘 거야? 혹은 말릴 거야?"

그 말을 시작으로 그는 충격적인 이야기를 전했다. 설명이 이어질수록 연의 눈이 휘둥그레졌다.

한참의 설명 뒤에 그가 모란을 바라보았다. 믿을 수가 없었다. 믿기 힘든 이야기였다. 거짓말이나 기분 나쁜 농담이라고 말해 주기를 바랐으나 모란은 부정하지 않았다. 연은 한동안 입을 열 수가 없었다.

"······무엇을 선택하든 난 네 말을 따를 거야."

그리 말한 뒤 모란은 가만히 기다렸다. 연은 한참을 그 자리에 서서 침묵을 지키고만 있었다. 결코 쉽게 결정을 내릴 수 없는 어려운 일이었다. 무거운 침묵과는 달리 산바람이 그들 사이로 산들산들 불었다.

히죽 웃으며 모란이 연의 어깨를 도닥거렸다.

"너무 초조해하지 마렴. 뭐어, 어린아이의 몸으로 지내는 것도 꽤 괜찮지 않으냐?"

"전혀 안 괜찮아!"

모란이 나름대로 도닥였으나 연의 성미만 점점 예민해질 따름이었다. 도통 일곱 살 아이의 몸에서 원래대로 돌아올 생각을 하지 않는 탓이었다. 며칠 뒤에도 이러면 세가의 사냥대회에 참가하는 건 물 건너가는 것이다.

게다가 아프다고 핑계를 대고 두문불출하는 것도 한계가 있었다. 모란의 말로는 아직 그 이불 골렘이라는 것이 들키지 않았다고 했다. 하지만 만에 하나라도 들키게 된다면?

"흠."

신발까지 신긴 모란은 퍽 만족스러워했다. 연이 어린아이의 몸이 된 이래로 요 며칠, 그는 제법 이 상황을 즐기는 중이었다. 매일

매일 색색의 옷을 갖고 와서는 이래저래 꾸며 보는 것이다.

연은 처음에는 의아하게 여겼고, 그다음에는 다소 짜증을 냈으며 세 번째에는 그냥 내버려 두었다. 머리도 복잡해서 귀찮은 것도 있었지만 모란이 지나치게 흡족해 보였던 탓이다. 어찌나 흐뭇해하던지 연은 모란이 좀 미심쩍기까지 했다. 이런 부작용을 일부러 유발시킨 건 아닌가 하고 말이다.

그러나 연의 생각과는 달리 실상 모란이 유도한 부작용은 재워 버리는 것이었다. 어찌 되었건 간에 앞으로 소란스러워질 얼마간의 기간 동안만이라도 안전하게 해 두고 싶었던 것이다. 연이 사부에게 받았다면서 홀랑 먹어 버린 환약이 변수가 될 줄은 몰랐다.

그러다 보니 계획이 많이 틀어지긴 했지만, 이도 나름대로 마음에 들었다. 연은 심란해할지언정 앞으로의 소란에 심적으로 크게 동요하는 일 없이 잘 이겨 낼 듯싶었다.

'상당히 안정되었어.'

연이 마음대로 신겨진 신발을 노려보는 동안 모란이 상태를 살폈다. 가장 안 좋을 때는 하루 이틀도 제대로 살지 못할 것 같았는데, 이제는 몇 년 정도는 살 수 있을 것이다. 물론 몇 년 정도로는 부족했다.

최근에 치료할 때마다 모란은 점차 초조한 기분이 들었다. 치료를 끝내면 마흔, 혹은 오십까지는 살 수 있을까? 그런데 그 시간이 너무 짧지 않나 싶은 것이다. 단순히 본원지기를 나누어 주는 것으로는 부족했다.

'좀 더 명을 길게 할 수 있는 방법이······.'

생각에 잠겨 있던 모란의 시선이, 허공에 발을 동당거려 보는 연에게로 향했다. 모란은 턱을 괴고 그를 바라보았다. 그건 그렇고 어려진 모습은 정말로 귀엽지 않은가. 어린아이는 그다지 가까이 두고 싶지 않았지만 이런 경우는 또 달랐다. 아주 많이 달랐다.

"그런 눈으로 보지 마."

"무슨 눈?"

"그러니까…… 그런 눈!"

구체적으로는 설명하지 못하고 연이 작은 주먹만 쥐어 보였다.

"귀여워서 시선이 자꾸 가는 걸 어찌할 수는 없는데. 원한다면 눈을 가리고 다닐까?"

모란이 능청맞게 굴었다. 연은 어이가 없어 대꾸할 말도 찾지 못했다. 모란은 정말로 연을 귀엽고 어여쁘다는 시선으로 보고 있었던 것이다.

"걱정 마. 연이 넌 어릴 적 말고 다 큰 모습도 예쁘니까."

"무슨 걱정을 했다고!"

상대를 하지 말자 싶어서 연이 진저리를 쳤다. 귀가 뜨끈뜨끈해졌다. 아무리 어려졌다고는 하여도 다 큰 어른에게 귀엽다느니 어떻다느니 하는 소리는 좀 그만했으면 했다.

입술을 꾹 다물고 앉아 있는 걸 모란이 가볍게 들어 올려 안았다. 연이 미간을 접었다. 요 며칠 지내면서 알게 된 것이지만 모란은 정말 바쁘게 사방을 돌아다녔다.

원래의 몸으로도 감당 못 할 일정인데 어려진 몸으로는 더욱 힘들었고, 그렇게 시간이 지나다 보니 저를 안고 돌아다니게 내버려 둘 수밖에 없었다. 무엇보다도 안겨 다니니 편안하고…… 좋긴, 좋았다.

"좋아. 오늘은 좋은 객잔에 가서 좋은 점심을 좀 먹어 볼까."

게다가 무엇보다도 모란은 맛있는 식사를 할 만한 곳을 많이 알고 있었다. 연은 스스로 생각하기에도 꽤 입맛이 까다로운 편이었다. 다행히도 모란이 가는 곳은 건물이 허름하든 아니면 호화스럽든 간에 음식이 맛있는 편이었다.

"이런."

모란이 혀를 쯧 찼다. 그가 고개를 돌려 어느 한쪽을 바라보았다. 세가가 있는 방향이었다.

"누가 골렘을 건드렸는데."

"뭐?"

지금 세가에서 아픈 연 행세를 하고 있는 게 그 이불 골렘이란 것 아닌가. 연은 식겁할 수밖에 없었다. 들키게 된다면 큰일이었다. 그런데도 모란은 태연했다.

"누가 골렘을 건드리면 어떻게 되는데?"

"글쎄……. 그냥 이상하구나, 정도로 생각하고 넘어가거나 아니면 더 적극적인 사람의 경우에는 맥을 짚어 보겠지. 맥을 짚으면 심장이 뛸 리가 없으니 아마 죽은 사람 같을 테니까 많이 놀라기는 하겠…… 음. 진짜 가 봐야겠군."

뭐? 맥을 짚으면 죽은 사람 같을 거라고? 연이 기겁하거나 말거나 모란은 그를 자리에 내려 두었다. 혼자 내버려 둘 때마다 사건이 터졌기 때문에 영 마뜩찮고 찜찜하였다. 그러나 세가에 연을 데리고 갈 수는 없는 노릇이었다. 그곳에는 어린 연을 알아볼 사람들이 많았다.

"금방 다녀올게. 무슨 일 있으면 목걸이 사용하는 거 잊지 말고."

"얼른 다녀오기나 해. 내가 무슨 어린애도 아니고."

남궁세가가 있어 이 근처는 그다지 치안이 나쁘지 않았다. 게다가 최근에는 녹림의 관아 점령 사건도 있고 하여 범죄자들이 숨을 죽이고 지냈다. 모란이 사라진 뒤 연은 멀뚱거리며 주위를 둘러보았다. 모란일 때 약재를 사러 이곳저곳 뛰어다니곤 하였는데…….

'알아서 찾아오겠지.'

말마따나 연은 정말 어린아이가 아니었다. 그는 타박타박 돌아다니며 예전의 기억을 떠올렸다. 모란이 꽤 오래 걸리기에 입이 심심하여 당과를 사 먹을 때였다. 어디 앉아서 먹으려고 뒤를 돌아보는 찰나, 뭔가에 퍽 하고 부딪쳤다. 어린 몸의 연으로서는 당연히 꽈당 넘어질 수밖에 없었다. 한 입도 먹지 못한 당과가 아깝게도 데굴데굴 굴러 흙이 잔뜩 묻었다.

속으로 쯧, 혀를 차며 일어나려는데 먼저 번쩍 일으키는 손이 있었다.

"괜찮니, 꼬마야?"

허리에 검을 찬 것을 보니 무사였다. 그런데 그냥 무사도 아니고 남궁세가의 무사다. 조금 얼어붙은 연이 고개를 끄덕거렸다. 무사가 한두 명도 아니고 여러 명이다. 그리고 보통 이럴 때에는…….

눈만 굴려 보니 아니나 다를까 연오가 근처에 있었다. 어느 상인과 이야기를 나누는 중이었다.

"이런, 당과가 엉망이 되었군."

연은 연오의 눈에 띄기 전에 가능한 내빼고 싶었다. 그러나 무사가 당과 값을 내주려는지 전낭을 뒤적이는 게 아닌가. 괜찮다고 하기도 전 작은 소란에 연오의 시선이 연에게 향했다. 연오가 눈살을 찌푸리며 연을 바라보았다.

"무슨 일이지?"

"엇, 죄송합니다, 소가주님. 제 실수로 꼬마를 넘어트리고 말아서."

그러나 연이 피하기도 전에 연오가 알아차리는 게 먼저였다.

"……가만."

연오가 걸어와 연을 이리저리 살펴보았다. 그러더니 그대로 생각에 잠겼다. 연은 그의 형님이 무슨 생각을 하는지 빤히 보이는 것만 같았다. 연오의 곁에 있던 장로 남궁운이 대신 생각을 말해 주었다.

"연 도련님을 닮았습니다."

"운 장로님이 봐도 그러십니까? 정말 놀랍게도 연이 어릴 적을 닮았습니다."

연은 그만 뻣뻣하게 굳고 말았다. 당연히 닮았겠지. 바로 장본인이 아니던가. 연오는 무슨 생각에서인지 주위를 둘러보고는 연에게 물었다.

"혹시 부친이 누구신지 물어봐도 되겠느냐?"

이건 설마……. 자신에게 혼외자가 있다고 의심하는 그런 상황인가? 연은 입을 열었다가 닫았다. 대답을 들을 때까진 떠날 것 같지 않아서 식은땀이 다 흘렀다. 슬금슬금 도망가고 싶었지만 어느새 호기심 어린 얼굴을 한 무사들에 둘러싸여 있었다. 연오가 눈짓으로 무사들을 쫓아 보내며 다정하게 물었다.

"겁먹지 말거라. 그저 궁금해서 물어본 것이란다. 음, 그래. 당과를 떨어트렸다고 했던가?"

연오가 무사 한 명을 시켜 당과를 사 오게 했다. 그리고 손에 쥐여 주기까지 하니 더는 수가 없었다. 결국 연이 압박감을 못 이기고 아주 자그맣게 말했다.

"아버지는 안 계시는데……."

실제로도 남궁영명을 없는 셈 치고 아버지라 부르고 있지 않으니 아주 틀린 것도 아니었다. 그런데 그 말을 듣자 연오와 장로가 의미심장한 시선을 주고받는 게 아닌가. 도대체 어떻게 이해했는지는 몰라도 연은 연오가 대단히 큰 착각을 했다는 건 알 수 있었다. 당황한 연은 어떤 방법으로든 수습해야 한다고 생각했다.

"전…… 주루에서 살아요……."

기녀가 낳은, 부친 없는 혼외자라고 알아서 생각하길 바라며 그렇게 말했는데 어째선지 연오와 장로의 얼굴에 놀란 빛이 스치는 게 아닌가.

"그러고 보니 그 백매화가 루주라고 하였지요."

연의 눈이 크게 뜨였다. 백매화가 아니라 모란이 주루의 루주인데! 그도 장안에 파다한 소문은 알고 있었다.

세상에 다시없을 미모의 부유한 상단주가 남궁세가 둘째 도련님에게 청혼을 신청했다는 소문이었다. 최근 모란을 따라다니니 그가 온갖 정보에 훤한 이유를 알 수 있었거니와, 저도 자연히 소문에 밝아질 수밖에 없었다.

"아니, 설마……."

연오가 크게 오해한 얼굴을 했다. 게다가 그는 백매화가 난장을 부리던 날 자리에 없던 사람들 중 한 명이기도 했다.

"잘 보면 다섯 살이라고도 봐 줄 수 있겠습니다."

"그렇다면 도련님 나이가……. 하긴 열다섯이면 사내 노릇하기에는 충분하긴 하지요."

아니! 그거, 그거 아닌데! 절대 아닌데! 맹세코 연은 열다섯에 사내 노릇 한 적은 없었다.

연이 입을 딱 벌리고 있는 동안 연오는 심각한 얼굴로, '그럼 내 조카인가?' 하는 소리까지 하고 있었다. 졸지에 연과 백매화 사이에 아들이 생기려는 순간이었다.

모란이 나타난 건 바로 그때였다. 어슬렁거리며 나타난 그가 자연스럽게 무사들 사이로 끼어들었다. 연이 얼른 슬그머니 모란 뒤에 숨었다. 어찌나 당황스러운지 귀가 다 화끈거렸다. 모란이 능청스럽게 연오에게 말을 건넸다.

"소가주님! 여기서 다 뵙게 되는군요."

"자네……."

연오가 모란과 그 뒤에 숨은 연을 번갈아 바라보았다. 눈썹을 찌푸린 그가 물었다.

"이 아이와 아는 사이인가?"

"그럼요, 저의 먼 친척 아이입니다. 잘 알고 지내는 누님이 일이 생겨 돌보게 되었습니다."

뭐라고! 연이 안 보이게 모란의 허벅지를 옴팡지게 퍽 때렸다. 안 그래도 오해하는 중인데 오해를 더 유발하면 어떻게 하나!

모란의 말에 연오가 눈썹을 찌푸렸다. 그가 백모란과 백매화라는 이름 사이에 어떤 상관관계를 짓고 있을지 잘 보이는 표정이었다.

"그럼 혹시 이 아이의 아버지가 누구인지도 알고 있나?"

소중한 동생의 아들을 이렇게 세가 밖에 방치할 수는 없다고 다짐하는 얼굴로 연오가 말했다. 모란이 무슨 생각인지 고개를 크게 끄덕였다.

"물론입니다."

대체 왜 그래! 연이 모란의 돌덩이 같은 허벅지를 다시 퍽퍽 때렸다. 바로 옆의 무사가 흘깃 보기에 관뒀지만 이러다가는 남궁연에게 혼외 자식이 있다는 소문이 돌 판이었다. 모란이 다 들으라는 듯 목소리를 높였다.

"누님에게는 사랑하는 분이 계셨답니다. 이 아이는 그분을 아주 똑 닮았죠. 한데 안타깝게도 그분은 칠 년 전 마차에 치여 누님과 조카아이를 남기고 돌아가시고 말았습니다. 그 후부터 누님은 열성적으로 아이를 키우셨답니다. 다만 첫사랑을 잊지 못하시고 닮은 사람들에게 청혼을 하시곤 하죠."

"그런 일이 있었군……."

연오와 장로의 시선이 연에게 향했다. 그들은 이제 다소 겸연쩍은 기색이 역력했다. 연도 모란의 단단한 허벅지를 때리던 걸 그만두고 내심 안도했다. 아무튼 저 말빨하고는…….

그럼에도 여전히 의심이 가는지 연오는 물끄러미 연을 바라보다가 화제를 돌렸다.

"참, 연이의 몸은 좀 어떤가? 요즘 침상에 누워만 있던데."

"환절기라 그런지 기력이 많이 떨어져 계십니다. 아픈 것은 아니니 그저 푹 쉬게 내버려 두면 될 것입니다. 최선을 다해 돌보도록 하겠습니다."

모란이 청산유수처럼 매끄럽게 대꾸했다. 당할 때는 그토록 얄밉던 약장수 같은 말발이 이럴 때는 정말 좋았다.

"그래, 잘 부탁하겠네."

연오가 연에게서 끝내 시선을 떼지 못하며 걸음을 옮겼다. 그 뒤를 무사들이 따랐다. 연이 휴, 한숨을 쉬었다. 하마터면 이상한 오해가 생길 뻔하였다. 연오의 일행이 완전히 사라지자 모란이 연을 가볍게 들쳐 안고 걸음을 옮겼다. 객잔에 도착하여 음식을 주문하고 나서야 연이 물었다.

"그래서, 그…… 골렘이란 것은 좀 어때?"

"네가 아프다는 말을 듣고 네 스승이 와서 맥을 짚어 본 모양이야. 아주 눈치가 빠른 인간이던데. 사정이 있어서 자리를 비웠다고 해도 믿지를 않아서 가볍게 마법을 좀 보여 줬지."

"뭐?!"

"어쩐지 네 스승이 날 좀 싫어하는 것 같았어. 꼭 날 보는 시선이 납치범 보듯 하던데."

연이 미간을 짚었다. 모란이 어지간히 은록 앞에서 껄렁하게 군 모양이었다. 그러나 지금은 어찌할 도리가 없었다.

하긴 모란은 딱히 주변 사람들에게 살갑게 구는 편은 아니었다. 성격이 나쁜 것은 아닌데, 뭐라고 할까……. 유아독존(唯我獨尊)? 아니, 그보다는 인생을 혼자 유유자적 살아간다는 느낌이다.

"그나저나 마법을 그렇게 아무에게나 보여 줘도 되는 거야?"

"뭐 어때?"

만약 많은 사람들에게 알려질 경우 마법이란 것은 사술로 몰릴 가능성이 높았다. 그럼에도 모란은 어깨를 으쓱하고 말 뿐이었다. 하긴 그는 평소에도 마법을 굳이 철저하게 숨기기보다는 귀찮은 걸 피하기 위해 적당히 감춘다는 느낌이 강했다.

모…란…….

점소이가 내온 음식을 먹는 중 들리는 목소리에 연이 고개를 번쩍 들었다. 또 모란 옆에 무언가 일렁거리고 있었다. 옷자락보다는 손에 가까운 것이었다. 모란은 들리지도 보이지도 않는다는 듯 파리 쫓듯 손을 휘저어 없앴다. 쭈뼛 소름이 돋은 연이 젓가락을 멈추었다.

"그거, 대체 언제까지 가는 거야?"

"글쎄……. 저쪽에서 포기할 때까지? 좀 끈질기기는 하군."

연이 보기에는 마치, 저주 같아 보이는데 모란은 신경도 쓰이지 않는 모양이었다. 연도 신경 쓰고 싶지 않았지만 가끔 그 일렁이는 것이 연에게 방향을 돌려서 그럴 수가 없었다. 무시하려고 애쓰며 그가 마파두부를 작게 한 입 베어 물었다. 역시나 모란이 추천한 객잔답게 풍미가 좋았다.

'어서 원래의 몸으로 돌아가면 좋겠는데.'

세가의 사냥대회가 벌써 코앞이었다. 고작 사흘밖에 남지 않은 것이다. 연이 한숨을 폭 쉬며 모란이 앞에 슬그머니 밀어 준 음식 접시에 젓가락을 가져다 댔다. 사냥대회에 꼭 참가하고 싶었을뿐더러 더는 이상한 오해를 받기 싫었다. 주루에서 지내는 건 나쁘지 않았지만 귀여운 어린아이 취급은 이제 그만 받고 싶었다.

다행히도 사냥대회를 앞둔 바로 전날 아침, 아침에 일어난 연은 자신의 몸이 원래대로 돌아왔다는 걸 깨달았다. 이불 속에 파묻혀 뒤척거리는데 이상하게도 몸에 닿는 감촉이 생경하여 일어나 보니 알몸이었다. 밤새 다시 원래대로 돌아오면서 입고 있던 옷이 벗겨진 것이었다.

자그마치 칠 일이나 되는, 짧고도 긴 시간이었다. 그사이 어린 몸에 적응했다고 다 큰 몸이 다소 낯설게 느껴졌다. 손을 쥐었다 폈다 하고 있는데 허리에 감기는 팔이 있었다. 놀란 연이 펄쩍 뛰었다. 어느새 모란이 턱을 괴고 침상 옆에 기대어 연을 지켜보고 있었다.

"좋은 아침."

모란이 이불 밖으로 드러난 연의 무릎 위를 입술로 가만히 눌렀다. 요 며칠 동안은 아예 없던 종류의 행동에 그가 움찔하며 이불로 맨다리를 덮었다. 연이 내심 한숨을 쉬었다. 주루에서 지내는 내내 모란이 바로 옆에 있는 것에 너무 익숙해져 버렸다. 심지어 침상을 같이 써도 전혀 이상하게 여겨지지 않을 정도였다.

"내일까지는 주루에서 쉬는 게 어때?"

"내일이 바로 세가 사냥대회야."

"그다지 즐거운 사냥대회는 아닐 텐데."

걸칠 것을 찾아 두리번거리던 연이 모란을 바라보았다. 말하는 투가 어쩐지, 드물게도 모란의 속마음을 보여 주는 듯했다. 연이 잠시 머뭇거렸다. 그러니까…… 모란이 저를 걱정하거나 염려하는 듯한…….

'모란에게는 내가 어느 정도 의미가 있는 사람인가?'

그간 모란이 제게 하는 행동과 다른 사람에게 하는 행동을 비교하면 모르려야 모를 수가 없었다. 연으로서는 혹시나 하는 생각이 들 수밖에. 어느 정도인지는 알 수 없었으나 적어도 모란이 자신을 꽤 아낀다는 건 분명했다. 그 사실이 기분을 다소 들뜨게 만들었다. 연이 저도 모르게 입을 열어 말했다.

"당신이 있으니까 괜찮을 거잖아."

연이 물끄러미 바라보자 모란은 잠시 말이 없었다. 그러더니 한숨을 쉬는 것이다. 연은 어리둥절해하며 바라보았다.

"……그런 못된 버릇 들면 곤란해."

"무슨 못된 버릇?"

"네가 그런 식으로 바라보면 뭐든지 들어줘야 할 것 같단 말이지."

이건 무슨 농담인가 하여 연이 눈썹을 들어 올렸다. 그는 진심이었다. 요즘에는 아는 사람 중 모란이 가장 강력한 힘을 가진 자가 아닌가 하는 생각까지 들었으니.

고개를 절레절레 저은 모란이 자리에서 일어나더니 잠시 후 연이 입을 옷을 가져다주었다. 어린아이였을 때 가져다준 것과 마찬가지로 고급스럽고 연에게 잘 어울리는 푸른 색감의 옷이었다.

"식사하고 세가에 데려다줄게."

고개를 끄덕인 연이 옷을 입었다. 어쩐지 몸이 매우 개운한 것이 이제까지 중 가장 상태가 좋게 느껴졌다. 기분이 퍽 좋아 보이는 모란이 가까이 다가와 직접 허리대를 매 주었다.

모란이 가까이 다가올 때마다 연의 심장은 좀 빠르게 뛰었다. 이제는 몸이 이런 반응을 보이는 의미를 잘 알 것 같았다. 모란은 어떨까? 그도 자신에게 무언가 느끼기는 할까?

주루에서 식사를 마치고, 연은 오랜만에 화정당으로 돌아왔다. 며칠 만에 돌아왔으나 딱히 그립거나 하지는 않았다. 오히려 밖에 나가서 산 며칠 동안이 정말 좋았다는 것을 깨달았을 뿐이다. 그저 세가에 한위와 연오가 있어 아직까지는 뛰쳐나가지 않고 있다는 걸 새삼 되새겼다. 형제들이 좋은 것만큼이나 세가에 영명이 있다는 게 싫었다.

침상 위에는 이불 골렘이 다소곳하게 누워 있었다. 언뜻 보면 사람의 형체 같아 보이기는 했다. 이게 다른 사람의 눈에는 자신이 자고 있는 걸로 보일 거라니……. 연이 이불을 손으로 만지자 팔이라고 추정되는 이불자락 끝이 파닥거렸다.

모란이 이불 속으로 쑥 손을 밀어 넣어 옥 노리개를 꺼냈다. 그러자 이불은 언제 살아 움직였냐는 듯 그저 흐트러진 이불 더미가 되었다. 연은 다소 죄책감이 들었다.

'사부님이 많이 놀라셨을 텐데.'

뭐라 언질이라도 드릴걸 그랬다. 갑자기 어려지는 바람에 너무 경황이 없었다.

"좀 누워서 쉴래?"

"형님에게 가서 사냥대회 간다고 말씀드리고 올 거야."

끊임없이 사냥대회 불참을 권하는 모란을 무시하며 연이 외투를 걸쳤다. 흠, 하는 소리를 내고는 모란이 연 대신 침상에 길게 누웠다. 눈을 감는 게 낮잠이라도 자려는 모양새였다. 언제부터 모란이 제 침상에 누워도 별말 안 하게 되었나……. 다소 싱숭생숭한 마음으로 연이 화정당을 나섰다.

그는 먼저 한위에게 향했다. 폐월당으로 향하니 주강과 대화를 나누다가 한위가 자리에서 벌떡 일어났다. 며칠 만에 보는 것이라 연도 한위도 서로를 무척 반가워했다.

듣자 하니 한위는 몇 번이고 화정당을 찾아왔던 모양이었다. 올 때마다 자고 있어서 무척 걱정했다는 말에 연의 양심이 쿡쿡 찔렸다. 한위도 은록도 이제는 마법을 알고 있으니 어찌 되었다 언급할 걸 그랬다고 다시 한번 후회했다. 그러나 정말이지 그런 생각을 할 여유가 없었으니.

얄팍한 후회도 잠시, 아무것도 모르는 한위를 보는 연의 안색이 잠시 어두워졌다. 이제 한위에게서 예전의 모습은 찾아볼 수가 없었다. 상처 입은 어린 짐승처럼 풀밭을 기어 다니던, 꼬질꼬질하고 말투가 어눌했던 그 어린 꼬마라고는 믿기지 않았다. 얼굴과 몸에서는 배운 태가 나고 밝았으며 건강했다.

한위가 언제까지고 지금과 같으면 좋겠다고 그가 바랐다. 연오나 연과는 달리 한위만큼은 세가의 어두운 면을 모르고 자랐으면 좋겠다고 생각했다. 그저 나중에 커서 매정한 아버지가 있었지, 정도로 생각했으면 했다. 연이 다정하게 물었다.

"잘 지내고 있었느냐? 스승님들께 배우는 것은 어떻고?"

"잘 배우고 있었습니다! 칭찬도 많이 들었어요. 글을 배우는 것도 검을 배우는 것도 너무 좋습니다. 지난번에는 기본적인 기관진식에 대해서 배웠는데……."

한위가 조잘조잘 떠드는 걸 보며 연이 문득 주강을 바라보았다. 주강이 가볍게 고개를 숙여 인사했다. 연은 한위를 보는 주강의 시선이 전처럼 차갑지 않다는 걸 알 수 있었다. 한위가 별일 없이 이대로 성장하면 주강은 더할 나위 없이 좋은 지인이 되어 줄 터였다……. 연은 조금 복잡한 마음으로 시선을 돌렸다.

한위와 어느 정도 이야기를 나눈 다음으로는 연오에게 향했다. 연오도 마찬가지로 연을 보자 매우 반가워하며 자리에서 일어났다. 그가 먼저 물어보는 건 아니나 다를까 몸의 상태였다.

"좀 어떻느냐? 네 주치의 말로는 기력이 없어 많이 쉬어야 한다 던데."

"이제는 괜찮습니다. 푹 자고 먹으니 상태가 좋아진 것 같습니다."

"그래, 내가 보기에도 많이 좋아 보이는구나. 무슨 치료를 하는 지 몰라도 주치의 실력이 좋은 것 같아서 만족하고 있다."

실은 푹 자고 먹기도 먹은 것이었지만, 모란이 주루에서 치료를 과도하게 하는 바람에 상태가 쌩쌩한 것이었다. 물론 그런 걸 연이 말할 수 있을 리가 만무했다. 연이 얼른 화제를 돌렸다.

"내일 사냥대회에 제 자리도 물론 있겠지요?"

"말이라고 하느냐. 한위 자리 역시 있다. 하지만 괜찮겠느냐? 바로 어제까지 침상에서만 지냈는데. 정 안 좋으면 쉬어도 괜찮다."

연오의 제안에 연이 고개를 저었다. 내일만큼은 그가 꼭 참석해야 할 필요가 있었다.

"걱정해 주셔서 감사합니다. 하지만 푹 쉬었으니 답답하여 바람을 쐬고 싶습니다. 그저 근처 좋은 곳에 앉아 사냥하는 걸 구경하고자 합니다."

다시 한번 연의 안색을 살피고는 연오가 고개를 끄덕였다. 연이 생각하기에도 이제 손도 발도 덜 시리고 전보다 얼굴에 혈색이 돌기는 하였다.

"그래, 너무 안에서만 지내도 안 좋은 법이다. 대신 주치의를 꼭 데려가도록 하거라."

물론 연은 '주치의'를 데려갈 생각이었다. 연오는 몸이 찬 동생을 위해 따뜻한 차를 내오도록 명령했다. 고급스러운 차를 마시며 이런저런 담소를 나누다가 연오가 문득 입을 열었다.

"그러고 보니…… 내가 전에 말하지 않았느냐? 상대가 누구이든 세가나 다른 사람은 상관치 말고 좋아하는 사람과 연을 맺어도 된다고. 그건 지금도 마찬가지다."

무슨 말인가 하여 의아해 고개를 들던 연이 이어지는 말에 컥, 하고 기침했다.

"상대에게 혹 아이가 있다든가, 나이가 많다든가 하는 건 전혀 신경 쓰지 않아도 된다. 혹은, 상대와 혼인 전에 가진 아이가 있어도 괜찮다."

아, 아이가 있다는 건……. 연은 얼마 전에 시장에서 어려진 몸으로 연오와 만났던 일을 떠올리지 않을 수가 없었다. 아무래도 연오의 오해는 아주 오래갈 것 같았다. 그가 일장 연설을 하려 하기에 연은 간신히 한위의 성장을 핑계로 화제를 다른 곳으로 돌릴 수 있었다.

식은땀 나는 대화를 마치고 난 뒤에야 연은 화정당으로 돌아왔다. 연오의 오해를 풀기 위해서는 다른 사람이라도 만나야 하는 것 아닌가 하는 생각까지 들었다.

그러나 이날의 작은 고난은 이뿐만이 아니었다. 돌아오니 침소에 모란뿐만 아니라 은록도 있는 것이 아닌가. 연이 덜컥 멈추었다. 모란을 바라보는 은록의 기세가 영 좋지가 않았다.

"사부님……."

굳은 얼굴로 서 있던 은록이 연을 보자마자 다가와 다짜고짜 맥부터 짚었다. 굳은 얼굴이 좀 누그러지는 걸 보자 얼마 전 이불 골렘의 맥을 짚었던 게 떠올랐다. 죄책감에 연이 어쩔 줄 몰라 하는데 모란이 그 와중에 또 껄렁하게 굴었다.

"보이지? 당신 제자 안 죽었다니까, 글쎄. 죽게 내버려 두지 않는다고."

죽었다느니 살았다느니 하는 게, 그 이불 골렘 건으로 말다툼이 있었는지……. 게다가 다시 보니 모란은 껄렁하게 굴 뿐만 아니라 드물게도 기분이 좀 안 좋은 것 같았다.

"그리 호언장담을 하는 걸 보니 신이라도 되는 모양이군. 죽게

50

내버려 두지 않는다?"

의원인 은록의 귀에는 죽게 내버려 두지 않는다는 말이 매우 아니꼽게 들린 모양이었다. 연은 이해했다. 세상에 환자가 죽는다 아니다 호언장담하는 의원은 없었으니까. 제 아무리 명의라도 어쩔 수 없는 경우가 있는 법이었다.

'그건 그렇고 대체 언제부터 저 두 사람 사이가 저렇게 안 좋았지?'

하지만 곧 연은 한 번도 둘 사이가 좋았던 걸 본 적이 없다는 걸 새삼 깨달았다. 생각해 보면 좋지 않은 것뿐만 아니라 제대로 대화 한번 한 적도 없었다. 애초부터 그다지 맞지 않는 사이였던 것이다.

"신? 못 될게 뭐 있나."

모란이 노골적으로 빈정거리는 목소리를 냈다. 연이 당황해 모란을 바라보았다. 은록이 싸늘한 눈빛을 던졌다.

"참으로 오만한 자로군."

사부님, 하고 미처 부르기도 전에 은록은 그대로 침소를 나갔다. 연이 미간을 짚었다.

"대체 왜 그래? 무슨 일이 있었어?"

하지만 모란은 아무런 대꾸도 하지 않았다. 연은 잠시 망설이다 은록을 쫓아 나갔다. 심기가 언짢아진 모란이 침상에 벌렁 누웠다.

은록이란 자는 실로 눈치가 비상했다. 연은 모르겠지만 그는 한 번도 모란을 모란이라 부른 적이 없었다. 몸에 들어온 첫날도 마찬가지였다. 나름 상황 파악을 하기 위해 부러 얌전히 굴었는데도 그는 첫말을 꺼낸 순간부터 혹시 다른 인격이 아닌가 의심하고 있기까지 했다.

사부님이라고 불러 보아도 대꾸한 적이 한 번도 없었다. 사흘째 되는 날에는 누구냐고 대놓고 묻기까지 했으니 할 말 다 한 것이다. 그런 자가 연을 보았을 때 어땠겠는가? 모르긴 몰라도 녹림채

사건 전부터 은록이 의심하고 있었으리란 건 분명했다. 그전까지는 확신할 만한 증거가 없었을 뿐이지.

그 비상한 눈치는 며칠 전에도 마찬가지였다. 누가 이불 골렘을 만지다 못해 뒤집어 놓기에 달려가 보니 은록이 있는 게 아닌가. 제자가 오래간 아프다는 말을 듣고 찾아와 맥을 짚어 본 모양이었다. 당연히 이불에 맥 따위가 잡힐 리가 없었으니 이리저리 만져 본 것 같았다.

처음에 모란은 제자가 죽었다고 착각하고 이성을 잃었겠거니 여겼다. 잘 타일러 보려고 했는데 전혀 그런 게 아니었다. 이불 골렘의 머리 부분을 들어 올리다 말고 모란을 돌아보는 은록의 얼굴은 무서울 정도로 침착하고 냉정했다. 모란이 도착했을 땐 기어이 이불 골렘의 핵인 옥 노리개를 보란 듯이 찾아 놓기까지 했을 정도였다.

옥 노리개를 뺏기자마자 평범한 이불이 되어 버리는 골렘을 보며 모란이 입꼬리를 씰룩 움직였다. 참으로 냉정하고 침착한 자다. 환상 마법 때문에 실제로는 제자 몸을 헤집는 것처럼 느껴졌을 텐데. 가짜란 걸 알아차렸다는 건 기감도 매우 예민하단 의미다.

은록이 모란을 마음에 들어 하지 않는 것만큼이나 모란도 은록이 그다지 마음에 들지 않았다. 눈치 빠른 인간은 딱 질색이다.

–연이는?

–사정이 있어서 잠시 다른 곳에 가 있지.

아무렇지 않게 대꾸하면서 모란이 다시 이불 골렘을 만드는 동안 은록은 꼼짝도 않고 서서 지켜보았다. 눈앞에서 모란이 마법을 부리는 것을 보아도 눈 하나 깜짝하지 않았다. 도리어 뭘 하는지 보이지도 않는다는 투로 물었다.

–누구의 목숨을 뺏어 연을 살리고 있는 거지?

모란이 잠시 멈칫했다가 이불 골렘을 완성시키며 뒤돌았다. 그것마저 눈치채셨다, 이거군. 그가 팔짱을 꼈다.

-그 누구의 목숨도 뺏은 적 없어.

　땅속에 파묻은 인간들이 생각나기는 하였으나 그조차 목숨을 빼앗는 건 아니었다. 생기를 뺏는 것과 본원지기를 뺏는 건 다르다. 모란이 중요한 재료라면 땅속에 파묻은 인간들은 감미료와 같은 것이었다. 꼭 있어야 하는 건 아니지만 없으면 퍽 여러 가지가 힘들어지게 되는 재료들 말이다.

　-처음 맥을 짚었을 때 연은 한 달도 채 못 살 것 같았다.

　모란이 눈썹을 찌푸렸다. 자신의 제자 명줄이 그것밖에 남지 않았다는 걸 알았는데도 그리 태연히 굴고 있었다고?

　-하지만 시간이 지날수록 점점 상태가 나아지더군. 아주 이상할 정도였다. 의술로는 불가능한 회복이었지.

　-잘되었네. 제자가 금방 죽지 않고 좀 더 오래 살아 있을 수 있어서.

　점차 심기가 불편해진 모란이 조금 비꼬았다. 은록은 눈 하나 깜박하지 않았다.

　-그런 일에 대가가 없을 수는 없다. 그래, 사적으로는 연이 오래 살게 되어 기쁘지 않다고는 못하겠군. 그러나 아는 바로, 내 제자는 결코 그런 비열한 방식의 치료를 수락하지 않았을 텐데.

　모란은 제 심기가 불편해진 이유를 정확히 깨달았다. 은록이 그가 연을 속이고 있는 것에 대해 지적하고 있기 때문이었다.

　대가? 당연히 있지. 그의 수명을 잘라 나누어 주는 것이 아닌가. 연의 성격으로는 수명을 잘라 나누어 준다거나 땅속에 인간을 파묻어 생기를 전해 주기로 했을 때 쉬이 받아들이지 않았을 것이었다. 그러면 지금쯤 무슨 상태가 되어 있었을지는 모르는 일.

　-그렇다면 연이 치료 방법을 거절하게 되는 일이 있다면 어쩔 것인데?

　-연의 의사에 따라야겠지.

아주 고지식한 작자로군. 안제테다였다면 기사에게나 어울릴 법한 천성이었다. 물론 모란은 은록의 말에 따를 생각이 조금도 없었다. 안제테다에서 죽을 위기를 몇 번이나 넘기면서 깨달은 건 세상에 목숨보다 중한 건 없다는 것이었다. 신념이니 윤리며 도덕, 그 모든 게 목숨 앞에서는 무슨 소용인가. 아무리 처절한 방식이라도 살아남아야 그런 신념을 지킬 수 있는 것이다. 자신이 아끼는 자의 목숨이라면 더욱 그랬다.

게다가 지금 연에게 하는 건 비열한 방식 축에는 끼지도 않았다. 자신의 수명을 나누어 주는 것? 흔히들 말하는 바에 따르면, 도리어 숭고한 일이 아닌가. 땅속에 파묻은 자들? 남을 해하려 한 자는 언제고 자신에게도 해가 닥칠 수 있다는 것을 깨달아야 하는 법이었다.

모란은 그랬다. 그는 그런 자였다. 수단보다는 결과가 더 중요했다.

다른 말로 은록과는 머리부터 발끝까지 맞지 않았다는 이야기다. 은록이 연의 의사를 존중하여 산적들이나 흉악범 따위를 납치해다가 땅속에 파묻는―이쪽에서 말하는 식으로는 사술― 식의 일을 하지 않고 연을 죽게 내버려 둔다면, 모란은 숨겨 가면서라도 그리하여 연을 살리는 것이다.

물론 모란에게도 나름대로의 선은 있었다. 그가 정말 양심 없이 수단 방법 안 가렸다면 가장 생기가 왕성한 어린애나 길 가던 젊은 사람을 아무나 납치해 죽을 때까지 파묻었을 터였다. 인간이기를 포기한 마법사들이 흔히들 하는 그런 역겨운 짓거리 말이다.

모란은 문득 녹림 사건 당시 연이 왕장호를 죽이던 날을 떠올렸다. 연의 상태가 무척 안 좋았음에도 그는 일찍 나설 수가 없었다. 왕장호를 평온한 죽음으로 인도하던 연의 얼굴과 분위기는 도저히 눈을 뗄 수 없게 만들었다. 감히 끼어들 수가 없었다. 죽어 마땅한 악질인데도 연은 상대에게 연민을 가지고 평온으로 인도해 주었다.

그러나 똑같은 상황에서 저자는 조금도 동요하지 않고 왕장호의 목숨을 거둬 없앴겠지. 무자비하고 냉정하게……. 물론 모란 같았으면 고통스럽게 죽도록 내버려 두었을 터.

─아무튼 대가가 있건 말건 내가 치를 테니 이만 가 보시는 게 어때? 당신 제자는 며칠 뒤에나 돌아올 거거든.”

그 말에도 은록은 한참을 모란을 쳐다보다가 돌아갔다. 그가 가는 걸 확인하고서야 모란도 주루에서 기다리고 있는 연에게로 돌아갔다.

그런데 그걸로 끝이 아니었다. 은록이 그 뒤로 계속 이불 골렘을 건드리는 게 아닌가. 혹시나 하고 가 보면 또 은록이었고, 그러면 신경전을 벌이다 둘 다 소득 없이 돌아가는 것이다.

오늘도 마찬가지였다. 연은 더할 나위 없이 멀쩡하며 가족들 보러 갔다 하여도 대꾸도 없이 그 자리에 서 있으니……. 그래, 연이나 한위나 둘 다 지나치게 그를 잘 믿기는 했다.

모란이 미간을 구겼다. 언젠가는 연에게 치료가 어떤 식으로 진행되었는지 말을 하긴 해야겠지. 그러나 치료가 끝나기 전까지, 연의 혼이 완전하게 수복되기 전까지는 절대 그럴 일은 없을 것이었다. 절대로.

사냥대회 날은 구름 한 점 없이 해가 쨍쨍했다. 대회는 안휘성 황산 부근 어느 숲에서 이루어질 예정이었다. 사냥대회를 위해 오래전부터 조성된, 역사가 깊은 숲이다. 남궁세가의 소유로, 걸어서 둘러보는데 한 시진이나 걸릴 정도였으며 풀숲과 나무가 울창했다. 이 숲 안에 일결월산토(一蹶越山兎)를 풀어 두고 잡아 오는 게 바로 남궁세가 사냥대회의 방식이다.

"이게 일결월산토란다."

한위가 신기한 얼굴로 토끼장 안을 들여다보았다. 목에 붉은 공단 목줄을 두른 토끼들이 시큰둥하게 발로 몸을 팍팍 긁고 있었다. 손바닥 위에 놓일 정도로 앙증맞고 귀여운 체구이지만 놀랍도록 빠르고 뛰기도 오래 뛰었다. 껑충 뛰면 한 번에 산도 넘는다는 호칭이 괜히 붙은 게 아니다.

세가에서는 평소에 온갖 좋은 것들을 주어 가며 공들여 일결월산토들을 관리했다. 사냥대회를 위해 최상의 상태를 유지해야 하기 때문이다.

"일결월산토가 백 년을 살면 영물이 된다는 말이 있지."

그리 말하며 연은 일전에 산에서 보았던 그 사슴을 떠올렸다. 정말 경이롭게 느껴지는 존재였다. 이런 작은 토끼도 오래 살면 그런 위압감을 풍기게 되는 걸까? 한위가 눈을 반짝거리며 일결월산토를 관리하는 무사에게 물었다.

"정말 백 년을 살면 영물이 되나요?"

"글쎄요, 도련님. 직접 제 눈으로 보지는 못했지만 꽤 오래 산 녀석들은 종종 신묘하게도 우리를 탈출해서 말입니다. 어쩌면 정말 그럴지도 모르겠습니다."

무사가 넉살 좋게도 대답했다. 일결월산토는 오래 살수록 그 간이 진귀한 약효를 발휘한다. 동일한 크기의 금과 같은 가격을 받을 수도 있었다. 그러니 오래 살면 우리를 탈출한다기보다는 비싼 값에 팔려 나간다는 게 정확한 말일 터였다.

그만큼 이 사냥대회에서는 토끼들을 상처 없이 잡아 와야 한다는 까다로운 조건이 붙었다. 토끼들도 손을 워낙 타서 사람을 두려워하지 않을 뿐만 아니라 신나서 깡충깡충 잘도 뛰어다녔다. 사냥대회 후에는 식욕이 왕성해지고 새끼도 많이 낳는다고 하니 세가에서는 일석이조였다.

연이 주위를 둘러보았다. 보이는 사람들마다 낯이 익었다. 이 대회는 소룡대회만큼 다른 이들의 참여가 활발하지는 않았다. 상당수가 남궁세가의 사람들이었고 그 외에는 안휘성에서 제법 날고 긴다 하는 고수들이었다. 우승 상품이 제법 쏠쏠하니 실력에 자신 있는 자들은 솔깃할 법했다. 우승자는 잡은 토끼 중 가장 좋은 녀석을 가질 수 있을 뿐만 아니라 상금을 받을 수도 있었다.

"저도 잡을 수 있을까요?"

"음…… 아마도 잡을 수 있지 않을까?"

한 마리 정도라면……. 일결월산토는 이 대회를 위해 키워지는 만큼 평소에 훈련을 받는다. 이 녀석들은 사람을 피해 도망 다니게끔 훈련되어 있었다. 영리하기도 해서 한 번도 사람에게 잡히지 않아야 훈련 뒤 간식을 받는다는 것도 이해하고 있는 녀석들이었다.

보통 우승자가 다섯 마리 정도 잡으니, 한위라면…… 잘하면 한 마리 정도는 잡을 수 있을 것도 같았다. 서로 간에 방해하는 것도 허용되니 방해 없이 혼자서 잡는다는 가정하에.

"주강 형님과 같이 사냥을 다니기로 했어요."

"주강이라면 확실히 토끼를 많이 잡을 수 있을 테지."

한위에게 한두 마리 정도는 줄지도 몰랐다. 그도 이 사냥대회에 참가한 적이 있으니 일결월산토를 잡는 방식을 알려 줄 수 있을 것이다. 하지만…….

연이 영명을 바라보았다. 이 사냥대회에는 항상 영명이 출전하고는 했다. 그는 특별히 사냥과 추적에 용이한 옷차림을 하고 있었다. 머리에는 남궁세가의 가주임을 의미하는 두건이 기세등등하게 매여 있었다.

영명에게 향하는 한위의 얼굴이 다소 시무룩해졌다. 숲속에서 영명과 마주하는 걸 상상이라도 한 모양이었다.

"올해는 가주가 출전하니 연오 형님은 자리에 남아 계시겠구나."

"연오 형님은 안 나가시나요?"

한위의 눈이 휘둥그레졌다. 사냥대회는 가주 아니면 소가주가 나가게 되어 있는데, 둘 다 자리를 비우는 법은 없었다. 무슨 변수가 있을지 모르기에 책임자가 있어야 했다.

한위는 갈팡질팡하는 듯했으나 이내 주먹을 쥐었다. 소룡대회에서 우승한 뒤 한위는 전처럼 영명을 그다지 두려워하지는 않았다. 연이 쓴 미소를 지으며 품속에서 당과를 꺼내 내밀었다. 연에게 간식을 받는 것에 익숙한 한위가 납죽 당과를 받아먹었다. 냠냠 먹던 그는 잠깐 고개를 갸웃하였다.

"맛이 평소와 다른 것 같습니다."

"그러니? 다른 곳에서 사 와서 그런 모양이구나. 참, 마차 안 바닥에 작은 꾸러미가 있는데 거기에 내 약이 있으니 가져와 주겠느냐? 마차가 너무 먼 곳에 있어서."

고개를 끄덕인 한위가 곧장 마차로 달려갔다. 사냥대회에 올 때 연과 같은 마차를 타고 와 헷갈릴 수는 없을 것이다. 연이 한위를 바라보는 동안 같이 온 모란이 옆으로 다가왔다.

"날이 좀 쌀쌀하군. 마차 안에 있을래?"

모란이 제게 마차 안에 있기를 권하는 이유가 날이 쌀쌀해서만은 아니라는 걸 연은 잘 알았다. 고개를 젓자 모란이 어깨를 으쓱했다. 그리고 주위를 길게 둘러보았다. 오늘따라 사냥대회 참가자가 많았다.

연이 모란과 이런저런 이야기를 나누는데 주강이 다가왔다.

"연 도련님."

고개를 숙인 주강은 평소와는 좀 다른 차림새였다. 세가의 무사로 지낼 때의 복식이라기보다는 사냥꾼에 가까웠다. 오늘 단단히 마음을 먹고 나온 모양이었다. 그가 한위를 찾아 주위를 두리번거렸다.

"한위 도련님은 어디에 계십니까?"

"아, 두고 온 것이 있어 마차에 물건을 찾으러 갔는데……. 무슨 일인지 아직까지 돌아오지를 않네. 마차에 가서 무얼 하나 좀 봐 주겠어?"

고개를 끄덕인 주강이 마차로 향했다. 연이 그 모습을 보고 있다가 연오에게 향했다. 연오는 이것저것 지시를 하느라 바빴다. 햇빛이 눈부셔 손 그늘을 만들고 있던 그가 연을 보고는 반갑게 손짓하였다.

"연아, 날이 추우니 이리 와서 햇볕이라도 좀 쬐고 있거라. 볕이 좋구나. 항상 손발이 차니 몸을 따뜻하게 하여야지."

오늘도 연오가 연을 보자마자 건강에 관련한 잔소리부터 했다. 연이 어색하게 웃으면서 몰래 모란을 발로 툭 쳤다. 방관하고 있던 모란이 그제야 개입했다.

"요즘 도련님 몸 상태가 전에 없이 아주 괜찮습니다."

"그래?"

연오가 반색했다. 그가 연의 손을 주물럭거려 보더니 만족한 얼굴로 고개를 끄덕였다.

"과연, 전에는 얼음장 같더니 이제는 미지근한 정도가 되었구나."

그가 모란에게 '자네 정말 마음에 드는군!' 하는 눈빛을 보냈다. 이때까지 연을 맡았던 의원들이 별 성과를 내지 못했기 때문이었다. 그럴 만도 했다. 근본적인 원인도 몰랐으니 치료를 할 수가 있었겠는가? 물론 원인을 알아도 치료가 불가능했겠지만.

"필요한 게 있으면 언제든지 말하게. 무엇이든지 내줄 테니."

모란이 짐짓 근엄한 얼굴로 고개를 끄덕였다. 영명이 불러 연오가 멀어지자 연이 미심쩍은 얼굴로 물었다. 연오의 태도를 보니 모란에게 이만저만 해 준 게 아닌 것 같았다.

"그간 형님에게 얼마나 받았어?"

"받을 수 있는 만큼?"

모란이 히죽 웃었다. 연은 뭐라고 하려다가 고개를 저었다. 실제로도 치료를 해 주는 게 맞기는 했고, 게다가 모란에게 좀 내준다 하여 빈궁해질 남궁세가도 아니었다. 결정적으로 연의 돈도 아니었으니…….

연은 숲 근처에 쳐 놓은 막사에 앉아 사냥대회가 준비되는 모습을 지켜보았다. 일결월산토가 들어 있는 나무 우리가 숲 근처로 이동하는 걸 눈으로 좇고 있는데 모란이 옆에 앉았다. 손에는 언제 가져왔는지 모를 먹거리가 들려 있었다. 연은 별생각 없이 모란이 내민 찐빵을 받아먹었다. 모란이 풍경을 구경하는 것처럼 주위를 여유롭게 둘러보았다.

"꽤 수가 많네."

"그래?"

"음, 그래도 예상한 대로 상대는 안 되겠군. 아무리 이빨이 빠져도 호랑이는 호랑이라는 말이 있지 않아?"

"그렇지."

남들이 듣기에는 별 의미 없는 대화를 둘이 주고받았다. 연은 마치 모란과 있는 이 자리만 동떨어져 있는 느낌을 받았다. 슬쩍 모란을 바라보다가 다시 고개를 돌렸다. 좀 떨어진 곳에서는 무인들이 사냥대회에 앞서 몸을 풀고 있는 중이었다.

'한마디로 말하면 돈 자랑이지.'

사냥대회는 안휘성에 남궁세가의 영향력을 과시하는 일종의 친선 대회였다. 때문에 세가의 온갖 가깝고 먼 친인척들과 더불어 남궁세가에 잘 보이고 싶은 사람들이 몰려들었다. 지금도 연오와 영명에게 어떻게라도 말을 걸기 위해 주변에서 서성이는 사람들이 많았다.

연은 자신이 세가에서는 별 볼 일 없는 위치인 걸 다행이라고 생각했다. 가끔 연에게도 다가오는 사람들이 없는 건 아니었으나 몸이 아프다는 핑계로 물리칠 수 있었다. 실은 이렇게 좋을 수가 있을까 싶을 정도로 좋았지만.

연오의 말대로 얼음장 같던 손발도 요즘에는 미지근한 정도였고 창백하던 얼굴에도 혈색이 돌기 시작했다. 답답하던 가슴도 많이 좋아졌고 숨도 덜 차고……. 하지만 몸이 괜찮아졌다고 한들 초조한 마음은 어떻게 할 수 없었다. 한참 대회 준비가 진행 중인 숲만 바라보았다. 모란은 한가하게 옆에서 귤이나 까먹고 있었는데, 도리어 그게 연의 마음을 다소 편하게 만들어 주었다.

"귤이 좀 시긴 한데 맛있네."

그렇게 말하며 모란이 자연스럽게 연의 손 위에 귤을 올려 주었다. 모란으로 살 적에 이웃 중에서 유독 먹을 것 나눠 주는 걸 좋아하는 사람이 있었다. 천성이 그랬다. 그러나 모란이 자신에게 먹을 걸 나눠 주는 건 아무리 생각해도 그런 유형은 아닌 듯한데.

"이건 달다."

모란이 이번에는 귤을 반 쪼개어 나누어 주었다. 아무렴 어떠랴. 연은 퍽 귤을 좋아하는 편이었다. 모란이 주는 대로 날름날름 받아먹고 있는데, 문득 따가운 시선이 느껴졌다.

고개를 돌리니 연오가 묘한 얼굴로 둘을 바라보고 있었다. 그는 연과 시선을 마주치고는 뭔가 말하려는 듯했으나 누군가에게 바로 불려 가고 말았다. 연이 미간을 접었다. 무슨 말을 하려고 하셨던 거지?

반 시진쯤 기다리자 드디어 사냥대회가 시작했다. 연오가 임의로 마련된 단상에 올랐다. 대회의 상품 설명과 이런저런 사냥 성공 기원을 하기 위해서였다. 공력이 담긴 목소리가 쩌렁쩌렁하게 울렸다.

"먼저 세가의 사냥대회에 참가해 주신 분들에게 감사드립니다……."

세가의 소가주로서 연오가 참가자들에게 말하는 모습을 보다 연이 조금 의아해했다. 왜 올해는 영명이 연설을 하지 않는 것일까? 매 사냥대회 때마다 영명은 빠지지 않고 개최 연설을 해 왔다. 그러나 올해는 어째서 연오에게 맡겼을까?

'본격적으로 형님에게 세가 일을 넘겨주기 위해서인가? 하지만

왜?'

　아직 연오가 가주 자리를 물려받기에는 일러도 한참 일렀다. 영명을 보니 그는 연오의 바로 옆에 서 있었다. 이게 바로 부자지간이라는 걸 보여 주기라도 하는 모양새였다. 둘의 모습을 보며 연은 얼마 전 모란과의 대화를 떠올렸다. 꽃이 피는 뿔을 가진 영물과 마주했던 날의 대화다.

　한위가 남궁영명에게 복수하고자 한다면, 하는 가정으로 입을 연 모란은 이어 말했다.

　―세가에 남궁영명을 죽이려는 자가 있어. 내가 알기로는 오래되고 끈질긴 원한이지.

　연은 모란의 말이 그다지 놀랍지는 않았다. 영명은 여기저기에 적이 많았다. 당장 세가 내에만 하더라도 그를 싫어하는 자가 얼마나 많던가? 왕장호조차 그 외에 영명을 죽이고자 하는 다른 동지가 있다고 언급했을 정도니…….

　그러나 싫어하는 것과 죽이려는 것은 완전히 달랐다. 게다가 모란의 뉘앙스는 마치 한위가 영명을 죽이려고 한다는 것처럼 들렸다.

　―그것과 한위가 가주에게 복수한다는 게 대체 무슨 상관이야?

　―왜 영명 그자가 그토록 그 꼬마를 못살게 구나 의아한 적 없었어?

　당연히 있었다. 왜 그렇게 한위를 괴롭히고 못 잡아먹어 안달인지, 그리 싫으면 아예 입적도 하지 않으면 되었을 것을 어찌하여 굳이 세가 안에 들여놓았는지……. 연으로서는 그 이유가 짐작도 가지 않았다.

　―남궁영명은 한위의 모친을 죽였어. 자신의 손으로 죽인 건 아니지만 직접 살수에게 살인 청부를 했더군. 생각해 봐. 그저 기루에서 일할 뿐인 하녀를 살수에게 살인 청부까지 해 가며 죽일 이유가 있었을까?

　연의 얼굴이 굳었다. 모란의 말이 사실이라면 영명의 행동은 이상한 일이었다. 밖에서 가진 자식이 제법 되긴 하나 영명은 그걸 흠결이라고 여기지는 않았다. 오히려 이따금은 자랑스럽게 여기는 것도 같았다. 연이 한숨을 쉬었다.

–엮이지 말아야 할 사람과, 엮였던 거군.

–그래. 절대 엮이면 안 될 사람과 엮였던 것이지.

남궁영명의 적은 세가의 적이요, 세가의 적 또한 영명의 적이었다. 살인 청부를 하여 죽일 정도로 엮이면 안 되는 자가 대체 누구인가? 세가의 적일 터였다. 후보를 떠올려 본 연이 침음성을 흘렸다.

–……설마.

–그 설마가 맞아.

연의 생각을 읽기라도 한 듯 모란이 대답했다. 잠시 생각을 정리하느라 연은 말이 없었다. 분명 한위가 이 사실을 알게 된다면 영명을 죽도록 미워할 수도 있었다. 그럴 만도 한 일이 아닌가.

그러나 말했듯이 미워하는 것과 죽이고 싶어 하는 건 달랐다. 직접 행동에 옮길 만한 여력이 되어야 하는 것이다. 불현듯 스치는 생각에 연이 고개를 들었다. 얼굴이 완전히 굳은 상태였다.

–그 말대로라면 가주를 죽이려는 자는…….

한위와 관계가 있으면서도 영명과 척을 진 자. 세가를 적대하는 집단에 소속된 자. 오랜 원한을 지닌 자. 믿을 수가 없어 연이 입을 다시 다물었다. 모란이 말을 이었다.

–그리고 적기인 행사가 하나 있지.

크게 금속이 울리는 소리에 연의 회상은 거기서 멈추었다. 사냥대회를 시작하는 징 소리였다.

고개를 돌려 보니 일결월산토를 관리하는 무사들이 숲 안에 토끼들을 풀어놓고 있었다. 훈련받은 토끼들은 쏜살같이 숲속으로 뛰어들어갔다. 마치 빛과 같은 속도였다.

'만약 가주를 죽이려고 한다면 사냥대회가 가장 좋은 시기다.'

사냥대회가 진행되는 숲은 넓고 울창했다. 일부러 토끼를 잡기 어렵도록 만든 것이다. 또한 영명은 항상 혼자 사냥대회에 참가하곤 했다. 가주는 우승자 후보에서 제외지만, 그래도 우승자보다 더 많은 토끼를 잡아다 저력을 과시해야 가주의 면이 살았다. 즉 이번 사냥대회는 영명이 유일하게 혼자 있을 때나 마찬가지였다.

영명을 죽이고자 할 때 운과 실력이 따라 준다면 불가능한 일만은 아니었다. 연이 주먹을 쥐었다. 그는 제가 영명이 죽는 걸 원하는지 아닌지 알 수가 없었다. 영명이 죽는다 하여 슬플 것 같지는 않았다.

제 아버지가 저지른 일은 실로 끔찍한 것이 아니던가. 그런데도 그와 자신이 혈육이라는 것이, 그럼에도 그가 자신의 아버지란 존재인 것이……. 이따금 그래도 아들이라고 연을 신경 쓰곤 했던 게 떠오르는 것이다.

"아마도 오늘 일이 벌어지겠지."

"그렇겠지."

연이 입을 꾹 다물자 모란이 마치 마음을 읽은 듯 툭툭 어깨를 두드려 주었다.

그에 몸에서 힘이 풀렸다. 연은 이제 자신이 모란을 많이 의지하고 있다는 걸 부정할 수가 없었다. 그게 자존심이 상하면서도 한편으로는 퍽 안도가 되는 것이다.

다시 징이 크게 한 번 울렸다. 영명을 비롯하여 참가자들이 숲속으로 들어갔다. 모란도 자리에서 일어났다. 마치 산책이라도 나가는 것 같은 태연자약한 태도였다.

"가볍게 손 좀 보고 올 테니 여기서 꼼짝 말고 기다리고 있어."

고개를 끄덕거리자 모란이 저벅저벅 걸어 마차 사이로 몸을 감추었다. 아마도 지금쯤에는 순간이동으로 숲에 가 있을 터였다. 모란이 세니 다치거나 죽을 걱정 같은 건 안 해도 되겠다 싶어 멀거니 바라보고 있는데 어깨를 짚는 손이 있었다. 연이 흠칫 놀랐다. 고개를 돌리니 연오였다.

"왜 그리 놀라느냐?"

"아, 아닙니다. 잠시 다른 생각을 하느라……."

정말로 이번에는 연오가 여기에 남아 있어서 다행이었다. 만약 그도 사냥대회에 참가하는 것이었다면 이리 가만히 앉아 있지도 못했을 터. 연오는 연이 쥐고 있는 귤 한 알을 보더니 흠, 하는 소리를 냈다.

"그래도 요즘에는 모란과 잘 지내서 다행이구나. 전에는 그리도 못 잡아먹어 안달이더니."

연은 그저 어색하게 웃고 말았다. 연오에게 무어라 설명할 말이 없었다.

"전에는 같이 잘 지내지 않았느냐? 중간에 무슨 일이 있었는지는 몰라도 십 년 만에나마 화해하였으니 다행이지. 오늘 너를 챙겨 주는 걸 보니 안심이다. 게다가 의원이라고도 하니."

십 년 만에 화해……? 연이 고개를 들었다. 전에는 같이 잘 지냈다는 말이 무슨 의미인지 모르겠다. 그가 알기로는 모란과는 처음 만난 날부터 사이가 좋지 않았는데. 그러니까 열 살…… 열 살일 적에……. 연이 미간을 찌푸렸다. 열 살 이전의 일은 거의 기억이 나지 않았다.

"전에는, 같이 잘 지냈다고요?"

"그래. 너무 어렸을 적의 일이라 기억이 잘 안 나나 보구나. 종종 내가 너희 둘과 함께 놀아 주곤 하였는데. 몇 번은 한위도 같이 데려와서……."

연오의 말꼬리가 흐려졌다. 예전의 추억을 상상하는 모습이었다. 그러나 연은 그저 눈만 깜박이고 있을 뿐이었다. 예전에 한위가 무어라 하였더라?

─아주 어릴 적이라 기억은 잘 안 나지만, 종종 저와 함께 놀아 주셨지요. ……그때 모란 형님도, 연오 형님도 같이 즐겁게 놀아 주셨어

요. 아프신 후로는 밖에 잘 나올 수 없으셨던 것뿐임을 알아요.

문득 드는 위화감에 연이 미간을 찌푸렸다. 어릴 적의 일이야 기억이 잘 안 날 수도 있다. 그러나 열 살 전에 모란과 함께 지낸 건 정말이지 하나도 기억나지 않았다. 마치 그 부분만 유별나게 누가 도려내어 훔쳐 간 것만 같았다. 왜 이런 느낌이 드는 것일까?

'하긴, 열 살에 크게 앓았으니 어릴 적 기억이 없을 수도 있지.'

연은 찜찜한 기분을 애써 지웠다. 어린아이들은 곧잘 열병을 내며 앓고는 했는데, 그러다가 죽어 버리는 경우가 왕왕 있었다. 운 좋아 살아난다 하여도 귀와 눈이 멀거나 머리가 나빠지는 경우도 많았다. 그에 비하면 어릴 적 기억이 사라지는 정도는 무난한 증상이다.

돌연 사람들 사이에서 소란이 일기 시작한 건 바로 그때였다.

"……아니, 저기 저거 연기 아닌가?"

"설마 불이 난 거야?"

곧 불이다! 하고 누군가가 외쳤다. 연오가 굳은 낯으로 자리에서 벌떡 일어났다. 대회가 일어나기 전 몇 번이나 점검을 하였는데 불이 나다니 아무래도 불길하였다. 다들 급히 근처 냇가나 강가에서 물을 퍼 나를 만한 것을 찾았다. 숲에 들어간 사람들이 들리도록 경종을 크게 울리는 찰나, 안에서 누가 팔을 움켜쥐고는 비틀거리며 달려 나왔다.

"스, 습격입니다! 소가주님! 안에, 괴, 괴한들이 습격을……!"

남자는 채 말을 잇지 못하고 바닥에 쓰러졌다. 연오가 곧장 검 손잡이에 손을 얹으며 자리에서 일어났다. 연이 주먹을 꽉 쥐었다. 예상한 대로 사냥대회에 일이 일어난 것이다. 연오가 얼굴을 차갑게 굳혔다.

"연아, 넌 한위와 함께 마차 안에 가 있거라."

"……알겠습니다."

고개를 끄덕이면서도 연은 입맛이 썼다. 일이 터지면 형님이나 세가의 다른 무사들은 검을 빼어 들고 달려가는데, 자신은 이렇게 보호받아야 할 입장이라……. 허리에 찬 검이 다 무색했다. 이럴 때면 그는 차라리 무가에서 태어나지 않았으면, 하고 바라게 되곤 했다. 무림에서 가장 강한 검이라고들 부르는 남궁세가라서 더욱 그렇다.

'하다못해 이 일로 다친 사람이 생겨도 치료조차 할 수 없지. 의원이라는 걸 숨기고 있으니.'

터벅터벅 걸어가니 모란이 마차에 기대어 서 있었다. 연이 힐끗 숲을 바라보았다. 아직도 검은 연기가 풀풀 치솟는 중이었다.

"모란 당신이 불 지른 거야?"

"뭐, 무슨 일이 났다는 걸 보여 주긴 해야 할 것 같아서. 기습당하는 것보다는 낫잖아? 혹시 몰라 돌아다니고 있던 녀석 중 한 명도 좀 손봐 주었지. 불은 일각쯤 후면 알아서 꺼질 테니 걱정 마."

그리 말하며 모란이 마차 문을 열어 주었다. 연이 막 들어가려는 찰나, 돌연 모란이 그를 세게 밀쳤다. 땅에 나동그라졌으나 불평은 할 수 없었다. 검기를 두른 검이 무서운 속도로 문밖으로 튀어나온 까닭이었다. 검기를 둘렀다는 건 어지간한 수준을 넘은 실력자라는 이야기였다. 모란도 이번에는 손으로 막지 않고 뒤로 물러났다. 그가 쯧 혀를 찼다.

"설마 아직도 정신을 잃지 않고 있었을 줄은 몰랐네."

연이 자리에서 일어났다. 일어나는 순간 발목이 욱신거리는 것이, 아무래도 삔 것 같았으나 내색은 하지 않았다. 모란이 힐끔 연을 보더니 손을 뻗었다. 이내 검기가 희미해지더니 튀어나왔던 검이 흔들리며 바닥으로 향했다. 마차 안에서 다친 짐승이 내는 듯한 희미한 신음 소리가 들려왔다. 어금니를 악문 듯한 목소리가 짓이겨지는 듯 흘러나왔다.

"어째서……."

천천히 마차 앞으로 다가가자 오늘 사냥대회에서 영명을 죽이려고 했던 자의 모습이 나타났다. 오래도록 세가에서 인내하며 기회를 기다리고 있던 자, 능히 그럴 만한 실력자…….

그의 뒤에는 한위가 쓰러져 있었다. 연이 준 당과 속에 수면제가 섞여 있던 탓이었다. 연은 조금이라도 오늘 일에 한위가 엮이지 않기를 바랐다. 일이 잘 풀려서 그저 어릴 적 놀란 기억으로만 남기를…….

상대는 팔에 피를 흘리고 있었다. 모란의 말로는 마차 안에 들어가는 순간 정신을 잃도록 마법을 걸어 놓았다고 했으니 그걸 이겨 내기 위해 자해를 한 것으로 보였다.

"이미 늦었어. 네가 세웠던 계획은 실패했다."

상대는 말없이 연과 모란을 노려보았다. 이런 모습을 각오하지 않은 것은 아니지만 그래도 연은 내심 주먹을 꾹 쥐는 수밖에 없었다. 그가 내는 살기가 대단했던 탓이다.

그로서는 당연하다면 당연한 일이었다. 오늘을 위해 무려 십 년이 넘는 세월을 기다렸는데 모란이 끼어든 탓에 수포가 되어 버렸다.

무려 삼 년을 과거의 자신의 흔적을 지우고 새 신분을 만들기 위해 노력했으며, 오 년을 연오의 신뢰를 얻기 위해 인내했다. 그로부터 또 오 년을 오늘 이 대회를 위해 계획을 세우고 기다렸다. 모든 것은 복수를 위해서였다. 자신의 누이의 원한을 갚기 위해…….영명이 죽여 버린 유일한 혈육의 보복을 위해서.

그는 주강, 이전의 이름은 진위림. 영명의 손에 죽은 누이 진비령의 남동생이자 마교 출신의 무인이었다.

진위림은 마교의 총애를 받는 무인이었다.

한때 그들은 가난하지만 단란한 가족이었다. 하나 그런 시간도 잠시, 부모가 산적에게 살해당해 세상에는 진위림과 그의 누이인 진비령만이 남고 말았다.

슬픔 속에서도 어린 남매는 서로를 의지하였으나 어린아이들이 생존하기란 퍽 힘든 일이었다. 그러다 그들이 살던 마을에 기근까지 들었다. 하루에 멀건 죽 한 그릇이라도 먹으면 잘 먹은 축에 속할 정도였다.

결국 물도 음식도 없어 나무껍질을 씹다 죽어 가던 남매를 거둔 것이 마교였다. 당시 마교는 고아들을 거두어들여 그들을 위해 충성하는 무인집단을 만들고자 했고, 진위림과 진비령은 그들에게 선택된 것이다.

마교에 들어가고 난 뒤 위림은 실로 놀라운 재능을 보였다. 일을 알려 주면 열을 깨우쳤으니 마교에서는 크게 반길 만한 일이었다. 하나 위림의 누이인 비령에게는 재능과 소질이 없었다. 남보다 배를 노력해도 내공이 잘 모이지 않았고, 무술의 성취 또한 형편없었다.

그럼에도 둘은 열심히 노력했다. 자신들을 거두어 주고 밥을 제대로 먹여 주는 것만으로도 고마웠다.

성인이 되었을 때 비령은 안휘성의 첩자로 보내졌다. 세상에 누이 외에는 소중한 것이 없었던 위림에게는 서글픈 일이었다. 누이를 만나고 싶어도 고작 한 달에 한 번 정도밖에 만나지 못하게 되었으니 말이다.

그런 위림에게 마교에서는 좀 더 높은 직위에 오르면 비령을 다시 마교 본산으로 불러 주겠노라 약속했다.

위림은 더 노력했다. 더 고강해져 더 높은 직위에 올라 자신의 누이와 다시 함께 살고 싶었다. 만나지 못하는 대신 둘은 꾸준하게 서찰을 주고받았다. 마교에서 훈련을 받으며 힘들어했던 누이는 안휘성에서의 첩자 생활을 마음에 들어 했다. 다정한 이웃들에 대한 이야기, 안개가 없는 햇살 가득한 마을, 채소며 강아지를 길렀다는 이야기……. 누이가 평범하게, 그리고 행복하게 잘 살고 있는 것이 위림에게는 위로가 되어 주었다.

그러다 어느 날부터는 비령으로부터 오는 서찰에 어느 남자에 대한 이야기가 나오곤 했다. 어느 젊은 청년과 사랑에 빠졌다는 것이었다. 위림은 어쩐지 마음이 좋지 않았으나 그래도 제 누이가 의지할 만한 사람이 있다는 것에 안도했다. 마교에서도 비령은 사실상 첩자보다는 위림의 충성을 이끌어 내는 수단이었기에 크게 간섭하지 않았다.

위림은 마교 내에서 승승장구했다. 그렇게 몇 년의 시간이 흘렀다. 모든 것이 잘 풀려 나가는 것만 같았다. 어느 날 비령에게서 눈물에 젖은 서찰이 오기 전까지는…….

[위림, 나는 어찌할 바를 모르겠어. 마치 폭풍이 몰아치는 것처럼 마음이 혼란하고 충격적이구나. 더없는 사랑이라고 믿었는데 그게 아니었단다. 나의 마음이 천 갈래 만 갈래로 찢어진다. 눈물로 밤을 지새워도 슬픔과 충격을 이겨 낼 수가 없구나. 이제는 무를 수조차 없다. 모든 게 늦어 버렸어.]

위림의 마음은 덜컥 내려앉았다. 이제까지 그의 누이는 편지에서 한 번도 힘든 내색을 한 적이 없었다. 무슨 일이 있는 게 분명했다. 당장이라도 달려가고 싶었으나 그가 처리해야 할 일이 남아 있었다. 위림은 가능한 한 빠르게 일을 처리하고 누이에게로 향했다. 그러나 그땐 모든 게 너무 늦어 버린 뒤였다.

이웃들은 강도가 들어 비령이 죽은 것이라 했다. 돈이며 귀중품을 훔쳐간 데다가 진범도 잡혀서 관아에 넘겨졌다고. 그러나 비령은 십 년을 넘게 마교에 있었던 사람이다. 재능은 없어도 강도에게 당할 정도는 아니었다. 관아에 가니 강도는 이미 처형당한 후였다. 모든 정황이 수상쩍었다.

밤이 되어 위림은 조용히 비령의 집에 숨어들어 갔다. 깊은 슬픔과 분노 속에 문을 열고 들어온 그가 방 안을 천천히 거닐다가 어느 기둥 앞에 멈추었다. 둥근 홈이 있었다. 검을 들어 틈에 꽂고 힘을 주자 달칵 하는 소리와 함께 둥글게 말린 서찰이 쏟아졌다. 위림과 비령이 주고받았던 것들이다. 위림은 누이의 서찰을 모아 집을 떠났다.

객잔에 방을 얻은 위림은 호롱불을 켜고 밤새도록 그 안에 들어 있던 서찰들을 읽었다. 그리고 깨달았다. 이건 위림과 비령 사이에 오간 서찰만이 아니란 걸. 비령은 사랑하던 누군가와도 서찰을 교환했던 것이다. 둘은 서로를 향한 사랑을 구구절절 애절하게 표현했다.

위림은 차가운 얼굴로 서찰을 읽어 내렸다. 상대는 서찰을 보내면서 한 번도 제 신분을 밝히지를 않았다. 보통 사람이 아니다. 그는 얼마나 읽었는지 손때가 묻어 낡은 서찰을 낱낱이 살펴보고, 묵특유의 향과 종이의 질감을 견주어 보았다.

누이는 주고받은 서찰만 남긴 게 아니었다. 꾸준히 쓴 일기 또한 남아 있었는데, 그 안에서 비령은 찬란히 빛나는 해에 그 사람을 비교하곤 했다. 무려 삼 년간의 교제였다. 처음 일이 년 동안 비령은 구름에서 노니는 듯했지만 근래 들어서는 점차 우울감에 빠져 있었다. 마침내 마지막에 이르러서는 이리 적혀 있었다.

'영명.'

딱 그리 적혀 있었고, 그 후로 아무런 기록도 없었다. 죽었기 때문이다.

영명. 위림이 이를 악물었다. 영명, 이 이름을 어찌 모를 수가 있겠나. 안휘성에서 영명이란 이름을 가진 자, 이런 고급스러운 서찰을 쓰면서도 신분을 감춰야 하는 자, 살수를 보내 비령을 처리할 만한 재력을 가진 자.

걷잡을 수 없는 증오가 들불처럼 위림의 전신에 퍼져 나갔다. 위림이 서찰을 구겼다.

-남궁영명!

위림은 마교에 서신을 보냈다. 남궁영명이 비령을 죽였으니 무슨 짓을 저질러서라도 복수를 하겠다, 이미 복수를 다짐한 자신을 막을 것은 죽음밖에는 없을 것이란 내용이었다. 돌아오는 답신은 없었다. 마교는 대신 위림의 패를 돌려주었다. 복수를 막지는 않겠으나 일절 마교와는 관련하지 말라는 이야기였다.

위림은 그날 새 신분을 만들었다. 이름은 주강이요 외진 시골에서 올라온 무사다. 영명을 죽이기 전까지 그는 주강이었다. 진위림이라는 이름을 쓸 자격이 없었다.

위림은, 아니 주강은 삼 년 동안 한미한 문파에 들어가 성장하는 젊은 무사 흉내를 냈다. 삼 년 후에는 안휘성으로 와 세가에서 주최하는 대회에서 우승을 거머쥐었다. 남궁세가에서는 젊고 재능이 유망한 무사를 마다않고 받아들였다.

세가에 들어간 뒤 주강은 영명이 어떤 자인지 파악했다. 간교하며 비겁하고 비열한 자였다. 삼 년간 교제한 여인을 비정하게 죽여버릴 만한 인격의 소유자다. 이런 자에게 고개를 숙여 인사해야 한다는 사실이 혀를 깨물고 싶을 정도로 싫었으나 그는 인내했다. 당장 목표는 영명의 신의를 얻어 호위무사를 하는 것이었다. 그러나 영명은 쉬이 주강을 믿지 않았다.

세가에 들어간 지 얼마 안 되어 주강은 전투에 참전하게 되었다. 영명 이 악랄한 자는 사파를 향한 증오를 불태우곤 했다. 그중에서도 마교를 가장 증오하였다. 주강은 몇 번 마교와의 전투에 참여했다. 그는 죽지 못해 고통스러워하는 마교인의 명을 끊어 주었고 때로는 모른 척 몇을 살려 보내기도 했다. 그러는 동안 영명을 향한 증오는 끝없이 불타올랐다.

전투에서의 공적을 인정받아 주강은 연오의 아래로 들어갈 수 있었다. 연오는 어찌 영명의 아래에서 났을까 믿기지 않을 정도로 성품이 곧았다. 곁에서 지내며, 주강은 그가 영명을 혐오하고 경멸하고 있다는 사실을 알 수 있었다. 그는 남궁가보다는 어미인 황보가의 핏줄을 더 짙게 타고났다. 그러나 그게 주강에게 감명을 주지는 못했다.

세가에서 지내며 주강은 다른 자식들도 눈여겨보았다. 남궁영명에게 정식으로 입적된 자식은 총 다섯이다. 다섯 중 연오만이 유달리 뛰어났고, 둘째는 허약하였으며 셋째는 눈에 띄지 않았다.

영명이 의도적으로 숨기고 있는 것이라 간주한 주강은 조용히 셋째에 대해 캐 보았다. 그 결과는 놀라웠다. 셋째 남궁한위는 비령을 꼭 닮아 있었다. 영명과 비령 사이에서 난 자식인 게 틀림없었다.

처음 한위를 본 날 주강은 밤잠을 이루지 못하고 이를 악물었다. 검 손잡이에 손을 얹은 채, 당장이라도 증오스러운 영명의 피를 이은 자식을 베어 없애고 싶어 몸을 떨었다. 그러지 못한 건, 의외로 영명이 한위를 끈질기게 살피고 있기 때문이었다.

당장 어찌할 수 없으니 그는 한위를 무시하기로 했다. 그러나 사고를 가장해 한위를 죽여 없앨 기회를 찾는 건 멈추지 않았다. 그 아이의 존재 자체가 비령에 대한 모욕으로 느껴졌다.

계속 연오의 호위무사로 지리멸렬하게 지내던 중, 그의 위치에 약간의 변화가 생겼다. 연오가 주강에게 연의 호위를 맡긴 것이다. 정확히는 호위라기보다 몸 약한 동생의 안위를 맡긴 것에 가까웠다. 이는 연오가 주강을 실로 믿는다는 의미였다.

그리하여 맡게 된 남궁연은 형과는 달리 형편없는 자였다.

주강은 곁에 머무르며 연을 관찰했는데, 그는 열 살에 크게 앓고 난 이후로 언행이 거칠었다. 대체로 모란이라는 시종을 향한 폭력이었다. 연이 그럴 때마다 주강은 영명을 떠올렸다. 그 아비에 그 자식이지. 주강은 모란을 향한 폭력을 종종 말리며 그렇게 생각했다.

그는 모란 또한 한심하게 여겼다. 그러나 한편으로는 가엾게 생각하기도 했다. 연은 남궁세가의 차남이다. 그가 계속 불러내면 일개 평민의 자식일 뿐인 모란은 그에 따라야만 하는 신세였다.

그렇게 연의 곁에 머무르면서 또 지리한 시간이 흘렀다. 주강은 인내하고 또 인내했다. 인내 끝에 얻을 복수의 열매의 맛을 매일같이 상상했다. 다만 그는 모란이 심하게 구타당하고 돌아갈 때면 이따금 부축 정도는 해 주었다. 모란을 향한 일방적인 폭력은 가끔 주강의 마음속 무언가를 건드리는 것이었다.

그러던 어느 날이었다. 주강이 잠시 안 본 사이 연이 모란을 불러내 또 구타하기 시작했다. 평소와는 달리 매우 격분하여 모란의 머리에서 피가 줄줄 흘러도, 입에서 피가 쏟아져도 멈추지를 않았다. 이러다가 일을 내겠다 싶어 주강이 말리자 어처구니없게도 때리다 지친 연이 정신을 잃고 쓰러졌다.

이상한 일은 바로 그때부터였다. 다시 깨어난 연은 전에 비해 얌전해졌다. 더는 모란을 불러내 때리는 일도 없었다. 그건 자신의 잘못을 뉘우쳤다기보다는 마치 촛불이 거의 다 타서 더는 태울 것을 찾지 못한 것처럼 보이기도 했다. 그뿐이었다면 주강은 그저 무시하고 말았을 터였다.

놀랍게도 연은 어느 순간부터 한위와 친하게 지내고 있었다. 처음 연오로부터 연이 한위를 돌볼 테니 도와 달라는 말을 들을 때 주강은 내심 믿기지가 않았다. 그가 지켜본 연은 한위를 전혀 좋아하지 않았다. 아니, 좋아하기는커녕 아예 한위에게 아무런 관심이 없었다. 그런데 대체 언제 만났는지, 어느 순간부터 한위가 형님, 형님하며 연을 따르고 있는 게 아니겠는가.

연오에게 그 말을 듣고 돌아오는 길에 주강은 참지 못하고 처음으로 연에게 먼저 말을 걸고야 말았다. 도련님, 하고 부르자 연이 뒤를 돌아보는데 마치 이제까지와는 다른 사람처럼 느껴졌다.

그는 연이 한위에게 무슨 짓을 저지른 건지, 아니면 한위가 연에게 무슨 짓을 저지른 건지 알 수가 없었다. 둘 중 대체 어느 쪽이 영악하고 비겁한 존재란 말인가? 도무지 가늠이 가지 않아 그는 그저 입을 다물고 말았다.

그 뒤로는 무엇보다 쉬웠던 연의 호위 일이 그 무엇보다 견디기 어려운 일이 되었다. 한위가 연을 매일 찾아오기 때문이었다. 주강은 한위가 찾아올 때마다 검 손잡이에 손을 뻗고 싶은 것을 참아야만 했다. 그는 한위의 얼굴에서 영명의 얼굴을 보았다. 비령을 모욕하고 배신하여 살해한 남궁영명, 미치도록 죽이고 싶은 바로 그자의 얼굴을.

한위를 보면 심기를 다스리기가 어려웠다. 한위에게서 영명의 모습이 보일 때도 그랬고, 영명이 한위를 냉대하는 걸 볼 때도 그랬다. 그런데 이상하기도 하지. 점차 한위가 비령에 대한 모욕처럼 느껴질 때보다, 한위를 향한 영명의 냉대가 비령을 향한 모욕처럼 느껴질 때가 많아지기 시작했다.

그러다 문득 깨달았다. 한위가 비참한 지경일 때는 영명처럼 보였으나, 연과 함께하며 웃을 때는 누이의 모습이 보이는 것이다. 주강의 마음이 흔들렸다. 저 아이는 남궁영명의 아들이다. 그 끔찍하고 증오스러운 남궁영명의 자식!

한데 아무리 다잡고 다잡아도 소용이 없었다. 한위가 화정당 뒤뜰에서 계절을 잊고 피어난 어리석은 꽃을 따다가 조심스레 제게 내민 순간, 겨우 그것으로 와르르 무너지고 말았다. 한위에게서 누이가 보이자 그리움이 한꺼번에 몰려온 것이었다.

그 뒤로 주강은 저도 모르게 조금씩 한위에게 마음을 내어 주고 말았다. 좀 친해졌다고 한위는 그새 마음을 놓고 다가와 조잘거리며 떠들곤 했다. 많이 외로움을 타는 아이였다. 주강은 그 이야기를 들어 주다가 여러 번 갈등에 흔들렸다.

지금 당장 손을 뻗어 가볍게 혈을 짚기만 해도, 혹은 가볍게 관자놀이나 목을 치기만 해도…… 무공도 제대로 익히지 못한 몸으로는 절명하고 말텐데. 몇 번이나 손가락을 까닥거리면서도 한위의 얼굴을 볼 때면 주강은 그리할 수가 없었다.

시간이 갈수록 영명의 아들이라기보다는 제 누이의 아들로 느껴졌다. 천진하게 웃는 모습은 도무지 영명에게서 온 것이라고는 볼 수 없었다……. 그리하여 목을 조르려고 다가간 손은 어느새 한위의 어깨를 짚거나 머리를 두어 번 쓰다듬고 있었다.

그러다 세가에 연회가 열리는 날이 왔다. 주강은 혹시나 하여 기회를 노려보았다. 연회 경비에 자원해 나가면서 그는 과연 여기서 영명을 죽일 수 있을까 이리저리 견주어 보았다. 그러나 길이 보이지 않았다. 영명의 기세만 봐도 알 수 있었다. 덤벼 보았자 분명 영명을 죽이지 못하고 끝난다. 그가 혼자 있다면 가능성이 있었을 테지만 한 가문의 가주라 그의 주변에는 항상 사람들이 있었다.

주강은 손이 떨리도록 검 손잡이만 꽉 쥐었다. 한위가 연오에게 선물을 주러 갔을 때, 영명이 비령을 언급하는 순간에는 거의 검을 뽑을 뻔하였으나 간신히 참아 낼 수 있었다. 여기까지 와서 모든 노력을 수포로 돌릴 수는 없었다. 그렇게 끔찍한 연회가 끝났다.

연회가 끝난 뒤 연은 며칠을 앓아누웠다. 그사이에 한위는 한 번도 찾아오지 않았다. 주강은 한위에게 무슨 일이 있을 거라는 추측이 들었다. 무슨 일인지 알아보고 싶은 마음이 들면서도 그 마음에 도리어 모르는 척 일부러 소식을 듣지도 않았다.

그럼에도 연이 한위를 찾아갈 때가 되자 주강의 마음속에 들었던 어떤 감정은 결코 부정할 수 없는 종류의 것이었다. 폐월당에 가면서 그런 주강의 변화를 느꼈던지 연이 입을 열었다.

"한위와는 요즘 친해 보이던데."

그제야 주강은 자신이 변했다는 걸 깨달았다. 더는 전처럼 한위를 죽이고 싶지 않다. 한위가 모욕받고 냉대받으면 분노하는 자신을 느낄 수 있었다. 더는 그가 영명의 자식처럼 느껴지지는 않았다. 한위는, 그의 누이 진비령의 아들이었다…….

"제 조카아이를 닮았습니다."

저도 모르게 충동적으로 답한 뒤 주강이 이를 악물었다. 그래, 한위는…… 그의 조카였다. 그와 피를 공유하는 혈육이었다. 누이를 살해한 남자의 아들이 아니라, 죽음을 인지도 못 하는 나이에 어미를 잃고 불쌍하게 자라던 그의 조카아이였다.

이때까지 오래도록 정에 굶주린 주강의 무의식이 외쳤다. 저 아이를 보라. 네 누이의 아이를 보아라. 이제 진비령만이 너의 유일한 혈육이 아니다.

한위가 소룡대회에서 세 번의 승리를 하지 못하면 남궁이라는 성씨를 박탈당한다는 소식에 주강은 기쁨을 느꼈다. 그는 상상했다.

한위와 함께 이 세가를 떠나 산다면. 자신이 외숙부임을 알렸을 때 기뻐하는 한위의 얼굴을, 그런 아이를 장성할 때까지 돌보고 보호하는 삶을. 너무나 달게 느껴지는 삶이었다. 동시에 불가능한 것이기도 했다.

그가 이내 이를 악물었다. 한순간이나마 영명에게 복수하는 것 이외의 삶을 상상해 본 자신을 용서할 수가 없었다.

그럼에도 한위를 가르치는 것은 그에게 큰 기쁨이었다. 그간 무가에서 살면서도 아무것도 배우지 않았다는 게 믿기지 않을 정도로 한위는 재능이 뛰어났다. 주강은 자신이 위림으로서 마교에서 훈련받을 때를 떠올리지 않을 수가 없었다.

아무리 힘든 훈련을 지시해도 한위는 이를 악물고 덤비고 싸웠다. 그러니 누이 또한 떠올리지 않을 수가 없었다. 그의 누이도 재능이 없어도, 아무리 힘들어도 포기하지 않고 끝끝내 혹독한 마교의 훈련을 끝마치곤 했다.

그러나 이 눈부신 재능에도 불구하고 시간을 이길 수는 없어서 한위는 소룡대회에서 이길 정도는 되지 못했다. 주강은 확신했다. 하지만 결과는 놀라웠다.

그리 패배를 확신했는데 그동안 대체 무슨 일이 있었는지 한위의 실력은 놀라울 정도로 늘어났다. 주강은 믿을 수가 없었다. 불가능한 일이었다. 그러나 그 불가능한 일을 한위는 해냈다.

한위가 소룡대회에서 우승했다는 소식을 듣고, 주강의 가슴은 누이를 잃은 뒤 처음으로 기쁨에 벅차올랐다. 믿을 수가 없었다. 그는 한위의 미래를 보았다. 제 조카는 누이의 장점만을 빼닮아 눈부시게 빛나는 사람일 될 것이다.

그러나 얼마 지나지 않아 주강은 현실을 깨달았다. 넌지시 한위에게 저와 같이 세가를 나가 살지 않겠냐고 물었을 때 한위는 무어라 답을 했던가? 가주의 인정을 받을 때까지 세가에 머무르겠다고 했다. 주강에게는 혈육을 무참히 청부 살해한 살인자요, 천하에 다시 없을 원수가 한위에게는 하늘과도 같은 아버지이자 가주인 것이다.

그는 다짐을 새로 다졌다. 한위를 위해서라도 영명 그자를 죽여 없애야 한다. 잠시나마 복수를 포기할까 했던 마음이 단단하게 굳어졌다. 이번에 다가오는 사냥대회는 최적의 기회였다. 오래도록 준비하고 또 준비하지 않았나.

그는 사냥대회를 위해 영명에게 당한 사파의 사람들을 모았다. 녹림십오채에서 살아남은 산적들과 사파에서조차 버려지고 영명에게 당하여 복수를 원하는 자들을……

그들이 소란을 일으키는 동안 주강은 그를 호위하는 척 다가가 동귀어진(同歸於盡)[1]이라도 하여 방심한 영명을 죽일 작정이었다.

죽을지도 모르는 거사를 앞둔 채 주강은 마지막으로 한위를 찾았다. 그리고 그에게 비녀와 제가 가지고 있던 전 재산을 건넸다. 비녀는 누이가 남긴 유일한 유품이었다. 만약 그가 죽음으로 실패하더라도 한위와 그 비녀는 남아 있으리라.

그리한 뒤 주강은 영명을 찾아갔다. 야욕이 있는 척하여 자신이

---

1) 자신의 목숨을 희생해서라도 상대의 죽음을 각오함.

사냥대회에 공여를 하게 해 달라 부탁했다. 주강이 세가에서 십여 년을 넘게 지냈다는 걸 알기에 영명은 의심 없이 거만하게 굴었다.

　－그 자리가 그리도 간절하다 하니 한번 두고 보도록 하지.

　영명은 주강을 마음껏 부렸다. 호위무사가 하지 않아도 되는 잡일까지 시켰다. 치욕스러웠으나 그는 묵묵히 참았다. 십 년을 넘게 참았으니 이 짧은 기간 정도는 별일도 아니었다. 그 결과 사냥대회를 책임지는 자리 중 하나를 맡을 수 있었다.

　그는 사냥대회 전 오래도록 숲을 거닐며 지형을 살폈다. 어떻게 하면 영명을 죽일 수 있을까 몇 번이고 머릿속에서 계산을 거듭했다.

　그리하여 마침내 사냥대회 날이 왔다. 남은 것은 영명을 죽이는 일뿐. 영명을 죽이는 일에 성공하거나 실패하거나 어쨌든 한위를 다시 보기란 힘든 일일 터였다.

　그는 모든 채비를 마치고 한위를 찾았다. 연에게 물으니 마차에 갔다 하여 마차 안에 들어간 순간 그는 무언가 잘못되었다는 걸 깨달았다. 그 안에 한위가 쓰러져 있었다. 다급히 다가가려 했지만 한위에게 닿기도 전에 걷잡을 수 없는 잠이 쏟아져 내렸다. 팔에라도 상처를 내어 간신히 깨어 있는 게 고작이었다.

　누가 제 계획을 눈치챈 것인가? 대체 누가? 어떻게? 쏟아지는 졸음에도 불구하고, 주강은 눈을 부릅뜬 채 버텼다. 그의 뒤에 제 조카가 있었다. 그렇게 버티다가 누군가 마차 문을 열자마자 주강은 마지막 힘을 쥐어짜 내어 검을 휘둘렀다.

　뜻밖에도 문을 연 사람은 모란이었다. 또한 곁에 연이 있었다. 연의 얼굴을 볼 적에 그는 자신의 계획이 영락없이 영명에게 들킨 거라고 생각했다. 그러나 그 또한 아니었다. 숲 부근에서 병장기 부딪치는 소리가 희미하게 들렸다. 주강이 몸을 떨었다. 이미 계획이 시작되었고, 시작과 동시에 끝장났다. 그는 지금쯤 영명의 몸에 검을 꽂아 넣었어야 했다.

주강이 격한 감정으로 눈을 파랗게 불태우는 동안 연이 주위를 살폈다. 다행히 다들 숲의 불을 끄느라 급해 아무도 여기에는 관심이 없었다. 연이 참착하게 입을 열었다.

"……주강. 이야기 좀 해."

"한위에게 무슨 짓을 했지?"

자신에게 노골적으로 적개심을 드러내는 얼굴에 연은 입맛이 썼다. 그는 주강이 이렇게 감정을 드러내는 것을 처음 보았다. 그동안 저 분노를 대체 어찌 참고 억눌렀을까? 어떻게 감출 수 있었을까?

"그저 재워 놨을 뿐이야. 나는 한위가 이 일에 대해 조금이라도 아는 걸 원하지 않거든. 당신이 이 계획에 개입되었다는 건 아직 아무도 몰라. 그러니 검을 거두어 줘."

연의 부탁과 동시에 모란은 마차에 걸었던 마법을 해지했다. 돌연 언제 졸렸냐는 듯 정신이 맑아졌다. 그 즉시 주강이 검을 휘둘렀으나 모란에게 가볍게 막혔다. 그는 부릅뜬 눈으로 모란의 손에 닿은 붉은 검기가 먼지처럼 강제로 흩어지는 걸 바라보았다. 이런 수법은 듣도 보도 못했다. 모란은 대수롭지 않다는 듯 시큰둥한 얼굴로 말했다.

"검 좀 내려놓지?"

주강이 주춤 뒤로 물러났다. 왜 저런 실력자가 그간 연에게 형편없이 얻어맞고만 있었나? 그간 봐 왔던 게 연기가 아닐까 생각하자 온몸에 소름이 끼쳤다. 그로서는 상상도 못 할 강자다. 검은 내려놓았으나 만일을 대비해 손잡이는 놓지 않았다. 그리고 이를 악물었다.

"내가 위림이란 건 대체 어떻게 알았지?"

연이 모란을 바라보았다. 그러고 보면 모란은 정말 주강의 정체는 어찌 알았을까? 그간 워낙 놀라운 일들을 해내서 이번에도 그러려니 하고 넘겼는데……. 철저하게 신분을 감추고 세가에 잠입한 주강으로서는 당연히 의문을 가질 법도 했다.

"뭐, 이것저것 조합해 보면 쉬운 일이지. 처음 봤을 때부터 좀 수상쩍었어. 세가 무사란 놈들은 죄다 고만고만한 실력인데 그중 유독 한 명만 실력이 좋잖아. 그런 실력을 가졌으면서도 겨우 무사 따위나 하려고 남궁세가에 들어왔다면 꿍꿍이가 있는 것이 아니겠나."

연이 미간을 접었다. 그래서 처음 주강을 보았을 때 '자네 그 나이에 꽤나 강하구만?' 따위의 말을 했던 거군. 너무 껄렁거리는 태도라 그냥 농담인 줄 알았다.

"두 번째는 녹림십오채의 왕자우던가 하는 놈이 저자랑 같은 내공심법을 쓰기에 마교 출신인가 하였고. 거기에 저 꼬마와 기가 많이 닮았으니 혈육이라고 여겼거든. 그래서 뭐, 이것저것 뒤져 보다가 과거의 일을 알게 되었지. 그렇다면 복수를 하기에 사냥대회가 적기라는 것도."

주강은 잠시 할 말을 잊은 듯했다. 연은 주강의 심정이 심히 이해가 되었다. 그 누가 맥도 짚어 보지 않고 같은 내공심법을 쓴다는 걸 알아보겠는가. 게다가 말은 한위와 기가 많이 닮았다느니 어떻다느니 하지만, 아마도 근원인가 뭔가를 보았을 터였다. 같은 핏줄을 타고나면 근원도 닮은 거겠지. 아니면 다른 무언가라도. 세상에 가족이라 하여 기가 많이 닮은 것이 어디 있나. 아무래도 좋았던 주강이 연을 쏘아보았다.

"그래, 어찌 내가 위림이라고 알아보았다 치자. 그렇다면 지금 그런 자도 아비라고 여겨서 날 막으려는 건가? 만약 그런 것이라면 죽는 한이 있어도 꺾을 것이다."

연은 입을 다물었다. 그는 딱히 영명이 죽을까 봐 이러는 것이 아니다. 주강이 이 계획을 성공하지 못할 거란 걸 알기에 이러는 것이었다. 아니, 더 정확히는 한위를 위함이다. 모란이 팔짱을 꼈다.

"아니, 실패할 계획이라 시도부터 차단한 것이지. 영명이 혼자서 사냥터를 돌아다닐 거라 생각해서 계획을 짠 거라면 틀렸어. 요즘 남궁영명은 결코 혼자 있지 않아. 항상 자신의 심복을 데리고 다니거든."

"……."

"굳이 심복뿐만이 아냐. 네 실력으로는 그자를 못 이겨. 필패(必敗)다. 어쩌면 희박한 가능성이나마 죽일 수 있을지도 모르지. 그런데 말이야, 혹여 영명을 죽이는 데 실패한 뒤의 일은 생각해 보았나? 애초에 그자가 진비령을 왜 죽였다고 생각하지?"

"그건……."

주강이 고개를 들었다. 비령을 왜 죽였냐고? 주강은 그 점에 대해 한 번도 의문을 가진 적이 없었다. 그저 순진한 여자를 가지고 놀다가 영명이 죽여 버린 것이라 생각하면 그만이었고, 그 이유밖에는 떠오르지 않던 탓이다.

"하오문은 안휘성에서 도는 소문들은 모조리 모아 수집하지. 찾아보니 예전 기록물에 이런 소문이 있더군. 남궁세가의 소가주는 실은 마교와 은밀하게 내통하는 자이다. 말도 안 되는 소문이지? 사람들은 그 소문을 별거 아닌 것으로 여겼어. 말도 안 되는 소문일뿐더러 그 소문을 낸 사람이 젊은 여인이었으니……."

마교와의 내통. 그건 말도 안 되지만, 동시에 치명적인 소문이었다. 남궁세가가 어떤 존재던가? 최근에는 잠잠해졌으나 당시에는 정파와 사파의 대립이 최고조에 이른 상태였다. 남궁세가는 사파에 대적하는 이들 중에서도 선봉에 선 존재였다. 연의 조부인 남궁원은 곧기가 대나무 같은 자라 조금도 그릇된 걸 용납하지 못했다. 당연히 영명을 못마땅해했다. 그럼에도 모용가와 황보가의 지지로 영명이 겨우 후계자로 내정되기는 하였으나…….

'다시 내쫓길 수도 있는 자리였지.'

남궁원은 영명을 영 기껍게 여기지를 못했다고 들었다. 마지못해 후계로 지명을 한 것이다. 그런 상황에서 마교와 은밀히 내통한다는 소문이 돈다. 게다가 그 소문을 퍼트린 자는 다름 아닌 진비령, 다름 아닌 마교인이었다.

"추측으로 진비령은 아마 궁지에 몰려 있었을 테지. 진비령이 먼저 영명의 신분을 알게 되었을까? 아니면 영명이 진비령의 신분을 먼저 알게 되었을까? 어느 쪽이든 아이는 이미 낳은 상태고……. 중요한 건 영명이 한위의 어미가 마교에 속했던 자라는 걸 안다는 거야. 이렇게 사파 조무래기들이 연합하여 공격하는 일은 그렇다 쳐도, 자네같이 오래도록 세가에 숨어 있던 마교인이 습격하는 일이 벌어졌을 때에도 과연 한위를 그냥 두고 넘어갈까?"

모란의 말에도 주강은 이만 악문 채 아무런 말이 없었다. 감정이 절절 끓어넘쳐 이성을 압도했기 때문이었다.

"그 붉은 검기는 나만 알아볼 수 있는 게 아냐. 영명도 알아보겠지. 그가 마교와 한두 번을 싸웠나? 굳이 구체적인 증거 없이도 영명의 마음속에서는 한위가 거슬리게 느껴지겠지. 단숨에 일말의 양심조차 저버릴 테고."

그렇게 말한 뒤 모란은 힐끔 연을 바라보았다. 얼굴이 좀 굳기는 했어도 전반적인 상태는 괜찮아 보였다. 주강은 그저 미동도 없이 검 손잡이를 쥔 채 한위를 보호하려는 듯 그 자리에 지키고 설 뿐이었다.

실은 모란은 복수를 하건 말건, 저 꼬마가 어찌 되건 상관이 없었다. 한데 한위가 어찌 되기라도 하면 다름 아닌 연이 고생을 하게 되는 것이다.

완치되기 전까지 연을 치료하는 건 마치 공들여 탑을 쌓는 것과 비슷했다. 잘 쌓았다 싶다가도 바람 불면 와르르 무너져 버린다. 한위 같은 경우에는 바람도 아니고 누가 돌탑에다 커다란 돌멩이를 던지는 것과 비슷했다. 그럼 연은 또 크게 앓을 테고 그런 상황이 오면 모란은 아주, 매우, 정말이지 짜증이 날 터였다. 주강이고 영명이고 뭐고 죄다 쓸어다가 버리고 싶지만 그나마 연을 보아 참아 주었다.

"복수하려거든 주제 파악을 먼저 해. 눈이 멀어선 앞뒤 재지 않고 덤비지 말고."

주강이 신음했다. 모란이 그를 내려다보는데, 순간 마치 산에 짓눌린 것 같은 느낌에 식은땀이 줄줄 흘렀다. 그의 낯이 창백해졌다. 상대에게 아무런 무기도 없음에도 검을 향할 수조차 없었다.

대체 모란의 정체는 무엇인가? 이 모란이란 자가 과연 주강이 어렸을 때부터 봐 온 그 꼬마가 맞던가? 주강을 보며 모란이 길게 웃었다. 하지만 모란의 그 기세가 오래가지는 않았다. 이상한 낌새를 눈치챈 연에게 발을 짓밟힌 것이다. 모란은 마지못해 입을 열었다.

"저 꼬마, 꽤 아끼고 있잖아. 안 그래? 그저 죽어 없어져서 꼬마의 인생에서도 사라지고 싶은 거라면 말리지 않겠어. 하지만 이런 방식으로는 안 돼."

모란의 말에 주강이 치를 떨었다. 이렇게 복수가 허무하게 끝나고 마는가? 시작도 전에 이리 무너져 버리는 것일까? 어찌나 분노가 치밀어 오르는지 속이 다 뒤집힐 정도였다. 모란의 눈에는 그런 주강의 심정이 보였다.

"대신에……."

꽤나 약을 올렸으니 모란이 이번에는 단것을 던졌다. 결코 그냥 지나치지 못할……. 복수에 불타 제 목숨을 부나방처럼 버리려 들었던 자다. 한위만으로는 주강을 설득하기에 충분치 않다는 걸 그는 잘 알았다.

"진비령을 죽인 살수가 누군지 알려 주지."

주강이 고개를 번쩍 들었다. 진비령을 죽인 살수라니, 죽이고 싶어도 누구인지를 알 수가 없어서 잡지를 못하지 않았나. 살수란 정파나 사파 그 어느 곳에도 지탄받는 존재였다. 이들은 본디 아주 은밀하게 행동하는 통에, 주강 혼자의 힘으로는 누가 제 누이를 직접 죽였는지 알 수가 없었다.

"그자가 제법 처신이 좋았나 봐. 아직도 살아남아 활동하고 있던데. 죽이고 싶지 않아?"

"……."

"내 약속하지. 영명이 죽기 전 마지막으로 보게 될 사람도 네가 될 것이니. 이 정도면 충분하다고 생각하는데."

그렇게 말하고는 모란이 여차하면 주강을 어찌할 생각으로 손가락을 까닥거렸다. 흘깃 보니 연은 기분이 별로 좋지 않은 것 같았다. 최근 치료로 연의 근원이며 영체 따위가 퍽 예민해진 상태였다. 기분에 따라 몸 상태가 쉬이 좌우되니 모란으로서는 신경을 안 쓸 수가 없었다.

"……좋아."

한참 만에 대답한 주강이 검을 집어넣었다. 그리고 뒤돌아 한위를 바라보았다. 아직도 복수를 포기하지는 않았다. 그러나 이제는 복수하고자 하는 마음보다도 한위를 지키고 싶은 마음이 더 컸다. 아까 마차 문이 열렸을 때, 주강은 영명이고 뭐고 한위를 지키고자 하는 생각만 들었던 게 떠올랐다.

주강은 한위의 머리를 쓰다듬으려는 듯 손을 내밀었다가 이내 거두었다. 이를 악문 채 제 유일한 혈육을 한참 바라보다가 느리게 마차에서 내렸다.

그가 저벅저벅 걸어가는 걸 보면서 연이 한숨을 쉬었다. 마음이 편치 않았다.

산에서 모란은 연에게 원하는 대로 선택을 하라 했다. 내버려 두고 싶으면 내버려 두어도 되고, 혹은 말리고 싶다면 말려도 된다고. 주강이 원하는 대로 하려면 그가 영명을 성공적으로 죽이도록 돕겠다 했고, 그렇지 않다면 복수하지 못하게 돕는다 했다. 모란에게는 그럴 만한 힘이 있었다.

십 년을 넘게 이를 갈며 준비해 온 주강의 복수냐, 아니면 한위의 안온한 삶이냐. 이건 그런 단순한 선택이 아니었다. 어찌 보면 모란은 연에게 영명을 죽이거나 혹은 살리거나 둘 중 하나의 선택을 준 것이다.

연은 잠시나마 고민할 수밖에 없었다. 가장 먼저 당장 영명이 없는 세가를 떠올려 보는 것이다. 영명이 없으니 은퇴한 남궁원이 돌아오겠지. 연오는 젊은 가주가 되어 남궁원의 지지를 받으며 세가를 훌륭하게 꾸려 나갈 것이다. 연에게나 한위에게나 세가는 더는 괴로운 곳이 되지 않을 테고…….

그러나…….

그럼에도, 연은 주강을 막는 걸 선택할 수밖에 없었다. 아무리 자신의 부친이 증오스럽고 미워도 그게 옳다고 여겨졌기 때문이다. 모란은 연의 선택에 고개를 끄덕여 보일 뿐이었다.

한위는 잠깐 사이에 무슨 일이 생겼는지도 모르고 깊게 잠들어 있었다. 깨우기 전 머리를 쓰다듬어 보면서 연이 물었다.

"복수를 하면 기분이 좋을까?"

"당연히 기분 좋지."

눈을 가늘게 뜨고 주강이 사라진 곳을 바라보다가 모란이 고개를 돌렸다.

"사는 것도 한결 편해지고 짐을 더는 것처럼 느껴져. 다만 인생의 목표가 복수여서는 안 돼. 제 인생은 물론이고 주변 사람까지 망치다가 복수가 끝나는 순간 모든 게 무너지고 마는 이들을 여럿 보았거든."

아무래도 그건 그렇겠지. 고개를 끄덕이다가 연은 문득, 모란이 다른 사람을 대하는 말투와 자신에게 사용하는 말투가 다르다는 걸 깨달았다. 애 취급을 하는 건지, 각별히 다른 대우를 해 주는 것인지…….

연은 일단 한위를 깨우기 위해 손을 뻗다 멈칫했다. 이때까지 쭉 품어 왔던 의문이었다.

"사실 아직도 이해 안 가는 게 있어. 왜…… 한위를 세가에 정식 입적하였을까?"

영명은 무려 아무도 모르게 진비령에게 살수를 보내 살해할 정도였다. 그렇다면 한위까지 처리하는 게 상식적이다. 굳이 죽이지는 않더라도 최소한 세가에 들이지는 않아야 맞았다. 모란은 이제 소란이 거의 정리되어 가는 숲을 흘깃 보았다.

"진비령에 대한 죄책감 때문이지."

"뭐?"

말도 안 되는 소리 말라는 듯 연이 미간을 찌푸렸다. 영명이 죄책감을 가진다고? 모용단리가 죽었을 때에도 슬픈 기색 한번 보이지 않던 자다. 세상에 그자와 가장 어울리지 않는 단어가 있다면 '죄책감'일 터였다. 모란은 아무것도 모르고 깊게 잠들어 있는 한위를 팔짱을 낀 채 물끄러미 바라보았다.

"참으로 놀라운 일이지. 그자는 비령을 사랑했어. 신분을 감추고 삼 년이나 같이 교제를 할 정도로 남궁영명 인생에 있어 유일한 사랑이었거든. 다만 비령보다도 자신을 더 사랑했을 뿐."

하지만 연은 여전히 믿을 수 없었다. 잔뜩 인상을 쓴 그가 생각에 잠겼다. 그래, 영명이 정말로 한위의 모친을 사랑하였다고 하자. 아무리 그렇다 해도 모란이 어찌 이렇게 영명의 감정을 확신하는지 알 수가 없었다. 무슨 마음속에 들어갔다 나온 것도 아니고.

……아니겠지? 아무리 마법이라고 해도 설마 마음을 읽는다든가 하는 건. 그런 연의 마음을 읽기라도 한 것처럼 모란이 말했다.

"그때 기억나? 내가 백매화가 되어 남궁세가를 찾아왔을 때."

왜 기억나지 않겠는가? 정말이지 그날 일은 여러 가지 의미에서 죽을 때까지 연의 기억 속에 남아 있을 만한 것이었다.

"당시에 내 모습은 각 사람이 가장 아름답게 여기거나 연모하는 이를 닮게 되어 있었지. 그런데 그때 영명의 얼굴이 이상하다고 생각하지 않았어? 마치 무서운 것을 보는 듯한 얼굴이었지 않아? 그가 과연 내게서 어떤 이를 보았을까?"

설마…… 모란에게서 진비령을 보았단 말인가? 그날 영명의 반응을 떠올려 보고는 연이 고개를 끄덕였다. 그래서 모란에게 마교니 무엇이니 억측을 부렸던 것이었구나.

"게다가 하오문에서 기록을 읽은 게 아냐. 실은 남궁영명에게 저주를 좀 걸었지."

연이 삐끗하였다. 영명에게 저주를 걸었다고? 저주? 마법에 이어서 저주란 것도 쓸 수 있다는 거야? 정말이지 모란은 못 하는 게 없는 모양이었다.

"뭐, 대단한 것도 아니야. 그저 연속해서 악몽을 꾸게 만들어. 악몽이란 건 그 사람이 가장 두려워하는 약점이 담겨 있기 마련이니……. 그자는 자주 진비령에 대한 악몽을 꾸더군."

"……."

"사랑에 눈이 먼 진비령은 영명이 마교와 관련되었다는 소문을 내기 시작했어. 이젠 죽은 사람이니 왜 그랬는지 속내는 모르지. 영명이 후계자라 저와 혼인하지 못하니, 끌어내리려는 속셈이었는지, 혹은 복수였는지, 그도 아니면 마교의 지시였는지. 아무튼 마교와 관련되었다는 오명을 뒤집어쓰고 후계자에서 내려오는 게 싫어 청부 살해하기는 하였으나 그게 그자에게 죄책감을 남겼어. 차마 한위까지는 죽이지 못하고 데려와 키웠지."

그래 놓고서 한위를 그렇게 괴롭히고 미워했단 말인가? 연이 입술을 깨물었다. 연의 마음을 읽기라도 한 것처럼 모란이 입을 열었다.

"물론 그게 자식으로서 사랑한다는 의미는 아니지. 일말의 책임감이야. 다른 말로 하면 최소한의 인간성이라고 할 수 있을까."

연은 마음이 퍽 복잡했다. 진비령을 사랑하였다고……. 그도 누군가를 사랑을 할 수 있는 사람이란 건 차라리 몰랐으면 좋았을 것이었다. 그래서 한위를 그리 냉대했던 건가? 자신이 진비령을 살해했다는 죄책감에 도리어? 참으로 이기적이고 악랄한 자였다.

연은 잠시 제가 잘못 선택한 게 아닐까 하는 생각이 들었다. 실은 주강이 복수를 하게 내버려 둬야 했던 게 아닐까? 그러나 이내 고개를 저었다. 주강이 복수를 하게 내버려 두었다면 연은 그 뒤로 내내 마음이 편하지 않았을 터였다.

'……조금이라도 그와 비슷한 자는 되기 싫어.'

이번 일로 더욱 영명이 경멸스럽고 싫어졌다. 그만큼 그자처럼은 되지 말아야지 하는 생각도 들었다. 깊게 한숨을 쉬며 연이 한위의 맥을 짚었다. 이제는 상당히 정상으로 돌아와 있는 게 슬슬 수면제 효과가 떨어진 모양이다. 기맥의 흐름이 활발해지도록 혈도를 짚은 뒤 한위를 살살 흔들어 깨웠다.

"한위야."

몇 번 흔들자 한위가 끙끙하는 소리를 내면서 눈을 떴다. 그러더니 연을 보고는 어리둥절한 표정을 했다. 벌떡 일어나려다가 어지러웠는지 머리를 몇 차례 흔들었다.

"형님? 제가 왜 여기에……. 분명 마차 안에 들어가려고 했는데……."

당과에 섞여 있던 수면제를 먹은 데다 들어가자마자 정신을 잃게 만드는 마법이 걸린 마차에 탔으니 기절하는 게 당연했지만 한위로서는 의아할 법도 했다. 연은 태연하게 거짓말을 했다.

"지금 사냥대회에 습격자들이 있는데 혹시 그놈 중 한 명에게 당한 건 아닐지 모르겠다. 혹시 몸이 이상한 곳은 없니?"

"아, 아니요. 조금 어지럽긴 하지만 괜찮아요. 하지만 습격 사건이라니……."

한위는 어리둥절하다가 바닥에 떨어진 주강의 핏자국을 보고 기겁했다. 연은 일단 어지럼증이 가실 때까지 한위를 앉혀 둔 뒤 저도 맞은편에 앉아 모든 상황이 정리되기를 기다렸다.

잠시 뒤 창밖을 보자 얼추 끝났는지 숲속에서 연오를 비롯하여 사람들이 나오기 시작했다. 숲에 퍼졌던 불길도 지금은 가라앉은 상태였다. 숲에서 나오자마자 연오는 연과 한위가 있는 마차로 향했다. 옷에 그을음이 잔뜩 묻은 그가 동생들의 안위부터 살폈다.

"별일이 없던 것 같아 다행이구나. 습격은 숲속에서만 벌어진 듯하다."

"형님께서는 괜찮으신가요?"

연오가 고개를 끄덕였다. 연은 연오의 소맷자락에 붉은 피가 점점이 튀어 있는 걸 발견했다. 연오의 피는 아니고 분명 습격자들의 것이다. 슬쩍 눈치를 주자 연오가 한위 눈에 보이지 않도록 슬그머니 다른 쪽 소매로 감싸 감추었다. 다행히 한위는 미처 눈치채지 못했다.

"중간에 주강이 합류하여 쉽게 마무리할 수 있었다. 차림새를 보아하니 이번에 소탕당한 녹림십오채의 잔당들이더구나."

그리 말하고는 그가 쯧 혀를 찼다. 마차 창밖으로는 숲에서 질질 끌려 나오는 사내들이 보였다. 그들 중 반은 죽은 상태였고 나머지 반은 간신히 살아남은 몰골이었다.

연의 얼굴은 침착하였으나 한위는 눈을 크게 뜨고 숲 밖으로 끌려 나오는 잔당들을 보고 있었다. 팔다리가 제대로 달려 있지 않은 자도 있었는데, 이런 광경은 처음 보는 한위의 얼굴이 창백해졌다.

"아마 곧 심문이 있지 않겠습니까? 저희는 먼저 돌아가는 게 좋을 듯한데."

연은 그다지 비위가 상하지는 않았다. 의원으로 지낸 지 십 년이다. 끔찍한 상처를 입고 오는 사람들이 제법 있었다. 그러나 한위에게는 보기 괴로운 장면일 게 분명했다. 연오도 한위의 얼굴을 보고는 고개를 끄덕였다.

"그래, 더 이상 대회를 진행하기는 무리겠지. 사람을 붙여 줄 테니……."

처절한 비명 소리가 울린 건 바로 그때였다. 연오가 말을 멈췄다. 창밖으로 그을음투성이인 영명이 검을 빼어 들고는 묶인 남자를 베어 올리고 있었다. 몸이 길게 갈리며 피와 비명이 튀었다. 처음에 연은 영명이 아니라 어느 광인을 보는 줄로만 알았다.

연과 한위를 다독이던 연오가 번개처럼 튀어 나갔으나 그사이에 영명은 벌써 두 명을 더 베었다. 피가 사방으로 튀고 몸의 일부가 바닥을 굴렀다. 한위가 창백해진 채 넋이 나가 그 모습을 보고 있기에 연이 얼른 창문을 닫았다. 그러나 비명 소리까지 어찌할 수는 없었다.

"형…님."

떨리는 목소리로 부르기에 연은 손을 들어 귀를 막도록 했다. 그에 한위가 눈을 질끈 감으며 귀를 꽉 막았다. 모란이 한위에게 가볍게 손짓을 했다. 그러자 한위의 안색이 한결 편해졌다.

"좀 덜 들릴 거야."

"고마워."

연도 마음 같아서는 한위처럼 하고 싶었으나, 영명이 너무 미친 자 같았기에 연오가 걱정이 되었다. 창문을 조금 열자 영명이 주위를 희번덕거리며 돌아보는 중이었다. 가히 광인이라 해도 의심치 않을 정도였다. 사람들은 그런 영명을 보며 다들 기가 질린 얼굴을 했다. 그가 검을 쥐고 소리쳤다.

"더러운 사파 녀석들! 누구냐! 마교냐? 마교에서 보낸 것이냐?!"

기가 질린 것은 연오도 마찬가지였다. 평소에도 성정이 좋은 편은 아니었으나 오늘의 영명은 최악에 가까웠다. 연은 그의 모습을 보며 기시감을 느꼈다. 분명, 저런 모습을 누군가에게서 봤었는데……

"아버지! 이 자들은 녹림십오채의 잔당들입니다. 마교가 대체 무슨 말입니까?"

어, 하고 모란이 뺨을 긁적였다. 연의 안색이 조금 질렸다. 그러고 보면 모란이 저주인가를 걸어 악몽을 꾸게 만들었다고 하지 않았나.

"설마……."

"악몽을 너무 길게 꾸게 했나 보네. 저렇게 포악하게 나올 줄은 몰랐는데."

그러고 보면 영명은 평소에도 사파며 마교에 신경을 곤두세우는 편이었다. 악몽을 꾸어 예민해진 가운데 습격을 받아서 저런 반응을 보이는 건가?

연오가 장로들에게 눈짓을 했다. 차마 아버지라 검을 빼어 들지는 못하고 검집째 들어 공격을 막자 영명이 멈칫했다. 그사이 장로들이 겁에 질린 산적들을 끌어냈다. 영명은 연오와 장로들을 노려보다가 마침내 손을 부들부들 떨며 검을 내렸다. 검 끝에서 붉은 피가 뚝뚝 떨어졌다.

시선을 옮기니 한쪽에서 주강이 무표정하게 그런 영명을 지켜보고 있었다. 거기까지 본 뒤 연은 창문을 닫았다. 그럼에도 소리까지 막을 수는 없었다.

"평소에도…… 역시 소가주님이 계셔야……."

"가주님 성정이 저러신 건 알았지만…… 참으로 잔인하지 않은가."

철수 준비가 한창인 밖에서 사람들이 수런거리는 소리가 들려 왔다. 아직도 귀를 틀어막고 있는 한위의 손을 내리기 전 연이 물었다.

"저런 걸 예상하고 했어?"

모란이 눈을 깜박이더니 묘한 미소를 지었다. 눈치가 빠르네, 하고 그가 태연하게 말했다.

"아주 노리지 않았다고는 못 하겠네. 난 영명 저자가 세가에 끼치는 영향력이 줄어들길 바라거든."

연이 눈살을 찌푸렸다. 모란이 왜? 영명이 가주 자리에서 빨리 내려오기를 바라는 것일까? 하지만 이제까지 지켜본 바, 모란은 결코 오지랖이 넓은 성격이 아니었다. 그가 먼저 나서는 건 연이 부탁하거나 요청했을 때가 유일하지 않았던가.

"왜? 무슨 이득이 있어서?"

"그래야 네가 편해지니까? 모르는 것 같은데, 네 치료는 몸보다도 마음이 편해야 해서."

"그러니까…… 그래야 내가 빨리 건강해지니까?"

"그렇지."

모란이 빙그레 기분 좋게 웃는 걸 연이 물끄러미 바라보았다. 전부터 그가 만사 초연한 태도를 보이는 건 알았지만 이 정도일 줄은 몰랐다. 아까 주강에게 말할 때도 그렇고 마치 세가나 다른 무엇보다 연이 중요하다는 듯한 태도가 아닌가.

'뭐라고 해야 하는데.'

그런데 뭐라고 하지? 나무라야 하나? 하지만 나무라고 싶지 않은데?

연은 뜻밖에도 모란의 저런 태도가 제 마음을 흡족하게 한다는 걸 깨달았다. 이제껏 그를 첫째로 치는 사람은 없었다. 영명은 생각해 볼 가치도 없었다. 그의 어머니인 모용단리? 아니면 연오? 연오는 분명 연을 아끼기는 하였으나…… 아무래도 세가가 우선인 사람이다. 한위는 자신을 좋아하기는 하나 첫째는 아니겠지.

'누군가가 나를 첫째로 생각해 주길 바라는 건 욕심인데.'

연은 가만히 제 손목을 잡아 보았다. 맥이 빠르게 뛰었다. 굳이 이리하지 않아도 최근에 자신이 모란에게 많이 동요한다는 건 알고 있다. 그가 무심히 누군가를 바라보다가도 연을 볼 때에는 표정을 바꾸고 장난스러운 미소를 짓곤 했는데, 그럴 때면 유독.

'유독…….'

이 감정을 뭐라 정의하지 못한 채, 연은 귀를 막고 있는 한위의 손을 내렸다. 식은땀이 어려 축축한 손을 잡으며 생각했다. 어쩌면 모란이 자신을 좋아하는 것은 아닌가 하고. 모란은 여자도 남자도 상관없이 좋아한다고 하지 않았는가. 그러면 그래도 자신을 제일 좋아하고 특별 대우해 주는 게 아닐까.

달가닥달가닥 달리기 시작한 마차가 덜컥일 때 연의 마음도 크게 튀었다. 마차가 달리는 동안 모란은 팔짱을 끼고 창밖의 풍경을 즐겼다. 한위는 시무룩 기가 죽은 채 연의 옆에 달라붙어 앉았다. 모란은 원래 말이 많은 편이 아니었고 연은 생각이 많아 말이 없으니 자연히 한위도 말이 사라졌다.

'좋아하는 게 무슨 대수고 또 좋아한다 한들 무슨 소용이야.'

마침내 마차가 세가에 도착할 적에 연이 그리 생각했다. 그런데 마차에서 내리려고 할 때 모란이 훌쩍 먼저 내리더니 등을 돌렸다. 뒷짐을 진 채 제게로 까닥이는 손을 보며 연이 눈썹을 들어 올렸다.

"뭐 하는 거야?"

"아까 발목 삐었지 않아?"

연은 그만 말문이 막히고 말았다. 아까 주강이 휘두른 검 때문에 모란이 밀쳤을 때 발목을 삐긴 했는데, 용케도 알아보았다 싶었다. 별것도 아닌 걸로 무슨 유난인가 하여 연이 타박했다.

"사람들 앞에서 무슨, 발목 좀 삔 것으로."

정작 별거 아닌 일로 얼굴이 벌겋게 달아오른 연이 모란을 무시한 채 마차에서 내렸다. 모란이 흠, 하는 소리를 내는데 그조차도 귀에 꽂혀 들어왔다.

"형님, 괜찮으신가요? 제가 부축해 드릴까요?"

당황하여 한위에게 부축을 맡기고 걸으며 연이 이를 악물었다. 부정하고 싶지만 그는 모란을 좋아하고 있었다. 그리하여 연은 생각했다. 그렇다면 모란은 자신을 어찌 여기는가? 그걸 알아내야겠지, 연이 속으로 꾹 다짐하며 걸음을 옮겼다.

모란은 절뚝절뚝 걸어가는 연의 뒷모습을 보며 목덜미를 긁었다.

"이제야 왔군."

깊은 밤, 문이 열리는 소리에 모란이 뒤를 돌아보았다. 호롱불이 일렁이며 모란의 얼굴에 그림자를 만들었다. 보통은 연의 침실에서 시간을 보내지만 오늘만큼은 자신의 방에 있을 필요성이 있었다.

주강은 차갑다 못해 별 표정 변화가 없는 얼굴로 들어섰다. 모란이 가볍게 팔짱을 꼈을 뿐인데도 움찔하며 그가 검 손잡이를 잡았다. 잔뜩 모란을 경계하고 있는 것이다.

"내게 누이를 죽인 살수를 알려 준다 했지."

"그래. 거짓말인가 해서 찾아왔나?"

모란이 품속에서 잘 접은 종이를 꺼내 주강에게 건넸다. 어느 젊다 못해 어린 여인의 용모를 그린 종이였다. 그 아래 이름이며 신상, 얼굴과 달리 손은 늙은 사람의 것이라는 것 등등의 내용이 적혀 있었다. 주강은 주의 깊게 살펴보고는 종이를 품 안에 넣었다. 그러나 원하는 걸 얻은 뒤에도 바로 돌아서지 않았다.

"대체 네놈의 정체가 무엇이냐?"

주강은 온갖 기괴한 재주를 사용하는 이들을 만나 왔지만 모란과 같은 이는 처음 보았다. 얼핏 보면 평범한 청년으로 보이다가도 어느 순간 마치 태산이나 바다를 보는 듯해 식은땀이 났다. 단순한 두려움이 아니다. 인지를 넘어서는 무언가를 보았을 때 사람이 응당 느끼는 경외와도 같은 것이다.

모란이 비죽 웃었다.

"복수를 하는 데 그게 딱히 중요한 것은 아니지."

"그래, 그런 게 중요하지는 않지."

대꾸하면서도 주강은 알았다. 딱히 저에게 설명을 해 줄 생각은 없을 거라는 걸. 주강은 두 번째 용건을 꺼냈다.

"남궁영명 그자가 죽기 전 마지막으로 보는 얼굴이 나일 것이라

했나? 그건 내가 그를 죽이게 해 준다는 의미인가?"

"아니, 그렇지는 않아. 하지만 약속하지."

모란은 마치 일상적인 무엇인가에 대해 말하는 얼굴로 무심하게 말했다.

"장담하건대 앞으로 남궁영명에게 죽음은 오히려 편안한 안식이 될 테니, 네 복수는 복수가 아니라 오히려 은혜를 베푸는 게 될 터."

주강은 모란의 말에 고개를 들었다. 기억을 더듬다가 이내 모란의 말이 무슨 의미인가를 깨달은 그의 얼굴에 처음으로 생기와 비슷한 빛이 돌았다. 모란의 말대로라면 오늘 그는 하마터면 숲에서 영명에게 좋은 일을 해 줄 뻔했다. 두고두고 후회할 뻔하였다. 주강이 처음으로 크게 웃었다. 차갑고 날카로운 웃음이었다. 그리고 그나마도 금방 걷혔다.

"죽기 전, 영명 그자가 마지막으로 보는 얼굴은 반드시 나여야 해. 반드시."

주강의 독기 어린 말에도 모란은 시큰둥하게 고개만 끄덕일 따름이었다. 주강은 한참 동안 모란을 노려보다가 떠났다. 들어왔을 때처럼 조용한 퇴장이었다.

모란이 한숨을 쉬었다. 이로써 연에게 숨기는 것이 두어 가지나 된다. 침상에 아무렇게나 벌렁 누웠다. 그가 연이 자고 있을 침실 방향을 바라보았다. 눈동자에 금색 고리가 영글자 연에게 향하는 생기가 보였다. 이제는 다섯 군데에서 오고 있다. 그가 다시 눈을 감는 순간, 금색 고리는 모두 사라진 평범한 눈동자만이 그 자리에 있었다.

"……내가 너무 과보호를 하는 걸지도."

모란이 중얼거렸다. 살아온 삶이 거친 탓에 그는 이게 과보호인지 아닌지도 짐작이 가지 않았다. 이런 게 난생처음이었던 탓이다. 이백오십 년을 살면서 점차 모란 주위에는 그보다 약한 자들만이 늘어 갔다. 강자들의 손짓 하나에 스러지고 마는 그런 약한 자들이다. 그러나 모란은 한 번도 그런 약한 자를 봐준 적이 없었다.

"혹은 너무 공을 들였나."

이번 사건에는 오지랖이 깊어도 이렇게 깊을 수가 없었다. 하지만 그럴 수밖에 없기도 했다. 연의 일이었으니까.

왜 연만은 다른가, 곰곰 따져 보다가 그가 마침내 결론을 내렸다. 연이 그저 약한 것이 아니기 때문이다. 모란이 씩 웃었다. 연은 약하고 귀엽고 어여쁜 것이기 때문이었다.

"약하고 귀엽고 어여쁜 것은, 귀하고 소중한 것이지."

귀하고 소중한 건 상하지 않도록 아껴 줘야 하는 게 아닌가.

하지만, 차라리 그것뿐이라면 좋았을 것을.

연아, 하고 중얼거려 보고는 모란이 다시 입 안에서 그 이름을 굴려 보았다. 처음에는 책임감으로 시작했다. 중간에는 약하여 신경 쓰인다 여겼고, 그다음으로는 귀엽고 어여쁘다 생각했다.

한데 점차 자라나기 시작한 이 감정은 이제 호감만으로는 끝나지 않을 모양이다. 모란은 이번 일이 단순히 연의 몸 상태가 악화될까 염려하여 주강을 치워 버린 수준의 문제가 아니라는 걸 알았다…….

그리고 이제 그는 연을 위해 또 다른 일을 계획하고 있었다. 만일 사냥대회에서 연이 영명을 죽게 내버려 두라 했다면 시행되지 않았을 계획이다. 모란은 아들에게 고통만을 안겨 준 아비에게 한 번쯤은 좋은 일을 하게 만들어 볼 생각이었다.

한참을 생각에 잠겨 있던 모란이 자리에서 일어났다. 그리고, 그대로 연을 보러 사라졌다. 호롱불만이 일렁이며 그가 떠난 방 안을 채웠다.

八章 : 고립

연오는 처음으로 머리가 다 지끈거리며 아팠다. 그가 보고 있던 서찰을 마침내 신경질적으로 한곳에 밀어 두었다. 이번 사냥대회에서의 사건이 온 중원에 퍼져 나간 탓에 평소보다 그의 일거리가 잔뜩 쌓여 있었다. 뿐만 아니라 영명이 창일당에 완전히 칩거하여 그 곱절의 곱절은 더 쌓인 상태였다.

숲에서 잡은 녹림십오채 잔당들은 모진 심문이 시작되기도 전에 모든 걸 줄줄 실토했다. 이미 눈앞에서 영명이 잔인하게 동료를 도륙하는 걸 보아 잔뜩 겁에 질린 상태였다.

얼마 전 어떤 남자가 돌아다니며 술을 사 주고 돈을 좀 주며 위로하고는 자신과 함께하지 않겠냐며 자신들을 설득한 일이 있었다고 했다. 처음에는 믿을 수가 없어 내쳤으나 남자의 계획은 너무나도 현실적으로 들렸다. 사냥대회가 열리는 숲의 지형이며 무사들의 배치까지 줄줄이 꾀고 있었다는 것이다.

그 말은 세가 내에 첩자가 있다는 말과 동일했다. 그래서 남자의 외양을 설명해 보라 하였더니 놈들마다 외양을 서술하는 게 달랐다. 철저하게 신분을 감추고 싶었는지 변장을 하며 설득을 하고 다닌 모양이었다. 결국 범인을 알아내는 건 실패로 돌아갔고, 모든 일의 뒤처리가 연오에게 어마어마한 일거리로 돌아왔다.

"네 아버지 좀 이상하더라."

머리를 싸맨 채 괴로워하는 남궁연오 옆에서, 제갈우가 세상에서 가장 편해 보이는 자세로 앉아 쉬며 말했다. 제갈우는 제갈세가의 직계로, 제갈금려의 오라비이자 연오와 제갈금려가 이어지는 데 가장 큰 공헌을 한 사람이기도 했다.

나중에 실토하기를 실은 일찌감치 연오를 금려의 반려가 되었으면 좋겠다 생각하고는 뒤로는 온갖 간교한 공작을 꾸며 댔다고 털어놓기도 했다. 그럼에도 연오는 이상한 걸 한 번도 눈치채지 못했으니—다만 금려는 제갈이라는 성씨를 단 사람답게 일찍이 알아차렸다— 가히 놀라울 따름이었다.

"원래 성정이 거친 분이시지."

부친의 일로도 꽤나 골치 아팠지만 연오는 그리 말하고는 말았다. 최근 영명의 성격이 나빠진 건 그가 먼저 느끼고 있었다. 그는 세가에서 영명과 가장 많이 마주하는 사람이었으니.

그뿐만이 아니다. 지난 사냥대회 사건 이후로 장로들이나 다른 세가 사람들은 영명의 통솔력에 의구심을 가지기 시작했다. 소가주로서 은근히 영명을 견제하고 있는 그에게는 유리한 상황이었으나 그렇다고 마냥 기뻐할 수만은 없는 일이었다.

"하지만 아무리 봐도 지난번 행동은 영 꺼림칙하던데, 난."

"원래도 넌 내 아버지를 싫어했지 않나."

"우리끼리 있으니 탁 까놓고 말하는데, 솔직히 이 세상에 네 아버지 좋아할 사람 없다."

연오는 대꾸 없이 다른 서신을 꺼내 읽었다. 사냥대회에서 녹림 십오채의 습격으로 부상을 입었으니 보상을 해 달라는 요청이었다. 그날 세가의 무사들 외에 부상 입은 자는 없었다. 그저 공연히 떼를 써 보는 서신이었다. 그럼에도 연오는 보상을 보낼 것이라 답신을 적을 수밖에 없었다. 그날 일은 엄연히 남궁세가의 책임이었으니 말이다.

그가 침음했다. 이번 일로 이래저래 손해가 컸다. 무사들 여럿도 부상을 입은 데다가, 애지중지 키워 온 일결월산토들 중 일곱 마리나 돌연사하거나 도망쳐 버리고 말았다.

"이제 곧 혼인날이니 힘내라."

혼인날이라……. 연오가 가볍게 한숨을 쉬며 답신한 서찰을 고이 접었다. 칩거에 들어간 영명이 유일하게 연오에게 지시한 게 있다면 혼인 재촉이었다. 사냥대회로 세가의 위명이 떨어질지도 모르니 경사스러운 일로 메꾸자는 의도다.

그래, 혼인을 빨리 하는 건 좋긴 했다. 금려와 함께 살 생각을 하면 연오는 절로 미소가 지어지곤 했다. 그럼에도 혼인날이 가까워질수록 순식간에 불어나는 일에는 한숨만 나올 뿐이다.

혼인날에 맞추어서, 연오는 세가 사람들과 함께 호북성(湖北省) 융중산(隆中山)에 위치한 제갈세가로 신부를 데리러 가게 된다. 융중산은 산세가 험해 마차가 다니기 힘든 길이었으나 제갈세가에서 그리하기를 원했다. 영명은 썩 내키지 않아 하는 기색이었으나 지금은 칩거하는 중이고 제 혼인이니 연오는 제갈세가에서 원하는 대로 할 참이었다.

'연과 한위도 데려갈까.'

전이라면 꿈도 못 꿀 일이었으나 이제는 가능했다. 연은 최근 들어 몸이 제법 건강해진 상태니 일정을 여유롭게 잡으면 장거리 여행도 될 터다.

또한 한위는 최근 장로들에게서 은근한 총애를 받는 중이었다. 성실하고 총명한 데다 언제나 상대에 대한 호감이 얼굴에 솔직히 드러나니 싫어할 사람이 없었다. 한위를 데려간다 하면 좋아할 이들이 여럿이었다.

둘 다 호북성에는 가 본 일이 없고 융중산의 산세는 제법 볼만하니, 구경시켜 줄 겸 금려에게 제 두 동생을 소개시켜 주고…….

"이런."

이런저런 생각을 하다 연오는 팔꿈치로 붓을 쳐서 떨어트렸다. 아래를 보니 데구르르 굴러가 저 아래에 있었다. 제갈우 근처였다. 제갈우는 연오가 자리에서 일어나려는 것만 보고도 어찌 된 일인지 단번에 알아차렸다.

"내가 주울 테니 자네는 이거 주울 시간에 서찰이나 더 봐."

얄밉게 말하며 제갈우가 탁자 아래로 기어 들어갔다. 가만, 붓이 어디로 굴러갔지? 그가 이리저리 둘러볼 때였다. 화월당의 문이 벌컥 열렸다.

"형님!"

형님이라 부른다 함은 동생 중 한 명이라는 건데 목소리를 듣자 하니 아마 둘째인 남궁연일 터. 아무래도 자신이 있는 건 모르는 게 분명했다. 연오의 동생은 호기롭게 문을 연 게 언제냐는 듯 조심스럽게 물었다.

"바쁘십니까?"

"아니, 아니다. 무슨 일이냐? 안색을 보아하니 그저 날 보고 싶어서 온 건 아닌 듯한데. 그보다……."

연오가 자신이 있다고 말하려는 걸 제갈우가 콱 발목을 잡았다. 어쩐지 흥미로운 일이 일어날 것 같았다. 아까까지는 바빠서 죽어 가던 연오가 일말의 망설임도 없이 바쁘지 않다고 하지 않나.

게다가 남궁연은 소문이 꽤 안 좋게 난 이였다. 그는 소문의 실체가 어떤지 직접 보고 싶었다. 살짝 짜증이 난 연오가 제갈우의 손목을 아프게 걷어찼다. 이크 하며 제갈우가 얼른 손을 빼냈다.

"저, 궁금한 것이 있어서 왔습니다."

"궁금한 것?"

"별것은 아니고……."

별것 아니라고 하는 사람은 항상 별것을 말하는 법이다. 제갈우는 빨리 나오라고 걷어차는 연오의 발을 피하려다 축축한 걸 손바닥으로 짓눌렀다. 아까 연오가 떨어트린 붓이었다.

"저, 형님은 금려 누님이 형님을 좋아한다는 걸…… 어찌 아셨습니까?"

오호라. 이거 봐라. 연애 문제인가 본데. 동생의 목소리가 머뭇거리는 것이 제법 마음이 중한 모양이었다. 연애 문제 하면 또 제갈우가 아니겠는가. 이제는 나오지 말라고 연오가 걷어차는 걸 무시하고 제갈우가 붓을 쥔 채 벌떡 일어났다.

연오만 있는 줄 알았던 연이 헉 하고 놀라는 소리를 냈다. 연오는 대놓고 제갈우를 노려보았다. 그러거나 말거나 제갈우는 신경 쓰지 않았다. 남궁세가에 온 뒤로 내내 심심하기만 하던 참인데 잘되었다 싶었던 것이다.

"안녕, 연오 동생. 생일 연회 때 본 뒤로는 오랜만이지?"

"제갈우…… 대협……."

"우리 사이에 뭘 딱딱하게. 우 형님이라고 불러."

우리 사이가 뭔데? 연이 생각했다. 제갈우가 연오의 오랜 친구인 건 알았지만 매번 먼발치에서나 봤지, 말 한번 제대로 한 적이 없는 사이였다.

"넌 볼일 없으면 이만 가 봐라."

연오가 대놓고 축객령을 내렸으나 제갈우는 들은 척 만 척하였다. 목석같은 남궁연오와 제 금려를 잇느라 그가 얼마나 고생했던가? 괜히 끼어들지 말라는 누이동생의 구박과 도와주는 것도 눈치 못 채던 친우의 눈치는 서운할 정도였다. 그런 연오에게 연애 상담이라니 조금도 도움이 안 될 게 분명했다.

"형님 친구는 형님 같은 존재가 아니더냐. 날 연오 형님이라고 생각하고 털어놔 봐라. 이래 봬도 내가 네 형님과 금려를 이어 준 사람이거든."

도로 슬금슬금 나가려던 연은 제갈우의 말에 솔깃하고 말았다. 이렇게 된 이상 그를 쫓아내려는 노력이 소용없다는 걸 깨달은 연오가 깊은 한숨을 쉬었다. 제갈우는 연에게서 자초지종을 듣지 않고는 자리를 떠나지 않을 게 뻔했다.

"여기 차 좀 내오게."

심지어 제갈우는 뻔뻔하게 주인인 것처럼 시비를 불러 차를 내오라고 시키기까지 했다. 연은 정말로 들으려는 듯 본격적으로 구는 그의 모습에 조금 당황했다.

사냥대회 이후로 그는 머리가 아프도록 고민하고 또 고민했다. 모란을 좋아하고 있다는 건 인정한다. 모를 수가 없었다. 모란을 보면 마치 가슴을 얻어맞는 것처럼 심장이 세게 뛰다가도 아무것도 아닌 행동에 귀가 벌겋게 달아올랐으니. 모란에게 '치료'를 받을 때면 이런 치료라면 얼마든지 받아도 괜찮지 않을까 생각하기까지 했다. 이는 분명 은애하는 감정이 아니던가.

그런데 도통 모란이 자신을 좋아하는지는 알 수가 없었다. 모란이 남자나 여자나 다 좋아한다는 건 알고 있지만 그렇다고 하여 그게 연을 좋아한다는 의미는 아니었다. '치료'도 그렇다. 어디까지나 모란에게 '치료'는 치료일 뿐일 수도 있었다. 자신을 특별히 대하는 것도 그저 그와 모란 사이가 남들과는 다른—몸과 몸이 바뀌었던— 관계라서 그런 걸지도 모른다.

혼자서는 도통 답이 나오지 않아 그는 주변에 상담할 만한 사람이 없나 고민해 보았다. 사실 어려운 일이 있을 때 가장 상담할 만한 대상은 모란이었다.

그는 수십 가지의 해결 방안을 알고 있었다. 그럴 만한 능력도 있다. 그러나 이번 문제는 달랐다. 장본인에게 어찌 누굴 좋아하느냐고 물어볼 수 있겠는가? 한데 다른 사람이라고 여의치는 않았다.

한위? 한위는 이제 겨우 열다섯—아공간에서 일 년을 넘게 보냈으니 열여섯이지만—이었다. 심지어 이제 막 세가에서 자유롭게 돌아다니기 시작한지라 아직 좋아하는 사람도 없었다.

은록 사부? 그는 독신이다. 게다가 사부에게 좋아하는 사람이 있는데 그가 자신에게 마음이 있는지 없는지 모르겠다 털어놓는 걸 생각만 해도 연은 머리가 다 아찔해졌다. 주강은 말할 것도 없다.

그 외에는 대화도 제대로 하지 못한 사람들이라, 협소한 인맥 속에서 연은 간신히 한 명을 골라낼 수 있었다. 다름 아닌 연오였다. 더군다나 그는 이번에 막 혼인을 앞두고 있지 않은가. 정략혼이기는 하였으나 그는 금려와 서로 은애하는 사이였다. 이미 연에게 '백매화'에 대해 충고를 한 적도 있었다.

결국 연은 모란이 없을 적에 조용히 나와 연오가 지내는 화월당으로 향했다. 차를 마시는 동안 가볍게 충고나 조언을 구해 볼 작정이었다. 그러나 탁자 밑에 제갈우가 숨어 있을 줄은 꿈에도 몰랐다.

"그래, 연오 동생. 자네가 좋아하는 사람은 누구지?"

연은 따뜻한 김이 올라오는 찻잔을 쥐고 눈만 깜박였다. 제갈우는 단순히 연오의 벗이 아니다. 그 제갈세가의 제갈우가 아닌가. 연오와 마찬가지로 제갈세가의 후계자로 지략과 기문지식에 뛰어나다고 들었다. 연이 한 마디를 하면 열 가지의 정보를 파악해 낼 사람이기도 했다.

"걱정 마. 내가 이래 봬도 입은 무겁거든."

연이 눈을 굴려 연오를 바라보았다. 연오가 미간을 접고 있다가 마지못해 입을 열었다.

"입이 무거운 녀석이긴 하다."

"내 제갈이라는 성에 걸고 약조하지. 오늘 이 방에서 나온 이야기는 그 어디에도 흘러 나가지 않을 것이야."

제갈우가 그렇게까지 말하니 연은 말을 안 할 수가 없는 처지였다. 제갈이라는 성을 걸기까지 한다는데 연이 털어놓지 않으면 그 호언장담을 믿지 않는다는 이야기나 다름없지 않은가. 결국 연이 신중하게 입을 열었다. 어쩌다가 이렇게 된 걸까.

"상대에 대해서는 말할 수 없지만……."

"상대가 누군지까지는 말 안 해도 돼. 그저 작은 신상 정보만 필요하지. 아무것도 모르고 상담할 수는 없잖나. 그 은애하는 상대의 나이가 어떻게 되지? 자네보다 나이가 많은가, 적은가?"

이게 정보를 캐내려는 고도의 수작임을 눈치챈 연오가 노려보았으나 신난 제갈우는 그냥 무시했다.

'나이가 많다 적다 정도는 말해도 되지 않을까?'

그러나 연은 신중해지기로 했다. 상대는 제갈우. 그 제갈! 우였다. 한 마디 들으면 열 가지, 아니 백 가지 정보를 뽑아내는 제갈이다.

"저와 나이가 같지는 않습니다."

"오호라, 상대가 연상이구나. 연애가 다소 힘들긴 하겠는데. 평소에 어린애처럼 대하고 말이야, 그렇지?"

연이 놀라 입을 벌렸다. 그걸 어떻게 알아냈는지 알 수가 없었다.

한편 제갈우는 근엄한 얼굴을 하면서도 속으로는 히죽거리며 웃었다. 가볍게 떠본 것에 불과한데 이렇게 솔직한 반응이 돌아오니 재밌지 않을 수가 없었다.

제갈이라는 이름은 이런 곳에서 사용하기 쉬웠다. 그저 떠본 것임에도 상대가 알아서 착각해 주니.

'그나저나 연상이라면 한때 그 소문 자자하던 안휘성의 젊은 상단주 '백매화'인가? 하루아침에 부유한 상단주의 주인이 나타난 것도 모자라 남궁세가의 공자에게 청혼을 했다는 건 뭔가 꿍꿍이속이 있다는 것이지. 누가 한눈에 반했다는 걸 믿겠나. 그 백매화란 여인은 순진한 공자를 발판 삼아 남궁세가를 어찌해 보려는 작정인가?'

실상은 조금도 모른 채 제갈우가 지레짐작하며 눈을 빛냈다. 남궁세가에서 백매화에 대해 조사에 들어갔음에도 지금까지 아무것도 밝혀진 것이 없다 하지 않았나. 남궁세가뿐만이 아니다. 그 어느 곳에서도 백매화에 대한 상세한 정보는 밝혀내지 못했다. 그저 묘령의 여인이라는 것 정도밖에. 오늘 연 공자에게서 뭔가 더 정보를 뽑아낼 수 있을 것이다.

"그래서 연상인 것이 문제인가?"

연상인 것이 문제냐고……. 연이 미간을 접었다. 이백오십 살이면 심하게 연상이긴 하지. 몇 살이나 차이가 나는 거야? 그러나 이백오십이든 오백이든 모란의 나이 같은 건 이제 문제도 되지 않았다. ……아니, 천 살 정도나 차이 나면 좀 그렇긴 하겠네.

"열 살이나 차이 나는 것도 아니라면 별문제야 되겠는가?"

"그게 아니라 상대가…… 저를 좋아하는지 알 수가 없어서 그렇습니다."

은근하게 떠보았는데 지레 찔린 연이 얼버무렸다. 제갈우는 속으로 좀 놀랐다. 열 살이나 연상인 여인이라면 확실히 배필로는 드문 일이긴 한데.

말하고 나니 새삼 실감이 나서, 연은 그만 얼굴을 붉히고 말았다. 그리고 회의감이 들었다. 괜히 여기에 왔나? 여기서 제멋대로이고 껄렁한 자에 대해 좋니 어쩌니 이야기 나누고 있으려니 뭐 하는 건가 하는 자괴감이 들었다.

"그거 참…… 난감한 일이겠군."

제갈우가 재빨리 머릿속으로 주판을 굴려 보았다. 보아하니 진심인 것 같은데. 내가 백매화라면 이런 황금 같은 기회를 놓치지는 않겠어. 일단 혼인하여 세가에 들어간 뒤에는 이래저래 손을 볼 수가 있으니 말이야.

게다가 딱 보아도 그 여인은 지금 밀고 당기기를 하고 있는 듯한데. 나중에 혹여 공자가 백매화와 혼인을 하게 되면 남궁세가는 과연 번창할 것인가 기울 것인가? 남궁세가가 중원의 중심이라고 할 수 있을 만한 가문이다 보니 이는 매우 중대한 문제였다.

물론 현실과는 상당히 거리가 먼 추측이었다. 일단 백매화가 여자라는 것부터 틀렸으니.

"워낙 제멋대로인 사람이라서 의중을 읽기가 힘듭니다."

에라 모르겠다, 하고 연이 냅다 털어놓았다. 답답한 상황에서 제갈우가 뭔가 답을 내주지 않을까 하는 일말의 기대에서였다.

"사실 제가 상대를 좋아한다고 하여 꼭 이루어질 필요는 없지 않습니까? 생각해 보면 그냥 이대로 지내는 것도……."

연의 말에 제갈우가 크게 부정했다.

"아니지, 아니야. 그런 걸 원했다면 자네가 왜 여기에 굳이 괴롭게 이야기를 털어놓으러 왔겠는가? 하루하루 연모의 정으로 일일삼추(一日三秋)할 정도니 찾아온 게 아닌가?"

연이 눈썹을 들어 올렸다.

'아니, 딱히 하루가 삼 년처럼 느껴질 정도로 모란을 지극히 사모하는 건 아닌데…….'

제갈우는 허어, 하고 탄식하더니 고개를 절레절레 저었다. 그의 이런 모습을 한때 많이 보았던 연오는 씁쓸하게 식어 가는 차나 마셨다.

"자네가 뭘 모르는군. 생각해 보게. 상대가 자네에게 은애하고 있다 말하는 모습을."

연이 미간을 접었다. 모란이 은애한다고 말하는 모습이, 잘…… 상상이 가지 않는다. 그런 사내가 아닌 탓이다. 그 반응에 제갈우가 당황했으나 내색하지는 않았다.

"아니면 자네만 보면 가슴이 뛴다고 한다든가, 잘생기고 늠름하다며 말하는 모습이라든가."

"그게, 귀엽거나 어여쁘다고 한 적은 있지만……"

연의 시큰둥한 반응에 제갈우는 또다시 당황했다.

"으, 응? 뭐, 그런 것도 포함이 되……겠지."

연하라서 귀엽고 어여쁘다고 하는 것인가? 제갈우가 연의 외양을 살폈다. 몸이 약하고 아파서 그런가 확실히 소나무나 바위 따위처럼 늠름하기보다는, 뭐랄까…… 난과 비슷한 느낌이긴 하지. 하나 귀엽……다는 건 알겠지만 어여쁘다는 건 모르겠다. 여인의 눈에는 사내가 그런 식으로도 달리 보이는 것인가?

"아무튼 그럼 상대가 제게 그다지 관심이 없다는 의미인 것이지요. 잘 알겠습니다."

연은 제 입으로 귀엽니 어여쁘니 뱉고 보니 더 짙은 회의감이 들었다. 그가 쌀쌀맞게 대화를 정리하고 일어서려는 걸 제갈우가 잡았다.

"어허. 뭘 몰라도 단단히 모르는군. 자네가 이렇게 상담하려고 찾아온 건 뭔가 느낌이 있어서가 아닌가, 느낌이. 혹여나 상대가 유달리 다른 사람과는 다르게 자네를 대하지 않나?"

"그건, 그렇긴 한데……."

이러다가는 백매화에 대한 정보를 캐내는 건 둘째 치고 괜히 잘되어 가던 남녀 사이에 훼방이나 놓고 끝나겠다 싶어, 제갈우는 본론으로 들어가기로 했다.

"상대가 내게 마음이 있는지 없는지 확신할 수 없을 때에는 말이지, 이런 방법이 있네."

"무슨 방법입니까?"

정말 연오 형님과 금려 누님을 이어 준 분이 맞느냐, 못 믿겠다……. 이런 불신의 빛을 연의 얼굴에서 본 제갈우가 진지한 얼굴로 말했다. 이래 봬도 그는 여러 남녀를 이어 준 경력이 있는 사람이었다.

"질투, 유혹, 부탁, 비무."

연이 미간을 접었다. 질투, 유혹, 부탁…… 비무?

"비무, 말입니까?"

앞의 세 가지는 얼추 이해가 갔으나 비무는 까닭을 알 수가 없었다. 제갈우가 팔짱을 낀 채 고개를 끄덕거렸다.

"이른바 질투를 불러일으키고 상대를 유혹하고 난처한 부탁을 하고 비무를 해 보는 것이지. 이제부터 왜 이 네 가지가 중요한지 설명할 테니 잘 듣도록 하게."

연은 제갈이 책략으로 유명한 가문이란 걸 다시금 떠올렸다. 어쩌면 이 조언들이 쓸모 있을지도 모르겠다…….

"질투는 정말 가장 중요한 것이지. 본래 누군가를 좋아하게 되면 상대가 다른 사람과 말하는 것조차 싫어지거든. 내 여인이 다른 사내와 담소를 나누는 것만 봐도 초조해진단 말이야."

그런……가? 연은 긴가민가하였다. 실상 모란은 대체적으로 다른 사람과 담소를 나누거나 하는 사람이 아니었다. 대개 연과 있을 때는 상대방이 말을 걸어오지 않는 이상 시큰둥하니 턱을 괴고 멀거니 앉아 있거나 딴청을 부리고 있는 경우가 많았다.

"그러니 다른 사람과 부러 친하게 지냈을 때 상대가 화를 내거나 냉랭해지면 그것이야말로 내게 마음이 있다는 반증인 것이지. 그 다음으로는 유혹일세."

유혹……. 연에게는 가장 어렵게 느껴지는 부분이었다. 유혹이라니, 뭘 어떻게 한단 말인가?

"유혹하였을 때 상대가 반응을 보이는 건 나를 매력적으로 느끼기 때문이 아니겠는가. 또한 난처한 부탁은 상대가 어떻게 반응하는가에 따라 나를 얼마나 좋아하는지 그 깊이를 알 수 있다네. 누군가를 좋아하면 하늘의 별이라도 따다 주고 싶은 게 사람 마음이지."

연은 모란에게 난처한 무언가를 해 달라 요구하는 걸 상상해 보았다. 그러나 모란이 할 만한 난처한 부탁이라는 게 도통 생각나지 않았다. 일단 그는 돈이 많았고 제가 본 중에 가장 강한 사람이기도 했다. 도무지 부족한 게 없었다.

"마지막으로 비무. 대개 비무를 하자고 할 때에는…… 그래, 혹 상대가 검을 쓰는가?"

세가에서 백매화가 남궁영명과 비무를 벌였다는 소문을 들었기에 제갈우가 은근하게 떠보았다. 연이 제갈우의 질문에 모란이 싸우는 걸 떠올려 보았다. 확실히 검은 안 썼지. 그런데 모든 걸 곧잘 해내는 사내니 검도 잘 쓸 것 같기는 했다. 사실 싸운다기보다는 일방적인 공격을 가하는 게 아니던가? 손짓, 아니 손가락만 까딱하면 다 나자빠지던데. 모란과 비무하면 상대나 될지 모르겠다. 연이 고심 끝에 대답했다.

"……딱히 무기를 쓰는 걸 본 적은 없습니다."

이 대답은 무인은 무인인데 검술이나 창술, 혹은 암기 따위를 쓰지는 않는다는 이야기군. 그럼 권법인가? 권법을 배우는 가문이 어디어디가 있더라. 상대가 검법도, 권법도, 창법도 아닌 '마법'이란 것을 쓴다고는 차마 상상도 못 하는 제갈우가 재빠르게 머리를 굴렸다.

"그럼 더 잘되었군! 무릇 비무를 하자고 할 때 상대가 조금이라도 머뭇거리거나 하면 여지가 있는 거야. 또한 비무를 하면서 몸도 맞부딪칠 수 있지 않나?"

"그런가요……."

이 조언들이 정말 효과가 있긴 할까? 연은 반신반의하며 제갈우의 조언을 일단 담아 두었다. 질투, 유혹, 부탁, 그리고 비무라. 아직도 불신하는 연의 표정에 제갈우는 자존심이 다소 상했다. 그가 큰소리를 땅땅 쳤다.

"분명 효과가 있는 방법들이라니까. 내 장담하지."

연은 마지못해 알겠다고 대답하면서도 고개를 갸웃거렸다. 이게 정말 효과가 있는 것일까? 반대로 말하자면 효과가 없다는 건 모란이 연을 좋아하지 않는다는 의미가 아닌가.

어쨌든 시도해서 나쁠 건 없으리라, 연은 그리 생각했다.

질투. 질투란 무엇인가. 대체 어떤 감정인 것인가. 연은 한 번도 누군가에게 질투라는 걸 느껴 본 적이 없었다. 그러니 모란에게 질투를 불러일으키는 것이 한없이 까다롭게 느껴졌다.

'질투는 대체 어떻게 불러일으켜야 하나?'

그가 골똘히 고민했다. 제갈우의 조언에 따르면 다른 사람과 부러 친하게 지내라는데 문제는 그럴 만한 다른 사람이 주위에 없다는 점이다. 사냥대회 이후로 한위와 있을 때가 아니면 급격히 말이 사라진 주강과 친하게 지내겠나, 아니면 원래도 친한 한위와 '더 친하게' 지내겠나.

'협소한 인맥은 이럴 때 곤란하군.'

질투를 유발할 만한 사람이 없다……. 그럼 낯선 사람뿐인데. 낯선 사람을 만나려면 일단 세가 밖으로 나가야 한다. 연이 손가락을 톡톡 두드리다가 고개를 돌렸다. 모란이 햇볕 잘 드는 창가에 기대어 앉아 빈둥거리고 있었다. 별로 바빠 보이지는 않았다. 밖에 나가자고 어찌 말을 꺼낼까 궁리하며 연이 자리에서 일어나자 모란이 힐긋 바라보았다.

"왜, 밖에 나가게?"

그리고 연이 자개장에 접근하는 걸 보자 자신도 훌쩍 일어나는 게 아닌가. 연이 겉옷을 꺼내며 눈을 깜박였다.

"같이 나가려고?"

"할 일도 없는데 같이 나가지."

말을 꺼내기도 전에 알아서 같이 나간다니 연으로서는 좋은 일이었다. 그런데 옷을 입으면서 생각해 보니 자신이 밖에 나갈 때에는 모란이 따라붙지 않는 경우가 더 드물었다.

'어라.'

곰곰 되짚어 보니 모란은 요즘, 못해도 하루에 반나절 이상, 어쩔 때는 하루 종일 제 곁에 머무르고 있었다. 종종 오전 나절에 자리를 비우기는 하는데 그나마도 주루의 일을 살피러 가기 위해서다.

치료도 어차피 며칠에 한 번 정도만 하는데 뭐 하러 이렇게 제 곁에 있나……. 연의 마음속에서 혹시나 하는 기대감이 톡 굴러 나왔다.

화정당을 나오니 하인과 시비들 외에는 주강도 한위도 없었다. 주강은 사냥대회 후로 마음을 추스르기 위해서인지 며칠간 모습을 안 보이더니 다시 화정당에 나타나기 시작했다. 연은 이제는 그게 호위나 감시가 아니라 한위를 보기 위해서라는 걸 안다.

아무래도 남궁영명에게 원한을 졌으니 아주 사이가 나빠졌나 싶다가도, 연에게까지 척을 지지는 않았는지 주강은 마주치면 고개 나마 까딱하고는 했다. 어쨌든 이제 나갈 때마다 주강이 따라붙지 않으니 좋기는 하였다.

"주루에 점심 먹으러 갈까?"

"뭐, 그래……."

모란의 주루는 저녁 전까지는 한가하여 번잡스럽지 않고 느긋하게 식사를 해결할 수 있어 좋았다. 별생각 없이 주루에 들어가기 직전 연은 문득 한 가지 일이 떠올랐다. 지난번 은록이 행방불명되었을 때 한위와 함께 이 주루에 찾아왔던 일이다. 그가 툭 하고 내뱉었다.

"요즘은, 운우지락(雲雨之樂)[2]인가는 안 즐기나 보지?"

"운우지락?"

주루 안으로 막 발을 디디던 모란이 눈썹을 들어 올리며 돌아보았다. 연이 태연하게 말을 이었다.

"지난번에 여기서 당신을 찾으려고 하니 누가 그러던데. 모란 당신의 운우지락은 밤에나 이루어지니 낮에는 찾아와도 뵐 수 없다던가."

"음."

모란은 드물게도 잠시 당황한 낯을 했다. 잠시 침묵하다가 그가

---

2) 남녀가 육체적으로 어울리는 즐거움.

입을 열었다.

"딱히, 최근에는 안…… 했지. 굳이 그래야 할 필요도 없고. 마음이 내키지도 않고."

운우지락인가 뭔가를 할 필요성을 못 느낀다는 게 자신 때문인가? 그러니까 자신과 정사를 나누니까……. 그러나 이게 모란이 자신을 좋아한다는 방증은 되지 않는다. 연이 냉철하게 판단했다. 그저 육욕을 풀었기 때문일 수도 있지 않나? 생각해 보니 하루에 두 번이나 하려면 좀 버겁기도 하겠는데.

"루주님, 연 공자님. 어서 오세요."

모란과 함께 들어서자 기녀들이 반갑게 둘을 맞이했다. 아직 주루의 문을 열기 전이라 여인들은 편한 차림을 하고 있었다. 손님들이 해가 질 무렵부터 찾아오기 때문에 그들은 밤늦게 자고 아침 늦게 일어나는 편이었다. 탁자에 앉아 연은 간단히 소면을, 모란은 언제나와 마찬가지로 한가득 음식을 시켰다.

"운우지락……."

연이 중얼거리자 느낌 탓인가 모란이 젓가락을 놀리다가 멈칫한 것 같았다. 연은 무슨 생각을 했냐면, 그러고 보니 나는 아직 여자와는 관계한 적이 없으니 동정이라 할 수 있는가 이런 생각만 하고 있었다.

식사가 나오자 모란이 점잖게 소룡포를 세 개쯤 한입에 집어삼키며 물었다. 연이 잠시 제 눈을 의심했다. 방금 막 입에 들어간 세 개의 소룡포는 대체 어느 곳으로 간 거지?

"운우지락은 왜?"

"운우지락(雲雨之樂)이 대체 무언가 하여 고찰하고 있었어."

모란과 정사를 나눌 때면 연은 딱히 구름과 비의 즐거움 같은 건 알 수 없었다. 구름과 비에 비교될 만한 성질이 아니었다. 굳이 따지자면 아득하니 절벽에서 밀려 떨어지는 것 같다고 할까. 쾌감은 쾌감인데 괴롭다고 할까. 가끔은 모란이 치료 때문에 그러는지 아니면 그냥 정사를 나누고 싶어서 그러는지 구별이 가지 않았다.

생각에 잠긴 탓에 연은 모란이 눈을 가늘게 뜨는 건 보지 못했다.

아무튼 연은 본래의 목적으로 돌아왔다. 질투하는 모란이라니 딱히 상상은 가지 않았지만 어쨌든 이러려고 나왔으니 시도는 해 봐야 하지 않겠나. 마침 기녀가 식사를 내오기에 연이 머뭇거리다가 가볍게 칭찬을 해 보았다.

"귀걸이가 잘 어울리는군요."

"어머나, 연 공자님. 오늘 입으신 옷도 공자님에게 정말 잘 어울린답니다."

기녀가 사르르 웃더니 상냥하게 칭찬을 되돌려 주었다. 연은 잠시 기녀를 바라보다가 고개를 돌렸다. 모란은 소룽포 한 접시를 해치우고 어느새 마파두부를 먹는 중이었다. 별로 신경도 안 쓰는 것 같은데……. 아니면 제가 한 질투 유발이 제대로 된 게 아닐 가능성도 높았다.

불현듯 연은 민망한 감정이 들었다. 운우지락이며 질투가 다 무엇인가……. 배가 고프니 소면이나 먹어야지, 하고 젓가락을 들던 그가 움찔 굳었다. 기분 탓인가? 방금 모란의 발이 묘한 느낌으로 다리를 스친 것 같았는데. 고개를 들어 바라보자 모란이 왜, 먹고 싶어? 하면서 평소처럼 음식 접시나 밀어 주었다. 연은 착각이겠거니 여겼다.

언제나처럼 연은 만족스러운 식사를 했다. 한위나 연오와 함께 식사를 할 때도 좋았지만 유달리 모란과 함께하면 몸에 온기가 차오르는 느낌이었다.

차와 과일까지 먹고 자리에서 일어나려 할 때였다. 잠시만, 하고 모란이 연을 불렀다. 무언가 하여 그가 뒤를 따라 주루의 계단을 올랐다. 삼 층에서 멈춘 모란이 연을 벽으로 슬슬 밀었다.

"뭐 하는 거야?"

"좋은 거 한번 하고 갈까?"

그렇게 말하면서 모란이 연의 아랫입술을 다소 아프도록 세게 빨았다. 혀로 다물린 입술 사이를 살살 핥기에 연이 당황했다. 그들이 서 있는 곳은 주로 객실을 오가는 복도였다.

"설마 여기서? 미쳤어?"

"걱정 마. 이 시간에는 아무도 여기에 안 와."

연은 안 된다며 연신 모란을 밀어 냈지만 혀가 몇 번 빨리고 깨물린 다음에는 잠시 말문이 막혔다. 항상 그렇듯이 모란이 손을 대기만 하면 금방 쾌감에 이성이 약해지고 말았다. 여기서 하면 안 되는데, 하지만 또 기분은 좋고…….

연이 갈등하는 사이 잡아먹을 듯 사납게 입 안을 헤집던 모란이 돌연 몸을 숙였다. 무릎을 꿇기에 뭘 하나 했더니 불쑥 옷자락 아래로 머리를 들이미는 게 아닌가.

"뭐, 뭐 하는 짓이야!"

차마 큰 소리는 내지 못하고 당황하여 뒤로 물러났으나 뒤에는 벽밖에 없었다. 연이 힉, 하는 소리를 냈다. 옷감 위로 습하고 따뜻한 감촉이 닿은 탓이었다. 모란의 어깨를 밀어 내려다가도 연의 손은 허공을 방황했다. 수치심과 더불어 열기가 머리끝까지 치밀어 올랐다.

눈을 꽉 감고 연이 몸을 떨었다. 모란이 입술과 혀로 지분거린 탓에 바지 사이는 금세 축축하게 젖었다. 차마 소리는 내지 못하고 어깨를 잡자, 기다렸다는 듯 모란이 바지를 벗겨 냈다. 연은 밀어 내고 싶은 마음 반, 이다음에 오게 될 더 큰 쾌감을 기다리고 싶은 마음 반으로 갈등했다.

"아, 안 돼, 웃, 훗, 안…….."

그러나 모란이 단번에 연의 성기를 입에 담자 머리끝까지 소름이 오싹하게 올랐다. 옷자락 아래에서 모란이 습기 어린 소리를 내자 그나마 남아 있던 이성까지 날아갔다. 정사를 나눌 때 옷을 모두 벗은 것보다도, 연은 옷을 간추려 입은 지금이 더 적나라하고

야하게 느껴졌다.

"아, 아……."

모란이 일부러 소리가 날 정도로 세게 빨아 올 때면 연은 다리가 후들후들 떨렸다. 겨우 벽에 기대서는 지경인데 그러거나 말거나 모란은 참으로 야살스럽게도 핥아 댔다. 손으로 단단히 쥐인 채 귀두를 혀끝으로 간질거리며 핥아질 때는 흐느끼는 소리가 나올 정도였다. 마치 벽에 박제당한 것처럼 꼼짝을 할 수가 없었다. 온몸에서 기운이 쭉쭉 빠져나가고 자꾸 발꿈치가 들렸다.

평소의 애무와는 다르다는 걸 깨달은 건 거의 절정에 다다랐을 때였다. 겨우겨우 신음을 죽이고 있는데 모란이 돌연 손가락으로 뿌리를 꾹 죄었다. 연은 하마터면 악, 하고 소리를 낼 뻔했다.

"왜, 왜……. 웃, 아!"

모란이 연의 물건을 끝까지 담고 목구멍으로 죄이자 정신이 달아나는 것만 같았다. 혓바닥으로 감싸이고 목구멍 안으로 미끌거리며 들어가는 느낌은 너무 큰 자극이었다. 헐떡헐떡 숨이 넘어가고 오금이 바짝 당겼다. 그런데도 그는 사정할 수가 없었다. 그의 것을 꾹 죄고 있는 손가락 때문이었다.

"놔아, 앗, 힉, 놔, 줘……."

결국 이기지 못하고 연이 어깨를 밀어 냈으나 몇 번이고 깊게 빨리자 말이 마디마디 흩어져 버리고 말았다. 주저앉을 것 같은데 그럴 수도 없었다. 허벅지가 경련하는 것처럼 덜덜 떨렸다. 혹시나 하는 생각에 신음 소리도 제대로 내지 못하고 입을 꾹 틀어막는 중에도 온몸이 저리도록 쾌감이 지극했다.

안 돼, 이거 너무, 너무하잖아. 연의 머릿속에 너무하다는 생각만 두서없이 떠올랐다가 뭉그러졌다. 츱츱하고 적나라한 소리가 나면 그만 눈물까지 찔끔 나오는 것 같았다.

도저히 못 견딜 것 같아 흐느끼는 소리를 내며 웅크리니 모란이 허벅지 안쪽 연한 살을 세게 빨아 흔적을 남겼다. 한 손은 벌겋게 달아오르다 못해 터질 것 같은 성기를 살살 흔들고, 입은 허벅지를 핥고 깨물었다. 다시 모란이 성기를 입에 담자 연은 제 혼이 다 달아나는 것 같았다. 지극한 쾌감으로 절로 몸서리가 쳐졌다.

다리 안쪽이 죄다 순흔으로 모두 얼룩덜룩해지지 않을까 걱정될 정도가 되었을 때에서야 모란은 죄고 있던 손가락을 느리게 풀어 주었다. 입술 부드러운 안쪽으로 성기 끄트머리를 문지르며 다시 깊게 삼킬 적에 연은 몸을 떨며 사정하고 말았다.

겨우겨우 숨만 헐떡이고 있는데 연의 것을 문 채 가만히 있던 모란이 목울대를 올리자 연의 얼굴이 벌겋게 달아올랐다. 힘이 쭉 빠져 주저앉으려는 걸 모란이 잡아챘다.

"그, 그걸! 왜, 왜……."

너무도 부끄러운 나머지, 왜 삼키냐는 말이 도무지 입 밖으로 나오지를 않았다. 모란이 번들거리는 입술을 입맛을 다시는 것처럼 느릿느릿 핥았다. 연은 살면서 본 가장 적나라한 것들은 죄다 모란이 보여 준다고 생각했다.

"이 정도면 운우(雲雨)가 되지 않을까?"

모란이 무어라 지껄였으나 연의 귀에는 거의 들리지도 않았다. 가쁜 숨을 고르자 그제야 정신이 좀 돌아왔다. 풀어 헤쳐진 바지를 추스르려고 하자 모란이 손을 뻗어 여며 줬다.

퍽 흡족한 표정이었다. 그 와중에 은근슬쩍 허벅지 위에 자근자근 입을 맞추니 연의 얼굴은 다시 붉게 달아올랐다. 정말이지 부끄러움을 모르는 자다.

문제는 모란과 함께하면 연도 어느 순간 부끄러움을 모르고—혹은 부끄럽다는 걸 알면서도— 휘말려 버린다는 점이었다. 모란이 주는 쾌감이 대단하여 결코 자위와 비할 바도 되지 못하는 탓이다.

아무도 위에서 있었던 일은 모를 테지만 그래도 기녀들 얼굴 보기가 부끄러워 연은 시간이 지난 후에서야 일 층으로 내려올 수 있었다. 아직 좀 열기가 남아 벌건 얼굴로 주루를 나가 시장을 가로

질러 갈 때에야 연이 깨달았다.

……이거 혹시 아까 운우지락을 모른다 하여 모란이 일부러 이런 것인가?

주루에서 모란에게 기운이 쭉쭉 빨린 것 같아 연이 타박타박 걸었다. 가는 길에는 시장에서 홍시를 몇 개 샀다. 은록에게 주기 위해서였다. 그런데 다가온 모란이 슥 홍시 꾸러미를 빼앗는 게 아닌가. 들어 줄 필요 없다고 말하려는데, 모란이 날름 하나를 먹었다.

"사부님 드릴 물건이야!"

그러나 모란은 모른 척 하나를 또 날름 먹는 것이었다. 대체 어떻게 저리 빨리 입 안에서 사라지는지 모르겠다. 연이 얼른 빼앗아 왔으나 여섯 개 중 세 개밖에 남지 않았다. 어처구니가 없어 바라보자 모란이 히죽 웃었다. 이백오십이나 먹었다면서 하는 모양새가 어린아이 같지 않은가.

'홍시를 좋아하나? 그럼 말을 하지, 한 꾸러미 더 샀을 것을.'

조금 더 기운이 빠진 연이 이제는 타달타달 걸었다. 의원에 들어서는데 순서를 기다리던 환자들이 힐끔 보고는 여상하게 시선을 돌렸다. 처음에는 남궁세가 공자님이라 순서 무시하고 들어간다며 수군거렸지만, 이제는 연이 진료를 받는 게 아니라 그저 한구석에 앉아 말끄러미 보다가 간다는 걸 알기 때문이었다. 연이 들어와 앉아도 은록은 시선 한번 보내지 않았다. 그만큼 치료에 집중하고 있다는 의미였다.

'저 환자는 관절이 좋지 않고 부기와 열기가 있군. 처방은 대강 활탕으로 하면 되겠고…….'

연은 은록이 진찰하는 걸 눈으로 따랐다. 사부가 내리는 처방과 저가 속으로 내린 처방전을 비교해 보고는 맞으면 내심 뿌듯해했다. 이제는 백 중 아흔다섯 정도나 동일한 처방을 내릴 수 있다. 그리 보다 보니 어느새 저녁이었다. 환자들이 모두 돌아가고 나서야 은록이 연을 돌아보았다.

"사부님."

인사를 올리고는 아까 사 온 홍시를 찾아 내주려던 연이 멈칫했다. 아까 여기 어디에 놓았는데? 설마 하여 모란을 바라보니 보란 듯이 제 발치에 감쪽지 세 개를 내놓고 있지 않나. 연이 허, 하는 소리를 냈다. 유독 모란은 의원에 올 때면 삐딱하게 굴곤 했다. 어쨌든 다음에 은록의 물건을 사면 모란에게 맡길 일은 결코 없을 것이다…….

"이리 와 보거라."

연이 얌전하게 가서 손목을 내놓자 은록이 맥을 짚었다. 처음에는 몇 번이나 미간을 찌푸리고 있더니 요즘에는 퍽 담담한 얼굴이었다. 더는 약탕이나 환약을 내어 주지도 않았다. 점차 연의 상태가 호전되어 간다는 방증이기도 했다. 연이 진맥을 위해 걷었던 소매를 내릴 적에 은록이 입을 열었다.

"연아. 사람은 가려 사귀어야 하는 법이다."

"유…념하겠습니다."

단순히 사부가 제자에게 주는 가르침이라기에는, 연은 그 대상으로 짚이는 게 있었다. 눈과 귀가 있으니 모를 수가 없었다. 은록과 모란은 이따금 무시무시한 침묵 속에 서로를 빤히 쳐다보며 신경전을 벌이곤 했던 것이다. 둘은 정말로 상대를 마음에 안 들어 하는 것 같았다……. 연으로서는 난감한 일이었다.

"인의와 도리를 모르는 자는 곁에 두어서는 안 되는 법이니."

오늘따라 은록이 왜 그러는가 싶어 연이 뜨끔한 마음으로 흘깃 모란을 보았다. 그는 시큰둥한 얼굴로 팔짱을 끼고 있을 따름이었다. 내심 한숨이 다 나왔다. 더 있다가는 싸움 나겠지 싶어, 연은 좀 더 오래 있고 싶은 마음을 접고 자리에서 일어났다.

"그럼 이만 가 보도록 하겠습니다."

"그래."

의원을 나오면서 연이 모란에게 물었다.

"전에 사부님과 무슨 일 있었어?"

"무슨 일은."

"그런데 대체 왜 이렇게 사이가 안 좋아?"

"모든 사람과 사이가 좋아야 한다는 법은 없지 않아. 성인군자가 아니고서야 사람이 살면서 사이 나쁜 인간 좀 있을 수도 있는 것이지."

아무튼 말만은 청산유수다. 아무리 그래도 자신이 좋아하는 사람들의 사이가 나쁘니 연은 영 신경이 쓰였다. 은록이나 모란이나 비슷한 유형의 사람들이다. 누굴 쉬이 좋아하지도 않지만 그만큼 싫어하지도 않는……. 분명 이유가 있긴 한데. 연이 둘의 사이를 중재해 보고자 조심스럽게 시도했다.

"사부님이 좀 차갑고 말이 쌀쌀맞기는 하셔도 정말 좋은 분이야. 처음에는 오해할 수도 있지만, 알고 보면 정도 많으시고, 또 성실하시고……."

그러나 모란은 흠, 하는 소리를 한번 내고 말 뿐, 한 귀로 듣고 한 귀로 흘리는 듯했다.

제 설득이 별 효과가 없다는 걸 깨달은 연도 입을 다물었다. 질투 유발을 하고자 나왔더니 질투는 무슨, 은록과 모란의 사이가 나쁘다는 것만 확인했다.

화정당에 도착했을 때는 어느덧 밤이 깜깜하니 어둑해져 있었다. 호롱불을 막 켜는데 모란이 슬그머니 가까이 붙었다. 그리고 슥 귀를 핥아 왔다. 놀란 연이 퍼드덕거렸다.

"뭐, 뭐야?"

어쩐지 기시감이 들었다. 모란이 뒤에서 뱀처럼 허리에 팔을 감으며 귓가에 대고 그윽하게 말했다.

"내가 좋은 거 해 줄까?"

"뭐? 아니, 아니!"

이미 주루에서도 하지 않았나! 황급히 저항했으나 이미 늦었다. 모란이 유별나게 약한 귀며 목덜미를 지분거리자 연의 다리가 또 후들후들 떨렸다. 얼마 안 가 신음 소리가 흘러나왔다.

"흐으, 이미 오늘 낮……에, 아! 했잖, 했잖아……."

그러나 아래에서 질걱거리는 소리가 나기 시작하자 이성과는 다르게 연의 몸은 이미 항복을 외치고 있었다. 그는 끌어안긴 채 모란의 손에 희멀건 정액을 두 번이나 흘려 내야 했다. 하루에 세 번이나 사정을 강요받고 나니 기운이 쭉 빠져서 모란의 얄미운 얼굴에 베개를 집어 던질 힘조차 나지 않았다. 어쨌든 잠은 참 잘 오기는 했다…….

다음 날 아침, 잠에서 깨어나자마자 푹신한 이불을 덮고 오도카니 누운 채 연이 생각했다. 아직도 허리에 힘이 잘 들어가지 않았다.

'질투 유발은 아무짝에도 소용이 없었군.'

그렇다면 다음으로 남은 건 유혹, 부탁, 비무인가. 보기로는 비무가 제일 쉬울 것 같았다. 유혹은 질투 유발보다도 어렵게 느껴졌다. 고민하다가 연은 가장 어려운 것부터 해치우기로 마음먹었다. 어쨌든 질투 유발보다는 수월하겠지. 만약 네 가지 모두를 했는데도 별 반응이 없다면 모란이 자신에게 마음이 없는 것일 터.

"유혹……."

연은 막연히 옷을 벗는 정도밖에 떠오르지 않았다. 모란이었으면 질투 유발이나 유혹이나 아주 쉽게 해치웠을 것 같은데.

오늘은 모란이 화정당에 없었다. 덕분에 연은 이래저래 고민해 볼 시간을 가질 수 있었다. 사서삼경을 처음 배울 때보다도 더 골치 아프고 어려운 문제였다. 유혹을 대체 무슨 식으로 해야 하지?

그가 세가에서 본 유혹은 하인이나 시비가 서로에게 눈웃음을 쳐 보이는 것밖에 없었다. 모란으로 살았을 때에도 마찬가지로 또래 아이들이 풋풋하게 연애를 하는 것 정도만 봤다. 고작 손잡고

뽀뽀하는 수준으로는 유혹이라고 할 수조차 없었다.

'역시 옷을 벗는 게 좋겠지.'

하지만 모란 앞에서 다짜고짜 옷을 벗을 수는 없는 노릇이었다. 뭔가 이유나 계기가 있어야지. 곰곰 생각해 보고 있는 동안 모란이 돌아왔다. 손에는 홍시 꾸러미가 들려 있었다. 이거 일부러 찔리라고 사 온 건가?

"다음부터는 당신 것도 살게."

연이 지레짐작으로 말하자 모란이 홍시를 내려 두며 의아한 표정으로 바라보았다.

"뭘 사?"

"홍시."

"……? 지금 사 왔지 않아."

무슨 소리를 하는 건가 하는 얼굴로 모란이 홍시 중 유독 발갛고 탐스러워 보이는 것을 연에게 내주었다.

……그냥 사 오고 싶어서 사 왔나? 아무튼 달고 맛있기는 하였다. 하나를 해치우고 나니 손이 끈적하여 찜찜했다. 어젯밤 정사를 나누기도 했으니 좀 씻어야겠다 싶어 하인에게 목욕할 물을 데우라고 한 뒤 연은 좋은 수가 떠올랐다.

"모란."

부르고 난 뒤 연이 망설였다. 이제 '간단히 목욕 같이하지 않을래?' 하고 물으면 되는 것을 왜 입술이 안 떨어지는지……. 모란이 의아한 얼굴로 보자 입이 더 떨어지지 않았다. 망설이다가 연이 입을 열었다.

"목……."

"목?"

모란이 고개를 갸웃했다. 잠깐 침묵한 뒤 연이 고개를 저으며 입을 딱 다물었다.

"아니다."

안 돼, 말 못 해……. 목욕 한번 같이하자고 말하는 게 이상할 것은 없다. 그러나 자신의 목적이 순수하지 못하니 말을 꺼낼 수가 없다. 유혹이고 뭐고 그의 성미에 맞지 않는 일이라 결국 때려치웠다. 게다가 말하고 난 뒤에 이어질 상황도 감당이 되질 않았다. 어제만 해도 그렇게……. 아무튼…….

시비가 목욕물이 준비되었다고 하자마자 바로 자리에서 벌떡 일어난 연이 욕탕으로 향했다. 목간통 안에 따끈따끈 김이 나는 물이 채워져 있었다. 전반적으로 모란일 때가 좋기는 하였으나 이럴 때는 남궁연이라는 신분이 좋았다. 확실히 이런 사치는 부리기 힘들지.

그러다 무심코 뒤로 돌아본 연은 순간 깜짝 놀라 뒤로 펄쩍 뛰었다. 비틀거리는 걸 조용히 뒤에 서 있던 모란이 바로 잡았다. 연의 심장이 펄떡펄떡 뛰었다.

"왜 그렇게 놀라?"

"당연히 놀라지! 인기척이라도 내든가!"

"나에게 목욕 도와 달라는 줄 알았지?"

눈썹을 들어 올린 모란이 연의 손에서 옷을 건네받았다. 어, 하며 연이 입을 열었다. 이거 설마 그런 건가? 유혹이 먹히는 상황? 놀라서 뛰던 심장이 이번에는 다른 의미로 뛰었다.

"딱…히 목욕 도와 달라고 하려던 건…….."

"알겠으니 일단 들어가. 감기 걸리니."

춥긴 추웠으므로 꾸물꾸물 따뜻한 물속으로 들어갔다. 대체 목욕을 왜 도와줘? 알아서 할 수 있는데……. 잠시 후 소매를 걷어붙인 모란이 따끈한 물을 살살 끼얹으며 목과 어깨에 손을 얹자 연의 얼굴에 슬그머니 홍조가 올랐다.

그러나 모란의 말은 말 그대로 목욕을 도와준다는 것이었다.

"으음……."

모란의 손이 어깨며 목덜미를 주물거리는데 놀라울 정도로 기분이 좋았다. 대체 어떻게 하면 이렇게 기분이 좋을 수가 있는 거지?

부드러운 손길 아래에서 연의 몸은 한없이 말랑말랑하며 노곤해졌다. 정말로 모란을 목욕 시중으로 부려 먹으려거나 하는 생각은 없었지만 그것과는 별개로 마치 극락에 와 있는 기분이었다.

정신을 차려 보니 연은 어느새 침상에 널어 뉘여진 뒤 수건으로 잘 말려지고 있는 중이었다. 모란은 묘하게 흡족한 얼굴로 연의 머리까지 보송하게 말린 뒤 단정히 묶어 주기까지 했다. 상쾌하여 기분은 좋았으나 어쩐지 회의감이 들었다.

'이러려던 게 아니었는데…….'

모르긴 몰라도 유혹이고 뭐고 전혀 아니었다는 건 알겠다. 연은 과연 제갈우가 말한 이 시도들이 효용성이 있나 의문이 가기 시작했다. 말만 유창하여 그럴듯하게 들린 게 아닐까? 괜히 마음만 더 번잡해지고.

속으로 혀를 찬 연이 옷을 단정히 한 뒤 서책과 붓을 꺼냈다. 어젯밤은 그냥 잠들어 버린 탓에 은록이 진찰한 환자에 대한 용태를 기록하지 못했다. 또 자신이 밤에 돌보는 환자들에 대해서도 적어가며 혹시 그릇된 진찰은 없나 되살펴 봐야 하고.

마음을 평온히 가다듬기 위해 벼루에 물을 부었다. 사각사각 먹을 갈면서 속으로 오늘 쓸 것에 대해 정리했다.

'그 어린아이의 맥을 짚어 보면 좋았을 텐데. 외양으로는 아무래도 파악하는 것에 한계가 있지. 사부님께 여쭤보고 싶었는데 그놈의 홍시가 무어라고.'

아니, 또 홍시가 떠오르잖아. 잡념이다. 연이 가까스로 다시 환자에 대한 생각으로 돌아갔다. 이번에야말로 집중하여 바르게 앉아 글씨를 써 내려갔다. 얼마나 시간이 흘렀을까, 마침내 마지막 환자에 대한 정보까지 적고 붓을 내려놓는 순간이었다. 턱을 괴고는 물끄러미 연이 글을 쓰는 모양을 지켜보던 모란이 다가왔다. 그러고는 턱 손목을 잡았다.

"앗……."

덕분에 검지 마디에 까만 먹물이 한 방울 튀었다. 이게 뭐 하는
건가 눈살을 찌푸린 연이 손목을 빼내려 하자 그 전에 모란이 덥석
손가락을 물었다. 그러더니 튄 먹물을 혀로 길게 핥는 것이다. 연
의 등골이 쭈뼛하였다. 뭐……지?

"그러고 보니 치료해야 하지 않아."

히죽 웃은 모란이 손에서 붓을 빼서 내려 두며, 손목 안쪽을 야
금야금 깨물었다. 연이 당황했다.

"하지만 아까, 목욕 했……는데?"

"괜찮아, 괜찮아."

"아니……!"

대체 뭐가 괜찮다는 건지, 모란은 연의 말을 들은 척도 하지 않
았다. 연은 그대로 침상에 눕혀지고 말았다. 보통 사흘에 한 번이
나 할까 하였는데 어제도 하고 오늘도 하니 도통 영문을 알 수가
없었다. 그저 모란이 옷을 벗겨 내며 차근차근 주는 쾌감에, 아까
목욕할 때와는 다른 의미로 흐물흐물 녹을 따름이었다.

잔뜩 연을 흐트러뜨려 놓은 뒤 모란은 또 어디선가 향유를 꺼냈
다. 매번 주머니에서 꺼냈다는데 모란의 옷에 주머니는 도통 보이
질 않았다. 연이 저도 모르게 히끅, 하는 소리를 냈다.

모란이 향유에 손가락을 적셨다. 그러고는 다리를 벌려 내어 뒤
에 밀어 넣자마자 연이 몸을 떨었다. 이다음에 올 게 무엇인지 잘
알기 때문이었다.

씩 웃으며 모란이 연 위로 그림자를 드리웠다.

"엇, 연오 동생."

별생각 없이 한위를 보러 폐월당에 향하고 있던 연이 저를 부르

는 소리에 고개를 돌렸다. 제갈우가 반가운 기색으로 다가왔다. 척 보아하니 심심해서 아무 곳이나 돌아다니고 있던 것 같았다.

얼마 후면 연오는 제갈금려를 데리러 가는데, 제갈세가는 아무나 가는 곳이 아니었다. 호북성까지는 쉽게 간다. 융중성 입구까지도 마찬가지다. 그러나 정작 안에 들어서고 난 뒤로는 제대로 된 길잡이가 아니면 제갈세가의 입구를 찾기 힘들었다. 제갈우는 바로 그 길잡이 역할을 하러 온 것이다. 아직 호북성에 가기까지는 시간이 남았으니 심심할 법도 했다.

"지난번 말해 준 건 어떻게 되었나?"

"딱히…… 효과는 없었습니다."

질투 유발이든 유혹이든 간에 연은 결과를 확신할 수 없었다. 모란의 마음을 확인하기는커녕 대신 어젯밤 정사로 뻐근하고 저린 허리를 얻었을 뿐이다. 그는 모란이 자신에게 이리 덤벼든 게 그냥 그러고 싶었기 때문인지 아니면 다른 이유에서인지 감이 오지 않았다. 맥락 없이 너무 뜬금없었던 탓이다.

"어떻게 했기에 효과가 없단 말인가? 자네가 너무 얌전하게 군 것은 아니고?"

"하지만, 바로 앞에서 다른 여인을 칭찬하고 목욕을 같이하기까지 했는데……."

심지어 기녀를 칭찬한 건 딱히 들은 척도 하지 않았다. 주루에서 한바탕 치른 건 운우지락이 어쩌고 하는 이유 때문이었고. 게다가 모란이 유혹을 당했다면 목욕탕에서 반응을 보였어야 하는 게 아닌가? 그러나 한참 뒤 뜬금없이 대뜸 치료를 하자며……. 어젯밤을 떠올린 연의 얼굴에 잠시 열기가 감돌았다.

그날 모란은 연을 번쩍 들어 올려 그대로 관계를 맺었다. 연은 허공에 붕 뜬 채 오로지 모란에게만 의지해 흔들려야 했는데, 평소에도 버겁던 그 흉기 같은 물건이 뒤를 꿰뚫을 때마다 정말이지 죽을 것만 같았다. 게다가 향유가 듬뿍 발려 미끌거리니, 허리를 들썩이면 그 몽둥이, 아니 길고 두꺼운 성기가 아무런 저항 없이 깊게 박혀 왔던 것이다. 깊어서 아프다고 싫다고 아무리 애원해도 모란은 그저 들어 주는 시늉을 하며 쪽쪽거리기만 했다.

마법을 쓴 걸까, 아니면 순수한 근력으로 지탱한 것일까? 연이 미간을 접는 동안 제갈우가 고개를 절레절레 내저었다.

"혹여나 상대가 속내를 잘 드러내지 않는 편은 아닌가? 목욕까지 할 정도면 어지간히 깊은 사이인 듯한데. 못해도 하룻밤 운우지락은 나눴을 법하여……."

"저 운우지락 안 좋아합니다."

연이 바로 정색했다. 어젯밤 그는 모란에게 끌어안긴 채 귀가 닳도록, '이 정도면 운우지락이 무엇인지 알 것 같지 않아? 응? 허공에 떠 있기도 하니.' 따위의 소리만 들었던 것이다. 세 번이나 사정한 끝에 결국에는 울면서 아주 잘 알겠으니 이제는 내려 달라고 답해야만 했기에…….

제갈우가 겸연쩍은 얼굴을 했다. 운우지락을 싫어하다니 별 이상한 사내도 다 보겠네, 하는 표정이었지만 연이 알 바 아니었다.

"그럼 나머지 둘은?"

"딱히……."

"어허, 자네가 형님에게 상담을 청할 정도로 좋아한다던 사람이 아닌가? 그 정도까지는 해 봐야 확신을 얻을 수 있지. 그래야 인연을 제대로 맺을 것이 아니야."

그러고 보니 나는 모란의 마음을 확인해서 어쩔 셈인가? 연이 새삼 의문이 들었다. 자신을 향한 모란의 감정을 알고 싶어서 민망한 일들을 하고 있으니, 언젠가 결론을 내기는 하겠지. 만약 모란도 저를 좋아한다고 결론을 내리고 확신할 수 있다면……. 그러면, 연인이 될 수도 있을까.

"한번 생각해 보게. 인연을 맺어서 혼인까지 하고 토끼 같은 자식들도 가지는 걸세. 생각만 해도 흐뭇하고 좋지 않은가?"

연이 미간을 접었다. 연인이 된 것까지는 상상이 잘 가는데 혼인이라. 만약 혼인을 올린다면 아마 단둘이 하는 혼인일 터다. 모란이 혼인까지는 할 것 같진 않지만······.

연은 이런 생각을 하는 자신이 놀라웠다. 다른 사람을 좋아하는 것이었다면 이런저런 현실적인 장애를 생각하게 되는데 모란은 도통 그런 어려움이 떠오르지 않았다. 있더라도 죄다 무시해 버릴 사람이었고 그럴 만한 힘도 있기 때문이었다.

"토끼 같은 자식은 모르겠지만······."

제갈우가 귀를 쫑긋했다. 무어지, 저 의미는? 무릇 사내라면 가정을 이루어 자식을 낳아 대를 잇고 싶어 하는 법. 그렇다면 그 대단한 고수이자 상단의 여주인이란 자 백매화가 석녀란 이야기인가? 하지만 소문에 따르면 아이가 있다고 들었는데. 어쩌면 상단의 후계자 문제 때문일지도······. 사정을 모르는 그는 계속 착각했다.

"아무튼 꼭 나머지도 시도해 보게. 혹시 모르는 일 아닌가?"

연이 백매화와 이루어져도 좋았고 혹은 아니어도 정보를 얻어 낼 수 있으니 아무래도 좋았던 제갈우가 연을 부추겼다. 연은 시도는 해 보겠다 떨떠름하게 답하고 말았다. 제갈우가 만족한 얼굴로 고개를 끄덕이며 사라졌다.

'그러고 보니 벌써 나흘 뒤구나.'

제갈우를 보니 새삼 호북성으로 떠나는 날이 부쩍 가까이 다가왔다는 게 느껴졌다. 체력 문제로 안휘성 밖으로 나가 본 적이 없는 연은 벌써부터 설레었다. 강호 유람까지는 아니어도 안휘성 밖으로는 나가 볼 수 있게 되니.

한위에게 들렀다가 화정당에 돌아온 연은 괜히 자개장을 열었다가 닫아 보았다. 호북성은 안휘성보다 좀 더 따뜻하다고 하던데······. 좀 더 얇은 옷을 입어도 괜찮겠지. 그곳은 봄이 더 일찍 왔을 수도 있겠군. 꽃이 피었으려나?

이런저런 생각을 하다 연은 문득 자신이 전처럼 그렇게 꽃이 극단적으로 싫지는 않다는 걸 깨달았다.

'하도 보아서 익숙해진 탓인가.'

물론 그렇다고 꽃이 좋은 것도 절대 아니지만. 연이 문득 정원에 나가 보고 싶다 생각할 때에 모란이 화정당으로 돌아왔다. 뭔 꾸러미를 들고 오기에 움찔하여 보았더니 홍시는 아니고 귤이었다. 침상에 앉은 모란이 자연스럽게 귤을 내밀었다. 연이 별생각 없이 받다가 문득 깨달은 바가 있어 입을 열었다.

"왜 이렇게 자꾸 먹을 걸 주는 거야?"

"그야 이렇게 안 하면 도통 뭘 먹질 않잖아. 입도 짧아서는. 자, 하나 더. 옳지."

그건, 그렇지…… . 연이 수긍하며 귤을 하나 더 받아 들었다. 확실히 모란이 주지 않으면 일부러 먹지는 않았으니. 꾸물꾸물 귤껍질을 벗겨 내는데, 아까 만나서 그런지 제갈우의 말이 둥둥 떠올랐다.

'확신을 얻어야 인연을 맺는다라…… .'

난처한 부탁을 해 보고 비무를 신청해 보라 하였나? 연은 전자는 제외했다. 지금도 모란이 자신에게 해 주는 것이 과분하다. 거기에 난처한 부탁 같은 걸 할 수는 없었다. 게다가 모란에게 과연 난처한 부탁이란 게 있는지 의문이다. 비싼 것이라면 금강석도 덥석 내줄 사람이었다. 실제로 지난번에 남궁세가에 백매화로 오면서 대뜸 금강석을 꺼내 들지 않았나.

"지금 안 바쁘지? 시간 괜찮으면 나와 비무해 줬으면 하는데."

말하면서도 연은 딱히 기대는 하지 않았다. 척 봐도 모란은 전투나 싸움에 조예가 깊어 보였다. 한위에게 어렵지 않게 세가의 무공을 가르친 것도 그렇고 그간 몇 번 다른 이를 상대하는 걸 보면 알 수 있었다. 그런 사람일수록 무술을 가르치는 것에 있어서 엄격하고 엄중해지는 법이다.

그런데 모란은 매우 뜻밖의 것을 들었다는 얼굴로 연을 바라보았다. 그간 소룡포나 홍시 따위를 잘도 순식간에 해치우던 사람이 귤을 느릿느릿 씹어 삼켰다.

"갑자기 비무는, 왜?"

"그냥……. 모란, 당신같이 센 사람을 상대하는 게 어떤 느낌인지 알고 싶어서."

이상하게 난감해 보이는 얼굴로 모란이 귤을 깠다. 그러고는 반을 갈라서 내밀었다. 습관적으로 받아 들면서 연은 좀 의아해졌다. 비무 좀 해 달라는 게 뭐가 대수라고?

"상대하다가 다치거나 무리라도 하면 어쩌려고?"

"뭐 어때? 예전에는 팔도 잘만 부러트려 놓았잖아."

연은 아무런 유감도 뜻도 없이 말했는데 정작 모란은 정말 미안한 얼굴로 살금살금 부러졌던 팔위를 도닥였다. 그 행동에 연이야말로 당황했다.

"비난하려는 건 아니고……. 나도 몇 번 당신 팔다리 부러트려 놓은 적 있잖아……."

"그거랑 이게 같지는 않지."

그건 그렇지만, 원래 모란은 항상 뻔뻔하고 태연한 사람이 아니던가? 그저 그때는 미안했다, 하고 능청스럽게 넘어갈 것 같았는데, 아니라서 기분이 이상했다. 다른 사람에게 냉정하고 가차 없이 구는 걸 봤기 때문에 더욱 그랬다. 아무튼 앞으로는 팔 부러진 이야기는 다시 안 꺼내는 게 좋을 것 같았다.

"지금은 좀 난처하고……."

어라. 연이 다소 멍하니 생각했다. 지금은 좀 난처하다는 건 지금 자신이 모란에게 난처한 부탁을 한 건가, 그럼? 모란이 사뭇 다정하게 계속 부러졌던 팔위를 살살 문질렀다.

"몸이 다 낫고 나면 내가 정식으로 비무해 줄게. 이왕이면 제대로 배우는 것도 좋겠지."

"그…… 한위처럼 가르쳐 준다는 말이야?"

"물론 아공간에서 가르치지는 않겠지만. 시간도 많은데 급하게 배울 필요는 없잖아?"

모란은 몸이 다 낫고 나면이라고 했다. 그 말은 치료가 끝난 뒤에도 계속 곁에 머문다는 의미처럼 들렸다. 연은 알겠다고 고개를 끄덕이면서도 속으로는 모란의 말에 기뻐하는 자신을 느낄 수 있었다.

그가 속으로 혀를 찼다. 모란의 마음을 알기는커녕 자신의 마음만 더 잘 알게 되지 않았나. 그러자 질투니, 유혹이며 부탁이나 비무 따위가 무슨 상관인가 싶어졌다.

어쨌든 확신이 없어도 어쨌든 모란과 연 사이에는 이미 인연이란 것이 있는 듯했다.

시간은 빨리도 흘러 어느새 호북성으로 출발하는 날이 왔다.

큰 경사를 앞두고 세가는 아침부터 몹시도 바빴다. 시비와 하인들이 바쁘게 종종거리며 짐을 날랐다. 세가 밖으로 나오자 마차가 줄을 잇고 있었다. 예물이 실린 마차들과 그 마차를 호위할 무사에…… 도착해 보니 연오와 제갈우는 한참 대화 중이었다.

"그럼 이 목록 외의 일행은 없는 것이지? 뭐 장로라든가, 아니면 특별나게 뛰어난 자라든가. 혹시라도 그런 사람이 있으면 따로 예우를 해야 하니까."

"음. 남궁인 장로님과 남궁주열 장로님 외에는 없어. 혹시 모르니 떠나기 전에 마지막으로 한 번 더 확인해 보도록 하지."

워낙 바빠 보이기에 연은 차마 연오에게는 말을 걸 엄두도 내지 못하고 대신 한위에게 갔다. 한위는 잔뜩 들떠서 발을 동동거리고 있었다. 주강에게 무언가 재잘재잘 떠들다가 연을 발견하고는 상기된 얼굴로 다가왔다. 눈이 반짝거리고 있었다.

"형님! 잠시 후면 드디어 출발이라고 해요. 안휘성을 떠나 보는 건 처음이에요. 어쩌지요. 정말 재미있을 것 같아요."

연은 한위의 환상을 깨지 않으려 그저 웃어 주었다. 어릴 적 모용세가에 왔다 갔다 해 봐서 마차 여행이 어떤지 잘 알고 있는 까닭이다. 마차 여행은 처음에는 신날지 몰라도 시간이 지나면 지루해지기 쉬웠다. 호북성의 제갈세가까지는 마차로 달리면 달포[3]까지는 아니더라도 못해도 그 반 정도는 걸린다. 거기다 멀미까지 하면 여행이 다소 끔찍해질 수도 있었다.

다행이라고 할까 귀빈들의 마차 배치는 넉넉하게 이루어졌다. 한 마차에 두 명 정도로, 제법 대단한 호사였다. 마차 행렬이 줄에 줄을 이을 것이니 전 무림에 남궁세가와 제갈세가의 혼인 소식이 퍼질 터다. 특별히 연오에게 청해 놓은 덕에 연은 모란과, 한위는 주강과 함께 마차를 탈 예정이었다.

그는 한위와 지내는 기간이 주강에게 어떠한 보상이 되기를 바랐다. 혹은 그 증오가 다소 침잠하기라도 하면 좋을 것이다. 물론 그러기는, 힘든 일이겠지만.

'누이가 죽었다고 하였지. 누군가 한위나 형님을 해쳤다고 생각하면…….'

연으로서는 그런 상황을 상상조차 할 수 없었다. 가족이 죽지 않았나. 당연히 복수를 하러 나설 것이다. 게다가 그 상대가 남궁영명 같은 자라면 망설임조차 없겠지. 주강이 영명을 죽인다 대놓고 말했는데도 연은 말리거나 설득할 생각이 들지를 않았다…….

사실 딱히 배신감도 들지 않는다. 이래도 되는 것일까? 아무리 그래도 영명은 자신의 부친이 아닌가? 점차 생각에 잠겨 들어가는 동안 누군가 어깨를 잡았다. 뜨끔한 기분으로 돌아보니 모란이었다.

---

3) 한 달

"이제 슬슬 마차 타야 하지 않아?"

"아, 그래야지."

연이 마차에 오르자 모란이 따라 오르며 문을 닫았다. 장기간의 여행에 대비한 것인지 자리가 푹신푹신했다. 모란이 연의 건너편에 털썩 앉았다. 아직 짐이 다 꾸려지지 않아 밖은 아직 소란스러웠다.

"있지, 궁금한 것이 있는데."

"궁금한 것?"

화정당에 있을 때와 마찬가지로 매우 편하게 앉은 모란이 느긋한 태도를 취했다.

"주강이 정말 가주를 죽일 수 있을까?"

연은 모친이 죽은 후로는 단 한 번도 영명을 아버지라 부른 적이 없었다. 가주라고 부르는 만큼 그가 아버지가 아니라 생판 남이 되기를 바라곤 했는데, 그건 지금도 마찬가지다. 영명을 몹시도 증오하고 혐오하였으나 그럼에도 연은 영명이 주강에게 살해당하기를 원하는지 아닌지 알 수가 없었다.

"아니, 못 죽여. 주강도 꽤 강한 자지만 영명은 더 강하거든. 최근에는 더욱 그렇지."

최근에는……이라. 그건 영명의 무공 성취가 전보다 더 높아졌단 이야기인가. 연은 그 말을 들어도 전혀 기쁘지 않았지만 그럼에도 안심이 되는 건 어찌할 수 없었다. 연(緣) 중 가장 질긴 것이 부모자식간의 연이기 때문인가. 하지만 연은 그 말이 전혀 달갑지가 않았다. 부친이라 마음 놓고 미워할 수조차 없으니, 이럴 때면 차라리 남이면 좋겠다.

'하지만 죽기 전 마지막으로 보는 건 주강의 얼굴이 되게 해 준다 하지 않았나?'

풀리지 않는 의문에 연이 미간을 찌푸렸다. 분명 마지막에 주강의 얼굴을 보게 해 준다는 것이 주강이 영명을 죽이게 해 준다는 말과 같지는 않다. 하지만 거의 비슷한 말이기도 했다. 혹시 모란이 빈말을 했나? 하지만 평소 행실을 보면 빈말을 하는 사람은 아닌데. 그게 아니라면 혹…….

하지만 마차가 막 달그락거리며 출발하는 통에 연은 곧 그 의문을 잊고 말았다.

마차는 다그닥다그닥 잘도 달렸다. 그 남궁세가이니만큼 마차는 꽤 훌륭하고 좋은 물건이었지만 아무리 그래도 덜컹거리는 걸 완전히 막을 수는 없었다. 한번은 크게 흔들리기에 연이 비틀거리자 모란이 눈썹을 들어 올렸다. 그러더니 대충 무어라 중얼거리며 손을 휘저었다. 대체 뭘 한 건지는 몰라도 그 후부터는 돌연 마차가 흔들리는 정도가 줄어들었다.

연이 감탄했다. 이런 흔들림이라면 마차 여행을 자주 갈 수 있겠다 싶었다.

"마법으로 이런 것도 가능해?"

"가능한 것도 불가능한 것도 없다는 것을 알게 되면 무엇이든 할 수 있지. 아무거나 할 수 있는 건 아니지만."

씩 웃은 모란이 마치 선문답 같은 말을 했다. 연이 눈썹을 들어 올렸다. 예전에는 모란이 저런 말을 할 때 자신을 놀리려고 한다고만 생각했는데, 요즘에는 좀 생각이 달라졌다. 저게 놀리려는 게 아니라 어떠한 의미를 가지고 있는 게 아닌가 싶기도 하다.

말의 휴식을 위해 마차는 이각여를 달리다가 멈추어 쉬고 다시 이각여를 달리다 멈추기를 반복했다. 중간에 잠깐 바람이라도 쐬러 나왔더니 한위가 멀미를 하는 게 분명한 얼굴로 비틀거리고 있었다. 침이라도 놔 주고 싶었지만 보는 눈이 있어 차마 그건 하지 못하고 일단은 미리 준비한 환약을 먹였다. 워낙 쓴맛에 한위는 겨우겨우 약을 삼키고는 희미하게 홀쩍거렸다. 슬쩍 냄새를 맡아 보니 두어 번 토한 모양이다. 연이 잘 다독여 마차에 들여보냈다.

다행히도 해가 질 무렵 도착한 마을에서 본 한위의 안색은 한결 나아져 있었다. 일행들은 미리 알아 둔 객잔으로 향했다. 마을 풍경은 안휘성의 마을들과 크게 다를 것이 없었지만 다른 지역, 심지어 객잔에서 머무는 것만으로도 한위는 설레어 보였다.

"객잔에서는 처음 묵어 보아요."

들뜬 한위가 신나서 말했다. 연이 내심 쓰게 웃었다. 마차 여행도 처음, 객잔에서 묵어 보는 것도 처음. 아마 앞으로도 처음인 것이 많을 터. 연은 그 처음인 것들이 점차 사라지기를 바랐다. 한위가 좀 더 많은 것을 보고 듣고 크게 성장했으면 하는 마음이 들었다.

원래 여행 초반이 가장 힘든 법. 모두 객잔에 들어서자마자 일단 방에 들어가 늘어지게 쉬었다. 달이 떠오를 때까지 푹 쉬고 난 다음 연오는 저녁 식사에 연을 초대했다. 모란까지는 초대한 것이 아니라 혼자 향하니 세가에서 동행한 장로를 비롯하여 한위와 제갈우가 있었다. 일종의 친목을 도모하는 저녁 식사였다.

식사를 하면서 연은 문득 의문이 들었다. 식사는 먹을 만은 하였으나 그다지 맛있다고는 할 수 없었다. 그러니 자연히 모란과 함께하던 주루의 식사가 떠올랐는데 깨달음이 찾아온 것이다. 모란과 함께한 식사는 한 번도 맛없던 적이 없었다. 그동안은 맛있는 집을 잘 안다고 생각했는데 그뿐만이 아니다. 그가 주는 과일 따위도 한 번도 맛없던 적이 없었다.

'마차를 편하게 탈 수 있는 마법도 있으니 음식을 맛있게 할 수 있는 마법도 있는 걸까? 아니면 맛있는 음식을 찾아낼 수 있는 마법?'

의문 속에 저녁을 먹고 돌아와 보니 모란은 침상에 기대어 자고 있었다. 무슨 마법인지 궁금해 묻고 싶었는데 자는 사람을 깨울 수는 없는 노릇이다. 그나저나 이제는 자신의 침상에서 뻔뻔하게도 잘도 자고 있구나. 하지만 같이 잔 적이 한두 번인가.

모란만큼이나 아무렇지 않아진 연이 옷을 갈아입고 침상에 누웠다. 그러자 모란이 눈을 가늘게 뜨더니 연에게 이불을 덮어 주었다. 연은 왜 주는 것들이 다 맛있는 것인가 물으려다가 그게 무어가 중요한가 싶어 입을 다물었다.

'언젠가 모란과 단둘이 여행을 다니는 것도……'

좋지 않을까. 이 몸이 다 낫고 난다면. 피곤했던 연은 그리 생각하며 눈을 감았다. 곁에서 느껴지는 따뜻한 체온에 힘입어 순식간에 잠이 밀려왔다.

마차는 순조롭게 잘도 달렸다. 보통 이렇게 고급스러운 마차는 습격받기 일쑤이다. 그러나 이 마차에는 그런 일이 한 번도 일어나지 않았다. 호위하는 무사들도 무사거니와 마차에 남궁세가의 깃발이 휘날리고 있기 때문이었다. 제대로 머리가 달린 산적이라면 오대세가, 그중에서도 가장 영향력이 강력한 남궁세가는 건들지 않을 것이다. 당장은 배를 채울 수 있을지 몰라도 곧 몇 배나 되는 보복이 돌아올 테니.

마차를 타고 달린 지 며칠이 지나자 연은 몹시도 지루해졌다. 창문을 열어 바깥 풍경을 구경하는 것도 한계가 있었다. 그래도 다른 사람들에 비하면 연은 정말 편하게 마차 여행을 하는 셈이었다. 마치 화정당에 앉아 있는 것처럼 편히 있다가 나오는 연에 비해 다른 사람들은 온몸이 쑤신 기색이 역력했다.

그래도 지루한 건 어찌할 수 없어 하품을 애써 참는데, 모란이 씩 웃는 게 시야에 걸렸다. 무언가 음흉하고 꿍꿍이가 있어 보이는 웃음이라 연은 졸음이 싹 달아났다.

"뭐야?"

"뭐가?"

"왜 그렇게 웃는데?"

"아니, 그냥. 어지간히 심심해 보여서······."

"마차잖아. 딱히 할 일도 없으니 어쩔 수 없지."

"그럼······."

모란이 말을 꺼내기 전에 연이 먼저 선수를 쳤다. 그는 이제 모란이란 사내가 어떤 이인지 훤히 파악하고 있었다. 게다가 마차 여행 전에 질투 유발이니 유혹이니 따위를 시도했다가 얼마나 시달렸던가?

"좋은 거 해 볼까라는 말은 안 돼. 그 빌어먹을 운우지락도 필요 없어."

"저런. 그건 좀 상처인데. 그럼······ 좋은 거 말고 재미있는 거 해 볼까?"

그렇게 말하며 모란이 슬쩍 옷깃을 잡아당겨 보이는 게 아닌가. 아무래도 마차 여행이다 보니 모란은 평소보다는 갖추어 입고 있었는데, 옷깃 선을 따라 손가락을 죽 내리자 잘 그을린 피부가 드러났다. 단단하게 잘 단련된 근육질의 몸이었다. 연이 움찔했다.

"뭐, 하려는 수작이야?"

"심심하잖아. 할 일도 없고, 가져온 서책은 이미 다 읽다 못해 두 번은 더 읽었지?"

연이 모란을 잘 알고 있는 것만큼 모란도 연을 지나치게 잘 간파하고 있었다. 모란이 아슬아슬 옷깃을 벌리던 걸 그만하고 바로 단정하게 추슬렀다. 유혹이란 게 바로 저런 거겠지, 생각하는데 그가 멈추지 않고 살살 연을 구슬렸다.

"어차피 여기서 뭘 하든 아무에게도 들리지 않는 거 알잖아."

"아무에게 들리지 않아도!"

연의 얼굴에 벌써 열기가 돌았다. 여기가 대체 어디던가? 화정당도 주루도 아니고 달리는 마차 안이었다. 뿐만 아니라 바로 지척에 죄다 아는 사람들이 있는 것이다. 그러나 모란은 전혀 개의치 않았다. 하기야 언제는 그가 다른 걸 신경 쓴 적이 있었냐마는.

"아마 한 시진은 훌쩍 가 버릴걸. 내 장담할 수 있어. 기분도 좋고 즐겁고 시간도 빨리 가는 데다가 심심하지도 않아."

연이 입을 꾹 다물고 고개를 휘휘 저었다. 문제는 그가 모란의 말에 마음이 흔들리고 있다는 점이었다, 언제나 그렇듯이. 자주 도를 지나칠 때가 있어서 그렇지 저 말이 사실이기는 했다.

아니나 다를까, 어느새 정신을 차려 보니 홀랑 넘어가다 못해 어느새 모란의 무릎 위에 앉아 있는 상태였다. 항상 그렇듯이 내가 왜 이러고 있나, 옅은 후회를 하다가 상의가 다 풀어 헤쳐진 채 유두를 깨물렸다. 연이 신음하며 짜증스럽게 모란의 어깨를 퍽 쳤다가 몸을 들썩였다.

"봐, 벌써 반각이 다 지났지 않아."

엉덩이를 꽉 쥐면서 모란이 지껄였다. 아프도록 가슴을 빨리고 깨물린다 싶으면 어느새 손이 바지 안으로 기어들어 와 있었다. 옷을 살살 벗겨 내고 꽉 다물린 뒤를 손가락 끝으로 꾹꾹 짓눌러 대는 통에 정신이 팔려 있으면, 어느새 성기가 쥐어 흔들리는 것이다. 엄지와 검지로 끄트머리를 쥐어 문질러지자 절로 다리에 힘이 들어갔다.

"아!"

입술을 깨물고 있는데 어디선가 향유 냄새가 흘렀다. 연은 이제 이 냄새만 맡으면 솜털이 바짝 곤두설 지경이었다. 매끄럽게 손가락이 문질러 밀려들어 오자 그가 잠깐 숨을 멈추었다. 손가락들이 질쩍이면서 뒤를 쑤시니 기분이 오싹오싹하다. 평소에는 충분히 풀어 주더니 오늘은 무슨 생각에서인지 모란이 몇 번 밀어 넣고는 손가락을 빼내었다.

그가 자리에서 일어나는 통에 무릎에 앉아 있던 연도 엉겁결에 일어났다. 모란이 뒤를 돌게 하더니 반대쪽 좌석을 잡고 엎드리게 했다. 마른침을 삼키며 엎드리자 목덜미를 핥으며 물었다.

"괜찮지?"

벌써부터 뭉툭하고 두꺼운 것이 쿡쿡 입구를 찔러 대는데 안 괜찮으면 어쩔 것인가. 연이 별 대꾸 없이 팔에 이마를 묻었다. 모란이 살살 허리를 쓰다듬더니 꽉 붙잡았다.

"아, 읏, 으윽."

조금 풀리고 만 뒤를 억지로 여는 감각에 연이 끙끙하는 소리를 냈다. 금방이라도 밀려들어 올 듯 세게 문지르고 문지르더니 점점 뒤를 벌리는 것이다. 겨우 귀두가 들어왔을 뿐인데 압박감이 들었다. 연이 숨을 얕게 헐떡였다. 간신히 삽입되었나 싶더니 쑥 빼내고는 다시 천천히 밀고 들어왔다.

바로 그때 마차가 덜커덩하는 통에 연이 헉, 소리를 냈다. 이제껏 방 안처럼 고요하던 마차가 덜그덕거리며 흔들리기 시작했다. 다시 덜커덕할 적에 갑자기 푹 깊이 들어오는 탓에 연이 허리를 틀었다.

"아웃, 잠시만, 왜, 갑…자기……."

"이런 게 마차에서 하는 묘미 아니겠어."

그리 말하면서 삽입된 걸 또 완전히 빼내고 천천히 밀어 넣었다. 겨우 끄트머리만 얕게 밀려들어 왔다 빠져나가기만을 반복하니 연은 주먹을 꽉 쥐는 수밖에 없었다. 모란이 자신을 어떤 식으로 깊게 범할 수 있는지 아는 까닭이다. 왜 이렇게 간만 보는지 알 수가 없었다.

심지어 이번에는 넣지도 않고 향유로 젖은 뒤를 꾹 문질러 대기만 하는 게 아닌가. 모란이 귀 뒤를 살살 핥았다. 연이 몸을 떨었다.

"……넣고 싶지?"

밀어 넣을 듯 세게 다물린 뒤만 쿡쿡 찌르면서 모란이 귓불을 세게 빨았다. 그가 배 위를 어루만지면서 다시 은근하게 말했다.

"여기, 이 안쪽까지 닿을 정도로 깊이 넣어 줬으면 싶지, 그렇지 연아?"

채근해도 연은 귀가 빨갛게 달아오른 채로 말이 없었다. 넣어 주면 좋겠다고 말을 할 수는 없던 탓이다. 모란은 배 위를 손가락 끝으로 덧그리듯 간질였다.

"우리 연이는 부끄러움이 많으니 핑곗거리를 만들어 줘야겠구나."

그리 말하면서 모란이 일어나더니 옆으로 물러났다. 어리둥절하여 바라보는 동안 짝, 하는 타격음과 함께 엉덩이에 화끈한 감각이 번졌다. 연이 움찔하며 좌석을 움켜쥐었다. 수치심에 얼굴이 벌겋게 물들었다. 엎드린 채 겨우 고개를 돌리자 방금 내려친 엉덩이를 꽉 쥐며 모란이 웃었다.

"……그렇다면 넣고 싶어 못 견디는 것보다는, 아파 못 견뎌 넣는다고 말할 때까지."

다시 살과 살이 부딪치는 소리와 동시에 엉덩이에 따가운 감각이 번졌다. 연은 입술을 벌렸다가 다물며 좌석에 매달렸다. 모란에게 엉덩이를 맞는 것이 이번은 처음은 아니다. 종종 있는 일이었다. 그러나 이따금 흥을 돋우기 위함이었지 이런 식은 아니었다. 아니었는데…….

"웃, 아!"

평소와 달리 오늘 모란의 손찌검은 매서웠다. 속도는 느리지만 가차 없었다. 한 대가 두 대가 되고, 다섯 대, 열 대를 넘는 것은 금방이었다. 엉덩이가 화끈화끈하고 따갑고 뜨거운데 얼굴도 귀도 그만큼이나 뜨거웠다.

마차 안인데. 바깥과는 고작 나무 벽 하나를 사이에 두고 있는데. 이 무슨 민망스러운 일이냐고 생각하면서도 금세 이성이 흐려졌다. 연은 좌석에 이마를 문지르며 입술을 깨물었다.

"아, 아파……."

몇 대인지 모를 손찌검을 맞았을 때에 연이 저도 모르게 작게 중얼거렸다. 아프지만, 또한 그렇게 아프냐고 하면 그리 아프지만은 않다. 모란에게 그 고통스러운 치료를 받으면서도 아프다고 입 밖에 낸 적은 드물었다. 손으로 엉덩이를 맞는 것쯤이야 충분히 참을 만한 고통인 것이다. 아프다는 소리를 모란도 들었을 텐데 그는 두어 대를 더 모질도록 아프게 갈긴 뒤에야 멈추었다.

모란은 잠시간 발갛게 달아오른 엉덩이를 살살 쓰다듬으면서 눈앞의 광경을 느긋하게 감상했다. 마차 좌석에 상체를 기댄 채 엎드린 연이 아프다고 할지언정 싫다 소리는 하지 않고 얌전히 있는 모습을. 어찌나 이렇게도 귀엽고, 또 귀여운지……. 어찌해 버리고 싶은 마음을 이렇게나 들게 하는지.

처음 연이 이런 관계에 어떤 반응을 보였는가 떠올려 보니 모란은 더욱 정성스럽게 연을 길들이고 싶어졌다. 연이 원하는 한 그는 언제나 이리 공들여 귀여워해 줄 수 있었다.

"이제는 넣고 싶어?"

모란이 중지를 다물린 입구 위로 지분거리며 물었다. 손가락 끝에 연이 움찔하는 것이 다 느껴졌다. 갈등하다가 연이 뒤로 움직이려 할 때, 겨우 손톱 정도를 스스로 삼켜 내려 했을 때 모란은 다시 엉덩이를 세게 때렸다.

"아!"

연이 튕기듯 몸을 움직였다. 아까보다 더 가차 없는 손찌검이 이어졌다. 불그스름한 엉덩이가 더욱 붉어지고 맞을 때마다 저도 모르게 피하려고 움찔거릴 정도였다. 그런데 알 수 없는 일이었다. 아픈데 연의 성기 끝에서는 말간 체액이 뚜욱 느리게 흐르는 것이었다.

"흐으……."

신음해도 봐주지 않고 몇 대를 매섭게 후려갈긴 뒤에 모란이 다시 중지를 지분거렸다. 흥분한 연이 희미하게 흐느끼는 소리를 내며 엉덩이를 뒤로 움직였다. 중지의 가장 짧은 처음 한 마디, 그리고 중간 마디. 그다음으로는 손바닥이 닿도록.

완전히 삽입되자 모란은 손가락을 구부려 안을 슬슬 문질렀다. 충분히 예민해진 연의 몸이 움찔움찔 튀었다. 그가 손가락을 빼냈다.

"넣고 싶지?"

다시 아까의 자세로 돌아와 모란이 다정하게 말하며 빨갛게 달아오른 귓바퀴 끝을 살금살금 쓰다듬었다. 완전히 이성이 흐려진 연이 아까처럼 엉덩이를 뒤로 움직여 모란의 단단한 성기를 꾸역꾸역 뒤로 삼켰다.

"아웃, 응, 아, 아!"

덜 풀려 버거우면서도 잔뜩 달아오른 몸은 익숙한 삽입감을 반갑게 반겼다. 겨우 반을 삼키다가 연이 몸을 떨며 헐떡거렸다. 모란은 느긋하게 연의 뒷덜미를 쓰다듬으며 기다렸다. 덜커덕하며 마차가 크게 움직이자 연이 힉, 하는 소리를 냈다.

"조금 더······. 착하지."

모란이 쪽쪽 소리가 나도록 연의 등에 입을 맞추었다. 연은 연신 고개를 흔들면서도 시키는 대로 몸을 뒤로 움직였다. 모란의 두꺼운 물건이 점차 뒤를 깊게 벌려 내며 삽입되자 선연한 쾌감이 등골을 달렸다. 한 뼘 정도 삼키고 힘들어 멈추는데 마차가 또다시 크게 덜컥 움직였다.

"······!"

악, 하는 소리는 뒤늦게 나왔다. 부지불식간에 안을 깊이 찔린 탓이었다. 연이 몸을 떨고만 있자 모란이 아까처럼 배를 문지르며 음담패설을 늘어놓았다.

"여기까지 닿았겠는데, 응?"

"아, 아냐, 앗, 앗! 아!"

철썩철썩 소리가 나도록 안을 깊게 찔리자 연의 시야에서는 불똥이 튀었다. 어떻게 이럴 수 있나 믿기지 않을 정도로 좋았다. 모란의 숨소리도 슬슬 거칠어졌다. 잘했으니까 상을 줄게. 그리 말하고는 그가 빠르게 추삽질을 했다.

"아, 으……! 처, 천천히이…… 흐아, 아!"

퍽, 퍽 소리가 날 정도로 거칠면서도, 안을 후벼 파는 게 아닌가 싶은 움직임이었다. 연은 반쯤 울면서 좌석에 매달렸다가, 고개를 젖히며 울기도 했다. 흰 쾌감이 정수리에 들이부어져 줄줄 흘러내리는 것 같았다. 일정한 박자로 흔들리나 하면 마차가 덜커덕거릴 때에는 엇박이 되었다.

연은 처음 사정했을 때는 몸을 떨었다가 두 번째 사정에는 바르작거렸다. 세 번째에는 안 돼, 안 돼, 하고 반쯤 울면서 교성인지 신음 소리인지, 아니면 울음소리인지 모를 것을 내뱉었다. 처음에는 죽을 만큼 좋더니 시간이 지날수록 죽을 만큼 괴로워졌던 탓이다.

말이 쉴 때가 되어 워워, 하고 밖에서 마차가 멈추는 소리가 들렸다. 그와 동시에 연은 세 번째 절정에 이르렀다. 이제는 희지도 않은 말간 액을 모란의 손에 뚝뚝 흘리면서 그는 모란의 품 안으로 무너져 헐떡거렸다. 숨 좀 고르고 일어나야지, 했으나 모란이 느릿느릿 옷을 입혀 주는 손길에 까무룩 그만 잠들어 버리고 말았다.

다시 눈을 떴을 때에는 마차가 다시 달리고 있는 중이었다. 뭘 어떻게 했는지는 몰라도 몸은 보송했고 향유 냄새도 싹 사라진 상태였다.

관자놀이 쪽에서 쪽 하는 소리가 나기에 고개를 들어 보니 모란이 자신에게 기대게 하고 있었다. 연이 눈가를 문질렀다. 창문 밖을 보니 어둑어둑 해가 지고 있었다.

"시간 빨리 가지?"

그렇긴 하지만, 딱히 수긍하고 싶지는 않았다. 적당히 나른하니 기분이 좋았다. 모란은 뒤에서 연을 껴안은 채 연신 여기저기 만지작거렸다. 성가실 법도 한데 딱히 나쁘지도 않아서 내버려 둔 연이 무심결에 입을 열었다.

"마차가 다시 얌전해졌네."

"그렇지. 아까는 꼭 그렇지 않았어?"

연의 고개를 잡아 이제는 입가에 쪽쪽거리면서 모란이 히죽거렸다.

"뭐가 그랬는데?"

"꼭 말 타는 것 같지 않, 읔."

된통 입술을 깨물린 모란이 아픔에 신음하며 입을 문지르는 동안 얼굴이 벌겋게 물든 연이 자리에서 일어났다. 마, 말 타는 거라니. 그래, 두 번째에는 모란 위에서 스스로 움직이며 허리를 쫓기는 하였지만, 그걸 꼭 비유를 해도 말 타는 것에 비유를 하다니 정말로⋯⋯.

마을에 당도했는지 점차 마차의 속도가 느려지고 있었다. 연은 반대쪽에 가 앉았다. 모란이 능글맞게 웃었지만 무시했다.

'그건 그렇고 좀 이상하네.'

흘긋 창문을 열어 불빛이 조롱조롱 걸리기 시작하는 마을 불빛을 보다가 연이 생각했다. 왜 점점 모란과 관계하는 빈도가 늘어나는 것이지. 분명 예전에는 일주일에 한 번이나 두 번 정도 했을 뿐이었다.

그나마도 치료 목적이었다. 그런데 점차 늘어나기 시작하더니 두 번이 되고, 두 번을 넘어가더니 요즘에는⋯⋯.

'사나흘? 아니, 이삼 일에 한 번?'

싫진 않다. 싫지는 않지만⋯⋯. 그래도 기분이 영 미묘하고 복잡한 것이⋯⋯. 연이 미간을 꾸깃 구기며 고민하는 사이 마차가 완전히 도착했다. 꽤나 큰 규모의 일행들이 찾아온 덕에 객잔 주인이 크게 환대하였다. 주인이 입은 화사한 옷자락을 보자 문득 생각나는 게 있어 연이 모란을 바라보았다.

'⋯⋯그러고 보니 요즘에는 그 나풀거리는 옷자락과 목소리가 없군.'

연은 다행이라고 생각했다. 그 옷자락이며 목소리가 보이고 들릴 때마다 정말 느낌이 좋지 않았다. 모란과 함께 내리는데 땅에 서니 다리가 좀 후들후들했다. 힘들어서가 아니라 모란과 정사를 나누는 동안 어지간히 기력을 쏟은 탓이었다. 그저 저녁을 먹은 뒤 바로 따뜻한 이불 속에 들어가 잠이나 잤으면 싶었다.

"연오 동생, 아까 마차가 쉴 때밖에 나오지 않던데, 혹여 몸이 안 좋은 건 아니겠지?"

뒤를 돌아보니 제갈우가 다소 걱정하는 얼굴로 보고 있었다. 연은 그만 뜨끔하여 얼굴이 좀 붉어지고 말았다. 아까 내리지 않은 이유가 아프기 때문이 아니었기 때문이었다.

"아닙니다, 아까는 잔다는 것이 너무 푹 자서 그만."

"그래, 아니라니 다행이네. 연오 그 녀석이 얼마나 동생 걱정을 하던지."

연의 얼굴이 미약하게 더 붉어졌다. 연오가 제갈우에게까지 자신을 향한 과보호를 드러낸다는 것이 부끄러웠다. 제갈우는 다행이라 말하다가 문득 모란에게 시선을 주었다. 귀빈 마차에 같이 탑승한 사람이 궁금한 모양이었다.

"그런데 이분은……?"

"아, 제 주치의입니다."

연의 좋지 않은 건강에 대해 잘 알고 있는 제갈우가 이해한 얼굴로 고개를 끄덕였다. 그리고 그에 그치지 않고 예를 갖추어 인사했다.

"제갈우라고 합니다."

"백모란이라고 합니다."

제갈우가 인사하는 걸 보더니 모란이 씩 웃으며 포권지례를 해 보였다. 연이 내심 놀랐다. 그러고 보니 모란이 저런 식으로 인사하는 것은 처음 보았다. 그간 모란은 다른 사람과 마주했을 때마다…… 껄렁거리거나, 시비를 걸거나, 대개 검을 손으로 잡아채거나 했기에……. 제갈우는 모란의 이름을 듣더니 놀라 눈을 크게 떴다.

"백모란?"

"내 이름에 무슨 문제라도?"

응? 묘하게 어투가 고압적인데? 제갈우는 미묘한 느낌을 받았으나 그보다는 방금 얻은 정보가 더 중요했다. 백매화, 백모란. 척 봐도 비슷한 느낌의 이름들이 아닌가.

"혹시 연 공자와 약혼하였다는 백매화와 무슨 관계라도 있습니까?"

"아주 막역하고 친한 사이이지요."

그러고 보면 아직도 백매화와 약혼한 사이로 되어 있었지. 연이 지레 찔려 헛기침을 했다. 한편 제갈우는 무슨 생각을 했냐 하면…….

'새 주치의를 들인 후로 연오 동생의 건강이 급격히 좋아졌다고 했지. 아마도 백모란이란 자에 대한 연오 동생의 신뢰는 대단할 것이다. 백매화가 혹 그런 심리까지 계산한 것이라면 무서운 여자다. 옛날부터 계획한 것이 아닌가?'

이런 착각과 오해를 하고 있었다. 제갈우는 백모란에게 무어라 더 말을 붙이고 싶은 눈치였으나 같이 온 제갈세가 장로의 부름에 마지못해 자리를 떴다. 모란이 이상하게 재미있어하는 눈치인 것 같아 연은 의아해하며 물었다.

"왜?"

"머리가 좋은 사람은 사서 고생한다는 생각이 들어서."

그 사서 고생한다는 사람은 제갈우를 말하는 건가……. 확실히 머리가 좋으면 몰라도 될 걸 아니 피곤할 것 같긴 하다고 말하자 모란이 웃었다. 뭐가 그렇게 웃긴가 하여 연은 고개를 흔들고 말았다.

다음 날 마을을 출발한 그들은 해가 중천에 떴을 무렵 마침내 융중산에 다다를 수 있었다. 웅장한 산세를 보니 과연 마차가 들어갈 수 있을까 의구심이 들었다. 어느 곳에도 입구가 안 보였다.

그러나 괜히 길잡이가 같이 온 것이 아니었다. 잠시 마차를 세워 두고 제갈우가 내렸다. 척척 걸어간 그가 돌멩이를 주워 이리저리 놓았다. 지켜보고 있던 모란이 드물게도 감탄했다.

"이 세계에도 이런 것이 다 있었군."

"이런 것이라면 진법을 말하는 거야?"

제갈세가는 예전부터 진법과 기관진식, 전략 및 전술로 유명한 곳이다. 제갈세가에서 만들어 낸 진법과 기관진식은 그 누구도 쉬이 파훼할 수 없을 정도로 정교하고 까다로웠으며, 해결하기 어려운 일은 제갈세가에게 물으면 무엇이든 답을 내어 놓는다는 것으로 유명했다.

다만 제갈세가는 군사로서 유명하지 무인으로 유명한 가문은 아니다. 그 점을 노려 그들이 오랜 시간 축적해 온 방대한 지식을 탐내는 세력은 얼마든지 있었다. 그렇기에 제갈세가가 험한 융중산 안에 위치한 것이다. 오로지 허락받은 소수의 외부인들만이 세가에 드나들 수 있었다.

제갈세가에서 연오에게 하여금 금려를 직접 데려가라 한 것에는 이러한 뜻도 있었다. 연오에게 제갈세가의 자유로운 출입을 허락한 것이나 마찬가지였다. 그만큼 연오에 대한 신뢰가 높다는 의미일 터.

"다 되었습니다. 이제 가도록 하죠."

제갈우가 작업을 마치자 아까까지는 분명 바위와 풀숲, 그리고 나무뿐이었던 곳에 사람 한 명 겨우 드나들 만한 구멍이 생겼다. 마부가 어리둥절한 얼굴이 되었다.

"하지만 저런 곳으로는 통과하지 못합니다."

제갈우는 그저 씩 웃으며 마부를 내리게 한 뒤 자신이 그 자리에 앉았다.

"제가 먼저 갈 테니 다른 마차는 뒤만 따라오면 됩니다."

제갈세가에서 온 장로와 제갈우는 아무렇지 않은 표정이었다.

의구심을 가지면서도 사람들은 그 제갈세가이니만큼 무엇이 있으리라 믿으며 마차로 돌아갔다. 이랴, 하고 앞선 마차가 달그닥거리며 달렸다. 대체 어떻게 통과하는가 궁금하여 연이 창문을 열었다.

"……!"

보이는 광경은 참으로 놀라웠다. 분명 처음에는 사람 하나 겨우 통과할 만한 구멍이었는데 마차가 다가가자 점차 커지기 시작했다. 단순히 멀리 있는 물체가 가까워지며 커지는 수준이 아니었다. 구멍은 자꾸자꾸 커지다가 종내에는 마차 두 대가 충분히 드나들고도 남을 굴이 되었다. 연도 무인으로서 진법의 기초를 모르는 것은 아니나, 그럼에도 대체 어떤 수를 썼는지 짐작이 안 될 정도이니 참으로 해괴하게 느껴지는 출입 방법이었다.

짧은 굴을 통과하고 나자 곧장 나타나는 건 깎아지른 절벽이었다. 얼마나 높은 절벽인지 아래를 보자 아득하고 식은땀이 날 정도였다. 절벽 아래로는 콰아아아 희미한 소리와 함께 폭포가 흘렀다. 절벽 길은 얼마나 길이 좁았던지 마차가 겨우 달릴 만한 너비였다. 바퀴가 아슬아슬 절벽 끄트머리를 비껴 나갈 듯 말 듯 굴렀다. 모란은 양쪽 창문을 열어 두고 견주어 보더니 피식 웃었다.

"왜? 가짜 절벽이야?"

"아니, 진짜 절벽이야. 다만 절벽은 이쪽이 아니라 이쪽. 절벽으로 보이는 건 그냥 평지나 다름없는 산이야."

모란의 말에 신기해하며 연이 반대쪽 창을 보았다. 그저 바위산이 보일 따름이었다.

"누군지는 몰라도 정말 똑똑한 자야. 마법으로도 이런 건 만들기 힘들어."

모란은 마치 어떤 대단한 경관이라도 구경하는 얼굴로 바위산 쪽을 내다보았다. 흘깃 보니 모란의 눈에 금색 고리 하나가 영글어 있었다. 이제는 익숙한 눈이었다. 그런데 문득 모란의 표정이 굳는 게 아닌가. 순식간에 고리가 둘, 넷, 그리고 여덟 개로 늘었다.

"이런."

쯧 혀를 찬 모란이 돌연 건너편으로 오더니 얼른 연을 끌어당겨 안았다. 품에 안긴 채로 의아해하며 그를 보니 눈에는 여전히 금빛 고리가 영글어 있었다. 연이 얼른 시선을 피하며 물었다.

"왜 그래?"

"내 생각에는 제갈세가가 외부의 적에 대해 정말 단단히 방비한 모양이야."

연은 슬슬 불안해지기 시작했다. 모란이 저런 눈을 할 때는, 드물게 진심으로 자신의 능력을 발휘할 때다. 가령 근원을 들여다보며 치료를 할 때라든가. 그런데 지금 저 눈을 보인다는 건 능력 발휘할 일이 있다는 거고, 그건…….

생각이 미처 끝나기도 전에 말이 울부짖는 소리와 함께 마차가 크게 기울었다. 연이 당혹하여 옷깃을 꽉 잡는 동안 모란이 태연한 얼굴로 중얼거렸다.

"아, 과연 이쪽인가."

우르릉하고 지반이 무너지는 소리가 들렸다. 비명 소리가 난 것도 거의 동시였다. 소리로만 들으면 밖은 마치 아비규환이나 다름없었다. 모란의 손이 뒤통수를 감싼 것과 거의 동시에 마차가 이제는 데굴데굴 구르기 시작했다. 마치 절벽에서 추락하기라도 하듯, 아니……. 아니다. 콰직, 부서져 튕겨 나간 창문 밖으로 풍경이 어지럽게 스쳐 지나갔다.

정말로 그들은 절벽에서 굴러 떨어지는 중이었다.

그렇다면 그들도 마차와 함께 굴러야 당연하지 않은가. 하지만 아니었다. 연은 당황하여 그들의 몸은 두고 마차만 물레바퀴 돌 듯 데굴데굴 구르는 모습을 지켜보았다. 몸은 괜찮았지만 시야가 어지러웠다. 마차가 부서지며 여기저기 나무 파편이 튀었으나 모란과 연에게는 조금도 닿지 않았다.

그렇게 한참처럼 느껴지는 시간 동안 요란하게 구르더니 마침내 마차가 멈추었다. 우지끈하고 무언가 부러지는 소리가 들리고 난 뒤에야 연은 자신이 숨도 쉬지 않고 있었다는 걸 깨달았다.

얼마나 정신이 없었는지 모란이 마차 문을 뻥 걷어차고 나왔을 때서야 연이 겨우 정신을 차렸다. 옆구리에 연을 껴안고 아예 그대로 걸어갈 생각인 것 같아서 연은 비틀거리며 빠져나왔다. 모란은 순순히 놓아 주었다.

"왜 그래? 어디 부딪힌 곳은 없을 텐데."

"부…딪힌 곳은 없어도……. 워낙 갑자기……."

토기가 올라와서 연이 잠시 입을 틀어막았다. 이를테면 정신적인 멀미와 비슷했다. 모란이 저를 꼼꼼하게 위아래로 살피는 것도 모르고 연은 주위를 두리번거렸다.

그들이 떨어진 곳은 계곡 깊숙한 곳으로 주위에는 온통 험악한 바위밖에 없었다. 고개를 들어 보니 끝이 어딘가 의심될 정도로 까마득한 절벽이었다.

"다른 사람들도 떨어졌을까?"

"추락하기 전에 잘 밀어 놓고 오긴 했는데, 아직 한 명도 안 떨어진 걸 보니 괜찮겠지."

연의 머리카락에 붙은 나뭇잎과 먼지를 톡톡 털어 내며 모란이 말했다. 연은 다리가 후들거려서 잠깐 앉았다가 일어났다. 모란 덕에 목숨 건진 건 알겠는데……. 일이 이렇게 되니 따지지 않고는 견딜 수가 없었다.

"우리 마차도 떨어지지 않게 할 수는 없었어?"

"나도 그러고는 싶었는데, 마부가 환각을 보고 마차를 이미 절벽 밖으로 달리게 한 터라. 이미 마차가 떨어지는 걸 본 사람들이 여럿이었어. 마부가 절벽 아래로 떨어지지 않은 건 그렇다 쳐도 그 상태에서 우리가 탈출하는 건 현실적으로 무리잖아?"

"……그건 그렇지만, 이 절벽에서 떨어지고도 살아남은 건 현실적이고?"

심란해진 연은 주위를 둘러보다 평평한 바위 위에 앉고 말았다. 그리고 끙, 하는 소리를 냈다. 난감하기는 마찬가지였는지 모란도 연의 옆에 서서 뺨을 긁적였다. 그렇게 둘은 한참을 서서 절벽 위를 올려다보았다.

"방진이 작동했다!"

마차가 크게 흔들리며 비명 소리가 들리자 제갈우는 상황이 심상치 않은 걸 깨닫고는 바로 말에서 뛰어내렸다. 그는 내리자마자 황급히 기우뚱하는 마차를 잡아 세웠다. 일단 요란하게 날뛰는 말들을 기절시키고 나서야 소란이 멎었다. 아슬아슬하게 절벽에 걸려 있는 마차도 있었고 숲에 굴러떨어진 것도 있었다.

"이게 대체 어찌 된 일입니까?"

제갈우가 아연실색하며 장로에게 속삭였다. 얼굴이 희게 질린 건 장로도 마찬가지였다. 아무리 생각해도 외부 방어용 진법이 반응한 이유를 알 수가 없었다.

이 외부 방어용 진법은 선조의 놀라운 유산이다. 약한 것은 받아들이고 강하면 강할수록 밀어 내는, 척력을 적용한 세상 유일무이한 진법이었다. 그렇기에 제갈세가는 오랜 세월 동안 융중산에서 평화롭게 지낼 수가 있었다. 바깥에 전쟁이 터지든 말든 제갈세가와는 아무런 상관도 없는 일이었다. 외부의 적이 들어올 수 없기 때문이다.

완전히 진법을 닫으면 그 누구도 세가로 들어오는 길을 찾을 수가 없다. 반대로 완전히 열어 두면 누구나 쉽게 세가로 들어올 수 있으나, 제갈세가의 역사상 완전 개방은 한 번도 없었다. 대신 그들은 단계에 따라 개방의 정도를 달리했다. 무공이 없는 일반인 정

도만 드나들 수 있는 수준에서부터 어느 단계의 고수까지는 지나
갈 수 있는 수준까지.

이번에는 남궁세가에서 손님이 오기에 특별히 큰마음을 먹고 크
게 문을 열어 두었다. 반로환동에 이른 고수가 아니면 누구나 드나
들 수 있었다. 약자일수록 들어오기 쉽고 강자일수록 들어오기 힘
들다. 모순적이나 그게 바로 제갈세가를 외부의 적으로부터 지키
는 비법이었다.

그런데 그 비법이 처음으로 격렬한 반응을 보였다. 이제까지 본
중 가장 강도가 높았다. 처음에는 오작동인가 싶을 정도였으나, 이
제까지 한 번도 그런 적이 없다는 게 곧장 떠올랐다.

오작동이 아니라면, 그게 아니라면 반로환동을 한 고수가 섞여
있었다는 말인데. 거기까지 생각이 미친 제갈우와 장로의 얼굴이
굳었다.

"우, 이게 대체 어쩐 일이지?"

누구보다 놀란 건 이런 사정을 아예 모르는 손님들이었다. 타인
에게 가문의 비법을 알려 줄 수는 없으니 제갈우가 얼굴이 굳은 연
오를 일단 다독였다. 자칫 잘못하면 공격받은 것이라 오해할 수도
있는 일이었다.

"정말 미안하네. 진법에 문제가 있었던 모양이야."

진법에 문제가 있다고 하는 건 제갈우에게 있어서는 오명을 자
처하는 것이나 다름없었다. 그리 말하면서 제갈우가 연오에게 전
음을 보냈다.

-허락받지 않은 고수가 일행 속에 숨어들어서 가문의 진법이 반응
했다.

-허락받지 않은 고수라고?

-사전에 이야기했었지. 우리 가문의 기이한 진법.

사전에 간략하게 이야기를 나눈 적이 있기에 연오가 고개를 미

약하게 끄덕였다.

"일단 오늘은 돌아가는 게 좋겠네. 다행히도 다친 사람은 없으니까……."

주위를 둘러보던 제갈우의 말꼬리가 흐려졌다. 그의 눈동자가 흔들렸다. 하나, 둘, 셋, 넷, 다섯. 왜 마차가 다섯 개지? 다시 세고 또 세도 옆으로 누워 버리거나 옆 숲길로 굴러떨어진 마차까지 포함해 다섯 개였다. 모두 여섯 개여야 하는데. 갑자기 소름이 쫙 끼쳤다.

'대체 어느 마차냐!'

지반이 무너지는 환각 때문에 정작 마차 한 대가 굴러떨어진 건 놓치고 만 것이다. 그는 제발 떨어진 마차 안에 남궁세가의 사람이 없기를 바랐다. 창백해진 제갈우의 표정에 연오 역시 불안한 낌새를 느낄 때였다.

"소, 소가주님. 이를 어쩌면 좋습니까."

망가지고 뜯긴 울타리가 듬성듬성 남은 절벽에 서서 아래를 망연히 보고 있던 마부 하나가 엉금엉금 기어왔다. 제갈우가 속으로 비명을 질렀다. 저 마부는 다름 아닌 연오 동생의 마차를 끌던 사람이었다. 그 말인즉슨, 굴러떨어진 마차가……. 마차가…….

이제는 연오도 마차 한 대가 없다는 걸 깨달았다.

"대체 무슨 일인가? 자네가 몰던 마차는 대체 어디로 갔어!"

"절, 절벽 아래로 떨어지고 말았습니다……."

"뭣이라?!"

연오가 크게 기함했다. 모두가 경황이 없었던 탓에, 아까까지만 해도 오른쪽에 있던 절벽이 이제는 왼쪽에 있다는 걸 그제야 깨닫고 깜짝 놀랐다. 머리를 부딪친 한위가 주강의 부축을 받아 나오다가 심상치 않은 기색을 느꼈다.

"제대로 말하게. 혹여나 환각을 잘못 본 것은 아닌가?!"

연오의 험악한 기세에 마부가 덜덜 떨며 납작 엎드렸다.

"으흑, 주, 죽여 주십시오. 제가 미쳤는지 아까는 갑자기 산사태가 일어나는 걸 보아서⋯⋯. 마, 마차를 안전한 곳으로 향한다는 것이, 그만⋯⋯."

"소, 소가주님. 저도, 저도 보았습니다. 연 도련님의 마차가⋯⋯. 아, 아래로 떨어지는 것을요."

다른 사람의 증언까지 듣자 연오가 망연자실하였다. 연이 탄 마차가 절벽에서 굴러떨어졌다는 말에 한위는 얼굴이 희게 질려 자리에 주저앉았다.

제갈우는 식은땀이 다 흘렀다. 이 일은 어디까지나 제갈세가의 책임이었다. 혼인으로 결속을 맺으려던 양 세가의 사이가 원수지간처럼 변할 수도 있었다.

'설마 절벽 아래로 몸을 날리는 건 아니겠지.'

그는 제 친우가 동생을 얼마나 아끼는지 잘 알고 있었다. 연오가 이성을 상실하는 상황을 대비해 제갈우가 바짝 긴장했다. 그러나 연오는 주먹만 꽉 쥘 뿐이었다.

그러더니 이내 침착하게 고개를 들었다. 괜히 남궁세가의 소가주가 아니었다.

연오는 절벽 아래로 굴러떨어졌다는, 동생이 탄 마차만 생각하면 돌아 버릴 것 같았으나 애써 내리눌렀다.

"일단 사람들은 돌려보내지."

"⋯⋯그래. 지금 당장 수색대를 파견하라고 하겠네."

제갈우가 눈짓하자 장로가 몸을 날려 숲속으로 사라졌다. 그가 한숨을 참으며 절벽 아래를 내려다보았다. 이제까지 저곳으로 추락한 이들 중 살아남은 자는 없었다. 아마도 연과 그 주치의는⋯⋯. 그가 이를 악물었다.

연의 생존도 문제였지만 더 큰 문제가 있었다. 일행 속에 숨어 제갈세가에 몰래 들어오려던 게 틀림없는 고수는 대체 누구란 말인가?

"자, 이러면 되었지."

연이 바위에 앉아 감탄했다. 그도 그럴 것이 모란의 손짓에 순식간에 절벽에서 튼튼한 나무가 쑥쑥 자라나 푹신한 구름처럼 가지와 나뭇잎을 드리웠다. 꽃만 피울 수 있는 게 아니었다. 모란은 그 위에 마차를 가볍게 쑤셔 박았다. 고개를 들어 올려다보자 마차 위에도 아까까지만 해도 없던 나무가 두엇 정도 중간에 드문드문 자라 있었다.

"그러니까 우리는 절벽에서 굴러떨어진 다음에 나무에 걸려서 운 좋게 살아남은 것이지."

마차에 부딪친 충격을 가장하여 나뭇가지도 툭툭 부러트리며 모란이 말했다. 노력은 가상하였으나 연은 반쯤 박살난 마차를 보자 과연 그 말을 믿어 줄지 의문이 들었다. 살아남은 건 둘째 치고 모란과 연의 행색이 너무 멀쩡했던 탓이다. 옷이라도 더럽게 하자 싶어 흙을 찾아 주위를 두리번거리던 연이 놀랐다.

"이런."

"왜 그래?"

"사방이 해골 밭이야."

이제 보니 바위 틈새 사이마다 백골이 보였다. 아마도 제갈세가에 침입하려다 추락해 버린 이들일 터였다. 일종의 무덤이나 다름없었다. 조금 떨어진 곳에는 까마귀 한 마리가 날아와 콕콕 무언가를 뜯어 먹고 있었다. 보기 좋은 광경은 아니라 연이 눈살을 찌푸렸다. 모란이 무심하게 중얼거렸다.

"여기에는 오래 있으면 별로 안 좋겠는데."

왜……지? 물론 사방이 백골 투성인 바위 밭에 있는 건 안 좋긴 하겠다만, 모란이 말하니 어쩐지 뭔가 있는 것처럼 들렸다. 연은 굳이 이유를 묻지는 않았다. 별로 알고 싶지도 않았다. 모란이 주

위를 휘휘 둘러보았다. 연의 눈에는 바위밖에 안 보였는데 그에게
는 다른 풍경이 보이는 모양이었다.

"다른 곳으로 이동하자. 협곡이 험해서 아무리 빨리 수색조가
온다고 해도 며칠은 걸릴 거야. 여기서 밤을 보낼 수는 없는 노릇
이지."

맞는 말이다. 그만 툭툭 털고 일어나려는데 모란이 손을 내밀었
다. 연이 눈썹을 찌푸렸다.

"업어 줄까?"

"무슨, 혼자서 잘 걸어갈 수 있어."

"뭐…… 그렇다면야."

대뜸 업어 주겠냐고 하니 자존심이 상해서 연이 내밀어진 손을
본 체 만 체했다. 요즘에는 건강도 제법 좋아졌고, 바위가 좀 험하
기는 하지만 그럭저럭 걸어갈 정도는 되었다.

……라고, 연은 생각했다. 얼마 걷지도 않아 디뎠던 바위 한쪽
이 부스러지면서 미끄러지기 전까지만. 옆에서 걷고 있던 모란이
잽싸게 잡아 주었지만 벌써 발목이 얼얼했다. 지난번 사냥대회 때
주강의 공격을 피하게 하려고 모란이 떠밀었을 때 삐었던 발목을
또 삔 것이다. 연은 살살 발목을 돌려 보다가 와락 미간을 구겼다.
모란이 히죽 웃으며 다시 손을 내밀었다.

"업어 줄까?"

결국 연이 자존심을 접었다. 한숨을 쉬며 답삭 업히자 모란이 성
큼성큼 잘도 걸어갔다. 왜 이렇게 잘 걸어가나 흘깃 아래를 바라보
았더니 이따금은 바위가 아니라 허공을 땅 딛듯 디디기도 하는 것
이다. 이건, 좀 반칙 아닌가…….

모란은 제법 한참을 걸어갔다. 협곡이 꽤 깊고 길었다. 확실히
연이 걸어가기엔 애 좀 먹었을 험한 형세였다. 제갈세가의 진법으
로 인해 사람의 발이 닿지 않아 아무런 길도 나 있지 않았다. 자존
심이고 뭐고 연은 그냥 얌전히 모란에게 업혀 가는 걸 받아들였다.

발이 바쁘지 않으니 대신 머리가 바빠졌다. 연이 근심에 잠겨 중얼거렸다.

"형님과 한위는 내가 죽었다고 생각하지 않을까……."

심각한 근심 걱정인데 모란은 태연하게 대구해 주었다.

"아무래도 그렇지. 원래라면 그 자리에 있는 마차가 죄다 길 아래로 떨어졌을 법한 환각이었거든. 이쪽에는 비행을 할 수 있는 자가 없다는 걸 고려하면 확실히 괜찮은 방어법이야. 아군이고 적군이고 죄다 쓸어 협곡에 던져 버리는 건 단점이지만."

단점도 아주 큰 단점이었다. 그러고 보면 추락하기 전 모란이 다른 마차가 떨어지지 않게 밀어 내었다고 했던가. 그렇다면 모란이 연오와 한위를 구해 줬다는 의미다. 연이 진지하게 감사 인사를 건넸다.

"고마워. 덕분에 다른 사람들이 무사할 수 있었어."

"……음, 뭐."

그런데 이상하게 모란의 반응이 어물어물했다. 그게 말이야, 하고 그가 드물게도 다소 미안해하는 태도로 입을 열었다.

"아무래도 멀쩡한 진법이 반응한 게 나 때문인 것 같거든."

"뭐?"

"대충 원리를 보아하니 일정 기준 이상의 힘이 방진 내에 존재하면 작동하는 것인데, 강하면 강할수록 반발력이 강해져서……."

그러니까 모란이 아니었다면 지금쯤 제갈세가에서 편하게 여독을 풀고 있었을 거란 이야기다. 연이 한숨을 쉬었다.

"고의로 그런 것도 아니고, 뭐. 별 피해가 없으면 되었지."

"하하."

모란이 소리를 내어서 웃었다. 제갈세가와의 관계가 좀 걱정되긴 했지만 연이 죽은 것도 아니고 살아 있으니 좋게 좋게 넘어갈 확률이 컸다.

문득 연이 그들이 지나온 길을 돌아보았다. 무언가 지나간 흔적을 남겨야 하지 않겠냐는 생각이 들었지만, 자세히 보니 벌써부터 모란은 이따금 흙이 있으면 일부러 밟아 발자국을 내고 있었다.

'확실히 상당히 의지가 되는 사람이긴 해.'

그 누구도 해칠 수 없는 데다가 거의 만능에 가까운 사람이 제 편이라는 건 정말로 마음을 편하게 했다. 연이 말끄러미 모란의 뒤통수를 바라보았다. 계속, 앞으로도 쭉 모란과 함께하고 싶다. 그럴 수 있을까?

힘들지 않냐는 말이 저도 모르게 목구멍까지 나올 정도로 모란은 한참을 걸었다. 협곡은 끝이 없었다. 보통이라면 힘들어서 벌써 지쳐 나가떨어졌을 텐데 모란은 유유자적이었다. 연을 업고 있으면서도 땀 한 방울 흘리지 않았다. 도리어 가끔 주위를 둘러보는 것이 마치 산책이라도 나온 듯했다.

그들이 마침내 바위 협곡을 벗어난 건 해가 뉘엿뉘엿 저물기 시작할 때였다. 드문드문 풀숲이나 덤불이 보이기 시작하더니 마침내 숲이 보였다. 온전히 흙으로 이루어진 땅을 보자 연은 퍽 기뻤다. 바위 협곡은 잠시간 보기에 좋을지 몰라도 오래 있기에는 너무 황폐했다. 생명력이 넘치는 숲과는 달랐다.

"어디 보자……. 수원(水源)이 이 근처 어디쯤에 있을 텐데."

"나 이제 내려도 되는데."

모란은 연의 말을 무시하며 휘적휘적 발로 흙을 파내었다. 그리고 흙 색깔을 좀 보더니 다시 설렁설렁 걸음을 옮겼다. 나 이제 내려도 된다니까? 연이 두어 번 더 말해도 모란은 대꾸조차 없었다. 결국 연은 체념했다. 이따금, 아니 자주 모란은…… 연오보다도 자신을 더 과보호하는 느낌이 없잖아 있었다.

'뭐랬지, 혹 불면 혹 날아갈 솜털처럼 느껴진다고?'

연이 인상을 찌푸렸다. 솜털 따위에 비교되었으니 기분 나빠야 마땅한데 왜 기분이 나쁘지 않은가. 과보호하는 경향이 있는 연오조차도 연을 솜털처럼 취급하지는 않았다. 모란이 그 누구와도 비교되지 않을 정도로 강하여 그런 것인가? 어쩌면 인간이 개미를 보는 것과 비슷할지도 모르겠다.

연이 곰곰 생각하는 동안 모란은 마침내 원하던 곳에 도착했다.

"어때, 괜찮지 않아?"

연이 휘둥그레 눈을 떴다. 괜찮은 정도가 아니었다. 연은 이토록 아름다운 계곡은 난생처음 보았다. 물이 마치 수정처럼 맑아 바닥이 훤히 다 들여다보였다. 저쪽에서 아스라하게 콰아아아 하고 물소리가 들리는 것이 폭포에서 흘러 내려와 만들어진 계곡인 모양이다. 그제야 모란이 연을 내려 주었다.

"슬슬 저녁 먹어야지."

저녁······. 연이 별생각 없이 주위를 둘러보았다. 계곡에 가재나 물고기 따위가 있을 테니 잡아서 먹으면 되겠다 싶었다. 그런데 모란의 생각은 연과는 달랐다.

"잠시만 기다려 봐."

선선히 고개를 끄덕이자 모란이 곧 그 자리에서 사라졌다. 연이 저물어 가는 노을을 배경으로 계곡을 감상하고 있자 다소 시간이 지난 뒤에 모란이 다시 나타났다. 그의 손에는 이것저것 꾸러미가 들려 있었다. 그런데 아무리 봐도 꼭 시장에서 사 온 것 같았다. 아니, 시장에서 사 온 것이 분명했다.

"······대체 뭐야, 그게?"

"오늘 먹을 것? 역시 숲에서는 고기를 구워 먹어 줘야지."

제법 흥이 난 얼굴로 모란이 분주하게 여기저기 돌아다녔다. 땔감을 모아 가지고 오더니 순식간에 모닥불을 피웠다. 이제 막 봄이 되어 가는 시기라 나무들이 바삭하게 말라 쓰기에 좋았다. 그 솜씨가 아주 능숙했다. 안 그래도 좀 쌀쌀하고 추웠기에 연이 슬그머니 모닥불에 몸을 가까이 했다.

'보통이라면 절벽에서 떨어져 심각한 부상을 입고 죽니 사니 하는 상황이어야 할 텐데.'

이건 마치 나들이라도 나온 분위기가 아닌가. 모란이 척척 모닥불 주위에 적당히 커다란 돌들을 둘렀다. 그러고는 부스럭부스럭 가져온 꾸러미를 열었다. 연이 저도 모르게 입을 벌렸다. 꾸러미에는 잘 썰린 고기며 채소 따위가 있었다.

모란은 근처에서 막 따 온 것 같은 싱싱한 버섯의 흙을 톡톡 털어 내고는 꼬치에 끼웠다. 고기 한 점, 버섯 한 점, 파 한 쪽, 다시 고기 한 점, 버섯 한 점, 파 한 쪽……. 연은 어이가 없어 중얼거렸다.

"……진짜 본격적이잖아."

"어딜 가든 잘 먹고는 지내야지."

고개를 절레절레 저으며 연도 나뭇가지를 집어 들어 꼬치 재료들을 끼웠다. 그렇게 완성된 꼬치들은 돌 사이사이에 끼워졌다. 타닥타닥 모닥불 위에서 나뭇가지에 꿰어진 버섯과 고기가 노릇노릇 익어 가는 걸 보니 저도 모르게 군침이 돌았다.

기다리는 것도 잠시, 적당히 잘 익은 꼬치를 들어 후후 불어 고기를 한 입 먹자 간이 적당히 잘 밴 것이 맛있었다. 겉면이 살짝 탄 파는 달짝지근했고 막 딴 버섯은 무슨 종인지는 몰라도 감미롭고 향긋했다.

후식으로 모란이 가지고 온 귤까지 먹고 나니 완벽했다. 배는 불렀고 몸에는 온기가 돌았으며 저녁 무렵 계곡 풍경은 은은하여 보기 좋았다. 연이 귤껍질을 잘게 뜯어서는 모닥불에 던져 태웠다.

"이상하게 모란 당신과 먹는 건 다 맛있어."

"뭐어……."

모란이 씩 웃었다. 맛있을 수밖에 없지 않은가, 모란 자신의 본원지기와 생기를 조미료 삼아 뿌려 준 것들이니.

연에게 치료로 쏟아부은 것들 중 반 정도는 항상 며칠이 지나면 소화되지 못하고 주위에 부스럭부스럭 뿌려졌다. 모란이 한 건 그런 걸 가능한 한 모아다가 다시 연이 먹는 음식에 뿌려 넣는 것이다. 그러나 그는 속마음은 전혀 드러내지 않은 채, 그저 씩 웃으며 오늘은 돼지였으니 내일은 닭을 구워 먹자고 제안할 따름이었다.

저녁 식사를 마친 뒤 연은 계곡에 가까이 다가갔다. 투명한 물에 손을 담그어 보니 시릴 정도로 차가웠다.

잠깐 물장난을 하고 난 뒤 연이 바위에 앉아 주위를 둘러보았다. 경관이 아름답기는 하나 마땅히 잘 만한 곳이 보이지 않았다. 바닥이 돌로 온통 울퉁불퉁했다. 그나마 평평한 곳을 찾아 돌을 골라내는데 모란이 슥 사라졌다. 잠시 후 돌아온 그의 손에는 마차에 실려 있던 짐 꾸러미가 들려 있었다.

어떻게 하나 궁금하여 보고 있자 모란이 자리를 고르기 시작했다. 다만 연이 돌을 파내는 식이었다면 그는 돌을 파묻어 버리는 식이었다. 뭘 어떻게 했는지 발로 누를 때마다 엄청난 힘으로 우득우득 하며 돌이며 바위가 안으로 파묻혔다. 그 힘에 연은 잠시 기가 질렸다.

"항상 이런 식으로 잠자리를 만들었어?"

"잠자리가 편해야 다음 날 만사가 잘 풀리는 법이지."

적당히 자리를 고르고 난 뒤 모란은 위에 흙을 덮어 밟아 다져 평평하게 했다. 마지막 마무리로는 위에 나뭇잎을 덮었다. 그 후 짐 꾸러미에 있던 옷을 꺼냈다. 개중 가장 괜찮은 건 꺼내 갈아입은 뒤 나머지는 나뭇잎 위에 몇 겹 덮자 제법 근사한 침상이 되었다. 모란이 와서 앉으라는 의미로 포닥포닥 손바닥으로 두드렸다. 슬금슬금 다가와 엉덩이를 붙이자 절로 감탄이 나올 정도로 푹신푹신했다.

"며칠 정도는 여기에서 자면 될 거야. 약간 불편하겠지만."

"충분하고도 남지."

연이 급조로 만들어진 침상에 누웠다. 몸을 눕히자마자 급격하게 피로가 몰려왔다. 모란도 팔을 베개 삼아 그 옆에 누웠다. 연이 말끄러미 별이 반짝이는 하늘을 올려다보았다. 모란이 살살 손으로 허공을 헤집자 무엇을 했는지 서늘했던 공기가 훈훈하게 변했다.

"절벽에서 떨어져 구조를 기다리고 있는 처지치고는 좋네……."

순간이동으로 한순간에 화정당으로 돌아갈 수도 있는데 여기서 부러 이러고 있다는 게 참 기묘했다. 연이 옆을 보자, 모란이 빙그레 웃으며 퍽 다정한 얼굴로 바라보는 중이었다. 그러더니 서서히 고개를 숙였다. 입을 맞추려나 싶더니 눈가에 살살 입술을 문지르고는 다시 눕는 것이다.

심장이 빨리 뛰어 연이 얼른 다시 하늘을 올려다보았다. 하늘에는 사금처럼 별이 무수히 박혀 반짝거리고 있었다. 연이 저도 모르게 중얼거렸다.

"이런 건 처음이야."

"숲에서 자는 게?"

딱히 숲에서 자는 것만이 아니었다. 이렇게 가쁜한 몸도, 마차 여행도, 이런 아름다운 계곡도……. 타인과 함께 몸을 맞대고 누워 밤하늘을 올려다보는 것까지 모든 것이 연에게는 처음이다. 마치 세상에 모란과 단둘이 남겨진 기분에 솔직한 마음이 된 연이 입을 열었다.

"몸이 따르지 않으면 아무것도 할 수가 없잖아. 그러니 세가 밖에서 지내는 것은 꿈도 못 꾸지. 항상 앓아눕기 일쑤였으니."

모란일 적에는 은록에게 가르침을 받으며 먹고 자는 문제를 해결하느라 여유가 없었다. 남궁연일 때는 부유한 환경이었으나 몸 때문에 발목이 잡혔다. 연오나 또래 무인들이 강호 유람이니 다니는 이야기를 듣다 보면 자연히 이런 일에 대한 환상이 생기기 마련이다.

"몸이 다 낫게 되면 여행을 한번 다녀오려 해."

연이 불쑥 내뱉었다. 이제 몸이 낫게 되리란 희망이 생겼으니 전부터 생각만 하던 것이 말로 나왔다. 한위와 함께 다녀오면 좋겠지, 하면서도 연은 가만히 제 말을 듣고만 있는 모란에게 말을 꺼냈다.

"사냥대회 전에 당신도 제안했었지. 여행을 가는 게 어떻겠냐고. 그때가 되면 나와 같이 여행을 다녀오자, 모란."

그러고는 말끄러미 바라보았다. 제가 모란을 바라보는 그 시선이, 혹은 모란이 저를 바라보는 시선이 엇비슷한 것 같기도 하여서 연의 가슴이 살금살금 뛰었다. 연을 바라보는 모란의 시선이며 표정이 참으로 다정하고 부드러웠다. 세상에서 가장 귀한 것을 보는 듯한 얼굴이라, 연은 부드럽고 따뜻한 무언가에 몸이 찬찬히 감긴 채 잠기는 듯했다.

"그럼 혼자 다녀오려고 하였어? 어딜 가든 혼자 있으면 사고만 일으키고 다니면서 용감도 하지."

……아니 대체 언제, 사고만 일으키고 다녔다고? 발끈한 연이 무어라 하기도 전에 모란은 깍지를 껴 손가락 마디마디를 얽어 오는 것으로 연의 말문을 막았다. 그러고는 이리 말하는 것이다.

"안휘성이든 사천성(四川省)이든, 혹은 섬서성(陝西省)이나 그 어느 곳이든 여행을 가 즐거운 것을 보고 겪으면 좋겠지. 둘이서만 가도 좋고, 네 동생과 함께 떠나도 좋을 것이고."

그 말을 들으니 기분이 참으로 좋아지는 것이 아닌가.

그리 모란과 여행에 관해 이것저것 대화를 나누다 보니 어느새 눈꺼풀이 가물가물 감겼다. 깊이 잠든 그는 꿈속에서 모란과 함께 여행 짐을 꾸려 남궁세가를 나가는 꿈을 꾸었다…….

연이 즐거운 꿈에서 떠나 잠에서 깬 건 수런수런 떠드는 소리 때문이었다. 반쯤 엎드린 상태에서 혼곤하게 잘 자던 연의 손가락이 움찔했다. 귀는 잠에서 깼어도 아직 나머지 몸은 깊게 잠든 상태였다. 비몽사몽 혼곤한 가운데 익숙한 목소리가 들렸다.

"……하긴 기분 나쁠 법도 하지, 인간들이 뒤지고 다니면. 그래도 제갈세가는 얌전하니 제법 괜찮은 축이 아니야? 어차피 그 대단한 진법 혜택도 같이 누리고 있으면서."

제갈세가가 뭐가 괜찮은 축인데? 아니, 그보다 모란은 대체 누구와 이야기를……. 누군지는 몰라도 상대의 목소리는 들리지 않았다. 그저 계곡물이 흐르는 소리와 새가 짹짹 지저귀는 소리가 들릴 뿐이다. 연이 희미하게 끙, 하는 소리를 냈다. 아침 햇살이 눈부셔서 눈꺼풀을 들어 올리기가 쉽지 않았다.

"뭐어, 구애 행위……라고 한다면, 그렇게 볼 수도 있겠지."

"……."

"응? ……글쎄. 잘 모르겠네. 쉬운 결정이 아니라서. 그쪽 같으면 ……들일 수 있겠나? 수명 차이도 고려는 해 봐야지."

그러고는 잠시 침묵이 있었다. 연이 간신히 눈꺼풀을 들어 올렸다. 모란은 조금 떨어진 곳에서 쭈그리고 앉아 있었다. 그의 어깨가 어쩐지 좀 축 처진 것 같았다. 그가 휘적휘적 계곡물을 손으로 저으며 물장난을 가볍게 쳤다.

"……그래. 훗날 일을 두려워해 피하는 건 어리석은 일이긴 해. 이런 걸 두려워한다는 것부터가 이미 글러 먹었다는 증거지……. 실은 이미 엮여 버렸으니."

연이 눈을 깜박였다. 아무리 봐도 모란이 계곡 물에 대고 이야기하는 것으로 밖에는 보이지 않았다. 설마 벌써 수색대가 찾아왔나 했지만, 그렇다고 보기에도 대화 내용이 어쩐지 영 이상했다.

그가 몸을 일으키자 뒤통수에 눈이라도 달렸는지 모란이 뒤를 돌아보았다. 그리고 설렁설렁 손을 흔들어 보였다.

"일어났어?"

"누구……와 이야기를 하고 있었어?"

"아, 이 산의 주인들과."

이 산의, 주인들? 전의 그 사슴이 떠오르는 건 당연한 일이었다. 연이 주섬주섬 신발을 신었다. 자리에서 일어나 머뭇거리며 다가간 그가 눈을 휘둥그레 떴다. 모란의 옆에 깃이 흑단처럼 곱고 긴

새가 앉아 있었다. 눈은 홍옥처럼 붉었고 몸은 마치 매처럼 컸다. 거기에 다리는 세 개였다.

연이 헉 숨을 쉬었다. 다리 세 개의 검은 새……라 하면 떠오르는 게 있었던 탓이다. 태양에서 날아왔다고들 하는 삼족오 말이다. 사실, 까마귀와는 외양이 많이 달라서 삼족오(三足烏)라고 할 수 있을지 모르겠지만.

그뿐만이 아니었다. 물이 반짝반짝하기에 좀 더 가까이 다가가 보니 계곡물 속에 금빛으로 빛나는 거대한 무언가가 있었다. 잉어였다. 머리에는 마치 꽃잎처럼 흰 반점이 점점이 흩뿌려져 있었고 몸은 금색으로 아름답게 반짝이며 빛났다. 금색의 거대한 잉어를 중원에서는 흔히들 이렇게 불렀다. 만년화리(萬年火鯉)라고.

옆에서 휙 검은 것이 솟구쳐 놀라 고개를 돌리니 삼족오가 아주 조용하게 날아올랐다. 푸드덕거리는 소리 하나 없었다. 마치 태양에 닿는 게 아닐까 의심될 정도로 순식간에 하늘 높이 날아오르는 것이다. 그 자태가 우아하고 마치 빛처럼 빨랐다. 다시 고개를 내려 보니 어느새 만년화리도 사라지고 없었다.

연은 기분이 얼떨떨해졌다. 만년화리와 삼족오라……. 모르긴 몰라도 평생 동안 아주 운이 좋아야 볼까 말까 한 존재들이란 건 알겠다. 모란이 딱히 궁금하지 않은 설명을 했다.

"바위 협곡을 경계로 둘이 각각 나누어서 산을 가지고 있어서 주인이 둘이야."

"아니, 그런 건 아무래도 상관없는데…… 대체 어떻게 말이 통하는 거야?"

모란이 탁탁 손을 털며 자리에서 일어났다. 그리고 퍽 귀여운 걸 보는 얼굴로 연을 보았다.

"사람에게만 언어가 있는 것은 아니라서. 참, 아침 식사를 준비해 놨는데."

'동물들에게도, 아니 영물들인가? 아무튼 언어라는 게 있다는

거지……. 무언지는 몰라도 모란은 그걸 알아듣고 말도 하고…….'

아직 잠도 덜 깬 데다가 아침부터 예상치 못한 걸 본 연이 잠깐 넋을 놓고 있는 동안 모란이 무언가를 내밀었다. 따끈따끈하니 아직도 김이 살살 올라오고 있는 소룡포였다. 무심결에 두어 개 받아 먹고 나니 속이 차며 기운도 나고 잠도 깼다. 아침을 먹은 뒤 계곡 물을 받아 좀 마시고 세수도 하고 나니 정신이 완전히 맑아졌다.

"산 주인들이 말하기를 어제부터 인간들이 시끄럽게 산을 뒤지고 다닌다던데, 아마도 하루 이틀 내면 수색조가 우릴 찾아낼 수 있을 것 같아."

"그렇게나 빨리?"

연이 좀 놀랐다. 아무리 봐도 이 협곡은 내려오기가 여간 힘든 곳이 아니었다. 오려거든 돌아 돌아 올 것이라고 생각했는데…….

연의 마음속에 미약한 죄책감이 차올랐다. 연오가 자신을 찾기 위해 그리도 고생하는데 이리 편하게 있다는 것에 대한 죄책감이었다. 한숨을 쉬는데 모란이 모닥불에 나뭇가지를 던져 넣다가 연을 살펴보고는 미간을 찌푸렸다.

"잠깐. 발목 어제보다 상태 나빠진 것 아니야?"

"전에 한번 삐었던 곳이라서 악화된 것 같아."

대수롭지 않게 연이 말했다. 원래 한번 삔 관절은 재발이 잦았다. 아침에 일어난 그는 제 발목이 상당히 퉁퉁 부은 걸 알고도 그다지 놀라지는 않았다. 익히 예상하고 있었던 것이다. 그러나 모란은 쯧 하고 혀를 찼다.

"부목이라도 대고 다니지."

"어차피 앉아 있을 일이 더 많을 테니까……. 게다가 그 절벽에서 굴러떨어진 것치고 너무 멀쩡한 것도 이상하잖아."

어디가 부러지고 깨지지 않는 게 오히려 이상할 수준의 엄청난 추락이 아니던가. 사실 발목이 삔 게 아니라 부러지는 수준이어야할 터였다. 연이 고민하며 주위를 두리번거렸다.

"왜?"

"어딘가는 좀 더 다쳐야 하지 않을까? 지나치게 멀쩡한 것 같아서."

"멀쩡하면, 어디 상처라도 일부러 내 놓게?"

"그건, 아니지만…… 쓸린 상처라도 있어야 하지 않아."

연은 딱히 상처까지는 생각하지도 않았다. 그저 자갈밭에서 좌로 우로 구르면 절벽에서도 구른 것처럼 보이지 않을까 했을 따름이다. 그러나 모란은 어떻게 받아들였는지 드물게도 엄격한 얼굴로 팔짱을 꼈다.

"그냥 정신을 잃었다 깨어 보니 바위 협곡이었다고 해. 천운이 따라 주었다고."

연이 눈을 깜박였다. 누가 봐도 그는 약하여 골골거리게 생겼다. 그러니 이번 일로 의심을 산다면—사실 살아남았다는 사실만으로도 이미 의심을 사고도 남을 것 같았지만— 연이 아니라 세가 외의 사람인 모란이 바로 주목을 받게 된다. 모란도 그걸 알 텐데도 아무래도 상관없다는 얼굴을 하고 있었다.

"의심을 받으면?"

"의심을 받아도 어쩌겠어? 천운이 따라 살아남았다는데. 인정머리가 있다면 기뻐할 것이고, 의심이 많은 자라면 의심하겠지. 그러나 어느 쪽이건 간에 나를 어쩔 수는 없을 테니."

모란의 말은 얼핏 거만하게까지 들렸다. 그러나 거만함은 아니다. 그는 사실을 말하고 있을 따름이다. 하긴 그 모란이 아닌가. 무슨 일이 생겨도 정말 누구도 어찌할 수 없는. 실은 이런 계곡도 금방 벗어날 수 있는 데다가 마차가 떨어지건 말건 개의치 않을 수도 있었지만…….

'아마도 나, 때문인 거겠지.'

착각일지도 모르겠으나 그렇게 생각하면 연은 숨이 턱 하고 막혔다. 어떠한 막연한 기대감, 동시에 드는 불안감, 그리고 지속되는 초조감 때문이었다. 이 감정을 꺼내 놓아야 할까 말아야 할까 목구멍까지 차올라 간질거렸다. 그러나 모란이 연아? 하고 물을 때는 용기가 팟, 하고 산새처럼 날아가고 말았다. 연이 얼른 말을 돌렸다.

"……그건 그렇고 수색조가 올 때까지 심심해서 뭐 하고 지내지?"

"이 근처 구경이나 할까?"

모란이 손을 내밀었다. 이제는 아무런 거리낌 없이 연이 그 손을 잡자마자 순식간에 주변의 풍경이 바뀌었다. 눈을 뜨기조차 힘든 바람이 불었다가 이내 잠잠해졌다. 연이 놀랐다. 그들이 있는 곳은 융중산 어느 산봉우리의 꼭대기였던 것이다. 공허한 느낌이 들 정도로 탁 트인 광경이 연의 시야를 사로잡았다. 구름이 바로 발밑에서 노니는 듯했다. 이런 장관은 처음이라 감탄하며 주위를 둘러보다 연의 시선이 멎었다.

"저게 제갈세가인가?"

멀찍이 어느 거대한 저택이 보였다. 남궁세가보다는 약간 작은 규모였다. 그러나 모란은 그저 씩 웃을 뿐이었다. 그가 연의 눈을 잠시 손으로 덮었다. 잠시 후 다시 손을 떼어 냈을 때 연의 눈에는 다른 광경이 보였다.

아까 보이던 산중 저택은 어디로 가고 그 자리에는 그저 거대한 폭포만이 쏟아지고 있었다. 도리어 조금 더 멀찍이 떨어진 곳에 길고 복잡한 저택이 하나 보였다. 봉우리 위에서 보니 저택은 저택이 되 일종의 미로처럼 보이기도 했다. 그만큼 건물과 건물이 복잡하게 배치되어 있었다. 외부인은 십중팔구 헤맬 수밖에 없는 구조였다.

"정말 치밀하지. 저렇게 만들어 놓고도 정작 중요한 것들은 지하에 있더라니까."

"지하가 있다고?"

"그래, 한 지하 삼 층까지."

그 말에는 연도 놀랄 수밖에 없었다. 치밀하다 못해 아주 철저했다. 저런 폐쇄적인 구조에다 외부와도 거의 접촉하지 않는 세가와는 달리, 제갈가의 사람들은 중원에서 각지 온갖 곳에서 활발하게 활동하곤 했다. 전에는 별생각 없이 지나갔는데 이렇게 본가의 모양새를 보니 새삼 제갈세가 사람들의 의식이 얼마나 다른가를 느끼게 된다. 모란이 설명을 덧붙였다.

"오대세가 중 가장 약소지만, 그 나름대로 살아남는 방식을 터득한 것이지."

"하기야 괜히 오대세가 중 하나는 아니니까."

둘은 얼마간 산봉우리 정상에서 느긋하게 주위 풍경을 구경하다가 자리를 옮겼다. 모란은 대체 언제 어디서 알아낸 것인지 연에게 이것저것 신기한 것들을 보여 주었다. 식물이라고는 약초밖에 모르는 그에게 스스로 움직여 벌레를 잡아먹는 식물을 보여 주기도 했고, 오래 묵은 하수오(何首烏)를 단번에 찾아내기도 했다. 연이 살면서 본 중에 가장 좋은 품질의 것이었다.

퍽 즐거운 시간들이 이어졌다. 모란은 휘적휘적 걸어 다니며 날개가 오색으로 빛나는 곤충을 날려 보내거나 혹은 향긋하고 맛이 좋은 버섯들을 툭툭 땄다. 연의 눈에는 그저 풀잎과 나무뿐인데 어느새 알이 굵은 밤알이나 빨간 산딸기 열매 따위가 손에 얹어져 있었다. 그런 것을 주워 먹으며 돌아다니니 배가 고픈 것도 몰랐다.

"이런 일에 굉장히 익숙해 보이네."

"뭐어, 여행하면서 야영이나 노숙을 많이 해 봤거든. 언제 어디서 식량이 떨어질지 모르니 어디에서든 먹을 것을 찾아내야 하기도 했고."

모란이 무언지 모를 풀잎을 질겅질겅 씹으며 대답했다. 무언가 해서 연도 받아 씹어 보니 정신이 번쩍 들 정도로 썼다. 인상을 쓰며 뱉어 버리자 큭큭 웃으며 모란이 제가 씹던 잎도 퉤 뱉었다.

"빨리 여행을 가고 싶어……."

저도 모르게 중얼거렸더니 모란이 대수롭지 않게 말했다.

"힘들지만 재미있지. 치료 다 끝나고 나면 바로 가자."

그런데 지난밤 대화를 떠올린 연에게는 대수롭게 여겨졌다. 애써 태연하게 좋지, 대꾸하기는 했으나 벌써부터 설레는 것이었다. 치료가 언제 끝난다고 했지? 일 년이면, 이제까지 서너 달 정도 치료를 받았으니……. 그가 가만히 남은 기간을 헤아려 보았다. 왜 이리 길게 느껴지는지 모를 일이었다.

제갈세가로 가던 중 절벽에서 추락했다는, 심각하다면 심각한 상황임에도 연의 마음은 근래 들어 가장 평화로웠다. 불안이나 초조함도 없이 평온하고 좋았다. 둘은 햇볕 잘 드는 곳에서 떠가는 구름을 보며 잠시 낮잠을 즐겼다가 웅장한 폭포를 구경했다. 그러다 보니 벌써 하루가 흘러 순식간에 뉘엿뉘엿 해가 질 때가 되었다.

다시 원래 지내던 곳으로 돌아온 모란은 어제 말한 대로 닭고기를 구해 왔다. 간이 잘된 것을 부위별로 나뭇가지에 찔러 넣고 구워 먹으니 천하 진미라. 식사를 마치고 난 뒤 달달한 홍시도 나누어 먹고 나자 세상 부러울 것이 없었다.

"사람들이 우리를 좀 더 늦게 찾았으면 좋겠네."

저도 모르게 그렇게 말한 연은 뜨끔하여 모란을 보았다. 그가 잠시간 연을 말끄러미 바라보았다. 어둠 속에 잠겨 표정이 잘 보이지를 않았다. 연은 올라간 입꼬리를 보고는 겨우 모란이 웃고 있다는 걸 깨달았다.

"수색대가 도착하기 전에, 좋은 걸 보여 줄까."

연이 움찔했다. 흡사 '좋은 거 해 줄까'와 비슷하게 들렸던 탓이다. 무언지 감도 잡히지 않아 갸웃거리고 있자 모란이 하늘을 가리켰다. 깜깜하여 달과 별이 반짝이는 하늘이었다. 연이 고개를 들자 별똥별 하나가 길게 꼬리를 이었다. 그런데 거기서 끝나지 않고 별똥별은 허공에서 길게 유선을 그리며 떨어져 계곡 물에 참방 빠졌다.

"아……."

곧이어 무수히 많은 별들이 와르르 쏟아져 계곡으로 떨어졌다. 몇 가지는 잔디밭 위로 나뒹굴었으나 대부분은 계곡을 향해 일직

선으로 비처럼 쏟아져 내렸다. 그 광경을 멍하니 지켜보던 연의 눈동자에 별빛이 말갛게 고였다. 별들이 이슬비처럼 잘게 쏟아져 일렁였다. 둘 사이에는 잠시간 말이 없었다.

"내가 지내던 곳에는 별이 내리는 밤이란 것이 있었거든. 정확히 말하면 별이 아닌 이형의 존재가 땅에 내려와 생명을 탐하려는 것이었지만, 그럼에도 정말 아름다운 광경이었지."

"별이 내리는 밤……."

중얼거리며 연이 절뚝거리며 계곡가로 다가갔다. 계곡에 물이 아닌 별빛이 흘러내리고 있었다. 믿기지 않을 정도로 아름다운 모습이었다. 손을 뻗어 바닥에 잠긴 것 하나를 잡아 올리니 이내 파스스 가루처럼 흩어져 바람에 날렸다. 마치 꿈결 같았다. 연의 가슴이 부풀어 올라 구름처럼 간들거렸다.

"환각은 이런 식으로 사용할 수도 있으니까."

그렇게 말하는 모란이 어찌나……. 어찌나 그가, 그토록이나……. 무언가 속에서 차오르는 것은 많았으나 연은 그저 말없이 모란을 바라보기만 했다. 그는 마치 처음 보는 사람처럼 모란을 천천히 보았다. 바람에 살랑거리는 머리카락, 저에게 향하는 그 눈. 얼굴이 짓는 표정. 낮고 고요한 음성.

"연아?"

모란이 그리 물으며 다가와 고개를 숙였을 때, 연은 팔을 뻗었다. 의아함으로 벌어지는 입술에 처음으로 먼저 입을 맞추고 혀를 섞었다. 천천히 눈을 감았다. 그럼에도 어둠은 완전히 가시지 않은 채 눈꺼풀 아래에서 빛이 톡톡 터져 흘러내렸다.

질투 유발이나 유혹 따위의 것들이 무슨 상관이냐고? 상관이 있었다. 연은 앞으로도, 이후로도 계속 모란과 함께 있고 싶었다. 그 특유의 느긋하고 태연자약한 태도와, 능청맞은 행동과 말을 언제나 곁에서 보고 들었으면 좋겠다. 계속 그가 자신을 특별히 대우하는 것이라 느끼고 싶다. 모란도 이렇게 자신을 원한다고 확신을 가지고 싶은 것이다. 그런 마음으로 연은 모란에게 천천히 입을 맞추었다.

잠깐 멈추어 있던 모란은 늦게 정신을 차린 사람처럼 연의 허리에 팔을 감았다. 평소 여유로운 태도는 어디로 갔는지 다급한 움직임이었다. 입술을 깨물고 깊게 빨아들이고 혀를 질척하게 섞었다. 사납고 거칠어, 마치 잡아먹히는 듯한 입맞춤이었다.

견디지 못하고 눈을 뜨니 모란의 눈이 금빛으로 반짝이는 듯했다. 평소의 그 눈인가, 아니면 계곡에 흐르는 별들의 빛인가? 오싹하여 몸을 떨면서도 연은 이번에는 모란의 금빛 눈을 피하지 않았다.

"다시."

입술을 떼어 낸 모란이 입가를 살살 핥으며 간청하였다. '다시'가 어떤 의미인지는 연도 잘 알았다. 그 간청에 따라 다시 먼저 입을 맞추자 이번에는 다정하고 부드럽게 입술과 혀끝만을 살금살금 움직였다. 입술이 간지러워 연의 숨이 가쁘게 차올랐다.

"⋯⋯다시."

응? 하고 되물어 올 때 연이 또 입을 맞추었다. 모란이 입술이며 혀를 세게 빨아 대다가 귀와 목덜미에 잘게 입을 맞추었다. 연의 눈가가 붉게 물들었다. 상대가 좋아 견딜 수 없었다. 가슴에서 형용할 수 없는 무언가가 넘치다 못해 줄줄 흘러 온몸을 적셨다. 적시다 못해 잠겼다. 그게 마치 구름에 잠긴 듯하니 다른 무엇보다도 이게 바로 운우지락이 아니고 무엇일까.

모란은 이내 목적을 바꾸었다. 연의 손을 들어 올려 자근자근 손마디며 손톱 끝에 자잘하게 입술을 문지르는 것이다. 눈이 마주치고 손이 마주친다. 서로의 시선이 섞이고 체온을 나누었다. 숨결이 피부 위를 간질였다.

그 모습에 연의 마음속에서 어떠한 확신이 고개를 들었다. 모란도 자신과 같은 마음일 것이라는 생각이 들었다. 심장이 덜 자란 날개가 어설프게 홰를 치듯 뛰었다. 연은 더는 참지 못했다. 그리

하여 이제까지 눌러 왔던, 모른 척했던, 가끔은 부정하고 싶고 혹은 긍정하고 싶던 마음을 내어놓고 말았다.

"모란, 당신."

그렇게 입을 열고는 연이 떨리는 숨을 쉬었다. 모란이 고개를 들어 강렬하게 응시해 왔다. 연이 입술을 핥았다. 깨물고, 눈을 깜박였다. 가벼운 한숨을 쉬었다.

"내가……. 내가, 당신을 연모하고 있어, 모란."

연의 심장이 펄떡펄떡, 날갯짓같이 뛰었다. 연모하고 있어. 마음을 이기지 못하고 다시 고백했다. 연의 고백에 모란이 멈칫했다. 이게 무슨 뜻인가, 목울대를 울리며 연이 모란의 옷자락을 꽉 쥐었다. 눈을 깜박이며 한참을 그러고 있다 그가 마침내 입을 열었다.

"연아, 나는……."

연의 손을 쥐고 있던 모란의 손에 힘이 꽉 들어갔다. 돌연 계곡에 흐르던 별들이 순식간에 빛을 잃고 어두워졌다. 연의 심장도 까마득하게 곤두박질쳤다. 손이 떨렸다. 나는 되지도 않는 착각을 한 것이 아닐까? 모란이 젠장, 하는 소리를 낼 때 연은 영락없는 거절이라고 생각했다. 그러나 아니었다.

저만치서 바스락거리며 붉은 불빛이 어른거렸다. 애타게 제 이름을 외쳐 부르는 익숙한 목소리도 들렸다. 부끄러움에 연의 얼굴이 벌겋게 익었다. 빛이 사라지자 용기도 사라져 버리고 말았다. 내가 무슨 생각으로, 그런, 말을. 눈을 질끈 감은 연이 후회하며 모란의 손을 밀어 내듯 놓았다.

"연아!"

모란이 피워 놓은 모닥불을 발견한 연오가 단숨에 경공으로 계곡을 넘어 건너왔다. 그 와중에 연은 모란이 두어 걸음 뒤로 물러나는 게 퍽 신경 쓰였다. 연오는 감격으로 신음하며 덥석 제 동생을 끌어안았다가 얼굴이며 몸을 더듬거리고 여기저기를 살폈다. 눈과 손이 분주했다.

"불빛이 반짝거리기에 반딧불인가 하였는데 네가 바로 여기에 있었구나. 어디 몸은 괜찮으냐? 어디 다친 곳은 없느냐?"

"저는 괜찮습니다, 형님. 형님이야말로 괜찮으신지요? 갑자기 지반이 무너지는 바람에……."

연오는 연의 말을 듣지도 않는 것 같았다. 그저 동생이 살아 있다는 감격에 다시 한번 꽉 끌어안을 따름이었다. 뒤이어 다른 사람들도 도착했다. 제갈우와 몇몇 무사들이었다. 제갈우가 아주 안도한 얼굴을 했다.

"무사해서 정말 다행이네, 연오 동생. 나무에 걸려 있는 마차를 보고 얼마나 다행이라고 여겼는지 몰라. 운이 좋았지."

"심려를 끼쳐 드려 죄송합니다."

연이 사과하자 제갈우가 정색하며 손사래를 쳤다.

"죄송하기는, 오히려 내 쪽이 미안하지. 진법 관리를 제대로 못해 하마터면 큰일이 날 뻔하지 않았는가. 정말 하늘이 도운 셈이네."

그렇게 말하면서 제갈우가 주위를 둘러보았다. 산에서 조난을 당했을 때 가장 먼저 해야 할 일이 흐르는 물을 찾아내는 것이다. 연과 백모란 둘 중 누군지는 몰라도 그 사실을 잘 알고 있는 게 분명했다. 그가 피워져 있는 모닥불과 나름대로 잘 만들어 둔 침상을 향했다. 마지막으로 주치의를 바라보았다.

'기이하군. 정말 운이 좋은 것인가?'

제갈우의 시선이 날카로워졌다. 마차 사고 이후로 혹시나 몰라 남궁세가에서 온 일행들은 근처 마을로 돌려보내졌다. 길이 망가졌다는 걸 핑계로 객잔에서 극진히 대접을 하고 있는 중이다. 대체 누가 숨은 고수인지를 알 수 없으니 진땀이 다 났다. 그런데 그 절벽에서 추락한 연과 모란이 거의 상처도 없이 멀쩡히 살아 있다?

더군다나 바위 협곡은 혹시나 살아남았을지 모를 침입자를 대비하여 정기적으로 둘러보는 곳이었다. 지난번 확인했을 때만 해도 마차가 걸려 있던 나무는 없던 것으로 안다. 그런데 그 짧은 기

174

간 동안 그렇게 나무가 자라날 수가 있었을까? 기가 막힐 노릇이었다. 어찌 된 일이며, 과연 후처리를 어찌해야 할까 고민하던 제갈우는 일단 쾌활하게 입을 열었다.

"자, 일단은 세가로 돌아가도록 하세. 다들 지쳤을 테니."

"아, 제가 발목을 다쳐서."

부러 모란에게서 시선을 비껴 내며 연이 말을 꺼내자 동생을 도닥이고 있던 연오가 화들짝 놀랐다.

"괜찮다 하지 않았어? 어딜 어떻게 다쳤느냐?"

"별것은 아닙니다. 그저 발목을 좀 삐었을 뿐이라……."

연은 귀가 화끈화끈했다. 연오를 다시 만나 좋기는 하였으나 아까 모란의 말이 자꾸 떠오르는 것이다.

'연아, 나는…….'

이다음에는 무얼 말하려고 했던 것일까? 하필 이때 사람들이 찾아오다니 좀 원망스럽기까지 했다. 한편으로는 대답을 듣지 못해 다행인 게 아닌가 싶기도 했다.

다행히도 둘의 부상을 예상하고 움직인 사람들이기에 들것도 있었다. 발목에 부상이 있으니 연은 들것에 실려 제갈세가에 가게 되었다. 들것이라고는 해도 지게에 가까운 물건이라 제 모양새가 민망하기도 했다. 모란에게 업혀 다녔던 걸 떠올리며 저를 지고 가는 사람이 힘들겠구나 했는데 뜻밖에도 가는 길이 평탄했다. 제갈세가에서만 공유하는 일종의 지름길인 모양이다.

'거절인가? 아니면 승낙인가. 그도 아니면…….'

도착하면 이야기를 들어야겠다 생각하는데 어쩐지 점점 연과 모란 사이의 거리가 멀어졌다. 연오와 제갈우가 시선을 교환하나 싶더니 어째 모란과 연 사이에 일부러 거리를 두는 것처럼 행동했다. 아니, 분명 그런 의도를 가지고 있었다.

제갈세가에 도착했을 때는 확실히 알 수 있었다. 제갈우가 몇 마디 나누더니 모란을 데리고 어디론가 가는 것이다. 연이 당황했다.

"형님? 모란은 왜 데려갑니까?"

"별것 아니다. 그저 의례적인 절차일 뿐이야."

의례적인 절차를, 왜 모란에게만 하고 저에게는 하질 않는가? 연은 모란이 그 진법을 작동하게 만든 원인으로 의심받고 있다는 걸 확신했다. 그의 얼굴이 어두워졌다. 연오가 연의 어깨를 다독였다.

"걱정 말아라. 별일은 없을 테니. 너도 나도 오래 전부터 모란을 알고 지내지 않았느냐?"

아니, 연은 걱정하는 게 아니었다. 세상에서 제일 쓸모없는 일 중 하나가 모란을 걱정하는 게 아닐까? 그만큼 강한 사람이었다. 제갈세가에서라고 신상에 무슨 일이 생길 것 같지는 않았다. 다만 왜 하필 그때 그 순간 사람들이 찾아와서 대답을 듣지 못했는지 몹시도 애가 타는 것이었다. 무슨 대답이라도 들었다면 이러지는 않았을 것을.

"연아! 무사했다니 정말 다행이구나."

"금려 누님."

저를 부르는 이름에 뒤를 돌아보니 제갈금려가 있었다. 차림새가 편한 옷을 입은 걸 보니 마찬가지로 연을 찾아 산을 찾아 헤맸음이 틀림없었다. 금려가 안도한 얼굴로 다가와 연의 손을 잡았다. 그리고 역시 이리저리 살펴보더니 쯧쯧 혀를 찼다.

연이 어색하게 인사했다. 원래라면 연오의 약혼자라는 이유로 일 년에 서너 번은 꼬박꼬박 봤을 터다. 그러나 모란의 몸에 들어간 후로는 십 년 만에 보는 것이나 마찬가지였다.

"오랜만에 뵙습니다."

"그래, 고생이 많아 몹시 초췌하구나. 부상을 입었다고 들었단다. 어서 들어와 치료를 받고 쉬렴. 식사도 제대로 못 했겠어."

연은 양심이 아팠다. 연오와 금려가 걱정하는 것과는 다르게 고기도 구워 먹고 과일도 먹으며 잘 먹고 잘 지냈으니 그럴 수밖에 없었다. 금려는 제갈세가의 의원을 불렀다. 발목을 내보였을 때 연이 속으로 작게 혀를 찼다. 삔 정도가 별로 좋지 않았는지 멍과 부어오른 정도가 심했다. 그는 침을 맞고 부목을 감았다. 금려가 연을 도닥였다.

"그래도 삔 정도로 끝나서 정말 다행이구나."

연오와 금려를 양옆에 끼고 걱정을 받고 있으려니 연은 가시방석에 앉아 있는 듯했다. 옆에서 제대로 먹지 못했으니 이것 좀 먹거라 저것 좀 먹거라 하는 것도 미칠 노릇이었다. 이미 저녁을 먹어 배부른 상태였던 연은 그저 괴로웠다. 더군다나 자신은 지금 모란의 대답을 듣고 싶어 안달이 난 상태지 않은가. 일각 정도만 더 늦게 도착하시지, 하는 생각을 저도 모르게 하고는 죄책감이 들어 어깨가 미묘하게 처졌다.

"저, 금려 누님. 모란은 언제까지 그 의례적인 절차를 받게 되는 겁니까?"

"글쎄, 며칠 정도가 걸리지 않을까. 별것 아니니 큰 걱정은 말거라. 그보다 왜 더 먹지 않고. 사내가 이리도 소식을 해서야."

배불러 죽을 지경이었으나 그리 말하니 어쩔 수가 없었다. 연이 겨우 한 입 더 먹고는 피곤하여 입맛이 없다며 겨우 거절했다. 금려는 마지못해 시비에게 식사를 무르게 했다.

"그래, 마차가 떨어질 적에 어땠는지 기억이 나느냐?"

금려의 물음에 연이 속으로 움찔했다. 이건 어떤 의미로 묻는 것일까? 아무리 상대가 금려라 해도 제갈세가란 곳이 어떤지 보고 듣고 나니 제갈이란 성씨를 단 사람들이 모두 무슨 의도를 가진 건지 알 수가 없었다. 혹시나 모란과 증언이 엇갈릴까 연은 사전에 입을 맞춘 대로 말했다.

"지반이 무너져 마차가 기울어 떨어졌던 게 기억납니다. 중간에 정신을 잃었고, 눈을 떴을 때는 마차가 나무에 걸려 있었습니다. 발목을 다친 상태라 모란이 저를 업어 주었고요."

연의 설명에 금려가 납득한 얼굴로 고개를 끄덕였다. 다행히도 더는 묻지 않았다.

"마차 추락이 그리 좋은 경험은 아닐 테니 기억을 못 하는 게 오히려 다행이라 여겨지는구나. 그래, 푹 쉬거라. 불편한 것이 있으면 언제든지 부르고."

"네, 감사합니다."

금려와 연오가 다정하게 나가는 모습을 보자 연은 이상한 기분이 들었다. 그리고 보니 혼인 후부터는 금려 누님을 형수님이라고 불러야겠구나. 금려가 세가에 들어온다고 생각하니 기분이 약간 나아졌다.

연은 혹시나 하여 밤늦게까지 모란을 기다리다가 겨우 잠이 들었다. 아침에 일어났을 때에도 모란은 없었다. 일부러 오지 않는 건지, 아니면 사람이 지척에 있어 오지 못하는 건지 연은 알 수가 없었다. 제갈세가에서 모란을 이렇게 따로 데려갈 정도면 계속 감시를 하겠지, 하면서도 동시에 혹시나 모란이 저를 피하는 게 아닌가 싶었다.

그래도 연은 다음 날에는 모란을 볼 수 있을 거라고 생각했다. 그러나 다음 날에도 모란은 보이지 않았다. 초조해진 연이 참지 못하고 연오를 찾아가니 당연하게도 금려가 곁에 함께 있었다. 그에게는 잘된 일이었다. 인사를 한 다음 바로 연이 침착하게 따졌다. 물론 모란이 진법을 작동시킨 원인인 건 맞지만 양심은 잠깐 버려두었다.

"아무리 의례적인 절차라 해도 이상합니다. 왜 저는 모란을 죄인 취급하는 것처럼 느껴지는지 모르겠습니다. 우 형님의 말씀에 따르면 마차가 추락한 건 진법에 이상이 있어서가 아닙니까? 모란은 저를 도와주고 치료해 준 은인입니다."

"오해를 하고 있구나."

동생이 구사일생한 것에 아직도 크게 영향을 받은 연오는 연이 평소보다 다소 무례한 태도를 보임에도 유독 다정하게 말했다.

“이는 모란 스스로의 의지다.”

“모란, 스스로의…… 의지라고요?”

“그래. 이왕 이렇게 된 것, 오해가 있다면 확실히 풀고 싶다고 하더구나.”

연은 힘이 쭉 빠졌다. 모란 스스로의 의지라고 함은 오해를 풀고 싶어서가 아니라 어쩐지 자신을 피하고 있다는 의미로 느껴졌다. 연오와 금려가 별일 없을 것이라 했으나 연에게는 이미 별일이 생긴 것 같았다.

엎친 데 덮친 격으로 그들은 이틀 뒤에 제갈세가를 출발하기로 하였다. 본래는 넉넉하게 사흘을 쉬고 갔을 테지만, 마차가 절벽에 추락한 일로 일정에 차질이 생겨 버렸다. 길일로 잡아 놓은 혼인 일정을 미룰 수가 없으니 서둘러 출발하기로 한 것이다.

결국 출발하는 날까지도 모란은 일행에 합류하지 않았다. 연이 시무룩 기가 죽은 것을 보고 연오는 며칠 뒤에는 모란도 올 것이라 다독였다. 물론 연은 그것 때문에 기가 죽은 게 아니었다.

고백했다가 답을 듣지 못한 사람들이 그렇듯이 연도 매 시간이 초조함의 연속이었다. 대체로 이런 생각들이었다.

망할 별빛들, 하면서도 그래도 별이 흐르던 계곡이 넋 나갈 정도로 어여쁘기는 하였지……. 또 모란이 그토록 좋아 죽겠다는 얼굴로 쪽쪽거렸으니 누구라도 오해할 만하지 않느냐고 분명치도 않은 어느 상대를 향해 따졌다. 그러다 오해가 아니라 정말 모란이 저와 같은 마음이지 않겠냐고 합리화해 보는 것이다.

아무튼 융중산에서 내려올 적에는 아무런 이상도 없었다. 마차 또한 혹시나 모를 사고를 예방하기 위해 느릿느릿 굴러 남궁세가의 귀빈들이 머물고 있는 고급 객잔으로 향했다.

객잔에서 식사도 제대로 하지 않고 기다리고 있던 한위는 연을 보자마자 엉엉 울었다. 미리 전서구로 연이 무사하다는 연락을 받

앉아도 실제로 모습을 보니 감정이 북받친 모양이었다. 우는 와중에도 무어라 말을 하기는 하는데 대체로 연 형님이……라고 하는 것 같기도 하고 연오 형님이라고 하는 것 같기도 했다. 마차라는 단어도 몇 번 나왔다.

절벽에서 추락한 후 정말 편하게 지냈기에, 연의 양심은 다시 푹 찔렸다. 울음을 겨우 멎어 갈 즈음에 한위가 울먹울먹 말했다.

"저는 여기가 싫어요."

한위가 그렇게까지 말할 줄은 몰랐던 연이 한위야, 하고 나무라며 근처에 있던 금려의 눈치를 보았다. 그러나 금려는 전혀 기분 상한 기색 없이 도리어 한위를 잘 달랬다. 그럼에도 잔뜩 풀 죽은 얼굴이라 연은 마차 여행이 오히려 한위에게 안 좋은 기억이 되지 않았나 하는 염려가 들었다.

돌아갈 때에 연은 한위와 주강과 같은 마차를 탔다. 예물을 두고 가는 대신 제갈세가의 귀빈을 싣고 가기에 올 때와 갈 때 모두 마차의 수는 비슷했다. 다만 제갈세가와 남궁세가의 깃발이 함께 나부낀다는 게 달랐다.

연은 깃발을 보며 제 마음도 저렇게 나부끼는 것 같다 생각했다. 그나마 괜찮은 점이라면 주강이 무사해서 다행이라고 말해 준 것 정도였다. 주강과 아주 몹쓸 사이가 되지는 않았구나 싶었던 연이 고맙구나 답해 주었다.

참으로 지루하고 길게만 느껴지는 귀환 길이었다. 겨우겨우 세가에 도착하니 모란이 그들이 출발한 지 얼마 안 되어 출발했다는 전서구가 도착해 있었다. 혹시나 하고 연은 또 그날 밤을 뜬눈으로 지새웠다.

그러나 모란은 그날 밤도 연의 앞에 모습을 드러내지 않았다. 오지 않는 건지, 오지 못하는 건지 그것을 알지를 못하니 기분만 자꾸 축축 처졌다. 밤이 깊도록 기다리던 연이 호롱불을 끄고 마침내 침상에 누웠다.

마음이 심란하니 잠자리도 심란하였다. 대충 나뭇잎 깔고 옷 덮어 만든 침상에서는 그리도 잠이 잘 오더니 왜 이러는가 싶어 연은 자존심도 상했다. 결국 얼마 안 가 그가 자리에서 벌떡 일어났다. 외투를 걸치고 나오자 밤바람이 쌀쌀했다.

"도련님? 어쩐 일이십니까?"

화정당 정문을 지키던 무사가 의아하게 물었다. 보통 이 시간대에는 깊이 자고 있는 편이니 의아할 법도 했다. 연이 손을 가볍게 저었다.

"잠이 오지 않아 잠시 거닐다 자려고 한다. 신경 쓰지 말거라."

"예, 알겠습니다."

자박자박 걸어 화정당 뒤뜰로 가니 달빛에 연못이 환하게 비치고 있었다. 나무를 보니 가지가 앙상하여 아직 잎도 꽃도 나지 않았다. 당연한 일인데 꽃이 없는 걸 보니 연은 더욱 기분이 안 좋아졌다. 한참을 연못 주위를 거닐다가 한숨을 쉰 연이 발길을 돌렸다. 바로 그때였다. 돌연 등골에 소름이 쭈뼛 돋았다.

"뭐……지?"

분명 느껴 본 적이 있는 감각이었다. 연은 잠깐 비틀거리다 일단 화정당 안으로 걸음을 옮겼다. 그리고 침소에 들어가 문을 탁 닫기가 무섭게 털썩 주저앉았다. 마치 무거운 것에 온몸이 짓눌리는 듯했다. 침소 안의 자개장이나 도자기가 웅웅 진동하며 떨렸다.

"모, 란?"

저도 모르게 연이 중얼거렸다. 다시 모란, 하고 이름을 낸 순간이었다. 무언가 퍽, 하고 연의 등을 무겁게 후려갈겼다. 연이 소리도 내지 못하고 바닥으로 엎어졌다. 갑자기 묵직한 것이 몸에 얹힌 탓이었다. 다행히도 허공을 징징 울리는 듯한, 소름 끼치는 기묘한 감각은 사라졌다.

"이, 이게 뭐……."

몸에 얹힌 무게감에, 연은 처음에 모란인가 생각했지만 곧 아니라는 걸 알 수밖에 없었다. 쿨럭쿨럭 기침하며 데굴데굴 구르는 사람의 모양새가 어쩐지 눈에 익었다. 특히 바닥에 아무렇게나 길게 널브러진 옷자락이 그러했다. 최근 들어 모란의 근처에서 휘날리곤 하던 옷자락이 아닌가.

연이 입을 딱 벌리고 상대를 바라보았다. 머리카락은 아주 붉었고 피부는 창백했다. 옷은 한 번도 본 적이 없는 종류의 것이었고 귀는 뾰족했다. 연신 기침하며 피를 뱉던 상대가 고개를 들었을 때 연은 헉 숨을 집어삼켰다. 검은자와 흰자 구분 없이 눈이 까맣기만 하였던 것이다.

"모, 모란……"

연을 향해 옷자락을 그러쥔 상대가 무어라 중얼거렸다. 뭔지는 몰라도 모란 한 단어만은 정확히 알아들을 수 있었다. 이러다 죽는 게 아닌가 싶을 정도로 기침하던 상대는 기어이 연의 옷자락에 피를 한 바가지 흘려 내고 말았다. 문제는 피가, 피이되 붉은 게 아니라 은색으로 빛나는 피였다. 연의 옷 앞자락이 온통 은빛으로 반짝반짝 눈이 부시게 빛났다.

연이 얼어붙었다. 이것, 피가 맞기는 하나?

"으, 으으……."

신음하던 이는 다시 모란, 하고 뭐라 부르고는 풀썩 쓰러지며 완전히 정신을 잃고 말았다. 연이 미간을 짚으며 눈을 감았다. 마음 같아서는 그도 기절해 버리고 싶었으나 애석하게도 환자를 보고 깨어난 의원으로서의 습관이 간신히 그의 정신줄을 붙들었다.

그렇게 혼란스러웠던 새벽이 지나가고 해가 떠오르려 하고 있었다.

九章 : 꽃

"무슨 생각을 그리 하는가?"

제갈양이 웃으며 상대에게 차를 건넸다. 창밖을 보고 있던 사내, 모란이 예의 바르게 차를 받아 들었다. 제갈양이 한 모금 마시면서 눈을 가늘게 떴다.

제갈세가의 가장 큰 보물이자 방어법인 진법 구궁척열환진(九宮斥閣幻陳)은 먼 옛날로부터 전해져 내려오는 유산이었다. 지금에 와서는 진법의 사용법만 남아 있고 제작법은 소실되었으나 그것만으로도 제갈세가는 유용하게 잘 사용하고 있었다.

구궁척열환진은 외부의 적을 물리칠 수 있게 하는 일등 공신이나 다름없었다. 무력이 약한 제갈세가로서는 강자는 경계하고 약자만을 들일 수밖에 없는 것이다. 무엇보다 이 진법은 그동안 단한 번도 오작동을 한 적이 없었다. 그러니 며칠 전 있었던 마차 사건을 쉬이 넘기지 못할 수밖에. 특히나 그 절벽에서 떨어지고도 살아남은 자라면 가장 의심이 가고도 남았다.

문제는 백모란에게서 그 어떤 고수의 흔적도 살펴볼 수 없다는 점이다. 무공의 성취가 높을수록 튀어나오는 태양혈이 밋밋했다. 뿐만 아니라 맥을 짚어도 남궁세가의 내기를 배운 흔적만 있을 뿐, 쌓아 둔 내공은 아주 미약했다. 신원 조사도 해 보았으나 그저 농부의 아들이자 어렸을 때부터 남궁연의 시종으로 오래간 일했을 뿐이라 깨끗했다. 딱 하나 미심쩍은 것이라면 백매화와의 관계지만 그도 확실한 것은 없었다.

어떠한 꿍꿍이가 있어 세가에 잠입하려 든 고수라고 생각하여 온갖 채비를 갖추었던 제갈세가로서는 허탈한 일이었다. 지하로 가는 길은 모두 폐쇄했고 언제라도 세가의 고수들이 반응할 수 있도록 대기 중이다.

항상 온갖 상황에 대비하고 있는 것이 제갈세가가 이제까지 살아남고 번영할 수 있었던 비법이다. 그들은 약하고 보잘것없어 보이는 상대라도 결코 허투루 대하지 않았다. 방심이 화를 부른다. 지금도 마찬가지였다.

'정말 그저 의원 나부랭이란 말인가.'

백모란이 지내는 내내 긴장한 채 상대를 은근하게 심문하였던 제갈양으로서는 실망감도 들었지만 동시에 안도감도 들었다. 상대는 제갈세가에 온 뒤로 배정된 객실 밖으로 나간 적이 한 번도 없었다. 하루 종일 감시하던 이들도 그저 평범하게 지냈을 뿐 수상한 점은 없었다고 알려 왔다.

'정말로 운이 좋아 그 절벽에서 떨어지고도 살아남았을 수도 있지……. 그러나 아닐 경우도 대비해 놔야 한다.'

그럴 가능성은 극히 적었지만 제갈양은 일단 백모란을 잘 기억해 두었다. 속으로 이런저런 계산을 하며 그녀가 백모란을 잘 구슬렸다.

"생각이 많은 듯한데, 무슨 고민이라도 있소?"

이틀 간 지켜본 결과 그는 백모란이 어떠한 상념에 빠져 있다는 걸 눈치챌 수 있었다. 먹고 자고 입는 것 외에는 아무것도 안 하니 눈치채지 못하는 게 더 이상할 지경이었다. 백모란은 말끄러미 제갈양을 바라보다가 마침내 입을 열었다.

"얼마 전에 말입니다."

무언가 정보 하나라도 건질 수 있지 않을까 하여 제갈양이 슬그머니 모란의 앞에 앉았다.

"얼마 전에?"

"어느 사람에게 고백을 받았는데 이후 어찌해야 할까 고민 중입니다."

흠, 사랑 고민이었나. 그러고 보면 백모란은 외양과는 달리 놀랍게도 나이가 열여덟이었다. 그 나이 또래의 흔한 고민이 여자에 관한 것이기는 하지. 제갈양이 맞장구를 쳐 주었다.

"왜, 별로 좋아하지 않는 사람인가?"

"아니오, 도리어 따지자면 가장 좋아하는 사람이지요."

제갈양이 눈썹을 치켜 올렸다. 가장 좋아하는 사람에게 고백을 받았다면 고민할 이유가 무어가 있단 말인가?

"무슨 결격 사유라도 있소? 출신이 너무 미천하다든가, 아니면 자식이 딸려 있다든가."

조용히 차를 마시던 모란이 피식 웃었다.

"그런 것은 아무런 상관도 없습니다. 다만 그저, 상대가…… 나보다 오래 못 살 것이라."

제갈양은 나름 납득이 되었다. 백모란은 의원이다. 아마 아픈 환자와 사랑에 빠지기라도 한 모양이군. 그렇다면 과연 고민되는 일이긴 할 터였다.

"얼마나 오래 못 살기에?"

모란은 잠시 가늠을 해 보는 모양으로 손을 움직였다. 그가 엄지와 검지를 적당히 벌리며 말했다.

"상대가 앞으로 살날이 이만큼이라면……."

그러고는 양팔을 크게 쭉 펼쳐 보이는 것이다.

"내가 앞으로 살날은 이만큼이지요. 한데 매일매일 날이 갈수록 전과 비교되지 않을 정도로 상대를 좋아하고 아끼게 되니, 매우 곤란한 일입니다."

저런, 하고 제갈양이 혀를 찼다. 그렇다면 곤란하기는 했다. 예정된 이별이요, 슬픔이 아니던가. 방금 비교 정도를 보았을 때 상대는 정말 많이 아픈 모양이었다. 모란의 얼굴이 착잡해지는 걸 보고 그녀가 어깨를 두드렸다.

"그리도 좋아한다면 나는 고백을 받아들이라고 말하겠네. 어차피 이별할 것이라면 조금이라도 더 가까이 지내야 하지 않겠는가? 나중에 돌이켜 보았을 때 흘려보낸 시간이 아깝지 않겠나?"

백모란은 한참을 답이 없더니 혼자 있고 싶다고 전해 왔다. 제갈양은 연민하며 자리를 떴다. 그리고 이제는 백모란에게 더 캐낼 것도 없으니 슬슬 보내 줘야 하겠다고 생각했다.

제갈양이 떠난 뒤 백모란은 표정 없이 창밖을 보았다. 치료가 끝났을 때 연이 살게 될 날은 최대로 잡아 이십 년. 한번 사라진 본원지기는 다시 완벽하게 채워지지 않는다는 걸 그는 잘 알았다.

그는 연의 마음을 받아들일까 말까로 고민하는 것이 아니다. 사라진 본원지기는 모란이 어찌 잘 채워 넣으면 삼십 년까지도 늘어날 터였다. 그런데 모란에게는 이십 년도 삼십 년도 너무 짧게 느껴졌다. 개나 고양이가 십 년을 넘겨 살기 힘든 것처럼, '사람'에게도 정해진 수명이란 게 있었다.

"어찌하면 좋을까……."

그가 톡톡 손가락을 두드렸다. 그는 연이 저보다 짧게 살까 봐 고민하는 게 아니라 그 수명의 끝에 이르렀을 때 자신이 어떠한 짓을 할까 알 수가 없어 고민하는 것이었다. 날이 갈수록 전과 비교되지 않을 정도로 상대를 좋아하고 아끼게 된다는 말은 결코 거짓이 아니었기에…….

그저 호감이 있을 때에도 단순히 생기를 회복하는 정도에 사람

몇십을 재료로 썼는데 그보다 시간이 지난 후, 죽음이 목전일 때는 무슨 짓을 하겠는가, 하고 모란이 중얼거렸다. 이곳에서는 다른 이의 목숨을 대가로 하지 않으면 방법이 없으니……. 그럼에도 그런 것 따위도 아무렇지 않게 여겨지려고 한다는 것이 문제였다.

"이제 슬슬 돌아가 봐야지."

모란이 중얼거리고는 제갈세가의 창밖을 내다보았다. 날이 화창하니 밝았다. 지금 당장 연의 얼굴을 앞에 두고 싶었다. 연이 고백하던 때를 떠올리며 그가 빙그레 웃었다. 그래, 다른 것 따위가 연에 비하면 무슨 대수랴.

눈 밑이 어두운 연이 조용히 화정당 문을 열고 나왔다. 어째서인지 그 품이 불룩했다. 열심히 자신의 일을 하는 시비와 하인을 흘깃 보고는 그가 뒤뜰로 향했다. 그가 주위에 아무도 없다는 걸 확인하고는 품에서 주섬주섬 옷 꾸러미를 꺼냈다. 그가 꺼낸 옷은 은빛으로 반짝반짝 광채를 뿌리며 빛나고 있었다.

연은 정말이지 노력했다. 물을 묻혀 닦아 보려고도 했고, 태워 보고, 찢어도 보았지만 아무런 소용도 없었다. 분명 겉으로 만지기에는 옷이었는데 은빛 피……가 묻은 곳만 멀쩡하게 남아 빛을 발했다. 침대 밑이나 자개장에 쑤셔 박으면 은은하게 빛을 뿜어내서 그곳에 숨길 수도 없었다. 결국 남은 선택은 땅에 파묻는 것뿐이었다.

연은 땀을 삐질삐질 흘리며 열심히 삽질을 했다. 삽을 구하는 것조차도 퍽 어려웠다. 가능한 한 눈에 띄지 않을 곳을 찾아 헤맨 끝에 그는 화정당 연못 뒤쪽을 찾아냈다. 한때 한위가 드나들었던 부근으로, 덤불이 있어 땅속에 파묻은 뒤에 대충 덤불로 가려 두면 아무도 모를 것 같았다. 아니나 다를까 열심히 구덩이를 파고 옷을 파묻은 뒤 흙으로 덮자 완벽했다.

그러나 이는 일차적인 문제를 해결한 것 뿐이었다. 가장 근본적인 문제가 화정당 침소 안에 있었다. 연이 터덜터덜 걸어 침소로 향했다. 문을 열고 들어가자 침상에 창백한 낯을 한 사람이 누워 있는 것이 보였다. 새벽 나절 연의 위로 뚝 떨어진 낯선 사람이었다.

연이 무사들을 부르지 않은 건 첫째로 이자가 모란의 이름을 불렀기 때문이요 둘째로 아무리 봐도 사람 같지 않은 외양을 가졌기 때문이었다.

"이렇게 생긴 자도 있구나."

신기하여 연이 상대를 이리저리 살펴보았다. 머리카락은 타오르는 듯 붉었으며 귀는 믿기지 않을 정도로 끝이 뾰족하다. 게다가 남자인지 여자인지 영 구별이 가지 않는 외모였다. 신기한 건 그뿐만이 아니었다. 조심스럽게 맥을 짚어 보았는데, 이건 죽은 게 아닐까 싶을 때에 느리게 쿵…… 뛰고는 다시 멈추는 것이다.

'모란의 세계에서 넘어온 사람일까?'

잘은 모르겠지만 어쨌든 침상에 눕혀 놓으니 상대방의 안색이 차근차근 좋아지는 것처럼 보였다. 반면 연은 밤을 새서 무척이나 피곤했다. 상대에게 침상까지 내준 탓에 단 한숨도 잘 수 없었다. 그는 하품을 하고는 의자에 앉아 꾸벅꾸벅 졸았다.

낯선 이가 깨어난 건 저녁나절이 되었을 때였다. 끙, 하고 크게 앓는 소리를 내더니만 부스스 몸을 일으켰다. 의자에 앉아 있으려니 잠도 제대로 안 오고 피곤해 책이나 보고 있던 연이 부스럭거리는 소리에 고개를 돌렸을 때는 상대가 침상에 없었다. 왜 없었냐면, 그는 이미 잽싸게 달려와 무릎을 꿇고 울먹이며 연의 다리에 매달려 있었다.

"아…니…….."

연이 크게 당황하여 일어나지도 앉지도 못했다. 상대는 옷자락을 붙잡고 매달리다시피 하며 연신 무언가 말했는데, 연으로서는 영 알아들을 수 없는 언어였다. 그저 모란 어쩌고저쩌고하는 정도만 알아들을 수 있었다.

'이걸 대체 어쩌나……'

뭐라 하는지 알아들을 수 있어야 뭐라도 해 줄 텐데 말이 안 통하니 연은 멀거니 바라보기만 했다. 상대는 이제는 엉엉 울며 바닥에 납작 엎드려 연신 머리를 조아렸다. 연은 환장할 따름이었다. 상대가 다시 쿨럭쿨럭 피를 조금 토할 때에야 가까스로 이자가 환자라는 게 떠올랐다.

말은 안 통해도 행동이라면 통하겠지 싶어 연이 일단 상대를 다시 침대에 눕혔다. 그제야 상대가 조용해졌다. 무언가 먹여야 하긴 하겠는데 먹여도 되겠는가 고민하던 연이 기겁했다.

"뭐, 뭐 하는……!"

대체 무슨 의미로 이해한 건지, 상대가 이번에는 훌훌 입던 옷을 벗기 시작했다. 순식간에 나신이 된 그가 다시 달려와 연의 옷자락을 잡고 매달렸다. 황망하게 그 광경을 보는 와중에도 그가 사내임을 확인할 수는 있었다. 그런데 그 남자가 이젠 연의 바지를 벗기려 드는 것이 아닌가. 연은 기겁하였다. 놀라서 저도 모르게 걷어찬 연이 아차 하였는데 사내는 그저 걷어차인 대로 얌전히 바라보기만 했다.

"정말 환장하겠군."

말이 안 통하니 연은 일단 손가락으로 침대를 가리켰다. 남자는 까만 눈을 온순하게 깜박이며 침대에 가 누웠다. 연은 그를 그대로 이불로 덮어 돌돌 말았다. 그리고 다시 의자에 앉았다. 제대로 뜻이 통했는지 이제야 얌전했다. 이 사태는 모란이 와야 제대로 해결될 모양이었다.

다음 날 아침, 연은 일단 물은 괜찮겠지 싶어서 남자에게 가져다주었다. 목이 말랐는지 남자는 숨도 쉬지 않고 물을 마셔 없앴다. 한 잔 더 가져다줄까 하는데 슬슬 연의 눈치를 보며 침대 아래로 내려와 또 무릎을 꿇으려 하는 게 아닌가…….

연은 실랑이 끝에 겨우 남자를 다시 침대에 눕혔다. 그러고 나니 기력이 소모되어서 이제는 머리도 지끈지끈 아팠다. 이상한 남자가 어찌 행동할지 알 수가 없으니 밖으로도 함부로 못 나가겠다.

골머리만 앓고 있던 연을 구한 건 시비였다. 도련님, 하고는 정중하게 알리는 소리가 들렸다.

"방금 막 모란 님이 도착하셨습니다."

이제나저제나 기다리고 있던 연이 자리에서 벌떡 일어났다. 저 이상한 남자에게 시달리느라, 고백 때문에 심적으로 괴로워하던 것도 잊고 있었다. 혹여나 남자가 그사이에 나와서 돌아다닐까 봐 연은 문을 걸어 잠그고 나왔다. 화정당 정문으로 달려 나가니 마침 모란이 휘적휘적 걸어오고 있었다. 그가 달려오는 연을 보고는 뭘 생각했는지…….

"더 빨리 오려고 했는데 제갈세가에서 사람이 붙어서……."

……라고 하는 게 아닌가. 아무래도 좋았던 연이 모란의 손목을 잡아끌었다. 자신이 늦어서 기다린 게 아님을 안 모란이 의아해했다. 이내 그의 미간이 찌푸려졌다.

"무슨 일이야? 아니, 못 본 지 얼마나 되었다고 몸이 또 안 좋아져 있어."

언제나 그렇듯이 모란은 연의 몸이 안 좋은 건 귀신같이도 알아차렸다.

"그게 중요한 게 아냐. 얼른 침소로 들어와 봐. 어서. 모란 당신을 아는 이상한 사람이 왔는데, 피도 토하고 행동도 이상한 게, 많이 다친 것 같아. 어찌 치료하면 되지?"

"나를 아는, 이상한 사람?"

확 얼굴이 굳은 모란이 성큼성큼 화정당으로 향했다. 연이 그 뒤를 따라 좇았다. 침소 문을 벌컥 열고 들어가는 걸 볼 때까지만 해도 연은 그가 남자가 위급하여 얼른 치료하려고 하는 줄 알았다.

거칠게 멱살을 잡아 침대에서 끌어 내리는 걸 보기 전까지만.

"뭐 하는 거야! 환자라고!"

연이 놀라 팔을 잡았으나 모란은 꿈쩍도 하지 않고 남자를 쏘아보았다. 남자는 어리둥절한 얼굴로 모란과 연을 바라보더니 무언가 깨달은 얼굴로 입을 벌렸다.

"너 피 어디에 토했어."

남자가 뭐라뭐라 말을 했지만 모란은 여전히 멱살을 쥐고 있었다. 매우 거칠고 험악한 태도에 연이 기겁했다.

"모란, 환자라니까!"

"환자는 무슨, 옛날 옛적에 다 나았을 것을. 그리고 너 여기 말로 안 하냐, 응? 본 지 오래되었다고 벌써 까분다. 상황 파악 안 할래? 지금 내 기분이 좋은 것 같으냐, 안 좋은 것 같으냐?"

이런 모란은 처음 보는 연이 뜨악하여 입을 벌렸다. 꿀꺽 마른침을 삼키더니 남자가 조그맣게 입을 열었다.

"안, 안 좋으신 것 같습니다……."

여기 말을 할 수 있잖아! 연은 두 번째로 충격을 받았다. 모란이 여전히 멱살을 쥔 채 험악하게 윽박질렀다.

"피 어디에 토했냐고."

"그, 그게 저자의 옷에다가……. 그리고 바닥에 조금. 지, 진은 괜찮을 겁니다."

"……그래, 진이 멀쩡하기는 하군. 그런데 애 상태가 왜 저래?"

"예? 그, 그건 저도 잘 모르겠……."

"설마 여기 온 뒤로 내내 저 침상에서 지낸 것은 아니지?"

모란이 상대를 쥐 잡듯이 잡을 것 같기에 연이 일단 변호하고 나섰다. 연이 직접 침상을 내어 준 것이지, 저자가 차지한 건 아니기 때문이었다.

"피까지 토하기에 침상에 누우라고 했어. 환자라고 생각해서 그런 거니 그만해."

모란이 연을 잠시 보고는 한숨을 쉬며 멱살을 놨다. 남자가 바로 바짝 엎드리며 눈치를 보았다. 연은 이게 다 어떻게 된 일인지 이야기를 듣고 싶지만 분위기가 별로 안 좋았다. 모란이 으름장을 놓았다.

"내가 지금 많이 봐주고 있는 건 알 테고. 돌아가."

"모, 모란 님. 모란 님. 이대로는 못 돌아갑니다……. 제, 제발."

연에게 한 것처럼 남자가 모란의 바짓가랑이에 매달렸다. 그러나 모란은 꿈쩍도 하지 않았다. 도리어 짜증을 내며 걷어차듯이 털어 버렸다.

"못 돌아가면 여기서 살면 되겠네. 밖에 살 만한 땅 많거든. 잘 가거라."

"모란 님! 이, 이야기라도 들어 주세요!"

다 큰 어른이 아이처럼 울며 매달리는데 모란은 본 척도 하지 않고 뻥 걷어찼다. 아이고, 외마디 비명과 함께 구르면서도 남자는 다시 안달복달 바지 자락에 매달렸다. 모란은 무시하며 얼떨떨하게 서 있는 연을 끌어다가 침상에 눕혔다.

"저놈이 누워 있던 곳인데 찜찜하지는 않아? 이불 갈아 줄까?"

"아, 아니. 괜찮은……데. 대체 이게 어찌 된 일이야? 저 남자는 누구인데?"

연이 물었으나 모란은 의도적으로 무시하며 이불을 스윽 덮어 주었다. 재워 버리려는 의도가 아주 노골적이었다.

"눈 보니까 많이 졸린 것 같은데. 열도 좀 있지 않아."

모란이 연에게 하는 행동을 본 남자가 멍청한 얼굴로 입을 헤 벌렸다. 연은 가슴을 누르는 힘에 침상에 눕기는 했지만 반쯤 바닥을 뒹굴며 매달리고 있는 남자가 신경 쓰여 도통 잠이 오지 않았다.

연이 힐끔 남자를 바라보며 잘 생각을 하지 않자 모란이 한숨을 쉬었다. 그러더니 벌레 대하듯이 발로 툭툭 남자를 건드렸다. 남자가 비굴한 태도로 바짝 엎드렸다.

"아, 안녕하십니까. 철혈 군주, 실리낙스의 대마녀, 우타마의 영원불멸(永遠不滅)하며 위대하신 왕 아이낙스 님의 미천한 종, 앱솔이 귀인을 뵙습니다."

"남궁, 연입니다."

난생처음 보는 인사법에 연이 떨떠름하게 대답했다. 앱솔은 이보다 더 낮출 수 있을까 싶은 태도로 바닥에 이마며 온몸을 딱 붙였다.

"남궁연 님을 뵙게 되어 이 앱솔에게는 무한한 영광입니다."

거창하고 긴 인사말을, 모란은 노골적으로 귀찮아하며 생략했다.

"예전에 알고 지내던 녀석이니 신경 쓰지 않아도 돼. 자고 있으면 금방 내쫓아 버리고 올 테니."

"모, 모란 님! 제발 이야기라도 들어 주십시오. 모란 님만을 믿고 여기까지 왔습니다……."

남자가 어찌나 애달프고 서글프게 울던지 아무것도 모르는 연이 봐도 다 불쌍할 지경이었다. 그러나 모란은 도무지 동정심이 들지 않는 모양이었다.

"네가 날 믿기는 무얼 믿어? 예전에 내 등에 창 꽂은 놈이 할 소리라고 생각하는 것이냐?"

"모란 니임! 제가 아이낙스 님의 명령을 감히 거역할 수 없다는 걸 잘 아시지 않습니까."

세상에서 가장 처량하고 비굴한 모습이라 연이 움찔하였다. 저 순한 얼굴로 모란의 등에 창을 꽂았다고? 아무리 생각해도 상상이 가질 않았다. 이자가 얼마나 엉엉 울며 매달리던지, 이야기 정도는 들어 줘도 되지 않을까 생각하는데 그런 연의 마음을 읽기라도 한 듯 모란이 말했다.

"아주 불쌍해 보이지? 저래 보여도 남궁세가 정도는 가뿐하게 초토화시킬 수 있는 힘을 가진 녀석이니 절대 불쌍하게 여기지 말거라.”

“아, 아닙니다! 여기에 오면서 얼마나 크게 내상을 입었는데요!”

“죽이지도 못할 정도로 재생력이 뛰어난 녀석이니 저따위 말에 속지도 말고. 목이 잘려도 살아남는 녀석이거든.”

“모란 니임!”

둘이 주고받는 대화에 연은 그만 정신이 다 아찔해져 버리고 말았다. 목이 잘려도 살아남는 재생력은 또 무어고, 아이낙스니 무엇이니……. 저 앱솔이란 자를 돌보겠다고 밤을 샜더니 순식간에 기력이 떨어졌다. 연이 피곤한 낯으로 희미하게 끙, 하는 소리를 내자 모란이 바로 반응했다. 그는 앱솔을 한번 노려보고 연을 한번 바라보더니 팔짱을 꼈다. 그리고 손가락 다섯을 펼쳐 들었다.

“하나.”

앱솔은 저 다섯 개의 손가락이 다 접힐 때까지가 이야기할 수 있는 유일한 시간이란 걸 알아차렸다. 그사이 또 손가락이 하나 접혔다.

“둘, 셋.”

“아, 아라벨 산에 문제가 생겼습니다, 모란 님.”

“넷.”

“타마타모가 동면에서 깨어나 머리를 들고 말았습니다. 모란 님, 제발.”

모란이 마지막 손가락을 접었다. 앱솔이 답만 기다리고 있는 동안, 모란은 골치가 아픈 모양으로 인상을 썼다.

연은 아라벨 산이니 타마타모니 도통 알아들을 수가 없었다. 그러나 눈치 상 모란이 전에 있던 곳에 문제가 생겼고, 그건 모란만이 해결할 수 있는 것 같다. 그러나 잠시 후 그가 무심하게 표정을 바꿨다.

“원하는 대로 이야기 다 들어 줬지? 이제 꺼지려무나.”

“모란 니임! 아이낙스 님께서는 얼마 전 전쟁에서 큰 부상을 입으셨습니다. 그분이 모두 회복되시고 난 뒤에는 늦습니다. 부디 자비를 베풀어 주십시오."

앱솔이 애처롭게 모란의 다리에 다시 매달렸다. 어찌나 크고 서럽게 울던지 연의 머리가 다 울릴 지경이었다. 모란이 짜증을 냈다. 순간이동으로 던져 버리고 올 심산으로 앱솔의 덜미를 쥐는 것 같았는데 이동은 안 하고 둘의 모습이 지직 끊기는 것처럼 보였다. 다음 순간 앱솔이 쿨럭쿨럭 은색의 피를 왈각 토해 내며 다리에 매달렸다. 상대가 죽을 것처럼 피를 토해도 모란은 눈 하나 깜짝하지 않았다.

"흐어엉, 모란 님, 모란 님뿐입니다. 제발 자비를 베풀어 주세요. 이 앱솔은 답을 들을 때까지 떠나지 않을 것입니다."

연은 모란의 얼굴에 아주 커다란 글자로 '짜증'이라고 써 있는 걸 보는 것만 같았다.

"차라리 절 죽이십시오!"

"그럼 죽든가."

모란은 주저 없이 손을 치켜들었지만, 자신들을 지켜보는 연을 보고는 깊은 한숨을 쉬며 손을 내렸다. 그저 납작 엎드리던 앱솔이 어리둥절한 표정으로 눈치를 살폈다. 그가 아는 모란이라면 저를 죽여도 벌써 열 번은 더 죽였을 텐데 아직도 머리가 온전하게 붙어 있다니 믿을 수가 없었다.

"생각해 볼 테니까 내일 아침에 다시 와."

"아, 안 됩니다. 그사이에 저 못 쫓아다니게 하려는 것이 아닙니까."

설마 하고 연이 바라보자 진짜 그러려던 모양인지 모란이 쯧 혀를 찼다. 그는 발로 앱솔을 툭툭 찼다. 앱솔이 눈치를 보면서 침소 구석으로 기어들어 갔다. 얼굴도 보기 싫은지 모란은 그를 완전히 안으로 구겨 넣었다. 자개장 뒤에 완전히 숨은 덕에 앱솔의 나풀거리는 옷자락만 겨우 삐죽 나왔다.

"내일 아침까지 거기서 없는 듯 조용히 있어."

모란은 무섭게 윽박지르고는 다시 침상으로 돌아왔다. 앱솔이 쭈그리고 있는 곳을 보던 연이 얼른 다시 누웠다. 모란에게 고백했다가 아직도 답을 듣지 못한 일을 까맣게 잊고 있다가 이제야 떠올린 것이다. 목부터 열기가 번져 오르기 시작해 이불 속으로 파고들어갔다.

"저자 때문에 피곤해. 일단 자고 이야기는 내일 들을래."

그리 말하고는 심장이 쾅쾅 뛰어 마른침을 삼켰다. 그러자 모란은 이불 위를 두어 번 매만진 뒤 호롱불을 훅 불어 껐다. 목소리가 매우 다정했다.

"그래. 내일 이야기해 줄게."

그런데 그러면서도 자리는 뜨지를 않았다. 연은 혹여나 무슨 소리라도 들릴까 숨죽이고 있다가 어느새 스르륵 잠에 빠져 들고 말았다. 피곤하긴 했던 것이다.

한데 마음이 뒤숭숭한 탓인지 꿈이 참으로 괴상망측하였다. 그는 한참을 끙끙거리며 꿈속을 헤맸다. 그러다가 맛있는 냄새가 나서 잠에서 깼다. 주위를 둘러보니 모란이 탁자에 김이 모락모락 나는, 따뜻한 음식들을 차려 놓고 있었다. 눈을 뜨고 나서도 연은 꿈을 곱씹느라 한동안 멍하니 앉아 있기만 했다.

"왜 그러고 있어? 어디 아파?"

모란의 손이 척 이마를 짚을 때에야 연이 고개를 털었다. 그리고 아직 미약하게 두통이 남아 있는 미간을 꾹 눌렀다.

"……아주 이상한 꿈을 꾸었어."

"무슨 꿈?"

어떤 꿈이었지? 이제 아침이라고 앱솔이 자개장 뒤에서 엉금엉금 기어 나오는 걸 보며 연이 잠시 눈을 감았다가 떴다.

"무슨, 산처럼 거대한…… 거북이가 있었는데……. 모란 당신이 벌거벗은 채로 거북이 머리 위에 앉아 있었어."

별생각 없이 탁자에 앉던 모란이 멈칫했다. 연은 다시 꿈을 떠올려 보았다. 그냥 앉아 있는 것도 아니었다. 벌거벗은 채로, 몸의 반쯤은 활활 불타는 상태에서 거북이 머리를 맨손으로 반쯤 박살 내고 있었다.

바닥에 납작 엎드려 있던 앱솔이 크게 뜬 눈으로 연을 한번 보고는 데굴 눈을 굴려 모란을 바라보았다. 머리를 단정하게 매만진 연이 고개를 돌리기 전에 모란이 얼른 표정 관리를 했다.

"무슨 일인지 설명해 준다 하였지? 얼른 와서 식사해."

탁자에 앉기 전에 연이 머뭇거리며 앱솔을 바라보았다. 앱솔은 퍽 비굴하게도 엉금엉금 조금씩 기어 모란의 발치로 향하고 있었다. 화려한 옷을 입은, 온순한 양 같은 남자가 저러고 있으니 연은 불편한 기분이 들었다.

"저 사람은 식……."

"저건 식사 같은 건 안 해도 되는 놈이니 신경 쓰지 말고."

모란이 냉정하게 말하자 앱솔이 시무룩하게 기가 죽었다. 연은 어정쩡하게 자리에 앉았다. 푹 자고 난 뒤라 그런지 한결 몸이 가뿐하여 식욕도 제대로 돌았다. 소면 한 그릇도 뚝딱 비웠고 모란이 이것저것 얹어 주는 것들도 잘 들어갔다.

한편 앱솔은 놀라 까무러칠 것 같았다. 모란이 어떤 사내이던가! 적이건 아군이건 간에 그를 무서워하지 않는 사람이 없었다. 이유 없이 살생을 저지르지는 않았으나 살생을 저지르는 손길에 망설임 또한 없었다. 아무리 평소에 가까이 지냈다 해도 그 목숨을 거두어야 할 때가 오면 피도 눈물도 없이 거두어 가던 사람이다.

모란의 발치에 엎드려 사랑을 구걸한 자들은 또 얼마나 많았나. 하지만 그는 마음을 내주는 일이 없었다. 사랑이나 전우애, 혹은 슬픔, 기쁨 따위는 모란에게 아예 없는 것 같았다.

강하기는 또 얼마나 강했나. 모란과 대등하게나마 겨룰 수 있는 유일한 사람은 그의 아름답고 위대한 왕 아이낙스 정도였다. 그러다 보니 모란은 원한다면 그 누구의 목숨도 쉬이 취할 수 있었고,

그 어떤 존재도 한 줌 먼지로 만들 수 있었다.

그런데 그런 모란이! 다정하게 탁자에 앉아서—애초에 그는 누구와 부러 식사를 같이하는 인간이 아님에도— 누군가와 식사를 하고 있었다.

그뿐인가, 앱솔은 저렇게 친절한 모란은 처음 봤다. 이것저것 먹어 보라고 음식을 밀어 주는 걸 볼 때에는 턱이 땅에 떨어질 듯했으나 모란이 툭 치자 얼른 움츠러들었다.

앱솔은 이곳으로 건너오기 전의 일을 떠올렸다. 몇 번이고 모란이 그들의 소환을 거절했을 때 아이낙스는 앱솔을 이곳으로 보내기로 결정했다. 앱솔은 그때 감히 아이낙스의 결정에 의문을 가졌다.

-왕이시여, 정말 모란 님께서 이 부탁을 들어주실까요?

다른 무엇도 아니고 그 모란이었다. 앱솔의 의문은 당연했다. 그 의문에 아이낙스는 이리 말했다. 모란 그자에게 필요한 것이 있으니 이 부탁 또한 들어줄 수밖에 없을 것이라고. 그런데 이리 와서 보니 알겠다. 그 세계에서 지내던 모란과 이 세계에서 지내는 모란은 달랐다. 모란이 젓가락으로 앱솔을 가리켰다.

"이것은 전에 알고 지내던 놈인데, 암수 사이에서 자연스럽게 태어난 것이 아닌 누구의 의도에 의해 인공적으로 태어난 생명체지."

앱솔은 모란의 말에 그저 머리만을 조아렸다. 그렇다. 그는 영원불멸한 왕 아이낙스의 호문쿨루스. 죽을 때까지 그의 주인만을 위해 살며, 죽는 것조차 주인의 허락을 받아야 가능한 존재다. 물론 연은 호문쿨루스라는 존재를 이해하지 못했다.

"인공적으로 태어난 생명체?"

"그래, 뭐. 대충 계란 흰자와 피 몇 방울을 섞은 뒤 보석 가루좀 넣으면 만들어지는 녀석이야."

자신은 그런 허접한 것이 아니라고 말하고 싶었으나 무시무시한 모란 앞에서는 차마 말하지 못하고 속으로 눈물만 흘릴 따름이었다.

"정 이해 못 하겠으면 눈코입 달린, 말하는 계란 흰자 같은 거라고 생각하면 돼."

자신의 존재에 대해 내심 큰 자부심을 가지고 있는 앱솔은 속으로 대성통곡을 했다. 계란 흰자라니 너무나도 치욕스러웠다……. 이래 봬도 그는 영원히 죽지 않는 새 트비라의 알에다가 존귀하신 주인 아이낙스의 피, 그리고 세상에 둘도 없는 진귀한 마력석과 미스릴을 더해 만들어진 존재다. 앱솔은 벌써부터 그의 상냥하고 다정하신 왕 아이낙스가 보고 싶었다.

"전에 알고 지내던 녀석이 처리 못 할 문제가 생겼으니 나보고 도와 달라고 하는 거야. 대리인으로 이놈을 보낸 것이지."

"아닙니다, 이것은 도움 요청이 아니라 엄연히 신성한 거래입니다!"

어찌 아이낙스 님이 도움 따위를 청하신단 말인가 하여 대들었다가 앱솔은 한 번 더 발에 채이고 말았다. 내장이 진탕이 되는 고통 속에 그가 피를 삼키며 또 속으로 대성통곡을 했다. 그러나 굴하지 않았다. 앱솔에게는 아이낙스의 명령을 지킬 의무가 있었다.

"아이낙스는 누구고 타마타모는 또 무엇인데?"

연의 질문에 이때다 싶어 앱솔이 번쩍 고개를 들었다.

"아이낙스 님으로 말할 것 같으면, 세상에서 가장 존귀하고 아름다우신 분! 철혈 군주, 실리낙스의 대마녀, 우타마의 영원불멸(永遠不滅)하며 위대하신 왕이십니다."

이해를 할 수 없던 연이 모란을 쳐다보았다. 모란은 연 모르게 앱솔을 마력으로 두들겨 팼다. 앱솔이 조용히 신음을 삼켰다.

모란에게 이리 얻어맞는 것도 참으로 오랜만이다. 한데 전 같으면 사지가 벌써 달아나고도 남았을 텐데……. 무언가 달랐다. 이곳의 모란은 전과는 다르게 생동감이 넘쳤다.

"내가 전에 지내던 곳에서 가장 권세가 드높은 여군주야. 이곳에 비교하자면 황제라고 할까. 타마타모는 거대한…… 영물 같은 것인데 성질이 좀 난폭해서."

"아…… 거대한 영물이란 말이지."

앱솔이 입을 조금 벌렸다. 그, 그런 것이 아닌데……. 타마타모는 산처럼 거대하고 무시무시한 괴수다. 백여 년 전 모란이 열흘 밤낮을 가리지 않고 그 단단하며 용암같이 뜨거운 껍질을 다 깨부수어 기절시킨 뒤 봉인을 한 괴수.

그러나 앱솔은 입을 다물 수밖에 없었다. 모란이 그렇다고 할 때 아니라고 하면 항상 후환이 별로 좋지 않았다. 더군다나 그는 모란을 설득해야만 하는 입장이었다. 앱솔이 정중하게 물었다.

"모란 님, 이제 아침이온데 생각은 해 보셨는지요."

"글쎄. 생각은 했지."

어째 모란의 말투가 썩 긍정적인 말투가 아니었다. 그가 만두 세 개를 한입에 가볍게 해치우면서 말했다.

"차원까지 넘어가야 하는 그런 중대한 일을 어떻게 하루아침에 결정하라고? 양심이 없어도 정도껏 없어야지."

앱솔은 그저 바닥에 납작 엎드렸다. 지금은 그 말만이라도 감지덕지였다. 이제부터는 비위를 잘 맞추는 것만 남았다. 슬금슬금 물러나면서 앱솔은 흘깃 연을 보았다. 겉으로 보기에는 특별나 보이는 것이 없는 인간이다. 하지만 찬찬히 살펴보니 무언가 다른 게 있었다.

'가만, 근원이…….'

모란과 연을 번갈아 바라보고는 앱솔이 생각에 잠겼다. 과연, 그런 것이로군. 그가 미약하게 고개를 끄덕거렸다. 그러다가 그 시선이 거슬린 모란에게 또 마력으로 조용히 쥐어 터졌다.

"차원을 넘어간다는 말은, 아예…… 다른 세계로 가 버린다는 의미야?"

내심 가슴이 뚝 떨어지는 것 같았던 연이 놀라서 물었다. 그는 모란이 이백오십 년 간 그곳에서 지냈다는 걸 기억한다. 이백오십 년을 지낸 곳과 겨우 십여 년을 지냈을 뿐인 이곳. 어느 쪽이 더 그리울지는 뻔했다. 하지만 연이 어떤 마음인가를 눈치챈 모란은 연의 말을 부정했다.

"그럴 리가. 난 그곳에선 어디까지나 이방인이야. 이방인은 정착도 할 수 없고 연을 맺기도 매우 어렵지. 어지간한 일로는 자극조차 오지 않아."

이백오십 년 동안 그의 삶은 오로지 전투, 살인, 혹은 육체적인 관계 정도밖에는 없었다. 그 정도가 아니라면 감흥이 없기 때문이었다. 다른 차원의 이방인이기 때문인지 아니면 초반에 워낙 고생을 했기 때문인지 슬픔이나 기쁨을 느끼기가 퍽 힘이 들었다. 원래 세계로 돌아온 뒤에 보니 전자인 게 확실했다.

"이백오십 년을 지내는 동안 백 년이라는 시간이 넘도록 알고 지내는 사람들도 생겼어. 쌓아 둔 부와 명예도 막대했지. 그럼에도 내게는 그 모든 걸 다 버리고 이곳으로 넘어오는 선택지밖에는 없었거든. ……애초에."

마치 불안한 마음을 읽기라도 한 것처럼 다정하게 설명해 오는 그의 목소리에 연의 가슴이 덜컥했다. 모란이 팔짱을 끼고 앱솔을 노려보았다. 뜨끔한 앱솔이 다시 바닥에 납작 엎드렸다.

"원칙을 따지자면 그 세계의 일은 그쪽이 알아서 해결해야 하는 법인데 말인데. 타마타모를 한 번 처리해 주는 걸로는 부족했나?"

"차마 드릴 말씀이 없습니다."

아이낙스가 부상 중만 아니라면 괜찮았을 텐데 하필 시기가 안 좋았다. 타마타모는 차원을 부수고 가르며 야금야금 갉아먹는 존재다. 모란은 바로 그런 존재를 얌전하게 만들었다. 그렇게 세계에 빚을 지워 놓은 덕에 다시 원래 세계로 넘어올 수 있는 방법을 얻은 것이었다.

앱솔은 모란의 시선에 식은땀을 흘렸다. 만약 그가 부탁을 들어준다 해도 결코 대가를 허투루 받지는 않으리란 생각이 들었다.

201

"기한은?"

"위대하신 왕 아이낙스 님이 말씀하신 바에 따르면, 이곳을 기준으로 다섯 번의 공회전이 끝나기 전입니다."

앱솔이 공손하다 못해 극진하기까지 한 자세로 말했다.

'다섯 번의 공회전. 아슬아슬하겠는데. 꼭 가야 하나? 하지만 상대가 대마녀니 대가가 대단할 터. 어쩌면······.'

이런저런 계산을 하느라 모란의 미간에 골이 패였다. 연은 복잡한 마음으로 둘의 대화를 지켜보았다. 갑자기 모란이 멀게 느껴지는 이유는 무얼까? 그는 불현듯 이백오십 년 동안의 모란의 모습이 궁금해졌다. 그곳에서는 과연 어떤 모습이었을지, 어떤 식으로 생활을 하였는지······.

"아무튼 내 대답을 듣기 전까지는 떨어져 나갈 생각은 없는 것 같고."

"아이낙스 님의 명이셨습니다."

앱솔이 깊이 머리를 조아렸다. 어찌 보면 참으로 비굴한 태도인데도 앱솔은 그게 당연한 듯 보여 연은 신기했다. 이곳에서는 노비조차도 앱솔 같은 태도는 보이지 않았다.

"그렇다면 여기에 어울리는 모습이라도 취해."

"그것을 원하신다면."

연은 앱솔의 모습이 변하는 걸 신기하게 바라보았다. 옷자락은 순식간에 짧아져 이곳의 복식으로 변했고, 검은자로만 가득 찼던 눈에는 또렷한 흰자가 생겼다. 뾰족했던 귀도 둥글어졌고 붉은 머리카락은 검은색으로 변했다. 연이 시선을 떼지 못하자 앱솔은 으쓱했다. 그리고 왜인지 심기가 불편해진 모란에게 또 마력으로 얻어맞았다.

"역시 몸이 다 낫지 않은 것······ 아닙니까?"

피 색만은 바뀌지 않는지 은색 빛이 입가에 내비친 걸 예리하게 알아차린 연이 물었다. 앱솔은 모란의 시선이 또 희번덕거리는 것을 보고는 얼른 납죽 엎드렸다. 오랜만에 이렇게 쥐어 터지니 정말이지 서러워 눈물이 다 찔끔 나올 정도였다. 그러나 내색할 수는 없었다. 모란이 연이라는 자를 대하는 태도가 어쩐지 그의 위대한 아이낙스 왕이 비를 대할 때와 비슷했기에……

"귀인께서 어찌 제게 말을 높이십니까. 제발 편히 말씀해 주십시오."

매우 간절한 눈빛에 연이 떨떠름하게 그러겠노라 대답하고 말았다. 모란이 또 째려보는 바람에 앱솔은 속으로 흑흑 울었다. 정말 까칠하니 비위 맞추기 한번 까다롭다.

'그럼 당분간은 이 앱솔……이라는 자와 함께 다녀야 하는 건가?'

타인과 지내는 것에 그다지 익숙하지 않은 연으로서는 떨떠름하였다. 실은 어제 자개장 뒤에 쭈그리고 잘 때부터 영 찜찜했다.

그런데 뜻밖에도 앱솔은 전혀 거슬리지 않았다. 바로 그날에만 해도, 연은 화정당에서 지내며 여러 번 앱솔의 존재를 잊었다. 이따금 아, 앱솔이 있었지 하고 돌아보면 그는 얌전히 소일거리를 하고 있는 중이었다. 가구나 창틀을 반짝반짝 윤이 날 정도로 쓸고 닦는가 하면 침상의 이불도 반듯하게 펴 놓았다. 자개장을 열어 뒤적거리나 싶으면 옷이 딱딱 정리되어 있는 것이다.

뿐만 아니라 그는, 마치 입 안의 혀처럼 굴었다. 목이 말라 차를 찾으면 어느새 따끈한 차가 대령되어 있었고 입이 심심하다 싶으면 간식거리가 근처에 있었다. 공기가 답답하다 싶으면 얼른 달려가 창문을 열었다. 이따금 어디가 아픈 것처럼 비틀거리는 것만 제외한다면 정말…… 편했다.

연은 어느새 앱솔을 편히 부리는 자신을 발견하고는 놀랐다. 그런 연에게 모란이 대수롭지 않게 말했다.

"평생을 누구 시중들고 살아온 녀석이라 그래. 편하게 부리렴."

그러나 연은 앱솔이 남궁세가 정도는 초토화시킬 수 있는 이라

했던 모란의 말을 기억했다. 저쪽 세계는 하인조차도 저리 강하단 말인가, 연이 절레절레 고개를 저었다.

"귀하신 분, 어딜 나가시려는지 여쭈어도 되겠습니까."

무심코 자리에서 일어난 연이 또 뒤늦게 앱솔을 인식하고는 아, 하는 소리를 냈다. 앱솔은 정중한 태도로 자개장을 열어 연이 겉옷을 고르게끔 했다.

앱솔이 화정당에 온 지도 벌써 칠 일째. 모란은 앱솔에게 하여금 맹세를 하게 했다. 앱솔이 이곳에서 지내는 동안 이유를 막론하고 연에게 절대 해가 가는 일이 없도록 하겠다는 맹세였다. 모란의 비위를 맞추는 게 우선인 앱솔은 넙죽 알겠노라고 맹세를 했다.

그 뒤부터 모란은 기루 일로 나가 봐야 할 때면 마음 놓고 앱솔에게 연을 맡기고 나갔다. 오늘도 그런 날이었다.

"곧 형님의 혼인식인데, 무언가 선물을 드리고 싶어서."

연이 외투를 고르자 앱솔이 다가와 걸쳐 주었다. 그러고는 아주 자연스럽게 몸종인 양 따라붙었다. 이게 얼마나 자연스러웠냐면, 화정당에 있는 이들 중 누구도 앱솔을 이상하게 여기지 않았다. 다들 새로 들어온 하인이겠거니 생각했다.

앱솔은 그의 왕을 칭송할 때를 제외하면 말이 많은 편은 아니었으나 그렇다고 하여 침묵이 어색하지는 않았다. 존재 자체가 마치 십 년을 알고 지낸 사람처럼 친숙했다. 연은 자박자박 걷다가 물었다. 그는 앱솔에게 궁금한 게 많았다.

"궁금한 게 있는데…… 그, 피는 왜 은색이지?"

"제 피가 미스릴이라는 금속으로 이루어져 있기 때문입니다. 이 금속은 항마력이 강하기 때문에 제 피에는 마법을 무효화하는 효과가 있습니다.”

연은 앱솔의 대답 중 팔 할 정도만 알아들었다. 마법을 무효화하는 속성이라면…… 그래서 모란이 처음에 앱솔에게 그리도 피를 어디에 토했냐고 물었던 거구나. 연은 불현듯 화정당 연못 뒤쪽에 묻어 놓은 옷이 떠올랐다.

“그럼 옷에 묻은 피도…… 마법에 안 좋은 건가?”

“아, 그 정도 피로는 남궁연 님에게 생기를 공급하는 마법진에는 전혀 영향을 미치지 못할 겁니다. 사방진도 아니고 육방진이나 되니까요, 제 목을 잘라 내 피를 받아 땅을 적시지 않는 이상 괜찮습니다.”

목을 잘……라 내어 피를 받……. 아무튼 그렇다니 다행이었다. 하긴 모란도 진에는 별 이상이 없다고 했으니 좀 나중에 처리해도 되겠지. 그나저나, 생기? 연이 속으로 고개를 갸웃했다. 화정당 근처에서 모아 오는 기운을 생기라고 하는 모양이지?

“그 세계에서 모란은…… 어떤 사람이었어?”

앱솔이 잠시 고민에 빠졌다. 어떤 사람이냐면 그가 아는 중 가장 상대하기 싫은 사람이었다. 아이낙스마저 어찌하기 힘들 정도로 강한 자일뿐만 아니라 그만큼 추종자도 많았다. 모란이 떠난 뒤 오년이 지난 지금까지도 그곳에서 가장 위명이—악명도— 높은 사람 중 한 명이었다. 혼자 돌아다니기를 좋아하였으니 망정이지, 마음먹고 사람들을 모아 무언가 하려고 했다면 뭐든 손쉽게 해냈을 만한 이였다.

그의 위대한 왕 아이낙스에게 위협이 될 듯하여 몇십 번이나 죽이려고 기회를 엿보았으나 창으로 등을 찌른 것이 고작이었다. 열받은 모란이 앱솔을 갈기갈기 찢어 마력석을 으깨려고 했을 때의 그 공포란……. 다시 떠올리기도 싫었던 앱솔이 말을 골랐다.

“아주 강하신 분이십니다. 많은 이가 패배했고 또 많은 이가 그분을 우러러보았지요.”

이게 앱솔이 할 수 있는 가장 좋은 말이었다. 앱솔의 말을 들은 연이 생각했다. 그러면 아주 강했다는 걸 빼면 여기나 거기서나 그다지 다르지는 않았나 보지?

"그 아이낙스란……."

연이 움찔했다. 아이낙스의 '아이' 정도를 말했을 때부터 앱솔의 눈이 반짝거리기 시작했던 탓이다.

"……분은, 모란과는 어떤 사이였나?"

앱솔은 또 고민에 빠졌다. 아이낙스와 모란은 무슨 사이인가, 하면 그간 있었던 일을 짚어 보면 된다. 처음 아이낙스와 모란은 만나자마자 온 천지가 진동하도록 무시무시하게 싸웠다. 그런 일이 몇 년에 걸쳐 한 번씩 있었는데 매번 싸우기만 하는 것은 아니었다. 일 년에 한두 번은 모란이 술을 가지고 찾아와 대화를 나누며 지낼 때도 있었다.

그뿐인가, 아이낙스가 그의 사랑하는 비로 인해 이성을 잃었을 때 뜯어말린—물론 앱솔은 모란이 뜯어말리는 걸 빙자해 기꺼이 아이낙스를 두들겨 팬 것이라고 아직도 생각했다— 것도 모란이다. 가끔은 연합하여 전투를 치를 때도 있었기에 아군인지 적군인지 친구인지 원수인지 구별이 가지 않았다.

"모란 님과 위대하신 왕께서는, 한마디로 설명하기 어려운 복잡한…… 관계를 형성하고 계십니다."

복잡한, 관계? 연의 기분도 복잡 미묘해졌다. 딱히 좋은 미묘함은 아니다. 연이 가장 찜찜했던 것을 물었다.

"처음 나를 모란으로 오해했던 것 같은데."

"아, 그렇습니다. 이 앱솔, 사죄드립니다. 모란 님의 흔적이 가장 많이 남은 곳인 데다가 귀인께서 모란 님의 기운을 가지고 계시기에 잠시 착각하였습니다."

연이 잠시 발걸음을 멈추었다. 그가 모란의 기운을 가지고 있다는 건 그 치료 때문이 아닌가 싶었다. 그러나 묻고 싶은 건 자신을 왜 모란으로 오해했느냐가 아니었다.

"침대에 눕혔을 때 대체 왜 그런…… 행동을 한 거지?"

"그런 행동?"

잠시 앱솔이 고개를 갸웃거리다가 이해한 얼굴로 끄덕였다.

"침대에 눕히시기에 저에게 봉사받기를 원하시는 줄 알았습니다. 그렇지 않고서야 저를 침대에 눕게 하실 분이 아니거든요."

보통은 쥐어박거나, 패거나, 혹은 갈기갈기 찢어서 내다 버리든가 했으니 앱솔은 오해할 수밖에 없었다. 그러나 오해하는 건 앱솔만이 아니었다. 연은 잠시 말문이 막혔다. 침대에 눕힌 것 정도로 그런, 그런 반응이 바로 나올 정도란 말인가?

"아, 오해는 마십시오."

앱솔이 공손하게 머리를 조아렸다.

"한 번도 모란 님과 성적인 교합을 나눈 적은 없습니다. 다만 그분이 평소 폭력적이며 변태적인 정사를 즐겨 나누신다는 이야기를 들었기에, 그 이야기를 기반으로 저의 육체적 조건이 모란 님을 견디기에 걸맞지 않나 하는 결론을 내렸을 뿐입니다. 또한 원체 상대를 가리시는 분이 아니기에 저 또한 가리시지 않을 줄로만 알았습니다."

그게, 뭐야 대체……? 연은 아연해지고 말았다. 폭력적이고 변태적인 정사? 상대를 가리지 않아? 연의 말수가 급격히 줄고 말았다. 앱솔은 연의 눈치를 보며 자신이 무얼 잘못 말했나 고민했다.

'혹여나 질투인가? 그러나 질투를 할 만한 위치는 아니지 않은가.'

앱솔은 그의 주인인 아이낙스를 흠모하고 존경하며 사랑한다. 그럼에도 아이낙스가 그의 비를 가장 아끼는 것에 대해서는 질시나 질투를 한 적은 없었다. 아이낙스가 그의 창조주이며 혼의 주인이었으니까.

그가 보기에는 모란과 연이 아이낙스와 저의 관계처럼 보였다. 연의 혼이 모란의 흔적투성이인 탓이었다. 너덜너덜하고 찢겨지고 기워져 형편없는 상태의 혼. 보아하니 오래 살지도 못하겠다.

육신을 찢는 것이야 누구나 할 수 있는 일이지만 혼을 찢는 일은 아무나 할 수 있는 일은 아니다. 보아하니 연의 혼은 모란이 찢은 게 틀림없었다. 게다가 무엇보다 모란이 연의 혼 일부를 소유하고 있지 않나. 이보다 더 명확하게 주인이란 증거도 없었다.

'혼의 일부를 내놓는다는 건 끔찍한 고통을 감내하면서까지 자신의 가장 소중한 것을 상대에게 바친다는 뜻.'

아이낙스가 가장 충실한 종인 앱솔을 아끼듯 모란도 연을 아끼는 것이리라. 앱솔은 그렇게밖에는 보이지 않았다. 이곳에서 연의 신분이 꽤나 귀한 듯하였으나 아이낙스에게도 충성스러운 귀족들은 얼마든지 많았다.

'하기야 단순히 주인이 종속자를 아끼는 것치고는, 평소 그분과 완전히 다른 모습이기는 한데.'

그러나 아무럼 앱솔에게는 상관없는 일이다. 그에게는 오로지 아이낙스가 내린 명령만이 중요했다. 모란을 설득하여 타마타모를 다시 처리하게 하는 것뿐.

한편 연은 무척 심란해졌다. 모란이 전에 어찌 지냈는지 앱솔에게 듣고 나자 제 고백이 모란에게 있어서는 아무짝에도 감흥 없는 어떤 것이 아닌가 싶었다. 상대를 가리지 않는다니 저도 가리지 않는 건가. 치료를 하는 김에 그저 몸만 즐긴 것일까.

'하지만 나를 대하는 태도가 그렇게 다정하였는데.'

게다가 폭력적인 정사를 즐겨 나누었다는 말이 자꾸 머릿속에서 왕왕 울렸다. 폭력적인 정사……. 그래서 내 엉덩이를 때렸던 건가 보다……. 그럼 모란은 몸만 즐긴 것인데 나 혼자 착각하여 북 치고 장구 치고 했던 건가. 수치심으로 연의 얼굴이 잠깐 벌겋게 달아올랐다.

결국 마음이 복잡하여 연은 혼인 축하 선물을 사는 둥 마는 둥 화정당으로 터덜터덜 돌아왔다. 이제는 자연스럽게 겉옷을 앱솔에게 건네며 연이 침상에 앉았다. 얼마 지나지 않아 볼일을 마친 모란도 돌아왔다. 연이 고개를 돌리고 있어 기분은 눈치채지 못한 채로 모란이 다가와 뒤에서 끌어안았다. 목덜미에 살살 입술을 문지르자 연이 자리에서 벌떡 일어나며 그를 밀어 냈다. 모란이 눈을 깜박였다.

"할 말이 있어."

"할 말?"

아니, 아침만 해도 괜찮았던 연의 기분이 대체 왜 이러지. 모란이 흘끔 앱솔을 노려보았다. 연은 모란을 쳐다도 보지 않고 말했다.

"얼마 전에 했던 말, 취소하겠어."

"그게 무슨 말이야?"

"융중산에서 말했었잖아. 당신을 연모하고 있다고. 그 말은 그냥 못 들은 것으로 해. 분위기에 흘려 내가 잠시 넋이 나갔던 것으로."

앱솔이 납작 바닥에 엎드렸다. 뭔지는 몰라도 순식간에 모란의 기분이 나빠졌다는 걸 직감했기 때문이었다. 모란은 갑이고 자신은 을이니 그저 죽었다 하는 수밖에. 그리고 과연 앱솔의 직감대로 모란은 성질이 바짝 올랐다.

최근 모란이 무엇을 하였는가. 그는 융중산에서 지내는 동안 아이낙스의 일을 곰곰 생각해 보았다. 한 사람에게 빠진 힘 있는 자가 무엇까지 할 수 있는가, 반추해 본 것이다. 자신의 경우에는 아이낙스보다 심했으면 심했지 덜하지는 않을 것 같았다.

동시에 모란 자신에게는 선택권이 없다는 것도 깨달았다. 사랑하는 사람이 거절하고 또 거절했던 아이낙스와는 달리 모란은 무려 상대가 연모한다고 고백까지 해 왔으니 그에게 대체 무슨 선택권이 있겠는가.

생각 같아서는 융중산에서 한달음에 달려와 연을 끌어안고 매우 아껴 주고 싶었다. 제갈세가에서 붙은 사람만 아니라면 그랬을 것이다. 대신 그는 마차를 타고 오면서 그날을 떠올렸다. 융중산에서의 연의 고백을 생각하면 생각할수록 입 안이 달큼하고 입꼬리와 눈꼬리가 절로 휘어졌다. 어찌 그리 사랑스럽고 어찌 그리 어여쁜가. 그 얼마나 귀엽던가.

그런데 도착해 보니 불청객이 있을 줄이야. 모란이 주먹을 꽉 쥐었다. 연이 하도 부끄러움을 타며 이리저리 제 대답을 회피하기에 잠시 기다려 주었다. 회피하는 모습조차도 매우 드물어 보기 좋거든. 그랬는데 심지어 그 불청객이 죄다 훼방까지 놓을 줄은 몰랐다. 저놈이 무슨 말을 한 것이 틀림없었다. 모란이 이를 갈았다. 그 고백을 없던 것으로 하자니!

"아니, 그건 아니지. 이미 들었던 일을 어찌 없던 걸로 해? 내 귀는 아주 정상적이니 차마 그럴 수는 없거든."

모란이 정색하는 얼굴로 딱 잘랐다. 그러고는 예상치 못한 반응에 당황해 하는 연에게 말했다.

"아무튼, 연아. 아주 잠시만 기다려 주렴. 무엇 좀 할 일이 있어서."

그러고는 모란이 앱솔의 멱살을 쥔 채 끌고 나갔다. 그는 일단 앱솔을 가볍게 손봐 주었다.

"이 예쁜 주둥이가 대체 무슨 말을 지껄였을까?"

"모, 모란 님! 무언지는 몰라도 이 앱솔이 모두 잘못하였습니다!"

잘못을 알았다니 모란이 앱솔을 좀 더 강력하게 손봐 주었다. 실컷 두들겨 맞은 앱솔은 얌전히 입을 다물고 죽은 시늉을 하며 엎어졌다. 둘이 무슨 대화를 했는지 토씨 하나 틀리지 않게 말하라 윽박지르자 앱솔이 얼른 줄줄 불었다.

듣고 나니 더욱 화가 치밀어 올랐다. 안 그래도 귀찮은 일로 쳐들어와서 화가 나는데 잘되고 있던 관계에 훼방까지 놓으니 정말 짜증이 났다.

"누가 사람을 패면서 쾌락을 얻어!"

모란은 자신에 대한 소문이 그렇게 났다는 것에, 정말이지 어처구니가 없었다. 폭력을 통해 쾌락을 느끼는 쓰레기처럼 저를 묘사해 놓지 않았나. 그가 살벌하게 을렀다.

"오늘 밤은 내 눈에 띄지 않는 곳에 박혀 있는 게 신상에 좋을 거야."

"하지만 모란 님, 저는 답을 듣기 전까지……."

그냥 이것을 정말 죽여 저 입을 다물게 할까 모란이 손을 들어올리자 앱솔이 당장 줄행랑을 놓았다. 또 갈기갈기 찢겨 흩뿌려질지도 모른다는 위기감이 들었기 때문이었다. 그리되면 아이닥스가 손볼 때까지는 원래 모습으로 돌아올 수가 없다는 걸 앱솔은 잘 알고 있었다. 모란이 혼자 돌아오자 연이 놀랐다.

"앱솔은 어찌했어?"

마치 앱솔을 죽여 없앴다는 듯한 반응에—실제로 거의 그 비슷하게 만들려고도 했으나— 모란의 입꼬리가 미세하게 떨렸다. 이게 다 앱솔이 경망하게 입을 놀린 탓이라.

"죽이지 않았으니 걱정 말아라. 그보다 할 말이 있는데."

연이 흠칫하여 뒤로 주춤 물러났다. 시선이 모란에게 머물지 못하고 방황했다.

"나…중에."

"안 돼. 지금."

모란은 일단 연을 침상 구석으로 몰아넣었다. 침상 기둥에 딱 등이 닿은 연이 저도 모르게 애처로운 시선을 보내는데…… 이리도 귀여워서야. 모란이 은근하게 입맛을 다셨다.

"폭력적인 정사가 나의 취향이란 말은 사실이 아니야."

"……하지만 당신은 종종 엉덩이를 때리잖아."

정말이지, 이리 귀엽게 구는 법이 있느냐. 모란이 속으로 중얼거렸다.

"그건 폭력적인 게 아니라 변태적인 것이지."

모란이 너무나도 뻔뻔하게 변태적인 것이 그의 취향이라 말하는 통에 연이 잠시 할 말을 잊었다. 그러나 사실은 사실이었다. 그는 체온과 체온을 나누는 부드러운 정사도 취향이었으나 일상에서 벗어난 독특한 관계도 마찬가지로 취향이었다. 그쪽 세계에서는 어지간해서는 감흥을 못 느끼는 통에 그리 관계를 나누며 상대의 감정을 간접적으로나마 느끼려는 시도로 행한 것이었다.

"폭력이란 것은 동의 없이 상대를 겁탈하는 것을 의미하지, 합의하에 하는 것을 폭력이라 하지는 않아. 게다가 엉덩이 두어 대쯤 때리는 것은 변태적인 것도 아니야. 누구나 다 하는 거지."

모란은 입술에 침도 바르지 않았다. 그 뻔뻔한 태도에 연은 긴가민가하였다. 정말 엉덩이 때리는 건 누구나 다 하는 건가?

"……그럼 변태적인 게 무엇인데?"

모란은 잠깐 고민에 빠졌다. 변태적인 것이라면……. 이를테면 숨도 제대로 쉬지 못할 정도로 깊게 성기를 삼키게 하거나, 아니면 피가 배어 나올 정도로 사정없이 몸의 일부를 매질하는 것? 노출이 심한 옷을 입히거나 두 명 이상과 동시에 관계하는 것? 혹은 다수의 사람들이 성행위를 지켜보게 하거나 목줄을 매어 끌고 다니는 것?

어느 쪽이든 연에게는 납득 못 할 수준의 '변태적인 일'들임에 틀림없었다. 무엇보다 모란 자신이 그리하고 싶지도 않았고.

……아니, 노출이 심한 옷을 입히는 건 괜찮을지도.

아무튼 모란은 짧은 사이 나름대로 연에게 한정된 변태란 것의 정의를 완성했다.

"지난번 진주를 넣은 것처럼 신체 외의 물건을 넣었다 빼는 일 등이 바로 변태적인 것이지."

진주는 그냥 넣기만 했지 뺀 적은 없잖아, 하고 얼굴을 좀 붉히면서도 연이 순순히 고개를 끄덕여 납득했다. 확실히 그때는 변태적으로 느껴지기는 하였다. 이때가 좋은 기회임을 깨달은 모란이 구슬렸다.

"아니면 눈을 가리거나 손을 묶거나 하는 것도 그런 종류지. 변태적이라 하여 마냥 이상한 건 아니야. 그럴 때면 연이 너도 좋지 않았느냐?"

연은 차마 긍정은 하지 못하고 입을 꾹 다물기만 하였다. 답하기엔 퍽 부끄러웠다. 모란이 다 알겠다는 얼굴로 웃고 있어서 더욱 그랬다. 실은 모란은 부끄러움 타는 연도 그저 좋고 귀엽고 어여뻐 보였을 뿐이지만.

"그리고 아이낙스와는……."

무슨 관계인가, 하고 이때에는 모란도 고민에 빠졌다. 아이낙스와의 관계는 앱솔이 말한 대로 참으로 복잡 미묘했다. 그러나 복잡 미묘한 관계란 것은 얼핏 들으면 오묘한 관계인 것처럼 들리니 그가 상세히 풀었다.

"열다섯 번 정도는 서로를 죽이려고 했고, 두 번은 내가 거의 죽일 뻔하였지. 나 역시 한 번은 아이낙스에게 죽을 뻔했고. 또 여섯 번은 전투에서 같이 싸운, 그런 사이야."

"……그러니까, 전우인 것이네?"

"동시에 유일하게 나와 대등하게 싸울 수 있는 전사이자 경쟁자라고 할 수도 있고."

연이 납득하였다. 저런 것을 복잡 미묘한 관계……라고 한다면 그럴 수도 있겠다. 그러니까 선의의 경쟁자라는 것이 아닌가? 모란은 세 번째 오해도 풀었다.

"상대를 가리지 않았다는 건 맞아. 사실 그 누구든 아무래도 상관없었거든. 은애하는 이도 연모하는 이도, 사모하는 이도 없이 지냈으니. 한데 지금은 다르지."

예상치 못한 공격에 연이 숨을 딱 멈추었다. 상대를 가리지 않았다는 이야기를 하다가 갑자기 이런 말을 꺼낼 줄은 몰랐던 탓이다. 모란이 몸을 앞으로 숙였다. 연의 머리 위로 그림자가 드리웠다.

"지금은 전과 달리 은애하고, 연모하고, 사모하는 이가 있으니."

"뭐, 뭐……."

모란이 당황하여 달싹거리는 입술을 머금어 삼켰다. 연이 움찔하며 몸을 들썩였다.

"서로 마음이 통하는 이가 있음인데 어찌 감히 다른 이와 몸을 접붙일까? 그리 생각하지 않으냐, 연아."

눈가며 뺨이며, 귀에 목덜미에 모란이 입 맞추지 않는 곳이 없어 경황이 없던 연이 뒤늦게 모란이 하는 말의 의미를 깨달았다. 순식간에 얼굴이 벌겋게 물들었다. 몇 번이고 생각하는 것이지만 정말이지, 정말이지 모란의 혀는 간사하고 교활하지 않은가.

"나 또한 연모하고 있어, 연아."

답이 늦어도 한참 늦었다. 하지만 모란이 그리 말할 때 연은 참지 못하고 입술을 부딪치고 말았다. 혀를 섞으니 모란이 자연스럽게 응하는데 그것이 다소 분했다. 자신은 이렇게 어쩔 줄 모르는데 모란은 태연한 것만 같아서.

모란이 살금살금 연의 입 안을 부드럽게 탐했다. 소리가 나도록 쪽쪽 빨고 핥고 깨물리면서 몸이 점점 기울자 이게 무슨 분위기인가를 깨달은 연이 마른침을 삼켰다.

"있……잖아."

말하라는 듯 모란이 눈을 휘어 웃었다. 연은 한숨을 쉬고는, 또 모란과 함께 있으면 이렇게 되어 버린다고 속으로 얕게 낙담도 했다. 하지만 동시에 몸이 달아 입술을 핥았다.

"치료할 때도 되었고…… 변태적이라 하여 마냥 이상한 것은 아니라며. 또…… 좋기도 한 것이고, 당신 취향에 맞기도 한다면……."

"해 줬으면 해?"

말 중간을 툭 자르며 모란이 물었다. 연이 눈을 깜박였다. 해 줬으면 하냐고? 모란의 취향이라서 하는 게 아니라 해 줬으면 하냐고…….

잠깐 침묵하던 연이 아주 작게 응, 하자 모란의 무릎이 슬그머니 다리 사이를 꾹 눌렀다. 연이 움찔했다.

"어찌해 줄까? 연이 네가 원하는 대로 얼마든지 해 줄 수 있어. 그저 말만 하면."

이번에는 연의 몸이 흔들거리도록 노골적으로 무릎으로 다리 사이를 꾹꾹 눌러 대었다. 연이 저도 모르게 손을 뻗어 모란의 팔을 잡았다. 말만 하면 원하는 대로……. 그가 두서없이 모란과 했던 정사들을 떠올려 보았다.

"눈……을 가리거나…… 묶거나, 아으, 읏."

"그리고 또?"

모란의 무릎이 자꾸자꾸 아래로 파고들었다. 그러더니만 어느새 연이 위에 앉아 모란의 무릎에 다리 사이를 은근하게 문지르는 모양새가 되었다. 이성이 살살 녹아 저 아래로 흘러 사라지고 말았다. 허리를 들썩이고 싶은 충동을 간신히 억누르며 연이 겨우 입을 열었다.

"무언가, 그으, 훗. 이, 이상한…… 물건을, 넣었으면…….."

속삭이듯 말하는 것인데도 연의 얼굴이 벌겋게 달아올랐다. 모란의 입꼬리가 슥 올라갔다.

"정말 이상한 물건이어도? 여기에 넣을 것인데?"

엉덩이를 움켜쥔 모란이 노골적으로 뒤를 꾹꾹 문지르자 연이 숨을 헐떡였다. 상상해 보는 것만으로도 다리 사이가 지끈지끈하였다. 고개를 끄덕이는 모습에 모란이 참지 못하고 깊게 입을 맞추고 말았다.

'정말 어찌할까. 한입에 집어삼키고 싶기도 하고, 아끼고 아껴 살살 녹이고 싶기도 하고.'

연신 입을 맞추다가 모란이 맥이 파닥파닥 빠르게 뛰고 있는 곳을 혀끝으로 핥았다. 연의 가슴이 크게 들썩였다.

무엇이 좋을까? 이상한 물건을 말했으니 정말 이상한 물건이 좋지 않겠는가. 마침 모란에게는 그런 것들이 제법 있었다. 모란이 작은 아공간을 열었다. 손을 휘저어 보니 걸리는 것이 있어 그가 꺼냈다.

"이건 어때?"

"어……."

모란이 꺼낸 물건에 연이 잠깐 할 말을 잊었다. 본인이 이상한 물건이라고 말하기는 하였으나 정말 이상한 물건일 줄은 몰랐던 탓이다. 모란이 내미는 물건을 연이 가까스로 받았다. 이건 진짜 이상하게 생겼다.

모란이 준 건 한 뼘 정도 되는 둥근 토막처럼 생겼다. 그러나 그냥 토막이 아니다. 말캉거리고 매끄러운데 부드러웠고, 또 탄력적이면서도 표면이 울퉁불퉁하였다. 연이 아는 것에 굳이 비교하자면…… 표면이 올록볼록한 분홍색 오이처럼 생겼다. 다만 오이와는 다르게 말랑하다는 것을 제외한다면.

"이건 대체 뭐야?"

물론 모란은 제대로 된 명칭을 알고 있었지만 대신 향유를 꺼내며 느리게 웃었다.

"넣으면 즐거워지는, 이상하고 변태적인 것이지."

그는 먼저 연의 손을 앞으로 묶었다. 부드러운 천으로 단단히 묶자 연이 떨리는 숨을 쉬었다. 그다음으로는 눈을 가렸다. 손도 묶이고 눈도 가려지니 부스럭거리는 소리밖에 들리지 않았다. 그 덕에 연의 기감이 예민해졌다.

모란은 일단 바지만 벗겼다. 윗옷만 입은 모습이 아슬아슬하여 보기 좋았다. 하체만 발가벗겨지자 연의 심장이 쾅쾅 뛰었다. 이제는 향긋한 향유 냄새가 나는 것만으로도 연의 몸은 가볍게 흥분하기 시작했다. 이게 무슨 향일까 하다가 연이 깨달았다. 꽃향기다.

잠시 후 향유로 젖은 손가락이 엉덩이 사이를 문질렀다. 한 번에 두 개의 손가락이 꾹 밀려 들어왔다. 몇 번 느릿느릿 들어갔다 나오더니 힘이 들어가며 양쪽으로 잡아 벌려졌다. 연은 반쯤 엎드린 상태로 희미하게 신음했다. 벌려진 곳으로 손가락 두어 개가 손쉽게 들락거렸다.

"흐으, 웃⋯⋯."

오른손인지 왼손인지, 혹은 양손인지 구별이 안 되는 손가락들이 뒤를 희롱하다 빠져나가자 흠뻑 부어진 향유가 뚝뚝 흘렀다. 곧 이어 낯선 것이 뒤에 닿았다. 아까 모란이 꺼냈던 이상한 물건이다.

그는 바로 넣지는 않고 잠시 엉덩이 골 사이로 느릿느릿 문질렀다. 오돌오돌한 표면이 다 느껴지라고 부러 하는 행동이었는지, 애가 탈 정도로 그 행동을 반복하더니 꾹 밀어 넣었다. 연이 숨을 얕게 헐떡였다.

"아, 아⋯⋯."

모란과 관계하는 횟수가 늘어날수록 연은 뒤에 무언가를 밀어 넣었을 때의 쾌감을 점차 잘 알게 되었다. 물렁하고 울퉁불퉁한 것이 삽입되었을 때 연은 명백히 느끼고 있는 자신을 깨달았다. 돌기가 입구를 짓누르는 자극이 그리도 좋을 수가 없었다. 이래서 변태적인 것을 하는구나 싶었다.

"헉, 아웃, 응⋯⋯."

모란이 물건을 느리게 밀어 넣었다가 뽑아내기를 반복하자 연이 마침내 엎드렸다. 뒤를 우둘투둘 눌리는 삽입이 반복될수록 연한 쾌감이 번졌다. 딱히 만지지 않았는데도 연의 성기는 단단해져 조금씩 윗옷을 적시고 있었다.

"익숙해졌어?"

그리 물으며 연의 귀를 잘근거린 모란이 빙그레 웃는 입모양이 느껴지도록 입술을 꾹 눌렀다.

'익숙해졌다면 다음 단계로 나아가 보도록 할까.'

모란은 추삽질을 하던 걸 그만두고 물건을 꾹 눌러 넣었다. 점점 물건의 굵기가 줄어드는 게 느껴져 다 넣어 버리려나 하는데 끝까지 들어가지 않고 중간에 턱 걸렸다.

연이 당황했다. 분명 잘 자른 토막같이 일정한 굵기였는데, 이상하게도 중간의 어느 부분만 유독 얇아져 마치 마개처럼 뒤에 딱 맞물리는 것이다. 저도 모르게 뒤를 꽉 조이자 울퉁불퉁한 돌기가 자극을 가했다.

"아, 으……. 이것, 모양새가……."

"원하는 대로 모양을 바꿀 수 있거든. 그래서 내 이상하고 변태적인 물건이라 하지 않았어?"

모란은 엉덩이 밖으로 손잡이처럼 빠져나온 부분을 잡아 빙글 돌리며 연이 몸을 떠는 모습을 지켜보았다. 이 즐거운 장난감은 모란의 의지에 따라, 연의 몸 안쪽 삽입된 부분만 부쩍 크기를 늘렸다. 갑자기 커진 부피감이 느껴졌는지 연이 숨을 헐떡헐떡했다. 예상치 못한 상황에 귀며 목덜미가 야살스러운 빛으로 붉게 물들었다.

"……!"

모란이 그것을 잡아당겨 빼냈다가 좌우로 빙글빙글 돌려 밀어 넣자 연이 이불을 움켜쥐었다. 윗옷이 흐트러지면서 드러난 허리가 떨리는 모습이 참으로 장관이었다. 다시 꾹 밀어 넣은 모란이 이번에는 둥근 손잡이 부분까지 삽입했다. 연이 헉, 숨을 쉬며 몸을 웅크렸다. 허리 아래가 온통 달큼하게 지끈지끈하였다. 그리한 뒤 모란은 완전히 연에게서 손을 뗐다.

연은 처음에는 안에서 이상한 물건이 꿈틀거리며 움직이는 게 제 착각이라고 생각했다. 그러나 착각이 아니었다. 맥박이 치는 것처럼 두어 번 움직이더니, 돌연 식은땀이 쏟아지도록 크기를 키우는 것이다. 그저 크기만 키우는 것이 아니었다. 안에서 어떻게 부푸는 것인지, 평소 모란이 매번 문지르고 찔러 기분을 좋게 만드는 부분을 짓누르기 시작했다.

"이, 상해, 흑, 아! 모란, 아, 아……!"

심하다 싶을 정도로 아래를 우악스럽게 짓눌리자 시야가 희게 번졌다. 어느새 연의 성기는 말간 액을 뚜욱, 뚝 흘려 대고 있었다. 견디기 힘들다 싶을 정도로 안쪽을 눌러 대다가도 순간 약해졌고, 다시 또 순식간에 부풀어 올라 잔인하게 꽉 눌렀다. 정수리에서 불꽃이 타닥타닥 뇌수를 타고 흐르는 쾌감이었다.

참을 수 없을 정도로 묘하게 근질거리는 느낌이 번졌다. 연이 엎드려 이불만 쥐어 채다가 끝내 다리 사이로 손을 뻗으려 하자 모란이 막았다. 그건 반칙이지, 속삭이고는 다정하게 입술을 맞추었다.

"지금 이리도 어여쁘지 않아? 다 쥐어짜일 때까지만 참아 볼까?"

무얼 다 쥐어짠다는 거야, 생각하던 연은 또 크게 부풀어 오르는 물건에 입을 벌려 신음했다. 정액이 아닌 말간 액이 발갛게 달아오른 성기 끝에서 줄줄 흘러내렸다. 짓눌리고 또 짓눌릴 때마다 쾌감은 점점 커지고 다리는 후들후들 떨렸다. 이제는 말도 제대로 나오지 않아 허리만 비틀었다. 그때쯤에야 연은 쥐어짜인다는 게 무언지 감이 왔다.

"힉, 흐윽, 아! 아!"

도중에 돌연 까마득한 쾌감이 연을 덮쳤다. 온몸을 녹여 버리는 지극한 감각에 소리조차 낼 수가 없었다. 절로 몸이 덜덜 경련하듯 떨리고 발가락은 꾹 곱아들었다. 사정을 한 것 같지는 않은데 다리 사이가 온통 젖어 축축하니 사정을 한 건지, 아닌 건지도 알 수가 없었다. 그저 엎어져 헐떡거릴 따름이었다. 그때 모란이 다가와 다리 사이에 손을 뻗었다.

그는 땀에 젖은 목덜미를 깨물어 맛보고 향유로 젖은 뒤에 손가락을 밀어 넣었다. 따끈하고 말랑하니 부드러운 속살을 헤치고 손에 닿는 물건을 누르자 연이 바르작거렸다. 부러 아래쪽으로 손가락을 위치했다. 연의 몸이 더 떨리는 걸 무시하며 구부려 쥐고 빼내자 발작적으로 고개가 젖혀졌다.

"하, 아으, 웃……!"

반쯤 우는 듯한 소리가 흘러나왔다. 어쩔 수가 없었다. 물건이 빠져나가며 우연인지 고의인지 다시 안쪽을 느리게 짓누른 탓이다. 곧이어 모란의 성기가 뒤를 지분거렸다. 연이 고개를 저었다.

"흐, 아니, 아직……. 아, 앗! 앗!"

단번에 꿰뚫린 탓에 비명에 가까운 신음 소리가 튀어나왔다. 간지 얼마 안 되어 다시 삽입되니 머릿속이 흐물흐물 녹아내리는 듯했다. 모란이 단단해진 성기를 쥐고 흔들자 연은 제대로 된 생각을 할 수가 없었다.

모란은 느릿느릿 움직이다가 이내 철벅철벅 소리가 나도록 밀어붙이기 시작했다. 흔들리다가 안을 몇 번이고 찔리는 지극한 감각에 연이 견디지 못하고 조금 엉금 앞으로 기어 나가면, 그만큼 단번에 깊게 박아 오는 것이다.

"흐아, 아, 응, 싫어, 아니……. 아!"

안쪽이 묵직하게 뭉개지자 연의 목소리가 자잘하게 흩어졌다. 허리를 꽉 붙잡은 채 모란이 짓이겨 박아 넣을 때마다 흰 쾌감이 넘실거렸다. 연은 제가 흐느끼고 있다는 사실도 깨닫지 못하고 바르작거렸다. 힘이 바짝 들어간 발이 이불을 밀어 댔다.

"깊, 깊어, 아, 흐윽, 깊단 말이야…… 아, 아!"

뒤로 갈수록 연의 말꼬리가 떨렸다. 눈물이 찔끔 나올 정도인데 모란은 달래는 척하며 더 깊게 삽입해 대었다. 더는 들어올 수 없을 거라고 생각했는데 엉덩이를 쥐어 잡아 벌리더니 바짝 붙여 왔다.

연은 제대로 신음도 하지 못하고 떨리는 손으로 여기저기를 무작정 더듬대며 고개를 젖혔다. 안을 깊게 찔려 뭉근하게 아팠다. 그런데도 그 아픈 감각마저 등골을 짜르르 울리는 것이다. 힉, 하는 소리가 흘러나왔다.

완전히 침대에 엎어지는 연을, 모란이 범하는 자세로 덮었다. 그러고는 제 것을 빼내었다가 다시 길게 찔러 넣었다.

철벅, 철벅, 젖은 소리가 크게 울리도록 삽입당할 때마다 연의 발가락이 한껏 곱아들었다. 모란은 연을 꽉 잡고 아래를 진탕 엉망으로 쑤시고 헤집었다.

"힉, 아…… 응, 읏, 읏!"

연은 또다시 절정에 이르렀다. 쾌감에 연이 몸부림치며 뒤를 꽉 꽉 죄이면, 모란도 그때마다 제 성기를 끝까지 욱여넣고 제 정을 안에 와락 쏟아 냈다. 그러고는 또다시 허리짓을 시작했다.

사정한 지 얼마 안 되어 다시 예민한 곳에 못질을 당하듯 박히자 연은 말도 제대로 이을 수가 없었다. 고통에 가까운 쾌감에 흐느끼다가 겨우 제발, 하고 한 단어를 꺼내면 모란은 숨이 부족해 헐떡이는 연의 입술에 입맞춤을 했다.

"연아, 연아."

세상 가장 귀한 것을 대하는 듯 목소리는 다정한데 허리짓은 난폭하고 거칠었다. 다 좋으니 천천히만 해 달라든가, 사정하고 나면 잠깐만 쉬어 달라든가, 하고 싶은 말은 많았으나 꺼낼 수가 없었다. 모란의 물건에 안을 둔탁하게 찔릴 때마다 헐떡이는 숨과 함께 허리도 혀도 늘지근하게 녹아내렸다.

모란은 혀끝으로 살살 연의 발갛고 말간 혀를 핥다가 쪽 소리가 나도록 입술과 함께 빨아들였다.

"우리 연이는 음란하고 예쁘기도 하지."

귀에 속삭이는 음담패설에 기시감이 드는 이유가 무얼까? 그러나 다가오는 절정에 연의 생각은 완전히 흐려져 사라지고 말았다.

'맞아, 예전에 그런 꿈을 꿨었지.'

221

가물거리는 와중에 연이 떠올렸다. 모란을 만난 지 얼마 안 되었을 때 야릇한 꿈을 꾼 적이 있었다. 그때는 그냥 개꿈인가 하고 지나갔는데 지금 생각해 보니 예지몽이었다. 예지몽을 꾸어도 하필…….

눈을 떠 보니 방이 동트기 직전의 푸른빛에 잠겨 있었다. 모란은 연을 이불로 둘둘 감아다가 끌어안고 있었다. 내내 그러고 있었던 건지, 아니면 자고 일어난 건지, 그는 연이 눈을 뜨자마자 턱을 괴고 바라보던 모습 그대로 씩 웃었다.

"으……."

몸을 뒤척이던 연이 신음했다. 몸은 보송보송하니 쾌적한 상태였지만 말하기 민망한 그곳이 얼얼했다. 몽둥이 같은 것이 셀 수 없이 드나든 탓에 아직도 벌어진 느낌이 들기도 했다. 허리 아래로는 힘이 잘 들어가지 않고 흐물흐물 마비가 된 느낌이다.

'몇 번이나 했더라…….'

못해도 세 번은 한 건 확실했다. 종내에는 까무룩 기절하듯 잠들고 말아서 모르겠지만, 설마 기절한 사람을 잡고 하지는 않았겠지. 몸 상태가 가뿐한 느낌이 확실히 치료를 한 모양이었다. 이제 몸 상태가 많이 좋아져서 연은 오래 걷는 것 정도로는 숨도 차지 않았다. 밖에만 나가지 않는다면 손발도 따스했다. 문득 궁금해져 연이 물었다.

"치료는 어느 정도나 남은 거야?"

"글쎄, 지금 이대로 쭉 가면 한……."

말꼬리를 흐리면서 모란은 영 마음이 착잡하였다. 본원지기란 마치 촛불을 태우는 것과 같아서 일단 사라진 건 돌이킬 수가 없다. 연은 이미 그 초를 반절 넘게 태운 것이나 마찬가지다. 갈라진 혼을 꿰매어 이어 붙이면 뭐 하나. 그래도 길어 봤자 이십여 년 정도밖에 살지 못하는 것을. 이십여 년이라니, 얼마나 빨리 흘러 사라져 버리는 세월인가?

다른 사람의 초를 가져다 대신 태우는 방법도 있다. 그러나 그야 말로 무림에서 사술이라 일컫는 방법이었고 모란도 내키지는 않았다. 부작용이 만만치 않았다.

'역시 다녀오는 수밖에는 없나…….'

하여 모란은 차원을 넘어갈 생각을 하고 있었다. 타마타모를 처리하는 대신 아이낙스에게 대가로 요구할 만한 것이 있었다. 바로 실리낙스의 눈이다. 실리낙스가 백 년에 한 번 탈피할 때 드물게 눈도 같이 떨어지는데 모란이 알기로는 아이낙스가 그것을 세 개 가지고 있다. 타마타모를 상대할 때는 모란도 제법 각오를 다져야 했으니 그 정도는 대가로 취해야 하지 않겠는가.

게다가 혼을 이어 붙인다고 완전히 끝나는 게 아닌 것을. 모란이 잠시 제 손에 무엇이라도 든 것처럼 바라보다가 이내 주먹을 쥐었다. 연이 실리낙스의 눈을 취하게 된다면 당장 씻은 듯 좋아질 수 있었다. 그가 말을 이었다.

거짓말은 또 거짓말을 낳는다.

"……빠르면, 완치까지 한 달 정도."

한 달……. 한 달이면 건강해질 수 있다는 말에 연은 가슴이 뛰었다. 건강한 몸이라니. 이제는 기억에도 남아 있지 않은 생경함이었다.

"모란 당신은 혼 좀 찢어진 일로 죽지는 않는다고 했지만, 난 어렸을 때부터 항상 시시각각 죽음이 가까워지고 있는…… 그런 느낌이었거든. 당신이 그렇게 말을 해 줘서 많이…… 안심이 되었지."

모란이 생각에서 빠져나와 바라보자 연이 진지한 얼굴로 덧붙였다.

"진심으로 고맙게 생각해."

믿지 않아도 상관없지만, 정말이야. 그렇게 말하고는 연이 웃는데 모란은 덥석 입을 맞추고 말았다. 혼이 찢긴 정도로 죽지 않는다는 건 거짓말이다. 혼이 아주 조금 찢어진 수준이라는 것 역시 거짓말이었다. 지금이라도 치료를 그만두면 연은 시간이 지날수록 다시 처음 만났던 그때처럼 돌아갈 터였다.

많이 이어 붙이긴 하였으나 여전히 본원지기가 새어 나가는 게 모란의 눈에는 보였다. 새어 나가는 이상으로 퍼 넣어 줘도 또 다음 날이면 빈다. 전에는 콸콸 쏟아지는 정도였다면 지금은 졸졸 흐르는 정도라는 게 다를 뿐.

그러나 모란은 연에게는 거짓말을 진실로 만들어 주기로 다짐하였다. 제 것을 도려내어 연의 것을 이어 붙이고 생기를 흘려 넣어 주고, 또 실리낙스의 눈을 구해 와 먹이자. 그리하면 거짓말이 아니라 진실이 될 것이다. 모란은 그리 여겼다. 그에게는 능히 그럴 만한 능력도 있었다.

'한데…….'

모란이 연을 바라보았다. 새벽이 지나 해가 뜨며, 연의 얼굴이 햇볕에 잠겨 들었다. 머리카락이며 눈썹이 연해지고 눈동자에는 연한 금색의 빛이 투명하게 고였다. 그 위로 얇은 눈꺼풀이 깜박이는 걸 보며 모란이 생각했다.

'평소와 달리 거짓말을 하자고 작정한 순간 이미 빠져들기 시작한 것이 아닌가.'

침상에서 일어나기 전 머리를 단정히 한 연이 의아한 얼굴로 모란을 바라보았다.

"모란?"

뒤늦은 깨달음을 곱씹어 보고 있던 모란은 아무렇지도 않은 얼굴로 응, 하고 대답했다. 그러면서 연을 뒤에서 끌어안고 지분거렸다. 연은 머뭇거리고 있다가 슬그머니 그 품에서 달아났다. 부끄러워하는 그 모습을 모란은 모른 척했다.

"형님 혼인 선물 사러 청진상회에 가려고. 같이 갈 거야?"

"그럴까."

둘은 가벼운 대화를 나누며 평소와 다름없이 아침 식사를 했다.

아침 식사를 다 하고 나자 앱솔이 슬금슬금 눈치를 보며 기어들어 왔다. 모란이 한 대 걷어차는 것으로 끝내고 말자 앱솔은 마음속 깊이 교훈을 새겼다. 쓸데없는 말은 하지 말자. 모란의 기분이 나쁘면 일단 남궁연을 가져다 바치자.

나갈 채비를 마친 둘은 청진상회로 향했다. 아무래도 이 근방에 서는 청진상회만큼의 고급 상품을 판매하는 곳이 드물었다. 청진 상회에서 연은 극진한 대접—아마 모란을 위한 게 틀림없는—을 받으며 혼인 선물을 골랐다. 한 쌍의 아름다운 새가 조각되어 있는 향로였다.

사실 거북이 암수 한 쌍을 살까 하였는데 거북이를 보는 앱솔의 얼굴이 워낙 찜찜해서 그만뒀다. 그는 마치 거북이가 금방이라도 저를 잡아먹기라도 할 것처럼 봤다.

정성스럽게 포장된 향로를 받아 들며 연이 저도 모르게 중얼거 렸다. 형의 혼인인데도 제 마음이 다 들떴다.

"혼인은 참 좋은 것 같아."

요즘 들어 영명이 두문불출하니 금려가 들어온 뒤에도 계속 그 대로만 지내 주었으면 하는 바람이 생겼다. 모란이 연의 혼잣말에 턱을 문지르며 고개를 끄덕거렸다.

"혼인이라, 좋은 것이긴 하지."

그러고는 이렇게 말하는 것이다.

"공식적으로 상대가 내 것이라 알리는 게 아니야?"

물…론…… 그런 효과도 있겠지만, 애초에 그런 목적으로 혼인 하는 것은 아니지 않나……. 게다가 그 말을 하면서 왜 저를 빤히 바라보는지 연은 알 수가 없었다.

'그러고 보니 모란과 내 관계는 이제 무엇이지?'

서로 좋아한다 말을 했으니 이제는 연인인 것일까? 연인이 라……. 평소와 다른 게 없으니 별거 아닌 듯한데, 별거 아니면 서도 또 별거인 것 같고. 싱숭생숭한 기분이 들었다. 하긴, 모란의 말마따나 상대가 자신의 것이라 주장할 수 있다는 건 퍽 좋은 일이긴 했다. 연이 저도 모르게 웃고는 얼른 헛기침을 했다.

밖에 나갔다 오니 세가는 혼인식 준비를 시작하고 있었다. 벌써부터 귀빈을 모신 마차가 세가 앞에 멈췄으며 사람들은 연신 문턱이 닳도록 드나들었다. 시비나 하인들은 붉은 천을 품에 끌어안고 종종걸음으로 여기저기 뛰어다녔다. 아무것도 안 하고 지켜볼 뿐인데도 연까지 다 정신이 없을 지경이었다.

붉은 조화와 천을 걸자 어느새 해가 졌고, 붉은 등을 걸자 달이 떴다. 시간은 빨리도 흘러 어느덧 연오와 금려가 혼인을 하는 날이 다가왔다. 큰 경사에 남궁세가는 온통 붉은빛으로 물들었다. 그 경사에 걸맞게 사방에 붉은 것들뿐이다. 모란과 함께 화정당을 나서자마자 여기저기서 떠들썩하게 웃고 떠드는 소리가 들렸다.

'……꼭 세가를 떠나지 않아도 되지 않을까?'

그렇게 싫기만 하던 세가가 붉은 천에 뒤덮인 걸 보니 여기도 괜찮을지도 모른단 생각이 들었다. 꾸며졌기 때문만은 아니었다. 다만 연오와 금려의 혼인으로 세가가 전보다는 나아질 것 같았고, 이제는 가족 중에 한위도 생겼으며 은록도 있었다. 무엇보다 전과 다른 건 모란이 있다는 점이다.

'혼인하여 자식을 낳아 가족을 꾸릴 수는 없어도…… 뭐, 괜찮겠지.'

이런저런 생각에 저도 모르게 바라보니 곁에서 걷고 있던 모란이 눈썹을 들어 올렸다.

"연아, 잠시만. 여기에……."

"응?"

하고 가만히 있으니 모란이 몸을 숙여 먼지를 떼어 내는 척 입술을 슥 핥고 지나갔다. 사람들 번잡하게 지나다니는 곳이 아니던가. 얼굴이 벌겋게 된 연이 퍽 걸어찼으나 모란은 히죽히죽 웃을 따름이었다. 정말 이래도 괜찮은 게 맞나 연이 미간을 찌푸렸다.

가는 길에 폐월당에 들르자 한위는 제대로 옷을 차려입은 채 주강과 함께 기다리고 있었다. 이제 주강은 화정당에는 거의 오지 않은 채 폐월당에만 자주 들렀다. 오늘도 마찬가지다. 마차 여행도 처음이었던 만큼, 혼인식도 처음인 한위는 잔뜩 들떠 있었다.

"이번에 연오 형님과 형수님에게 드리려고 직접 샀어요."

혼인식이 진행될 창일당에 도착하자 한위가 품 안에서 조심스럽게 옷에 달고 다니는 노리개 두 개를 꺼냈다. 연오와 금려를 위한 한 쌍의 옥 장신구였다. 꽤나 값이 나갈 것 같은 모양새에 연은 적잖이 놀랐다.

"무슨 돈으로?"

"소룡대회 때 받은 상금이요!"

연은 한위가 그때 받은 상금을 오롯이 자기 자신을 위해 썼으면 했으나, 생각해 보면 이 또한 한위를 위한 것이었다. 기쁜 마음으로 남에게 선물을 주는 일도 좋은 기억이 될 수 있었다. 연은 그저 잘했다며 한위를 다독여 주었다. 노리개를 다시 품에 넣은 한위가 주위를 두리번거렸다. 한참을 살펴보더니만 고개를 갸웃했다.

"그런데 가주님은, 오늘 안 나오시는 건가요?"

그랬으면 얼마나 좋겠냐마는 장남인 연오의 혼인식인데 영명이 나오지 않을 리가 없었다. 하지만 이상할 정도로 모습을 안 보이기는 하였다. 연은 천천히 주위를 살피다가 영명을 발견했다. 그는 당가의 사람들과 이야기를 나누고 있는 중이었다.

'당가? 저 가문이, 어쩐 일로…….'

연이 미간을 찌푸렸다. 그 제갈세가와의 혼인식이다 보니 중원에서 남궁세가와 좀 친분이 있다 하는 가문들은 죄다 오늘 혼인식에 왔다. 당가가 와서 이상할 것은 없다. 다만, 영명이 저리 길게 이야기를 나눌 정도로 당가와 친분이 있지는 않으니 다소 의아하기는 했다. 그러고 보면 전에 연오의 생일 연회 때에도 영명의 곁에 당가의 인물이 있었다. 잠시 후 연이 고개를 저으며 관심을 껐다. 이제 곧 혼인식이 시작될 것이다.

"흐음, 이게 혼인식이란 말이지."

차남의 주치의의 자격으로 참가할 수 있던 모란이 중얼거렸다. 그러고는 화려한 등과 붉은 천 장식들, 그리고 중원 각지에서 온 많은 하객들을 휘휘 둘러보았다.

"나라면 등을 좀 더 화려하고 큰 것을 달았을 텐데."

"뭐?"

"하객들은 지금보다 좀 더 많이. 저기에는 생화를 달면 괜찮겠군. 옷에는 붉은 보석을 달아야지. 그렇지?"

이게 무슨 소리인가 싶어서 연이 잠시간 모란을 바라보았다. 그런 화려한 혼인식은 황족이나 할 법한 수준이었다.

"이 정도만 해도 충분히 화려한 혼인식이야. 또 아무리 남궁세가라도 그런 혼인식은 못 올리지."

"남궁세가가 무슨 상관이야? 보석이며 생화며 죄다 내가 댈 것을."

"……지금 대체 누구의 혼인식을 말하는 거야?"

모란은 연을 보며 의미심장하게 씩 웃을 뿐 아무런 대답도 하지 않았다. 연은 좀 찜찜해지고 말았다. 설마 아니겠지. 뭔 혼인식을……? 완전히 말도 안 되는 일이었다. 하기 싫다는 것은 아니지만, 물론 하고 싶은 것도 아니지만!

'그러고 보면 백매화……와는 지금 애매하기는 해도 약혼 상태니까.'

백매화로라면 혼인을 올릴 수 있기는 하겠다. 그럼 모란이 또 여장을 하는 모습을 보게 되고 말겠지만……. 일단 혼인을 그리 올린 뒤, 자신은 안휘성 어디에서 모란과 같이 살면 되지 않을까? 이따금 세가에 들르면서…….

이런저런 생각을 하는 동안 요란한 소리와 함께 안휘성을 한 바퀴 돌고 온 사자탈이 세가에 들어왔다. 드디어 혼인식이 시작되려는 것이다.

혼주가 앉는 자리에는 영명과 황보세희가, 그리고 제갈세가의 가주 부부가 자리했다. 사자탈 공연에서 눈을 뗀 연이 혼주 자리를 바라보았다. 어쩐지 좀 꺼림칙한 느낌이 들었다. 기쁜 혼인식 날인데도 얼굴이 굳은 영명 때문일까?

왜일까 고개를 갸웃하면서도 연은 끝내 이유를 알아내지는 못했다. 굳이 이런 경사스러운 날까지 영명을 보며 기분을 망치고 싶지 않았기 때문에 연은 시선을 돌려 버리고 말았다.

그러느라 연은 모란이 영명을 뚫어져라 쳐다본다는 것은 알아차리지 못했다. 모란은 한참을 영명에게서 시선을 떼지 못했다. 영명과 연을 번갈아 바라보는 그의 얼굴이 미세하게 굳었다.

사자탈 공연이 끝나자 곧 신부가 도착했다. 얼굴을 모두 가리는 붉은 면사포를 쓴 제갈금려가 붉은 마차에서 내렸다. 사뿐사뿐 걸어오는 신부를 보는 연오의 얼굴이 다정했다. 정말로 잘 어울리는 한 쌍이었다. 둘이 각자의 부모에게 맞절을 올릴 때였다. 시큰둥하게 보던 모란이 어라, 하는 소리를 냈다.

"네 형수, 회임하였구나."

차를 마시던 연이 기침했다. 반사적으로 주위를 두리번거렸으나 다행히 그 말을 들은 건 연뿐이었다. 침착하게 흘린 찻물을 닦고 난 뒤 연이 물었다.

"진짜로?"

"음. 보통 한 사람 몸에 근원이 둘이나 있을 수는 없으니까?"

이제껏 형님이 혼인하시는구나, 막연히 그 정도만 생각했기에 연은 깜짝 놀랐다. 실은 당연하다면 당연한 일이었다. 혼인을 하면 자연스럽게 자식을 낳을 것이니. 그러면 연에게는 조카가 생기는 것인데……. 남궁세가의 분위기가 전보다 좋아지면 좋아졌지 나빠지진 않을 것이다. 무엇보다 연오는 영명과는 다른 사람이었다.

"전에는 치료 끝나면 세가를 떠나야지, 그 생각만 했는데……. 요즘에는 계속 여기서 지내도 괜찮을 거란 생각이 들어."

오로지 서로만을 바라보는 연오와 금려를 보며 연이 중얼거렸다. 모란의 몸에서 다시 남궁연의 몸으로 돌아왔을 때, 다시는 좋은 일 따위 생기지 않을 것 같았다. 그저 차갑고 냉하기만 한 인생을 짧게 살다 가겠지, 싶었는데. 전혀 좋아질 것 같지 않던 세가에도 좋은 구석이 생기고 전과는 달리 진심으로 대할 수 있는 사람들이 조금씩 늘어난다는 게…… 좋았다.

"세가에서 독립하지 않겠다고?"

돌연 모란이 몸까지 돌려 가며 연을 쳐다보았다. 연이 눈썹을 들어 올렸다.

"아니지. 세가에서 독립하는 것과, 어느 날 갑자기 말도 없이 사라져 버리는 것과는 다르잖아."

연은 원래 이전의 자신은 완전히 버릴 생각이었다. 이름이며 가족, 고향, 모조리 버려 버린 채 낯선 곳에서 새로운 사람으로 살 각오까지 하고 있었다. 한위나 모란이 아니었다면 지금쯤은 세가를 떠났을 터였다.

그리 말하는 연을 모란은 잠시간 뚫어져라 쳐다보았다.

"떠나서 무얼 하려 했는데?"

"음, 혼인을 하고 자식을 가져 가족을 꾸렸겠지. 의원 일도 하면서."

"그게 가장 하고 싶은 일이야?"

"그렇……지? 보통은 다들 그러고 싶어 하니까."

연이 눈을 굴려 아래로 향했다. 모란이 슬그머니 탁자 아래로 손을 잡아 온 탓이었다. 몸을 바짝 붙이면서 그가 입을 열었다. 무슨 말을 하려나 싶어서 연이 지레 긴장했다.

"나를 부인 대신 삼으면 되잖아. 자식도 만들어 줄 수 있거든……. 얼마나 원해? 둘? 셋?"

"무슨 헛소리야……."

모란을 부인으로 삼으라니 듣던 중 가장 해괴한 말이었다. 사람 많은 곳이니 혹시 몰라 손을 빼내려 했지만 악력이 얼마나 센지 모란은 꿈쩍도 하지 않았다. 결국 손을 빼는 건 포기하고 내버려 둔 채 고개를 돌렸다. 진심인데, 하고 모란이 중얼거리는 것 같았으나 무시했다.

그런데 부인으로 맞이하는 건 그렇다 쳐도 자식은 대체 어찌 만든단 말이야? 어쩐지 모란이라면 정말 남자 사이에서도 자식을 만드는 방법을 알고 있을 것 같긴 한데……. 연은 애써 농담이겠거니 여겼다.

"아무튼 무슨 일이 있어도 세가는 떠나면 안 돼."

그리 말하며 모란이 연의 손을 힘주어 쥐었다. 처음에는 그저 하는 말이겠거니 했지만 모란이 짓고 있는 표정이 시시껄렁한 이야기를 하는 건 아니었다.

"……왜?"

"세가 밖은 위험하니까? 밖에 나갈 때마다 일이 터지지 않아. 녹림 도적들에, 융중산 마차 사고에."

융중산 마차 사고는 원인이 분명 모란 때문이었던 것으로 기억하는데…….

"아무튼 나 없을 때 나가서는 안 돼."

모란의 말에 연이 깨달았다. 이전 세계에 다녀올 생각이구나. 하긴 앱솔을 바로 돌려보내지 않을 때부터 그런 기미가 느껴지기는 하였다. 영명이 자리에서 일어나 귀빈들에게 술을 돌리도록 명하는 소리가 들려왔다. 머뭇거리다가 연이 물었다.

"그…곳에…… 언제 가는데? 혼인식이 끝난 후에?"

잠시간 말이 없다가 연오와 금려가 다정하게 화월당으로 향하는 모습까지 본 뒤 모란이 자리에서 일어났다.

"이제는 조용한 곳으로 좀 갈까."

혼인도 끝나고 이제 연회만 남았으니, 더는 남아 있을 필요가 없었다. 한위도 예전과는 달리 남궁세가의 장로들과 곧잘 말을 나누고 있었다. 굳이 곁에 없어도 될 듯하여 연이 모란을 따라 걸었다.

그들은 화정당으로 향했다. 오늘을 위해 열심히 일한 세가의 모든 사람들이 먹고 떠들고 놀고 쉬는 중이라 화정당은 한산했다.

앱솔은 화정당 안에서 얌전히 앉아 차를 마시고 있는 중이었다. 모란과 연이면 모를까 신원이 불분명한 앱솔은 연회에 참여할 수 없었기 때문이다. 그는 모란과 연이 도착하자마자 벌떡 일어나 따끈하게 우린 차를 내왔다. 모란이 앉으며 입을 열었다.

"안제테다에는 두 달 뒤에 갈 거야."

"모란 님!"

앱솔이 감격한 얼굴로 자리에서 벌떡 일어났다. 그가 크게 절하였으나 모란은 시큰둥했고 연은 딱히 기분이 좋지 않았다.

"단, 조건이 있어. 아이낙스의 계약서는 가지고 왔겠지?"

"물론입니다. 얼마든지 말씀하십시오."

바로 앱솔이 품에서 무언가를 꺼냈다. 검은빛으로 반들거리는 작은 구슬이었다. 그가 구슬 위에 훅 입김을 불고 무언가 중얼거렸다. 잠시 후 반짝거리기 시작한 구슬을 그가 정중히 탁자 위에 올려 두었다. 모란은 연을 바라보고는 입을 열었다.

"나는 타마타모를 다시 봉인한 뒤 하루 안에 바로 실리낙스의 눈을 대가로 받을 것을 요구한다."

앱솔은 놀란 눈이 되었다. 그는 오기 전 아이낙스에게서 모란이 실리낙스의 눈을 요구할 경우 들어주라는 말을 들었다. 그러마 하면서도 이해할 수가 없었다. 모란이 실리낙스의 눈을 원할 만한 이유가 없었다. 보통 사람이라면 모를까 모란 같은 존재에게 실리낙스의 눈은 그저 좋은 강장제에 불과했다. 정말로 실리낙스의 눈을 요구할 줄은 몰랐기에 앱솔은 자신의 우둔함과 대조되는 주인의 지혜에 탄복하여 엎드렸다.

"이 앱솔, 아이낙스 님의 대리인으로서 그 조건을 받아들이도록 하겠습니다."

연은 복잡한 기분으로 앱솔이 이제는 붉은빛이 된 구슬을 소중히 품에 넣는 걸 지켜보았다. 모란이 다시 예전에 살던 곳으로 간다. 연으로서는 상상도 가지 않고 그저 막연히 짐작만 가는 세계라니. 꼭 가야 하냐는 말이 목구멍까지 나왔으나 삼켰다. 연은 누군가에게 무엇을 조르거나 요구하는 것에 익숙하지 않았다. 대신 그는 물었다.

"가면 언제 다시 돌아오는데?"

"타마타모는 잡기 위해 시간이 꽤 필요해. 준비 기간에만 일 년에 가까운 시간이 걸리지."

일 년이라는 말에 연의 가슴은 덜컥 내려앉았다. 일 년은 짧다고도 할 수 있는 시간일 것이나, 지금은 결코 짧게 느껴지지 않았다. 그래도 그렇구나, 대답할 수밖에 없었다. 그런데 모란이 연의 마음을 읽고 있는 얼굴로 바라보았다.

"하지만 그곳의 시간은 이곳보다 스물다섯 배나 빨리 흘러. 알고 있지? 여기서 십 년이 흐르는 동안 난 이백오십 년을 살다 온 것을. 일을 마치고 돌아오면 아무리 길어도 이십 일 정도밖에 안 걸릴 거야."

"아…… 그렇지. 맞아."

확실히 모란이 그쪽에서 이백오십 년을 사는 동안 여기서는 십 년밖에 흐르지 않았다. 그럼에도 연은 어쩐지 불안한 기분이 들었다. 모란은 말이 없는 연을 끌어다가 다정하게 품에 안았다. 앱솔이 있는 자리라 연이 저도 모르게 움찔했다.

"이십 일 내로 꼭 다녀오도록 할게. 좋은 걸 가져올 테니, 응? 그 뒤로 몸이 모두 낫게 되면 하고 싶은 건 다 해 보는 거야. 봄에 꽃이 피면 여행을 가는 것이 어떠냐. 다시금 네 사부의 제자로 들어가고자 하면 안휘성에서도 의원을 열 수 있지."

연이 입을 열었다가 닫았다. 모란이 말하는 걸 듣기만 해도 가슴이 이상하고 찌릿하게 울렸다.

앱솔은 믿기지가 않아 멍하니 그런 모란을 바라보았다가, 차가운 시선과 마주하자 얼른 고개를 숙였다. 거래를 하기는 하였으나 모란은 기본적으로 앱솔을 싫어하니 거슬러서 좋을 것은 없었다. 그럼에도 모란이 연을 대하는 태도를 보자 앱솔은 이제야 알 것 같았다. 모란이 실리낙스의 눈을 필요로 하는 까닭을.

'아이낙스 님께서 그분의 비에게 실리낙스의 눈을 먹인 것과 같은 이유구나.'

한데 어째서 두 달 뒤에 떠나는 것일까? 일찍 떠날수록 모란에게도 앱솔에게도 좋은 일이었다. 타마타모가 잠에서 깨어나면 깨어날수록 상대하기 까다로워지기 때문이었다. 그러나 그가 어찌 아이낙스나 모란과 같은 자의 심경을 헤아릴까. 앱솔은 그저 알겠다 대답하는 것밖에는 하지 못했다.

'왜 두 달 뒤에 떠나지?'

앱솔과 비슷한 의문을 가진 건 연도 마찬가지였다. 다만 앱솔과 다른 건, 그는 모란에게 얼마든지 물어보고 대답을 얻을 수 있다는 점이었다.

"그런데 왜 지금 떠나지 않고 두 달 뒤에?"

"그건……."

드물게도 모란이 대답하지 않고 말꼬리를 흐렸다. 대답하기 난감한 일이라고 생각한 연은 고개를 저었다. 모란이 대답하기 난감한 일이면 굳이 대답을 듣지 않아도 된다고 생각했다. 어차피 두 달 뒤면 이유를 알 수 있으리라.

그날부터 모란은 연에게서 떨어지는 일 없이 붙어 지냈다. 일어날 때도 함께였고 잠을 잘 때도, 한위에게 찾아가 이야기를 나누거나 세가 밖을 나갈 때도 마찬가지였다. 이따금 연을 두고 화정당 뜰을 거닐곤 하였는데 무엇을 하느냐고 물으면 마법진에 이상이 없나 확인하고 있다는 대답이 돌아왔다. 떠나기 전의 채비인 모양이었다.

나뭇가지에 꽃망울이 맺히기 시작할 때쯤, 모란이 두 달 뒤에 떠난다 한 이유가 밝혀졌다. 연의 예상과는 달리 일찍 밝혀진 셈이었다.

　"도련님, 도련님."

　이른 아침이었다. 밖에서 급히 부르는 소리에 연이 잠에서 깨어났다. 밖에서 또다시 시비가 도련님, 하고 불렀다. 아직 해도 뜨기 전의 새벽이라 방 안이 어둑어둑했다. 모란은 자리에 없었다. 연은 호롱불을 켜며 자리에서 일어났다. 새벽부터 시비가 왜 그를 이리 부르는지 알 수가 없었다.

　겉옷을 걸치고 밖으로 나가니 시비가 연을 보자마자 자리에 납작 엎드렸다.

　"연 도련님……."

　"무슨 일이기에 이 새벽부터 소란이냐?"

　"그것이, 오늘 새벽, 새벽에……."

　시비는 쉬이 말을 잇지 못했다. 연이 눈살을 찌푸렸다. 이른 새벽부터 사람들이 소란스럽게 움직이고 있었다. 소가주의 혼인식을 맞이하여 붉은 등이 걸렸었던 자리에 흰 천과 검은 등이 내걸리는 것이 보였다. 갑자기 누군가 뒷목에 찬물을 끼얹은 느낌이 들었다. 연이 얼어붙어 서 있는 가운데 시비가 마침내 말을 끝마쳤다.

　"오늘 새벽 축시[4], 가주님께서 타계하셨습니다."

　……영명이 죽었다는 말인가? 연이 믿기지가 않아 우두커니 서서 시비를 바라보았다. 시비는 감히 고개를 들지도 못하고 조심스럽게 물러났다. 문이 조용히 닫혔다.

　영명이 죽었다.

　그의 아버지란 자가 죽었다.

　그토록 혐오스럽고 싫었던 자가. 얼마 전까지만 해도 멀쩡히 연

---

4) 새벽 한 시부터 세 시

오의 혼인식에 참여하던 사람이 아니던가?

연은 자리에서 일어났다. 항상 곁에 있던 모란은 오늘따라 화정당을 비웠다. 장례식 준비를 위해 시비가 다시 그를 부를 때까지, 연은 한참을 모란의 빈자리를 바라보며 굳이 두 달이 지난 뒤에 떠난다 했던 말을 떠올렸다……

그는 이제 그 이유를 알 수 있었다. 두 달 안에 영명이 죽을 거란 걸 모란은 알고 있었던 것이다.

영명이 죽기 두 시간 전, 자시(子時)[5].

흰 종이에 쌓여 있는 붉은 환을 손안에서 굴리며 영명이 눈을 가늘게 떴다. 이 환이 앞으로 그의 몸을 살려 줄 아주 중요한 약이었다. 복용한 뒤 무방비 상태로 빠질 몸을 위해 영명은 창일당에 있는 모든 사람을 내보내고 암뢰대로 하여금 호위를 서게 했다. 조금도 방해를 받을 수는 없었다. 이 약을 얻기 위해 당가에 내준 대가가 컸다. 정좌하여 앉으면서 영명이 이를 빠득 갈았다.

'그 빌어먹을 도적 놈.'

녹림십오채는 항상 남궁세가에 있어 큰 골칫거리였다. 아무리 토벌하고 또 박멸해도 버러지처럼 다시 둥지를 틀고 자라나는 지겨운 놈들. 특히나 녹림십오채의 두목 왕장호는 죽어 마땅할 마교 출신이었다. 마교에 개인적으로 원한이 있던 영명은 녹림십오채 토벌전 전에 당가에 의뢰를 넣었다.

그 무엇으로도 해독할 수 없는, 세상에서 가장 고통스럽게 죽음에 이르는 독을 만들어 줄 것.

그는 결코 녹림십오채를 자비롭게 단칼에 죽일 생각이 없었다. 독

---

5) 밤 열한 시부터 새벽 한 시

에 중독시킨 뒤에 토벌전에서 고의로 살려 보낼 계획이었다. 끔찍한 고통 속에 몸부림치며 죽을 것이며, 살아남은 소수의 놈들도 그 모습을 보고는 감히 다시는 남궁세가에 덤빌 생각을 하지 못하리라.

물론 독을 사용한다는 것은 무인으로서 정당한 방식은 아니었다. 그렇기에 다들 당가를 꺼림칙하게 보지 않는가. 그러나 남궁영명은 코웃음을 치며 무시했다. 어디 도적 떼거리를 상대로 정당한 방식 따위를 논하랴.

토벌전에 앞서 그는 세가에서 입이 무거우며 충성심이 강하다고 평이 자자한 자들을 골랐다. 비록 독을 쓸지라도 세간에는 어디까지나 평범한 토벌전이라고 알려지는 것이 바람직했다. 계획 또한 완벽했다. 그는 토벌전에 대한 일이 세가 밖으로 나가지 않도록 철저하게 비밀에 부쳤다.

사전에 녹림십오채 본거지에 대한 정보를 입수한 그는 충실한 무사들을 이끌고 기습을 할 예정이었다. 그 도적놈들이 방심하여 잠든 새벽, 독무를 던지고 사라지기만 하면 되었다.

모든 것이 완벽한 것 같았다. 독무를 사용하기 직전 매복하고 있던 녹림십오채의 역기습만 아니었더라면. 갑자기 나타난 도적들의 공격은 비열하고 더러운 것이었다. 숲속인데도 불구하고 화공을 사용하는 미친 짓에, 충실한 남궁세가의 무사들이 죽어 나갔다. 이러다가는 기습은커녕 도적의 손에 의해 멱이 따일 위기였다. 어쩔 수 없었다. 남궁영명에게 남은 선택지는 독무를 사용하는 것뿐이었다.

곧 녹림십오채가 있는 계곡은 중독된 자들의 고통스러운 비명 소리로 가득 찼다. 그 악바리 같은 왕장호는 가장 크게 중독되었으면서도 도끼를 쥔 손을 놓지 않았다. 왕장호의 도끼를 피해, 남궁영명은 살아남은 무사들을 이끌고 세가에 돌아왔다. 마치 패잔병 같은 몰골이었다.

그는 자신이 독무에 중독되지 않았다 여겼다. 하나 세가로 돌아와서 살펴본 바, 그는 이미 중독된 상태였다. 호흡은 참았으나 피부로 독이 스며들었던 탓이다.

소량이라도 치명적인 독이었다. 혹시나 싶어 사전에 당가에서 준 약을 복용하지 않았다면 왕장호처럼 고통스럽게 바닥을 나뒹굴고 있었으리라. 심지어 약을 복용한 후에도 고통은 이기기 힘들었다.

중독된 세가의 무사들은 암뢰대에게 처리하도록 명한 영명은, 당장 당가에 급보를 보내 해독제를 내놓을 것을 요구했다. 그러나 돌아온 답은 부정적이었다. 처음부터 남궁영명이 요구한 것은 '해독할 수 없는, 세상에서 가장 고통스러운 독'이었으니까.

당가에서는 당장 사람을 보내왔다. 아주 해독제가 없지는 않았다. 다만 마비약에 조금 더 가까웠다. 영명은 고통을 느끼지 않기 위해서 이 반쪽짜리 해독제를 차처럼 우려 마셔야만 했다. 그럼에도 시시때때로 중독 효과로 난폭해지는 성질을 어찌할 수가 없었다. 암뢰대는 일주일에 한 번 정도 애꿎은 시비가 영명의 손에 죽어 나가는 걸 몰래 처리해야만 했다.

녹림십오채가 이 기습 토벌전을 알고 있었다는 건, 세가 내에 간자가 있었다는 말과 동일했다. 간자로 의심되는 여러 무고한 사람이 은밀하게 죽어 나갔다. 화풀이나 다름없었다.

그럼에도 영명의 화는 풀리지가 않고 날이 갈수록 포악해져만 갔다. 사람을 죽이고 난 뒤면 영명은 이를 갈았다. 이대로라면 자신의 손에 의해 세가가 무너질 판이었다. 아니, 정확히는 세가가 문제가 아니다. 제 위명이 바닥으로 떨어질 수도 있는 일이었다. 그는 스스로 알고 있었다. 얼핏 그의 무공은 나날이 고강해지는 것만 같으나 실제로는 수명을 태워 나온 고강함이었다.

결국 영명은 판단을 내릴 수밖에 없었다. 연오에게 세가를 잠시 맡긴 뒤 당가로 가 본격적인 치료를 받기로 한 것이다. 하지만 이 역시 효험이 없었다.

연오의 혼인식이 가까워질수록 당가에서 준 마비약을 복용하는 횟수도 기하급수적으로 늘어났다. 이제 마비약도 더는 듣지 않았다. 당가는 다시 큰 재물을 대가로 또 다른 약을 보내 왔다.

영명은 당가에서 준 이 약을 먹고 난 뒤 가사 상태에 빠질 계획이었다. 가사 상태에서는 중독 증상도 멈춘다. 폐관 수련을 빙자하여 당가에서 제대로 된 해독제를 개발하기까지 시간을 벌어 둘 작정이었다. 고통에 다시 떨려 오는 손으로 겨우 종이를 벗겨 낼 때였다.

손가락 사이로 붉은 환이 도르륵 굴러 떨어졌다.

"……."

영명이 잠시 말없이 붉은 환을 노려보았다. 점차 고통이 심해지고 있었다. 약을 먹어도 약효가 유지되는 시간이 짧아져만 간다. 급격히 쇠약해지는 육체 또한 느낄 수 있었다. 무공을 사용할 때에는 고통도 사라지고 더욱 강해진 느낌이 들지만, 무공을 사용하지 않을 때에는 끔찍한 기분이 들었다.

그는 서둘러 손을 뻗었다. 저 약을 삼켜야 고통을 완전히 멈출 수 있다. 그러나 주워 드는 찰나 또다시 손가락 사이로 붉은 알이 미끄러졌다. 점차 영명의 손길이 다급해졌다. 부들부들 떨리는 손가락은 결코 약을 집어 들 수가 없었다. 영명의 얼굴이 붉어졌다. 그의 눈앞에서 붉은 약이 보란 듯이 빙그르르 한 바퀴 크게 돌자 영명이 자리에서 벌떡 일어났다.

"누구냐! 어떤 놈이야!"

소리를 크게 지른 건 분노 때문만이 아니었다. 암뢰대를 부르기 위해서이기도 했다. 그러나 그의 분노 어린 목소리에 반응하는 사람은 아무도 없었다. 무거운 침묵만이 깔릴 뿐.

영명은 이를 악물고 다시 자리에 앉았다. 바닥에 떨어진 약을 줍기 위해서였다. 그저 제 손이 떨렸을 뿐이리라, 그리 생각하고 겨우 약을 주워 들었다.

하지만 약은 또다시 바닥으로 툭 떨어졌다.

"크윽……."

이마에서 식은땀이 뚝 떨어졌다. 아무리 약을 주워 들어도, 곧장 손이 마비라도 된 것처럼 손가락이 굳어 버리고, 약은 그 사이로 빠져나가고 만다. 누구의 장난질인가. 아니면 자신이 지금 환각이라도 겪고 있는 것인가?

영명은 치밀어 오르는 분노에 주먹으로 바닥을 내리친 뒤 일단은 마비약이라도 먹자 싶어 떨리는 몸으로 품을 뒤져 간신히 꺼냈다. 하지만 그는 다시 비명을 질렀다. 마비약이 죄다 손가락 사이로 빠져나가 버렸던 것이다.

이해할 수 없는 현상에 결국 영명은 반은 두려움에, 반은 노여움에 검을 뽑아 들고 말았다.

"나와라! 감히 어디서 장난질이냐!"

그러나 미친 사람처럼 검을 휘둘러도, 소리를 질러도 창일당은 오로지 고요할 뿐이었다. 문득 영명은 이 고요함이 이상하게 여겨졌다. 새소리나 바람 소리 따위도 들리지 않는다. 마치 세상에 그 혼자만이 남은 듯한 고요함이다. 어찌 이럴 수가 있나? 몸을 떨다가 그는 이내 폐부를 찌르는 고통에 무너졌다.

아무런 약도 먹지 못하자 서서히 독이 발작하기 시작했다. 그의 목숨이 시시각각 줄어들고 있었다. 그의 혈관 속에서 용암처럼 타들어 가며 흔적을 남겼다. 영명은 다시 더듬거리며 약을 주웠다. 떨어트리고는, 또 주워 들고 또 떨어트린다. 분과 고통에 못 이겨 그가 바닥에 머리를 찧고 주먹을 내리쳤다.

시간이 지나자 이제는 고통이 견딜 수 없는 수준까지 이르렀다. 영명은 비명을 지르면서 바닥을 뒹굴었다. 차라리 죽여 줬으면 하는 끔찍한 고통이었다. 그는 과거에 이런 고통스러운 독을 의뢰한 자신을 증오했다. 바닥을 뒹굴다가 그는 손으로 주울 수 없다면 입으로라도 주워 먹으리라 생각했다. 이 끔찍한 고통 앞에서는 족히 그럴 수 있었다.

그가 개처럼 엎드렸다. 허겁지겁 약을 입으로 주워 먹으려던 찰나, 코앞에서 붉은 약이 또르르 굴러갔다. 그러고는 누군가의 신발 앞에서 멈췄다. 영명이 눈을 부릅뜨며 자리에서 벌떡 일어났다.

"너, 너는……!"

"어디 다시 한번 개같이 기어 봐."

주강이 고요하게 말했다. 그 고요함 속에 영명을 향한 증오와 살기가 절절하게 녹아 있었다. 영명은 반사적으로 검을 빼어 들며 상대를 베려고 했으나 소용없이 곧장 피를 토하며 앞으로 쓰러지고 말았다. 고통이 극심하여 말조차 제대로 나오지 않을 지경이었다.

주강은 모욕적으로 영명의 턱을 걷어찼다. 영명은 검을 손에서 놓치며 바닥에 나뒹굴었다. 신음하며 바닥을 기는 그의 코앞으로 붉은 약이 굴러왔다.

"그때 장강에서 멍청한 도적들이 차려 준 밥상 하나 제대로 못 해 먹는다고 생각했지. 하지만 아니었군. 훌륭하게 일 처리를 해 줬어."

주강의 말에 영명이 고개를 쳐들었다. 간자! 녹림십오채가 감히 그들을 역기습 할 수 있도록 정보를 흘린 간자가 바로 저놈이었다. 저놈 때문에 자신이 독무에 당한 것이다. 오랫동안 세가에 머무르며 자신을 죽이고자 숨죽이고 있던 놈이 바로…….

"네, 네놈이……. 네놈이, 커헉, 감히!"

영명은 분노를 토해 내듯 피를 토했다. 그의 시선이 바닥에 떨어진 검과 붉은 약 사이를 오갔다. 선택권은 없었다. 온몸을 태우는 듯한 고통 앞에 구원이 너무나도 절실했다. 잠시 후 영명은 약을 향해 기기 시작했다.

좀 더 시간이 지났을 때 그는 제발 자신에게 약을 달라고 주강 앞에 엎드려 빌었다. 그리고 다시 또 개처럼 바닥을 기기 시작했다. 바닥에는 그가 기침하며 토한 붉은 피가 흩뿌려졌다. 영명은 도중에 피거품을 물었다. 그러나 기절할 수 있는 자비조차 그에게는 내려지지 않았다. 주강은 눈 하나 깜박하지 않고 고통 속에 영명이 울부짖으며 바닥을 기어 다니는 것을 지켜보았다. 그리고 물었다.

"진비령을 기억하나?"

비명을 지르며 제발 죽여 달라고 빌고 있던 영명이 고개를 들었다. 그러고는 믿을 수 없다는 듯 고개를 가로저었다. 그는 곧 주강의 눈에 한때 자신이 사랑하던 여인의 눈이 있음을 깨달았다. 안 그래도 희게 질린 그의 얼굴에서 완전히 핏기가 가셨다. 그가 다시 비명을 질렀다.

주강은 영명이 고통스럽게 숨을 거두는 그 순간까지 곁에 앉아 눈도 깜박이지 않고 지켜보았다. 마지막의 마지막까지, 지켜보며, 친히 알려 주었다. 그토록 증오하고 싫어하는 마교인을 당신 손으로 남궁세가에 들여놓았으며, 그는 이제 한위의 곁에 머무를 것이라는 사실을. 영명은 치욕과 절망 속에 짐승처럼 바닥을 기며 인간의 존엄성을 버렸다.

축시(丑時).

한 시진이 넘는 긴 시간 끝에 영명은 끔찍한 고통에 몸부림치다 죽었다. 숨이 완전히 끊어진 것을 확인한 주강은 영명이 그토록 먹고 싶어 하던 약을 집어 올렸다. 그리고 혀를 빼물고 죽은 그의 입에 쑤셔 박았다. 발로 턱을 밀어 멍청하게 벌어진 입을 다물게 한 뒤, 주강은 마침내 누이에 대한 복수를 끝마쳤다.

모란은 어둠 속에서 그 모습을 지켜보았다. 두 달 동안 그가 안제테다로 떠나지 않은 이유가 방금 막 마무리되었다. 영명은 죽음조차 오롯이 그를 위한 게 아닐 것이리라. 이 모든 것은 연을 위해서였다. 연아, 하고 모란은 조용히 입 안으로 이름을 불렀다. 모란에게 있어 영명의 죽음은 주강의 약속을 지키기 위해서가 아니다.

이제, 연을 위한 영명의 장례식을 치를 때였다.

장례는 조용하고 숙연한 분위기 중에 치러졌다. 그 남궁세가의 가주이니만큼 각지에서 조문객이 찾아왔다. 연과 한위는 상주인 연오의 곁에서 조문객을 맞이했다. 한위는 이따금 울먹거렸으나 연은 별 느낌을 받지 못했다. 그저 약간 멍하기만 했다. 별로 실감이 나지 않았다는 게 정확했다.

장례식은 참석한 사람은 많았으나 진심으로 애통해하는 사람은 보기 힘들었다. 갑자기 사망한 일에 대해 다들 놀라워는 했다. 그러나 그뿐이었다. 심지어, 남궁영명과 꽤나 친하게 지냈다 싶은 남궁사영에게서도 슬퍼하는 기색은 찾아보기 힘들었다. 영명의 평소 행실이 어떠하였는가를 잘 보여 주는 모습이었다.

길게만 느껴지는 장례식, 마침내 상여까지 보내고 나서 연은 화정당으로 돌아왔다. 오랫동안 서 있어서 다리며 온몸이 뻐근하고 피곤했다. 화정당에 들어서다가 연이 멈칫했다. 모란이 그를 기다리고 있었다. 머리에 쓴 굴건을 벗으며 연이 한숨을 쉬었다. 그는 안에 들어가는 대신 화정당 뒤뜰의 정원으로 향했다. 모란은 조용히 연의 뒤를 쫓았다.

이제는 봄이 오는 시기라 여기저기 나뭇가지에 새순이 움트는 것이 보였다. 가만히 보고 있자 그 나뭇가지 위로 톡 꽃망울이 맺히더니 활짝 폈다. 모란이 한 일이었다.

남궁영명이 죽었다. 종종 죽이고 싶을 정도로 증오스러운 자였는데 막상 이렇게 정말 죽어 버리자 기분이 착잡하였다. 기쁘다고는 못 하겠다. 한 번도 연에게 제대로 아버지 노릇을 한 적이 없는 자였다. 도리어 어머니를 죽음으로 몰고 가기까지 하였다……. 그럼에도 아버지는 아버지란 말인가. 슬프지는 않았으나 기뻐할 수는 없다.

나뭇가지에 점차 꽃이 만발해 가는 걸 지켜보다가 연이 입을 열었다.

"왜 두 달 뒤에 떠난다고 했는지 알겠어. 모란 당신은 알고 있었던 거지?"

"알고 있었지."

연이 말끄러미 연못 안에서 헤엄치는 작은 잉어를 바라보았다. 가까이 가자 먹이를 주는 것으로 착각하고는 몰려들었다가 다시 흩어졌다.

"주강과의 약속도 지켰고?"

"그래. 영명이 죽은 그날 밤, 주강을 데려갔어. 약속은 약속이니까."

모란은 영명이 죽던 날을 떠올렸다. 어떻게든 죽음을 멈추고자 비참하게 노력하던 모습이었지. 그는 연에게 영명이 죽은 과정을 말해 주어야 하나 잠시 고민했다. 그러나 연은 주강이 영명에게 어찌하였는지는 궁금해하지 않는 얼굴이었다. 조금 멍한 얼굴로 꽃이 피는 나무를 바라볼 뿐이었다.

연은 간들간들 무언가가 생각이 날 듯 말 듯했다. 어딘가에 홀린 듯한 연의 모습을 보는 모란의 눈에 금빛 이채가 감돌았다. 예전에 이런 때가 과거에 있었는데, 생각하던 연이 입을 열어 물었다.

"왜 내게는 알려 주지 않았어?"

"올바르지 않기 때문이야."

올바르지 않다. 연은 그 말의 의미를 이해했다. 모란의 눈에는 사람의 수명이 보인다. 그는 누가 언제까지 살 수 있는지 알 수 있었다. 하나 알 수 있다 하여 알려 줄 수는 없는 노릇이다. 모란은 저나, 은록이나 혹은 연오가…… 한위가 언제까지 살 수 있는지 알고 있을 터였다. 그 사실을 알려 주기를 바라지는 않았다. 그러나 영명의 문제는 좀 달랐다.

"그의 남은 수명을 알려 주는 일이? 정말 그게 올바르지 않기 때문이야? 그래서 내게 알려 주지 않은 거였어?"

모란이 잠시 침묵하다가 솔직하게 대답했다.

"아니."

"……."

"연아, 너는 의원이지. 난 네가 어차피 죽을 수밖에 없는 인간 때문에 조금이라도 괴로워하지 않기를 바랐어."

모란의 설명은 이해가 갔지만 연은 어쩐지 가슴이 답답했다. 그래, 모란의 말대로 그가 영명이 언제 죽을지 알았다면 편히 있을 수는 없었겠지. 영명은 가족이라기엔 남이나 마찬가지였고 동시에 부친이었으며 증오하는 사람이었다. 그리고 연은 의원이다. 하지만 모란은 지나치게…… 지나치게.

연이 문득 꽃이 만개한 나무와 제 뒤에 선 모란을 번갈아 보았다. 눈을 깜박이며 그러고 있다가 물었다.

"그자는 왜 죽은 건데?"

분명 얼마 전까지만 해도 영명은 연오의 혼인식에 참석할 수 있을 정도였다. 그는 그제야 경사스러운 날에도 굳은 얼굴이었던 영명을 이해했다. 그때에 이미 죽음이 코앞까지 온 걸 스스로도 알고 있었구나. 연은 그렇게 여겼다.

"왕장호가 죽은 것과 같은 이유지."

모란의 답에 연은 찬 얼음을 깨어 먹은 듯 가슴이 서늘해졌다. 왕장호를 고통스럽게 죽였던 그 산공독. 그는 돌연 왕장호가 죽기 전에 했던 말이 떠올랐다.

─그러나 굳이 내가 아니더라도 영명 그자는 파멸을 맞이할 테지. 다른 동지가 그에게 복수하려 하고 있다는 걸 안다. 나보다도 오래되고 질긴 원한을 가진 자이니, 결코 포기하지 않고 영명 그자를 죽여 버릴 터.

왕장호에게 산공독을 사용한 사람은 바로 남궁영명이었다. 그는 녹림십오채를 소탕하기 위해 산허리에 지독한 산공독을 뿌렸었다. 그때 영명도 독에 당한 것이리라. 연은 불현듯 연오의 혼인식 날 왔던 당가 사람들이 떠올랐다. 친분도 그다지 없는 자들이 왜 영명과 대화를 나누고 있나 했다. 연이 희미하게 중얼거렸다.

"혼인식 날 당가 사람들…….."

"그 산공독은 당가에서 만든 것이었으니까."

연은 그제야 그간 어딘가 이상하게 느껴졌던 것들이 이해가 갔다. 영명이 전에는 보지 못한 낯선 사람을 데리고 다닌 것, 연오의 생일 연회 때 한위를 무자비하게 대하고 최근 들어 신경이 유독 날카롭고 좋지 않던 것, 포악해지다 못해 사냥대회에서 습격자들을 무자비하게 베어 넘겼던 것, 점점 기력이 쇠약해지고 유달리 붉은 차를 달여 먹었던 것……. 모두가 죽어 가고 있었기에 그랬던 것이다. 그래서 연도 서둘러 혼인을 시키려 하고 연오에게는 온갖 권한을 넘겨준 채 두문불출했을 테지.

연은 무거운 한숨을 쉬고 말았다. 그 얼마나 독하디독한 인간인가? 그는 왕장호를 보아 산공독이 얼마나 끔찍한지 잘 알고 있었다. 그러나 그 약하고 비참한 꼴을 남에게, 심지어 연오에게까지 알리고 싶지 않아 그토록 비밀스럽게 숨긴 것이다. 혼인식 날마저도.

영명에게는 언제나 남궁세가가 최우선이었다. 장자이자 후계자인 연오가 혼인을 올리고 나니 더는 버틸 여력이 없었을 것이다. 모든 것을 다 이루었다고 생각했겠지.

죽기 전 주강이 눈앞에 나타나지만 않았다면, 어쩌면 그자는 나름대로 만족스러운 삶을 살았다 여기며 숨을 거두었을지도 모르겠다. 주강은 나름대로 성공적인 복수를 한 것이다. 이제는 사냥대회 때 모란이 주강에게 한 말이 이해가 되었다. 영명에게 죽음이 오히려 편안한 안식이 될 거라 했던 그 말.

모란은 언제부터 알고 있었을까? 사냥대회 전부터, 혹은 혼인식을 올리기 전? 그도 아니면 처음 영명을 본 순간부터? 거슬러 올라가니 연은 그제야 알 수 있었다. 모란은 언제나 모든 것을 숨겨 둔다. 연에게 안 좋은 영향을 미칠 만한 것들은 미리 파악해 두고, 알리지 않고 숨겨 두었다가 마지막 순간이 되어서야 알렸다.

"그럴 필요 없어."

"무엇을?"

"난 당신 생각처럼 훅 불면 날아가 버리는 솜털 같은 것이 아냐. 그리 숨기지 않아도 된단 말이야. 난⋯⋯."

"그래서 숨겼던 건 아니야."

"그러면?"

문득 연은 사방에 꽃이 가득 피었다는 걸 깨달았다. 그것도 평소와 달리 반짝거리며 빛나는 아름답고 어여쁜 꽃송이들이다. 아까부터 왜 이렇게 멍하지, 연이 속으로 중얼거리며 고개를 저었다. 그러나 또다시 멍해지고 만다. 꽃향기가 지독할 정도로 진했다.

"나는⋯⋯."

기시감이 들어 그가 미간을 찌푸렸다. 예전에도 이런 적이 있지 않았나? 예전, 아주 예전에. 예전에도 이렇게, 흰 상복을 입고 연 못 앞에 서 있던 적이 있었다. 정원에 꽃나무가 한가득 흐드러지게 피어 있었다. 왜 흰 상복을 입었을까? 연은 기억을 더듬었다. 모용 단리가 죽은 날이었다.

지치고 지쳐서, 슬픔도 지나쳐 눈물조차 나오지 않았을 때. 그 때도 연은 이렇게 서 있었다. 그리고 ⋯⋯도, 이렇게 서 있었다. 그의 뒤에서. 연이 고개를 돌렸다. 모란이 그의 바로 뒤에 서 있었다. 금빛 고리가 영근 눈에 연이 주춤 뒤로 물러났다. 목소리가 떨려 나왔다.

"뭘, 하려는 거야?"

연은 모란이 이때를 위해, 영명이 죽은 날을 기다려 왔다는 희미한 확신이 들었다. 영명의 남은 수명을 알리는 게 옳지 않아서가 아니다. 연을 과보호하기 위해서만도 아니었다.

모란은 영명의 죽음을 어떤 기회로 삼고자 숨기고 있었다.

"마지막 시도를 하려는 것이지. 하지만 소용이 없군. 아무것도 떠오르는 게 없지, 그렇지?"

슬프지도 않은데 이유 없이 연의 눈에 눈물이 고여 떨어졌다. 연은 혼란스러운 마음에 고개를 저었다. 모란이 제게 뭘 하는 건지 알 수가 없었다. 이해도 가지 않았고. 그런데 장례식과, 꽃이 흐드러지게 핀 화정당 연못, 그리고 제 곁에 서 있는 모란을 보니 자꾸만 무엇이 떠오르려는 것이다. 연이 잃어버린 무엇인가가 어른거렸다. 모란이 손을 뻗었다. 그리고 흐르는 눈물을 소매로 닦아 주었다. 연의 가슴이 들썩였다.

"나는…… 예전에 여기서……."

예전에, 그의 모친이 숨을 거둔 날에, 장례식을 마치고 연은 화정당으로 달려왔다. 어머니가 간절하게 그리웠기 때문이었다. 그러나 주위를 둘러보아도 익숙한 물건 하나 찾을 수가 없었다. 영명이 치워 버린 탓이었다. 결국 유일하게 모용단리와의 기억이 남아 있는 정원에 나왔더랬다. 모용단리가 정원의 꽃을 좋아했기 때문에.

연못을 보면서 울던 바로 그날, 연을 달래던 사람이 있었다.

그런데 그 사람이 누구인지 기억이 나지 않았다. 그 사람뿐만이 아니다. 연은 자신의 어린 시절에 큰 공백이 있다는 걸 알고 있었다. 열 살 때 크게 앓아서 그 이전의 기억이 모두 사라진 줄만 알았는데…….

연못 위에 작은 연꽃이 피어난 건 바로 그때였다. 물방울처럼 피어나는 연꽃들을 보다가 연이 멍하니 입을 열었다.

"어린 시절이 기억이 안 나……."

"……."

"전에, 여기서. 누가…… 꽃을, 피웠……는데……."

연이 뒤를 돌아보았다. 제가 기억하지 못한 과거에 대해 연오와 한위가 했던 말이 떠올랐다. 모란은 아무 말 없이 가만히 연을 바라보기만 했다.

"내가 당신을 처음으로 알게 된 것이 언제야?"

이제는 연의 발치에도 꽃이 피어났다. 그가 아래를 내려다보자 노랗고 흰 꽃들이 수북이 피어 발등을 덮을 정도였다. 그는 꽃을 좋아했다. 모용단리가 좋아했기에 연도 좋아했다. 정말로 좋아했는데, 왜 갑자기 그리도 싫어하게 되었을까? 아니, 싫어하는 게 아니다.

연이 곧장 깨달았다.

그는 꽃을 싫어하는 게 아니라 두려워했던 것이다. 혼란스럽고 어지러웠다. 왜 그렇게 꽃을 두려워하게 되었을까? 아슬아슬하게 무언가 떠오르려 하여 연이 넋만 놓고 있을 때였다. 모란이 입을 열었다.

"난 가능한 네가 빈 부분을 알아서 채우기를 바랐어. 열 살 그때를 말이야."

연이 고개를 들었다.

"매일 네가 좋아하던 꽃을 피웠지. 무언가 비슷한 것이라도 떠올리기를 바라면서."

그는 아직까지도 모란이 무슨 말을 하는지 알 수가 없었다.

"그런데 계속 잃어버린 부분을 찾더구나. 채우려고 하지도 않고 채워지지도 않고. 버려두고 갔으면서도 돌려받기를 바랐어. 다시 돌려받았을 때 감당도 못 할 거면서."

"무슨 말을, 하는 거야?"

모란은 대답 대신 손바닥을 펼쳐 보였다. 손바닥 위에는 아무것도 없었다. 아니, 아무것도 없나? 무언가 반짝거렸다. 투명하기도 하고 반투명하기도 하다. 빛나기도 하고 혹은 어둑어둑하게 잠겨드는 것 같기도 했다. 아주 얇은 수정 조각처럼 보이기도 했다. 그런데 보는 것만으로도 끔찍하고 숨이 차올랐다.

연은 저도 모르게 뒤로 물러났다. 저것은 제 것이다. 가장 끔찍했던 순간을 담아 둔 무언가였다. 그저 보는 것만으로도 알 수 있었다. 순식간에 눈에서 눈물이 후둑후둑 떨어졌다. 두려움에 질린 연의 낯이 희게 변했다.

"나, 나는……."

연을 바라보는 모란의 눈이 어둡게 침잠했다.

왜 연에게 영명이 곧 죽으리란 걸 알려 주지 않았는가? 단순히 연이 의원이고 영명이 그의 끔찍한 아비이기 때문이 아니었다. 모란은 다른 세계로 떠나기 전 마지막으로 그가 가진 귀한 것을 연에게 돌려주려는 시도를 해 보고 싶었던 것이다.

손바닥 위에 있는 이 조각은 연이 모란의 몸에 버리고 간 근원이다. 연이 모란의 몸에 들렀을 때, 끔찍하고 두렵고 고통스러워 도저히 가져가지 못하고 버려둔 것이다. 후에 자신의 몸에 돌아온 모란은 조각을 보고 주인을 알 수 있었다. 그리고 주인을 알게 되자 동시에 난감한 상황에 처했다.

이 근원을 주인에게 돌려주지 않으면, 치료는 끝나지 않는다. 그러나 정작 주인에게 돌려주게 된다면 치료고 무엇이고 모든 게 끝장나 버리는 수가 있었다.

이는 당연하다면 당연한 일이었다.

근원을 가볍게 건드려 꿰매는 것조차 그리 고통스러워하는데 근원의 반절이 강제로 찢겨져 나가는 것은 어떠하겠는가? 그걸 보통 인간의 정신이 감당해 낼 수 있을까? 세상에는 없는 것이 더 나은 기억이 있는 법이었다.

연은 제 근원 조각에 시선이 닿는 것만으로도 파랗게 질려 벌써 넋이 나갔다. 모란이 주먹을 쥐어 감추었을 때에야 숨통이 트인 그가 겨우 중얼거렸다.

"꽃, 꽃이 너, 너무 예뻐 보였어."

연의 말에 모란이 주먹을 꽉 쥐었다. 그는 연이 무엇을 말하는지 잘 알고 있었다. 두려움에 질린 데다 밀려오는 기억에 넋까지 나간 연이 눈물을 뚝뚝 흘렸다.

"네가 매일 꽃을 따다 주었기에, 그날도 그런 줄 알았어. 나, 주려고, 따 온 것인 줄…… 알았는데."

"꽃이 아니었지."

울음을 삼키며 연이 고개를 끄덕거렸다. 모란은 벌써 제 주먹 안의 근원 조각이 주인을 찾아가기 위해 안달을 내는 걸 느낄 수 있었다. 연의 한 조각.

무의식이 부족하다 여겨 한 때 실제로 잠시간 연을 어려지게까지 만들었던 어린 시절의 기억. 이 한 조각이 채워지기 전까지, 치료는 결코 끝나지 않는다. 혼에 영원히 너덜너덜한 구멍을 지닌 채로 무엇이 부족한지도 모르고 살아갈 것이다.

그럼에도 돌려줄 수가 없었다. 근원을 찢기고 빼앗기는 고통은 보통 인간이 감당할 수 있는 것이 아니다.

세상에서 가장 끔찍한 고통이며 끔찍한 슬픔, 그리고 지독한 상실감이 아니던가.

그래서 그는 매일 꽃을 피웠다. 연에게 제 생기를 흘려 넣어 주며, 피어나는 꽃을 통해 어떻게든 가짜 기억이라도 만들어 연이 알아서 그 부분을 채우기를 바랐다. 애초에 가능성이 희박한 일이었다. 장기간에 걸쳐 시도하였지만 영명의 장례식을 마지막으로 끝내 실패로 돌아갔다.

이런 방식으로는 영 안 될 모양이지. 쓰게 웃은 모란이 오른손을 꽉 쥐어 연의 근원 조각을 삼켰다.

그가 대신 제 근원을 뜯어냈다. 아주 조금 뜯어낸 것인데도 그조차도 잠시 고통에 절로 신음이 나오고 몸이 휘청거렸다. 식은땀으로 덜미가 축축해졌으나 말없이 그 고통을 삼킨 모란이 왼손을 펼쳐 내밀었다.

연은 금빛으로 빛나는 파편을 멍하니 들여다보았다. 살면서 본 중 가장 아름답고 진귀한 것이다. 아니, 세상에서 가장 존귀한 것이리라. 모란은 연의 바로 앞에 손을 내밀었다.

"가지렴."

"……"

"어서."

연이 홀린 듯 손을 뻗었다. 아름다운 파편 조각에 손이 닿는 순간 그의 몸이 훅 고꾸라졌다. 그의 것이 아닌 기억이 해일처럼 연의 자아를 덮쳤다. 그 기억 속에서 연은 연이 아니고 모란이었다. 연 아닌 모란, 모란 아닌 연이 아니라 그저 모란 그 자체였다.

새들 중 특별하게 태어난 것들은 삼족오가 된다. 귀(貴)를 가지고 태어난 잉어들은 만년화리(萬年火鯉)로, 불씨를 지니고 태어난 뱀은 독각화망(獨脚火網)으로 자라난다. 이것들은 인간을 제외한 살아 있는 것들 중의 왕이며 화수분과도 같은 생명의 원천이나 다름없었다. 이 특별한 것들이 지나간 발자취에는 생명이나 죽음이 넘실거렸다.

그렇다면 인간들 중 특별하게 태어난 것은 무엇이 되는가. 모란은 바로 그런 존재였다. 그는 복중에 있을 때부터 자아를 가지고 있었다. 특별하게 태어난 것들이 그렇듯이 그도 자신이 다른 존재들과는 다르다는 걸 본능적으로 깨닫고 있었다.

모란이 어미에게서 태어난 이후로 그 마을은 내내 풍년이었다. 과실은 맺히는 것마다 크고 튼실하였고, 동물들은 줄줄이 새끼를 낳았으며 기르는 채소들은 씨알이 컸다. 지평 너머를 보지 못한 어린 영물들이 그렇듯이 모란도 넘쳐 나는 본원지기를 추스르지 못하고 주변에 줄줄 흘리고 다닌 탓이다.

태어난 후 모란은 어미의 품에 안겨 젖을 빨며 사람들이 어찌 행동하는지를 유심히 살폈다. 그리고 자신이 다르다는 걸 남들이 알면 이로움보다는 해로움이 더 클 것이라 판단하였다. 힘이 없는 상태에서 뛰어나 봤자 잡아먹히기만 할 뿐이라. 사람들 속에서도 약육강식은 그대로 존재함을 벌써부터 알았다.

모란은 강보에 뉘여 하늘에 떠가는 구름을 보고 개미가 줄 지어 기어가는 것과, 땅에서 새싹이 움트는 것들을 지켜보았다. 이 모든 것마다 이치가 있었다. 모래 한 알조차도 그에게 새로운 깨달음을 주었다. 그의 어미며 이웃은 모란이 그저 아장아장 걷는 어린아이인 줄만 알고, 그의 속에서 무엇이 자라는지는 알지 못했다.

무럭무럭 커서 네 살이 되었을 때 모란은 성장이 좋아 마치 여섯 내지는 일곱 살 정도로 보였다. 일부러 아둔한 척하였기에 여전히 주위에서는 그를 덩치 좋은 사내아이로만 보았다. 남궁세가에서 둘째 도련님의 놀이 상대를 찾은 것은 바로 그때쯤이었다.

가난하였던 모란의 어미는 그래도 위상이 대단한 남궁세가에 있으면 모란이 무엇이라도 배우지 않을까 하여 그를 보냈다. 남궁세가에 있으나 낡은 초가집에서 지내나 배우는 것은 비슷했겠지만 그래도 모란은 어미의 말에 따랐다. 이날이 모란이 남궁연을 처음 만나게 된 날이었다.

세가에 당도하자 모용단리는 분명 네 살짜리로 알고 있었는데 여섯 살로 보이는 모란을 보고는 조금 놀란 눈치였다. 모란은 멀뚱하게 서서 모용단리 뒤에서 옷자락을 붙잡고 있는 어린아이를 바라보았다. 새침하니 귀엽고 예쁘장한 얼굴은 누가 봐도 모용단리를 닮은 모습이었다.

-자.

귀찮은 듯 모용단리가 등을 떠밀자 여섯 살 연이 마지못해 우물쭈물 다가왔다. 애처롭게 모친을 돌아보았으나 모용단리는 제 아들에게는 시선 한번 주지 않고 돌아섰다. 모란은 속으로 무심한 어미로군, 그저 그리 생각할 따름이었다. 놀자고 하면 대충 구색이나 맞추어 줄 생각이었다.

무가의 자식답게 연은 벌써부터 허리춤에 작은 목검을 매달고 있었다. 모란은 위아래로 살폈다. 대충 보아하니 벌모세수도 받았고 흐르는 기도 깨끗하며 정갈했다. 그러나 그뿐, 특별한 것은 없었다.

연은 놀이 아이를 앞에 두고도 연신 제 어미가 간 곳을 바라보기만 했다. 딱히 적극적으로 나서서 놀아 줄 생각이 아니었기에 모란은 연이 하는 대로 내버려 두었다.

—도련님, 백모란이라고 하는 아이랍니다. 도련님보다 두 살 어리지요.

유모의 설명에도 연은 그저 시무룩한 얼굴로 고개를 끄덕이고 말았다. 그런 연을 보는 유모의 얼굴에는 안쓰러운 빛이 번졌다. 모란은 대충 상황이 짐작이 갔다. 아무래도 자신을 놀이 친구로 불러오자 한 것은 어미보다는 유모인 것으로 보였다.

—자, 도련님 좋아하시는 뒤뜰로 갈까요?

보모는 연과 모란의 손을 각각 잡고 뒤뜰로 향했다. 뒤뜰에는 큰 연못과 정자, 그리고 꽃이 흐드러지게 핀 꽃나무들과 덤불이 있었다. 화사한 꽃들을 보니 왜 화정당(花亭堂)이라 하였는지 알 수 있었다. 퍽 보기 좋고 아름다운 정원이었다.

—모란아, 도련님 잘 모셔야 한단다. 알겠지?

솔직히 말해 성가셨으나 말을 따르지 않았을 때 찾아올 결과가 더 성가실 것 같았기에 모란이 고개를 끄덕였다. 그나저나 네 살짜리에게 참으로 많은 것을 바라지 않느냐고, 네 살짜리인 모란이 생각했다.

연은 생각처럼 모란을 귀찮게 하지 않았다. 그저 정자로 쪼르르 달려가 앉아 모란을 이따금 힐끔 쳐다보기만 했다. 모란은 화단에 앉아 잉어가 연못을 살랑살랑 헤엄쳐 다니는 모습을 구경하며 시간을 때웠다. 놀이 친구라고 불려 왔는데 정작 연은 모란에게 거의 관심이 없었다. 모란으로서는 좋은 일이었다. 게다가 정원에 꽃이 워낙 많아서 다행이기도 했다.

슬쩍 손바닥을 들어 보니 그가 손대고 있던 흙 위로 새싹이 조롱조롱 자라나기 시작했다. 그는 아직 자신의 몸에서 줄줄 넘쳐흐르는 본원지기를 추스르는 방법을 몰랐다.

'언젠가는 알게 되겠지.'

이제 태어난 지 얼마 안 되었으니 급할 것은 없었다. 또한 언젠가는 알게 될 것을 부러 알아내기 위해 서두를 필요도 없었다. 모란은 자신이 어느 단계를 뛰어넘을 수 있으리란 걸 확신했다. 그저 잘 보고, 잘 듣고 잘 자라나기만 하면 되었다.

'그때에는 진정한 태를 갖출 수 있을 것이다……'

제 근처에서 자라나는 싹을 보던 모란의 눈에 잠시 금색의 고리가 영글었다. 두 개, 세 개까지 늘어나다가 곧 풀리고 말았다. 모란이 잠시간 입술을 삐죽거렸다. 고작 세 개라니 진정한 태고 뭐고 아직 멀었다는 걸 안 까닭이다.

남궁연오가 나타난 것은 바로 그때였다. 정자에 앉아 다리를 동동거리고만 있던 연이 얼굴에 화색이 돌아 자리에서 벌떡 일어났다.

—형님!

모란은 엉덩이를 털고 일어났다. 이제 겨우 여섯 살인 남궁연과는 달리 남궁연오는 열 살이라 좀 더 체격이 컸고 허리춤에는 벌써 진검이 매달려 있었다.

그의 품에는 아기가 안겨 있었다. 이제 고작 한 살이나 되었을 법한 아기였다.

모란은 그들의 자질을 각각 재어 보았다. 남궁연오는 가장 성취가 뛰어났으나 타고난 재능으로 따지자면 품에 안긴 어린 아기의 자질이 가장이었다.

연오가 몸을 숙여 여섯 살 아우가 막내에게 인사하도록 했다. 막내를 만난 지 얼마 안 되는 연이 쭈뼛거리며 인사를 했다. 연오는 그제야 모란에게 시선을 주었다.

-연아, 이 아이는?

-놀이 친구래요.

그리 말하면서도 연은 모란에게는 시선 한번 주지 않았다. 그저 바빠서 자주 만나지 못하는 형님만 빤히 바라볼 따름이었다. 연이 쑥스러운지 머뭇거리다가 한위야, 하고 불렀다. 모란은 멀뚱거리며 남궁가 형제들의 우애 좋은 모습을 지켜보기만 했다.

-네 이름이 무엇이냐?

-백모란.

질문에 모란은 짧게 대답했다. 어차피 네 살짜리니 예의 바른 대답을 기대하지는 않았는지 연오는 그저 고개를 끄덕였다. 그는 잠시간 더 머무르다가 품에 안은 막둥이와 함께 떠났다. 연은 다시 시무룩 풀이 죽었다. 척 보아도 정에 목마른 모습이었으나 모란에게는 별 감흥이 없었다.

시간이 한참 흐르고 유모가 간식을 들고 왔을 때서야 연이 모란에게 물었다.

-이름이 뭐야?

분명 유모도 이름을 소개했고, 남궁연오에게도 이름을 알려 주었는데 또 이름을 물어본다는 건 정말 관심이 하나도 없었다는 의미였다. 모란은 다소 시큰둥하게 백모란, 하고 다시 대답했다. 백모란, 하고 연이 고개를 갸웃거렸다.

-모란꽃?

-뭐…….

실제로도 어미가 모란꽃을 좋아하여 모란이란 이름을 붙여 주었기에 틀린 말은 아니었다. 그런데 꽃 이름을 가졌다는 걸 알자 돌연 연이 모란에게 반짝거리는 시선을 보내왔다. 모란은 이건 또 무언가 싶었다.

−연 도련님, 오늘 어떠셨나요?

모란은 물어보면서도 별로였다는 대답이 돌아오길 원했지만 이름이 꽃이라서 마음에 들었던지 연이 좋았어, 하고 꼬물꼬물 대답했다. 이로 인해 모란은 여지없이 남궁연의 놀이 친구로 낙찰되어 매일 남궁세가에 나가는 신세가 되었다.

그러나 놀이 친구가 썩 나쁜 것만은 아니었다. 연은 퍽 얌전한 축에 속해 대개 옆에서 꼼지락거리며 앉아 모란이 보는 것을 함께 지켜보거나 흙장난을 하곤 했다. 모란은 그저 연이 노는 일에 가끔 공이나 차 주고 장난감이나 흔들어 주며 같이 놀아 주면 되었다.

그리 노닥거리다가 유모가 와서 간식을 먹으면 같이 먹고, 식사를 하면 식사도 같이 먹었다. 배부르게 잘 먹고 놀다 돌아오니 모란의 어미도 크게 만족하였다. 이따금 남궁연오도 막둥이를 데리고 와 시간을 보내곤 했다.

그렇게 일 년이라는 시간이 훌쩍 지났다. 다섯 살 모란의 눈 속에 영그는 금빛 고리는 여섯으로 늘어났고, 연은 일곱 살이 되었다. 어느 날 갑자기 모란은 남궁세가에 출입을 금지당했다. 자신이 안 오면 새침한 얼굴 위 서운한 기색을 드러낼 연이 떠올랐으나 모란은 금방 잊었다. 그는 최대한 자신을 성장시키기에 바빴다.

그렇게 달포 정도가 지났을까, 다시 연의 유모가 모란을 데리러 왔다. 오랜만에 남궁세가에 발을 들이며 그는 분위기가 그다지 좋지 않다는 것을 느꼈다. 화정당에 다다랐을 때 그 이유를 알 수 있었다. 누군가가 원한을 가지고 죽은 것이다.

−모란아, 도련님이 많이 우울해하시니 잘 놀아 드려야 한다, 알았지?

유모의 말을 대충 흘리며 모란이 주위를 둘러보았다. 죽은 자가 누구인지는 몰라도 참으로 서러워하기도 하였다. 그러니 여즉 떠나지 않고 화정당에 머무르는 것이지. 한참을 바라보니 한 영기(靈

257

氣)가 모란을 눈치채고 다가와서는 연이, 연, 하고 연신 불러 댔다. 모란은 손을 뻗어 그 말라비틀어진 영기를 쥐었다. 잠시 살펴보다가 이내 그대로 흩어 제대로 떠나도록 보냈다.

'남궁연의 어미가 죽었구나.'

모란이 무심하게 생각했다. 도착하였을 때 연은 연못 앞에 쭈그리고 앉아 있었다. 울고 있을 것이라 생각하였는데 모란이 와도 보는 시늉도 하지 않고 그저 그러고 있기만 했다. 어미의 모습으로 보건대 좋지 않게 죽은 게 분명하였으니, 어린아이에게는 큰 충격이 된 게 분명했다.

처음에 모란은 알아서 기운을 차리겠거니 내버려 두었다. 그런데 매일매일 찾아와 보니 화정당 뒤뜰 연못 앞에만 앉아 하루가 달리 비실비실 말라 가는 게, 이대로는 죽겠구나 싶었다. 모란은 다섯 살 어린아이에게 어울리지 않는 한숨을 폭 쉬고는 다가갔다. 가까이서 보니 울지도 않고 증오심과 막연한 분노를 품은 눈이 아주 까맸다.

-이것 봐.

말을 걸어도 연은 들은 척도 하지 않았지만 모란은 대수롭지 않게 여겼다. 그리고 연이 바라보고 있는 연못에 작은 연꽃을 하나 톡 피워 냈다. 바닥에서 물방울이 올라오듯 말갛게 피어나는 연꽃에 연의 눈이 휘둥그레 떠졌다. 모란의 손이 닿은 수면마다 연꽃송이가 퐁퐁 피어났다.

연은 가만히 보고 있다가 손을 뻗어 연꽃 하나를 쥐었다. 모란은 내버려 두었다. 이 꽃은 그의 본원지기로 피워 내는 것이라, 가까이하면 할수록 좋았다. 과연 얼마간 기운이 돌아왔는지 연이 자리에서 일어났다. 그리고 잠깐을 가만히 있는 듯싶었는데 흑, 흑 하고 서럽게 목 울리는 소리를 내더니 연꽃 위로 눈물을 톡톡 떨구는 것이다.

모란은 연의 몸에서 원통하게 죽은 어미의 사기가 연꽃 기운에 못 이겨 흘러나오는 걸 보고는 고사리 손으로 잡아채 없앴다. 꼭 쥔 손안에서 희미한 통곡 소리가 새어 나오다 사라졌다.

'평소에는 그리도 관심이 없더니 죽은 후에야 관심을 보이네. 산 것에게는 쓸모도 없는 짓을.'

막히고 꽉 죄였던 게 풀리자 이내 연이 소리 내어서 크게 울었다. 유모는 울음소리에 놀라서 달려왔다가, 이내 안쓰러운 얼굴로 연을 끌어안고 다독였다. 최근 식사도 제대로 안 하고 있던 차라 걱정이 많았던 것이다.

한참을 울고는 연이 벌겋게 부어오른 눈을 비볐다. 졸린 기운이 역력했다. 그러고는 모란의 옷자락을 꽉 잡았다. 이건 또 뭐야, 하고 모란이 미간을 찡그렸다.

–……?

유모가 슬그머니 손을 떼어 내려 했으나 울먹울먹한 얼굴로 고개만 세게 저었다. 모란의 의사가 중요하겠는가, 아니면 귀한 도련님 의사가 중요하겠는가. 결국 모란은 그대로 같이 끌려가서 따뜻한 차를 마신 다음, 강제로 같이 낮잠을 자게 되었다. 연이 옆에서 색색 소리를 내며 정신없이 잤다. 모란은 잠시간 그러고 있다가 침상에서 내려왔다. 유모는 머리를 도닥이고는 그대로 모란을 집에 돌려보냈다.

연이 본격적으로 모란을 졸졸 따라다니기 시작한 건 그다음 날부터였다. 시도 때도 없이 옷자락을 잡아당기며 꽃 피워 줘, 꽃 피워 줘 노래를 부르고 다니는 게 아닌가. 모란은 연에게 시달리는 내내 괜한 오지랖을 부렸다고 생각했다. 그러다가도 크게 한숨을 쉬고는 보는 사람 없을 적에 꽃을 피워 주웠다. 그러면 연은 하루 종일 그 꽃을 쥐고 다니며 좋아했다.

그 일이 반복되다 보니 연은 둘만 남게만 되면 꽃을 피워 달라고 졸랐다. 이때쯤에는 모란도 아무렴 어떠냐 싶어서 사람만 없다 하면 꽃을 피워 댔다. 그러면 연은 그 꽃을 꺾어 모란의 귀며 머리카락에 잔뜩 꽂아 주고는 저 혼자 좋아서 해맑게 웃었다.

　-좋냐?

　-응, 좋아.

　그 대답에 심술이 솟은 모란이 꽃을 꺾어 연의 머리카락에도 꽂아 주었다. 연은 그래도 좋다고 웃었다. 그렇게 둘이 지내는 시간이 늘어날수록 화정당 뒤뜰은 화사하고 알록달록한 꽃으로 풍성해져만 갔다. 제 기운으로 가득 찬 곳은 모란에게도 퍽 괜찮게 느껴졌다.

　그렇게 평화롭게 지내던 어느 날이었다. 도착해 보니 연이 연못 앞에서 섧게 울고 있었다. 연이 연못 앞에서 쭈그려 앉아 우는 건 한두 번 있던 일이 아니다. 어미가 생각날 때마다, 혹은 제 아버지에게 모진 소리 듣고 올 때마다 그리 울곤 했다.

　모란은 또 왜 우나 싶어 기다렸다가 울음이 멈췄을 때쯤 탐스러운 꽃이나 좀 피워 주었다. 연은 꽃을 만지작거리다가 훌쩍거리면서 말했다.

　-연오 형님이 이제는 한위를 데리고 올 수가 없대. 나 그런 거 싫어.

　한위라면 이제는 서너 살 된 그 막둥이를 말하는 것이겠다. 같은 세가에 있는데 못 볼 게 무엇 있나 싶어서 모란이 시큰둥하게 대답했다.

　-그냥 보러 가면 되지, 왜?

　-어른들이 못 만나게 하잖아…….

　하고는 또 울려고 하기에 모란은 참으로 성가시게도 한다고 생각했다.

　-그럼 몰래 보러 가면 되잖아.

　이번에는 약이 올랐는지 연이 씩씩거리며 모란을 노려보았다. 하긴 어린아이 몸으로 보러 가기는 힘들겠지. 하는 수 없이 그가 자리에서 일어났다. 연못 근처 덤불을 얼쩡거리다가 그가 결코 어른의 시야에서는 보이지 않을 만한 곳에 위치한 담장에 손을 뻗었다. 손이 닿는 자리마다 파스스 소리를 내며 단단한 돌담장이 흙으로 변했다. 개구멍을 만들어 놓은 뒤 모란이 손짓으로 연을 불렀다.

　-여기로 나가면 되지.

　연이 눈을 휘둥그레 떴다. 이런 곳이 다 있나 하는 얼굴이었다. 당연히 몰랐겠지. 방금 만든 거니까. 모란이 기어 나가자 연도 유모가 곱게 입혀 놓은 비단옷에 흙이 묻거나 말거나 엉금엉금 따라 나갔다. 툭툭 털고 일어나서는 얼굴에 화색이 도는 것도 잠시였다. 곧 울상을 지으며 모란에게 물었다.

　-한위 어디로 데리러 가야 하는데?

　-……나야 모르지.

　모란이 알 턱이 없었다. 그러나 연이 또 울먹울먹 울려고 하기에 하는 수 없이 잠시 기다리라며 자리를 떴다. 그러고는 심부름을 가는 어린아이인 척 세가 사람들에게 물어물어 위치를 알아내어 돌아왔다. 한위가 어디 있는지 안다고 말하자 연의 얼굴이 다시 피었다.

　폐월당에 도착한 후에 모란이 잠시 주위를 두리번거렸다. 화정당과는 달리 어쩐지 구석지고 을씨년스러웠다. 그러나 연의 눈에는 다 그게 그것인 모양인지 개구멍을 또 찾아 담장 주위를 헤맸다. 모란은 은근슬쩍 개구멍을 만들어 주고는 연을 들여보냈다. 마당에서는 돌보는 사람 없이 한위가 흙투성이인 채로 아장아장 걷고 있었다.

　-한위야!

　연은 그저 동생을 봤다는 기쁨에 좋아할 뿐이었다. 모란은 물끄러미 형제가 노는 모습을 지켜보다가 기척에 고개를 돌렸다. 제법 나이를 먹은 여인이 연과 모란을 보고는 놀랐다. 입을 열었으나 나오는 목소리는 없고, 그저 안절부절못하다가 물러났다. 폐월당에서 한위를 돌보는 사람인 모양이었다.

개구멍을 알게 된 후로 연은 밥 먹듯이 폐월당에 들락거렸다. 한위는 종종거리며 제 형을 쫓아다녔고, 나중에는 폐월당과 화정당을 드나들 수 있는 개구멍이며 길을 모두 알아 불쑥 화정당에 나타나고는 했다. 폐월당과 화정당에서 연과 한위의 유모는 종종 두 도련님의 가출을 목격하곤 했으나 눈감아 주었다.

시간이 지날수록 연은 모란에게 깊은 정을 붙여 갔다. 조금이라도 모란이 늦게 도착하면 울상이 되었으며, 모란이 떠날 때가 되면 얼굴에는 서운한 기색이 가득했다. 잘 자라 일곱 살이 된 모란은 연이 제게 무한히 퍼붓는 어린아이의 애정이 익숙하면서도 낯설게 느껴졌다. 간질거리기도 하였고 성가시기도 하였다.

'이런 게 오욕칠정 중 하나인 것이지.'

그렇다고 특별히 좋거나 싫은 것도 아니었다. 연에게는 모란이 특별할지는 몰라도, 모란에게 연은 울먹일 때에 꽃 좀 쥐여 주면 될 어리고 무해한 존재였다. 그때의 모란은 그리 생각했다.

시간은 흐르고 또 흘렀다. 연과 모란은 마치 형제지간처럼 가깝게 지냈다. 같이 먹고 같이 놀고 같이 자니 형제라고 해도 부족함이 없었다. 연은 하루는 모란과 단둘이 있을 적에 이리 털어놓기도 했다.

-나는 내 이름이 싫어.

-왜, 꽃 같아서 좋지 않아?

농으로 알고 농으로 대답하였는데 연은 농으로 내뱉은 말이 아니었다. 모란이 왜 이러나 하고 바라보자 꾸물거리며 털어놓았다.

-형님은 강한 연인데 나는 약한 연이래. 아버지가 그리 지어 주셨다는데, 왜 나는 약한 연이지? 모르겠어……. 나 스승님에게도 칭찬 많이 받고, 다른 애들보다 검술도 잘하는데.

모란은 연의 말에서 연오를 향한 열등감을 느낄 수 있었다. 그저 생긴 게 아니다. 바로 아비로 인해 생긴 열등감이다. 모란은 내심 한숨을 쉬었다.

－그러면 나중에 커서 이름을 바꾸면 되지.

－그래도 되나?

－안 될 게 뭐야. 연꽃 연으로 바꾸면 내 이름과 짝도 맞고 좋겠네.

별생각 없이 말했는데 연의 얼굴이 환해져서 모란은 드물게도 겸연쩍어졌다. 꽃을 사람 이름으로는 쓰지 않는 법이지만, 그 또한 그저 인간의 법이니 아무려면 어떻겠는가? 본인만 좋다면야.

아무튼 이리도 모란을 친근하게 여기는 연이었지만 이따금 모란을 낯선 것을 보듯 바라볼 때가 있었다. 제 어미도 그런 적이 있기에 모란은 개의치 않게 여겼다. 그는 왜 사람들이 자신에게서 낯선 것을 느끼는지 잘 알고 있었다. 몸에 품고 있는 것이 공허(空虛)하면서도 동시에 아니기 때문이었다. 가득 찬 물, 혹은 가득 찬 대기와도 같았으니.

이따금 몸에서 흘러 나가는 것들을 주체하지 못할 때에는 모란은 일찍이 화정당으로 왔다. 주변의 채소나 과일 따위를 크고 실하게 키우는 것도 어느 한계가 있었다. 그런 일이 계속되다 보니 주위에서 이상하게 볼 지경이었다.

그런 면에서 꽃이 그득한 화정당은 모란에게 최적의 장소였다. 화단에 잔뜩 꽃을 피우고 나면 몸이 근질거리던 것도 한결 나아진다. 자라나는 뿔이 간지러워 짐승이 나무에 대고 긁어 대는 것과 비슷한 행위였다. 꽃은 피워도 정원을 관리하는 사람만 의아해할 뿐 이상하게 여기는 사람은 없었다.

어린 녀석이로군.

화단에 앉아 수국 한 더미를 피우고 있던 모란이 고개를 돌렸다. 나뭇가지에 작은 새 한 마리가 조용히 앉았다. 작은 새로 가장은 했으나 다리는 세 개다. 새가 고개를 갸웃거렸다. 새의 눈이 금빛으로 반짝거렸다.

얼마 안 있으면 금방 피워 내겠구나.

－나도 알아.

저 새는 저보다 훨씬 오래 살았고 세기도 셌다. 성가시게 굴 것 같기에 모란이 대꾸했다. 흙을 꾹 쥐었다가 연못에 뿌리자 팔뚝만 한 잉어들이 먹이인 줄 알고 헤엄쳐 왔다가 흩어졌다. 앞으로 이 잉어들은 어지간해서는 병에 걸리지도 않고 무럭무럭 잘 자랄 것 이었다.

그런데 왜 아직 여기 있느냐?

–무슨 소리야?

이런 번잡스러운 곳에서 피워 낼 생각은 아니겠지.

모란이 고개를 들어 새를 바라보았다. 이 근처에 살지도 않는 것 이 왜 여기까지 와 오지랖인지 영문을 알 수 없었다.

자칫하면 흩어질 테니 산에라도 가 있는 게 낫지 않겠는가.

–흩어지면 다시 모으면 될 것을.

모란은 자신이 오래도록 살리란 걸 알았다. 그에게 남아도는 것 이 시간이었다. 그 말에 새가 꾹꾹 기분 나쁘게 웃는 소리를 냈다.

그래, 한 번쯤은 흩어지는 것도 나쁘지 않겠지. 어리고 오만한 것.

그러고는 조용히 날아갔다. 자존심이 상한 모란이 새가 앉아 있 던 자리를 노려보았다. 벌써부터 흩어진다 만다 논하는 것이 기분 나빴다. 찜찜하였으나 그 뒤로 오래도록 새도 다시는 오지 않고 모 란의 나머지 두 개의 고리도 완성되지 않아 그는 곧 이 대화를 잊 었다. 나중에 지금 일을 후회하게 되리란 건 모른 채.

시간이 지나 열 살이 된 연은 이제 본격적으로 무술을 배우기 시 작했다. 아침나절부터 점심이 될 때까지 무술을 연마한 뒤 돌아와 서는 모란과 함께 오후 시간을 보냈다. 모란은 연이 오기 전 일찍 와 화정당에서 노닥거리곤 했다. 그때쯤 모란은 눈에 총 열 한 개 의 고리를 지니게 되었다.

그렇게 지내던 어느 날이었다.

평소와 같은 평범한 날이었고, 모란은 화정당 안에서 차를 마시 며 창밖을 보고 있었다. 별생각 없이 구름이 흘러가는 모양새만 보고 있는데 문득 나비 한 마리가 날아와 창문틀에 앉았다. 별거 아닌 나비라 하겠으나 모란에게는 그 나비 하나가 기연(奇緣)이나 다름없었다.

불현듯 깨달음이 찾아왔다. 나비가 그저 나비가 아니고 평범함이 그저 평범함이 아니다. 모란은 항상 평범했던 날이 그가 기다리고 있던 그날들이며 이 순간임을 알았다. 열두 번째의 고리가 모란의 눈동자에 희미하게 아른거렸다.

'다른 곳에 가야 하나?'

열두 번째 고리를 얻어 낸 직후 모란이 머뭇거렸다. 그는 고리를 완전히 영글어 냈을 때 이 뒤에 기다리고 있는 게 무엇인지 정확히 모른다. 그렇다고 이제 와서 자존심 상하게 그 새의 말대로 산속으로 내뺄 수는 없었다. 당시의 어린 모란은 그렇게 생각했다. 거기에 당장 무언가를 완성시켜야 한다는 본능적인 조급함까지 일었다.

어차피 연이 오기까지는 시간이 꽤 남아 있었다. 마음을 정한 모란의 눈이 감겼다. 양손은 바르게 포개어 겹쳐 놓았다. 겉보기에는 그저 눈을 감고 있는 것처럼 보였으나 모란의 안에서는 장광경(長光景)이 펼쳐지고 있었다.

이제껏 그가 보고 들으며 깨우친 이치 열두 가지가 모조리 부서져 내렸다. 모란의 눈꺼풀 아래로 부서진 것이 고였다. 금빛 광요(光耀)가 뺨을 타고 흐러내려 손 위로 똑 떨어졌다. 그 한 방울은 마치 씨앗처럼 손바닥 안으로 심겨 들어갔다.

잠시 후 손바닥 위에 금색으로 은은하게 빛나는 고리 하나가 어렸다. 하나로 시작하여 둘, 다음으로는 넷, 이어서 금방 열두 개로 늘어났다. 금색의 고리가 둥글게 맞닿아 원을 그리자 마치 꽃이 피어난 것처럼 보였다.

천화난추(千花亂墜).

하나의 고리가 열두 개가 되고, 하나의 꽃이 열두 개의 꽃으로 늘어난다. 흩어지고 떨어지고 다시 피어나기를 반복하면서 손바닥 안의 무언가는 점차 완벽한 꽃의 모양에 가까워졌다. 모란은 어느새 현실을 잊고 깊게 침잠해 갔다.

삐걱 문이 열린 것은 바로 그때였다.

—……모란?

오늘 발목을 삐는 바람에 일찍 검술 훈련이 끝난 연이 문을 열고 들어왔다. 문을 열고 들어오는데 어쩐지 느낌이 이상하여 연이 고개를 갸웃했다. 다른 때 같았으면 아는 척했을 모란은 졸고 있는지 눈을 감고 있는 상태였다.

—자고 있어? 간식 먹자.

가까이 다가간 연이 눈을 깜박였다. 모란의 손 위에 이상하고도 아주 아름다운 것이 있었다. 금빛으로 반짝거리는 아름다운 꽃이었다. 신기해하는 얼굴로 연이 이리저리 보았다가 홀린 듯 조심스럽게 손을 뻗었다. 점점 만개하던 꽃이 휙 움츠러들었다. 연은 아무것도 모르고 이게 무언가 볼 뿐이었다.

—모란? 이거 나 주는…….

꽃이야? 하던 물음은 이어지지 못했다. 손바닥 위에 얌전히 놓여 있던 꽃에서 쨍강하는 소리가 났다. 아니, 꽃에서 나는 소리가 아니었다. 연의 몸속 깊은 곳, 아주 깊고도 귀중한 곳에 담긴 것에서 나는 소리다. 영영화(靈英花)가 난잡하게 흩어지며 연의 혼을 찢어발기는 소리였다. 연이 할 수 있는 건 그 자리에서 바닥으로 쓰러지는 것뿐이었다.

그다음으로 이어진 것은, 연은…….

"거기까지면 되었어."

따뜻한 손이 눈가를 덮었다. 연이 크게 헐떡이며 다시 눈을 떴을 때 이백오십여 년을 다른 곳에서 떠돌다가 돌아온 모란이 서 있었다. 연은 어린 모란이 아니었다. 어린 연도 아니었다. 그들은 어린 시절 어느 날 그랬듯이 꽃이 만개한 화정당 뒤뜰에 서 있었다.

"나는······."

연이 비틀거렸다. 모란의 귀중한 것을 샅샅이 살펴본 탓이었다. 혼이 찢기던 순간의 고통, 그 흔적을 맛보았을 뿐인데도 눈가에서 눈물이 떨어졌다. 아니, 두려움과 고통의 눈물이 아니다. 제가 모란에게 무슨 짓을 하였는지, 왜 모란의 몸에 들어가게 되었는지, 왜 제 혼이 찢겨졌는지 진정으로 알게 되어서 나오는 눈물이었다.

"모두······ 내가 저지른 일이었어."

몸을 떨고 있는 연에게 모란이 말했다. 다정하고 부드러운 목소리였다.

"연이 너는 아무것도 몰랐지."

"무지하였다 하여 저지른 일이 죄가 아니라고 생각해?"

연이 서러운 감정을 삼켰다. 그가 건드리지만 않았어도 이런 일은 생기지 않았을 터였다. 모란의 혼이 쫓겨나 이백오십여 년 동안 이계를 헤매다 돌아오는 일도, 연의 몸이 이렇게 병약해지는 일도, 혼이 찢겨지는 일도 없었을 것이다. 모든 것이 연이 저지른 일이었다. 그래 놓고는 제멋대로 고통스러웠다며 그 기억들을 내팽개친 것이다.

"내가 너에게 주는 꽃인 줄 알았지 않아?"

모란은 몸을 떨고 있는 연에게 입을 맞추었다. 연은 이제 금빛 고리들이 엉글어 꽃같이 보이는 모란의 눈을 제대로 마주할 수 있었다. 아름답고 또 무섭고 아득하였다. 다시 울컥 눈물이 치밀어 올랐다. 모란은 눈물이 고인 눈을 통해 연의 근원을 볼 수 있었다. 구멍 난 곳에 모란의 근원 조각이 딱 알맞게 맞아 떨어졌다.

근원과 근원의 일부를 각자가 나누어 가졌으니 죽어서도 끊기지 않을 인연이 될 것이다. 연이 버리고 간 근원 조각을 고통스럽게 삼켜 제 것으로 만든 모란이 식은땀 어린 얼굴로 웃었다. 혼이 찢기는 순간의 고통은 모란에게도 어렵게 느껴지는 수준이었다. 이

것을 가지는 게 과연 연을 위한 것인가 저를 위한 것인가. 모란은 제 것이 아닌 이 고통조차도 달가웠다.

"내 꽃도 아니었는데 탐한 죄이지."

"지금이라도 네가 원한다면 그 꽃이 네 꽃이 되었을 것을."

연의 눈가에서 뚝뚝 떨어지는 눈물을 모란의 입술이 훔쳤다. 그가 웃었다.

"흩어져서 지나, 시들어서 지나 다시 피우면 되는 게 꽃인 것이지."

모란은 자신의 오만과 부주의로 인해 이 모든 일이 일어났음을 안다. 연의 잘못이라고도, 모란의 잘못이라고도 할 수 없었다. 이 사고에 악의란 없다. 불운하다면 불운한 것. 그러나 이 또한 인연이 아니겠는가. 이로 인해 모란과 연이 바로 이 자리에 서 있게 된 것이 아닌가. 모란은 이 불운을 운이라 여기고 있는 자신을 깨달았다. 연이 자신에게 죄책감을 가진다면 그것대로도 좋았다. 연이 작은 목소리로 물었다.

"나 때문에 그리된 것인데도, 그래도 내가 좋아?"

"아니."

그 대답에 연의 낯이 창백해졌다. 모란은 그 또한 사랑스럽게 여겼다.

"그저 좋아하는 수준이라면 그리할 수는 없으니까. 연모하고 사모한다 하였는데 진심처럼 들리지가 않았어?"

"나…는……."

"이토록 진심인데."

모란이 입을 맞추었다. 그리고 저도 모르게 벌어져 울먹이고 있는 연의 입술과 혀를 삼켰다. 연의 근원에 남게 될 흉마저도 좋게만 느껴지는데 이것은 좀 위험한 것이 아닐까, 그리 생각하면서도 모란은 물러나지 않았다.

연은 처음에는 벗어나려는 듯 바르작거리다가 이내 모란의 팔을 잡았다. 혀를 얽매면 얽매이고 깨물면 마주 깨물었다. 서로를 섞으며 다리에 힘이 풀린 연이 비틀거리자 모란이 그대로 놓아 주었다. 사방이 꽃이었다. 연은 지금 이 순간에도 연달아 폭죽 터지듯 꽃망울을 터트리는 꽃을 볼 수 있었다.

"나 때문에 혼이 찢겼지. 그래도 내가 좋아?"

연을 눕힌 모란이 물었다. 연이 눈을 깜박였다. 목까지 치밀어 오르는 감정을 삼키느라 목울대를 울린 연이 입을 열었다.

"아니. 좋지 않아."

모란은 떨리는 연의 몸에 제 몸을 다정하게 포갰다. 따뜻한 체온이 번졌다. 손을 뻗어 모란의 목덜미에 난 식은땀을 손끝으로 문지르며 연이 말을 이었다.

"나도, 모란 당신을 연모하니까."

모란은 넘치는 애정과 애욕으로 연을 꽉 끌어안았다. 바다처럼 넘실거리는 꽃 속으로 둘의 모습이 잠겨 들었다. 온몸으로 모란을 받으면서, 연은 열 살 이후로 처음으로 꽃이 참으로 아름답다고, 참으로 좋다고 여겼다. 아득해지는 의식 너머로 화사하게 꽃들이 흐드러졌다.

그러고는 연의 시야로, 몸으로 쏟아져 내렸다……

十章 : 정원

"흐으, 으⋯⋯."

숨을 헐떡이면서 연이 엉금엉금 기었다. 눈가에 그렁그렁 고여
있던 눈물이 뚝 떨어져 이불을 적셨다. 그 부질없는 몸부림은 모란
이 허리를 죽 잡아당기는 것으로 끝장나고 말았다. 이불을 붙잡아
도 소용없이 연은 질질 아래로 끌려갔다. 저도 모르게 울먹거리는
목소리가 나왔다.

"더, 더는 못 해⋯⋯. 진짜 못 한다고."

"아냐, 힘내서 조금만 더 해 보자."

"시, 싫⋯⋯."

그런 것에 힘내기 싫다 대답하고 싶었다. 하지만 대답 대신 신음
소리가 교성처럼 높게 울렸다. 모란의 물건이 단번에 뒤를 꿰뚫은
탓이었다. 완전히 쾌감에 젖은 연이 숨을 헐떡헐떡 울렸다. 느릿느
릿 안을 찔릴 때마다 오금이 저릴 정도로 몸이 예민하게 반응했다.

하도 사정한 나머지 연의 성기는 이제 발기조차 되지 않았다. 그
저 말간 액만 질금거릴 뿐이었다. 어쩌다가 이리 되었나. 연이 흐

느끼며 몸을 바르작거렸다.

얼마 전, 영명의 장례식이 끝난 날 연은 끝내 열 살 무렵의 기억을 되찾지는 못했지만 모란의 것을 가진 덕에 무슨 일이 있었는지는 알게 되었다. 모란의 기억이 연의 어린 기억을 대신해 준 덕이었다.

좋은 기억이라고도, 좋지 않은 기억이라고도 못 하겠다. 다만 이제 꽃들을 보면 연은 모란에게서 받은 기억을 떠올리게 되었고, 한 번 더 모란을 보게 됐다. 그날 밤 정원에서 바람이 불 때 넘실거리는 꽃들은 분명 장관이었다. 더는 꽃이 전처럼 두렵거나 싫게 느껴지지는 않았다.

거기까지는 좋았다. 영명의 칠칠재(七七齋)가 끝나고 난 뒤, 모란이 사흘 후에 떠나겠다고 하는 것도 좋았다. 그러나 마지막으로 치료를 많이 해 두고 가야 한다며 연을 이리도 쥐어짜는 것은 결코 괜찮지가 않았다. 확실히 치료를 하는 것이긴 하는지 가슴 언저리가 따끔거리기는 하였다. 그러나 그 감촉보다도 지독한 쾌감이 훨씬 더 견디기 힘들었다.

"아, 아흑, 훗…… 앗, 앗, 아!"

결국 다시 견디지 못한 연이 소용없이 이불을 긁었다. 철벅철벅 모란이 박아 넣을 때마다 마치 백치가 되는 것 같았다. 온몸이 흐물흐물 물러지는 듯했다. 더는 사정할 수 없는데도 자꾸만 절정에 오르니 이제 두려울 지경이었다. 결국 연이 견디지 못하고 모란을 퍽퍽 때렸다. 그조차도 손에 힘이 잘 들어가지를 않아 헛주먹질이었다. 모란은 눈 하나 깜짝하지 않았다.

"며칠은, 못 일어날 거란, 아흑, 으, 히익, 말이야……."

"그러라고 이러는 것인데."

지껄이면서 모란이 들은 척 만 척 쭉쭉거렸다. 아니, 연이 울먹거리고 애원할 때마다 더 흥분하는 것 같기도 했다……. 결국 모란은 연이 두 번 더 절정에 이를 때에야 '치료'를 멈추었다. 연은 다소 서러워 엎어진 채 모란의 손만 모질게 질겅질겅 씹다가 그대로 지쳐서 잠들었다.

다시 깨어났을 때에는 더할 나위 없이 몸이 좋았는데, 그게 오히려 연의 성질을 돋우는 것이었다. 이불에 푹 파묻혀 나올 생각도 하지 않던 그에게 모란이 식사를 가지고 왔다. 오늘 후로는 이십 일 정도를 보지 못한다는 것만 아니었다면 연은 모란에게 대꾸도 하지 않았을 터였다. 그만큼 허리 아래가 너덜너덜하고 감각이 없는 느낌이었다.

그러거나 말거나 원하는 대로 연에게 식사를 실컷 먹인 다음 모란은 화정당 밖으로 향했다. 창문을 열고 뭐 하나 보았더니 잠시 여기저기 돌아다니며 무언가 확인하고 있었다. 아마도 화정당에 설치되었다던, 연에게 생기를 보내고 있다는 마법진인가를 확인하는 모양이었다. 몇 번이고 돌아보고는 모란이 돌아왔다.

"난 이만 가 보도록 할게. 늦어 봤자 좋을 것 없으니까."

알고는 있었는데 모란이 저런 말을 하자 연의 가슴이 덜컥 내려앉았다. 티 내지 않으려 애쓰며 연이 고개를 끄덕였다.

"이십 일 정도 걸린다 하였지?"

"그래. 가능한 빨리 오도록 해 볼게."

머뭇거리다가 연이 슬그머니 모란의 손을 잡았다.

"무리……하거나 하지는 마. 좀 늦어도 되니까."

만약에 모란이 돌아오지 않는다는 생각만 해도 연은 그저 까마득해지는 것 같았다. 모란은 연의 마음을 읽기라도 한 것처럼 다정하게 어깨를 두드렸다.

"걱정 마. 거기서 쓰던 몸을 남겨 두고 왔으니, 타마타모를 죽일 때는 그 몸을 사용할 거야. 어차피 죽을 일은 없겠지만 그렇게 하면 만에 하나 죽는다 하여도 문제없지."

거기서 쓰던 몸……. 그럼 무언가, 예비용인가? 아무래도 좋았다. 연은 모란이 가능한 멀쩡하게 돌아오기를 바랐다. 불안하고 초조한 건 연만이 아니라서, 모란은 다시 밖에 나가 마법진을 확인하고 오더니 내심 불안한 얼굴로 연에게 신신당부를 했다.

"절대 세가를 나가서는 안 돼."

"그래, 알았어."

"거의 치료되었으니 내가 없어도 괜찮을 거고, 그 전에 돌아오겠지만 그래도 혹시 아프거나 하면 무조건 화정당 안에 있기만 해도 나아질 테니까."

"무슨 일이 있어도 밖에서 지내지 않을게."

"일 있으면 네 형님에게 바로 말하고……. 식사 꼬박꼬박 하고, 또 옷은 따뜻한 걸 입고."

이쯤 되자 연은 모란이 자신을 무슨 어린아이로 보는 게 아닌가 하는 생각이 들었다. 그러나 모란은 진심이었다. 그간 연을 혼자 내버려 두기만 하면 일이 터졌던 탓이다. 그러나 안 갈 수는 없었다.

'괜찮겠지.'

세가 밖이라면 모를까 안에서 무슨 일이 일어날 염려는 없었다. 연의 본원지기를 유지하게 해 줄 마법진은 땅속에 있어 손상되거나 들킬 염려가 없었다. 마법진을 깰 만한 유일한 존재는 모란과 함께 떠난다. 그런데도 왜 이렇게 불안한지…….

모란은 한숨을 쉬고는 연에게 입을 맞추었다. 금방 돌아올게. 그리 말하고는 그가 숙였던 상체를 폈다. 기다리고 있던 앱솔이 크게 엎드려 절했다.

"그간 실례 많았습니다, 남궁연 님. 이 앱솔, 남궁연 님이 앞으로 가시는 길에 큰 영광 있으시기를 기원하겠습니다."

"나도 고마웠어."

앱솔을 만난 지 얼마 안 되었으나, 그래도 이제 헤어지면 다시 보지 못한다고 생각하니 좀 기분이 묘했다. 모란은 연을 물끄러미 보다가 이내 등을 돌렸다. 허공을 휘저어 주먹을 쥐자 매우 기분 나쁜 스산한 기운이 돌았다. 연은 이제 이게 다른 공간이나 차원을 열었을 때의 느낌이란 걸 안다. 그대로 모란은 뒤도 돌아보지 않고 스르륵 사라졌다.

잠깐 정적이 흘렀다. 어쩐지 기분이 이상해서 연은 모란이 사라진 자리로 향했다. 머뭇머뭇 어정거렸다가 괜히 화정당 밖으로 나가도 보았다. 떠날 때는 태연한 척하였으나 막상 모란이 사라지고 나자 미묘하게 풀이 죽었다.

연은 다시 침상에 돌아와 누웠다. 이십 일 정도의 기간이 참으로 멀게도 느껴졌다.

'여기서의 하루가 거기서는 이십사 일……'

연이야 십오 일이지만 모란은 일 년이다. 모란에게는 일 년이라는 시간이 길게 느껴질까, 짧게 느껴질까? 타마타모는 어떤 존재이기에 모란까지 가야 하나. 아이낙스는 어떤 사람일까. 다녀온 모란이 전과 달리 변하거나 하지는 않겠지? 이런저런 생각으로 연의 마음속은 번잡하였다.

연은 이틀 정도는 침상에 누워서 보냈다. 그러나 시간이 지날수록 무료해지는 까닭에 버티지 못하고 화정당 밖으로 나오고 말았다. 뒤뜰에 가니 모란이 피웠던 꽃들이 모두 시들시들 지고 있었다. 계절감을 잊은 꽃 무더기에 하인이 의아해하면서도 열심히 쓸어 치우고 있었다.

"꽃나무를 좀 심을까."

꽃을 왜 그리 싫어하였나—실은 두려워한 것이지만— 알게 된 후로는 전처럼 멀리하고 싶지는 않았다. 예전에 꽃으로 화려하고 아름다웠던 정원을 다시 보고 싶어서인지, 꺼려한 이유를 알았기 때문인지, 아니면 제 것이 아닌 모란의 기억을 가졌기 때문인지.

'모란이 내게 준 게 대체 정확히 무얼까.'

그저 단순히 자신의 안 좋은 기억을 가져가고 대신 모란의 기억을 줬다고 보기에는 무언가 묘했다. 계속 허하고, 무언가 잃어버린 느낌이 들던 전과는 달리 이제야 무언가 찬 느낌이 드니……. 모란이 오면 제대로 물어봐야겠다, 생각하며 연이 시비를 불렀다.

"정원에 꽃을 좀 심고 싶구나."

연의 말에 시비는 잠시만 기다려 달라며 물러났다. 잠시 후에 시비는 정원사와 함께 돌아왔다. 정원사는 꽃을 심고 싶다는 말에 퍽 기뻐 보였다. 하긴 십 년 내내 삭막하기만 한 정원이었으니.

"도련님, 얼마 후면 곧 봄비가 내릴 것이니 땅이 무르고 난 뒤에 꽃을 심는 것이 좋을 듯합니다."

그렇게 말하면서도 취소하지는 않을까 정원사가 연을 흘깃거렸다. 내내 가지치기나 해 온 터라 제대로 정원을 가꾸고 싶은 기색이 역력했다. 하긴 명색이 화정당이 아니던가. 이제는 꽃이 필 때도 되었지. 연이 고개를 끄덕였다.

"나는 그에 대해서는 잘 모르니 좋을 대로 하게."

"그렇다면 봄비가 내리는 대로 하도록 하겠습니다. 곧 꽃이 필 때이니 철에도 맞을 것입니다."

연이 고개를 끄덕였다. 모란이 돌아올 때쯤에는 화정당에도 꽃이 피어 있을 터였다. 모란이 피운 게 아니라 자연스럽게 피어난 꽃들이……

'모란꽃이나 연꽃을 가꾸어 볼까.'

가만히 생각하던 연은 괜시리 귀가 벌겋게 달아올랐다. 헛기침을 하고는 정원사를 물렸다. 휑한 화정당을 거닐며 이리저리 머릿속으로 꾸며 보느라 그날은 괜찮게 시간을 보낼 수 있었다.

다음 날 연은 폐월당으로 향했다. 영명이 죽은 지 얼마 안 되었으나 세가에 그다지 슬픈 기운은 느껴지지 않았다. 죽음을 기리는 동안 세가는 조용하였으나 조용한 것이 애도를 의미하는 것은 아니었다.

칠칠재를 지내면서 연은 창일당의 시비나 하인들에 대해 이야기를 들을 수 있었다. 산공독으로 고통받던 영명에 의해 불구가 되거나 죽기까지 한 이도 있던 모양이다. 보통 모시던 윗사람이 죽으면 슬퍼하기 마련인데 영명이 죽고 나자 창일당 시비와 하인들 얼굴에는 안도의 기색이 역력했다.

참으로 모순적이다. 영명을 가장 애도하는 이가 그가 가장 아끼던 연오도 아니고 가장 홀대했던 한위라니. 연이 쓰게 웃었다.

'모르는 것이 약이지.'

기만적일지도 모르나 연은 한위에게 모친에 대한 일은 영원히 비밀로 할 셈이었다. 알아서 전혀 좋을 것이 없는 사실이다. 연은 전에도 그랬듯이 지금도, 한위에게 영명이 그저 매정한 아비로만 남기를 바랐다. 하지만 주강이 언제고 사실을 말하고자 한다면…… 어쩔 수 없겠지. 그저 그러지 않기만을 바랄 뿐이다.

폐월당에 도착하자 한위는 대청마루 끄트머리에 앉아 있었다. 주강은 무심한 얼굴로 서 있었다. 얼마 전 주강은 연오에게 요청하여 한위의 호위로 자리 잡은 차였다. 영명이 죽었으니 세가를 떠나지는 않을까 내심 염려했는데 잘되었다면 잘된 일이다. 하긴 이제는 복수할 상대도 없고 대신 한위가 남아 있으니.

"형님."

영명이 죽은 뒤로 한위는 종종 우울해했다. 그래도 아버지라서 그런 건가 싶다가도, 한위의 얼굴을 보면 딱히 슬퍼서 그런 것 같지는 않았다. 그 표정은 어쩐지 죄책감과도 비슷했다. 연은 오늘에는 한위에게 연유를 들어 보자고 마음먹었다.

"요즘 기분이 별로 좋지 않은 것 같구나."

한위는 말을 하려 하지 않았으나 연이 끈기 있게 기다리자 한참 뒤에 입을 열었다.

"가주님이 돌아가셨으니 슬퍼해야 하는 것이겠지요? ……그런데 돌아가신 날에도, 묘를 만드는 날에도 사실…… 그다지 슬프지는 않았어요."

그 말을 듣자 연은 한위의 얼굴에 왜 죄책감이 어렸는지 알 수 있었다. 한위가 이제 열여섯이던가? 연은 돌연 이리 순하여 어떻게 하나, 하는 생각이 들었다. 제가 열여섯일 때는 이러지 않았던 것 같은데.

'……아, 그렇지. 열여섯에는 모란을 쥐 잡듯 잡고 있었구나. 아무튼.'

"전 정말 못됐나 봐요."

"그건 네가 못되어서가 아니다. ……도리어 그 반대라서 그런 것이지."

연의 말에 한위가 눈을 휘둥그레 떴다. 무언가 말하려는 듯 입을 열었다 닫더니, 이내 깨달은 얼굴로 입을 다물었다. 한숨을 푹 쉬고는 한위가 고개를 저어 털어 냈다. 아무튼 더는 영명의 일로 괴로워할 것 같지는 않았다. 애초에 아직도 영명을 가주라고 부르고 있지 않나. 죽는 날까지도 영명은 호부(呼父)를 허락하지 않았다. 그런 자였다.

여전히 한위가 풀 죽어 있자 연이 넌지시 물었다.

"연오 형님을 뵈러 갈까?"

"좋……지만요. 그게, 저……. 그분이 계셔서……."

한위가 머뭇거렸다. 연은 한위가 말하는 그분이 누구인지 익히 짐작이 갔다. 남궁원을 이르는 것이다. 영명이 급사한 후―물론 실제로는 급사와는 거리가 멀었지만― 얼마 지나지 않아 일찍이 세가에서 손을 뗐던 남궁원이 돌아왔다. 연오가 지나치게 젊은 나이에 가주 자리를 이어받게 되자 그를 도와주기 위해 조부가 잠시 동안 와 있는 것이다.

남궁원은 척 봐도 엄격하기 그지없는 사람이라, 누구나 그를 어려워하곤 했다. 그러나 천출이라 하여 손자들을 차별할 사람은 아니다. 그걸 알고는 있었으나 연 역시 남궁원이 어려웠기에 한위의 마음이 이해는 갔다.

"하지만 인사는 드리러 가야지."

"네에……."

마지못해 일어난 한위가 연의 뒤를 따랐다. 둘이 향한 곳은 화월 당이었다. 창일당은 내년 연오가 가주 자리를 정식으로 물려받기 전까지는 계속 닫혀 있을 예정이었다. 둘이 화월당에 가까이 가자 시비가 쪼르르 달려가 고했다.

"가주님, 연 도련님과 한위 도련님이 오셨습니다."

문을 열고 들어가자 남궁원과 연오가 있었다. 최근 연오는 하루 종일 남궁원으로부터 세가에 관한 모든 지식을 전수받는 중이었 다. 남궁원을 보자 한위가 뻣뻣해졌다. 연은 한위와 함께 몸을 숙 이며 인사를 올렸다.

"조부님, 인사 올립니다."

"이, 인사 올립니다."

그래, 하는 대답이 돌아오고 나서야 연이 고개를 들었다. 남궁 원은 연과 한위를 살피더니 한참 뒤에서야 앉으라 허했다. 연과 한 위를 보는 눈길이 형형하고 예리했다. 한위가 꼴깍 마른침을 삼키 며 바르게 앉았다. 실은 긴장되기는 연도 마찬가지였다. 남궁원은 그다지 연을 탐탁지 않게 여겼던 것이다. 아니나 다를까…….

"그래, 요즘에는 그나마 아랫사람에게 패악 부리지 않고 산다고 들었다."

바로 연을 향해 날카로운 말이 쏟아졌다. 항상 아우들을 과보호 하는 연오가 조부님, 하면서 조심스럽게 개입하려 했으나 남궁원 은 손을 들어 막았다.

연은 그저 예의 바르게 굴었다. 남궁원은 연이 아랫사람에게— 라고는 해도 모란뿐이지만— 패악을 부렸던 걸 매우 언짢게 여겼 다. 혼난 적도 여러 번이었다. 패악이라고는 해도 짜증이나 좀 부 렸지 대부분은 모란을 향한 화살이었으나 다른 사람들 눈에는 달 랐을 것이다.

"뉘우친 바가 있어 제대로 살고자 노력하고 있습니다."

"사람이라면 응당 그래야지. 그러나 또한 사람은 쉽게 변하지 않는다. 노력하고 또 노력하거라."

"알겠습니다, 조부님."

고분고분하게 대답하자 남궁원의 엄격한 기세가 다소 누그러졌다. 그는 이내 시선을 한위에게 돌렸다.

"네가 한위라고 하였느냐?"

"그, 그렇습니다."

남궁원은 한참을 한위를 바라보다 흠, 하는 소리와 함께 고개를 돌렸다. 울상이 된 한위가 꿈지럭거렸다. 하지만 연은 남궁원이 한위를 제법 마음에 들어 한다는 걸 알 수 있었다. 연은 내심 안도의 한숨을 쉬었다. 아우들의 경직된 분위기를 알아차린 연오가 화제를 돌리고자 입을 열었다.

"조부님, 연이가 몸이 많이 안 좋지 않았습니까. 그래도 최근에는 많이 건강해졌습니다. 좋은 일이 아닙니까."

"……그래, 건강해졌다니 좋은 일이지. 그간 정확한 병명도 없이 약도 의원도 소용이 없더니만 어찌 된 일이더냐?"

연은 이 화제가 그다지 달갑지 않았다……. 어쩐지 남궁원 앞에서 모란에 대한 이야기는 가능한 꺼내지 않는 게 좋을 것 같았던 것이다. 그러나 연의 마음을 읽지 못하는 연오는 계속 말을 이어 나갔다.

"연의 주치의로 붙인 백모란이란 의원이 그렇게 유능합니다."

"백모란? 어디서 들어 본 이름이구나."

조부가 미간에 주름을 잡자 연이 눈을 굴렸다……. 정정하여 기억력이 좋은 것인지 아니면 세가에서 소식통을 두고 있는지 남궁원은 곧 백모란이란 이름을 어디서 들었는지 떠올렸다. 그리고 굳은 얼굴로 연을 돌아보았다.

"백모란이라 하면 연이 네가 매일같이 괴롭히던 그 아이 말이냐? 그런 아이가 주치의가 되어 네 건강을 살피다니, 혹여 겁박을 한 것은 아니더냐."

"아닙니다, 조부님. 백모란 그자는 진정으로 환자를 돌보는 의원이었습니다. 연이 또한 요즘에는 모란과 잘 지내고 있습니다. 겁박이 있을 리가요."

괜히 자신이 꺼낸 말 때문에 연이 타박을 받자 연오가 변호에 나섰다. 그러나 남궁원은 믿지 않는 눈치였다. 그럴 수밖에 없었다. 남궁원은 전에 세가에 들러 아픈 손자를 살피러 왔다가 연에게 핍박받던 모란의 모습을 두 번이나 본 적이 있었다.

"본인을 불러오면 알 수 있겠지."

"그래, 그러면 되겠구나. 연아."

연오가 반색했다. 하필 이럴 때에……. 연이 난감한 마음으로 고개를 숙여 보였다.

"현재 모란은 자리에 없습니다."

"자리에 없다니?"

주치의가 자리를 비웠다는 말에 연오가 눈썹을 찌푸렸다. 연이 속으로 한숨을 쉬었다.

"고향에 일이 생겨 잠시 내려간 터라 자리를 비운 상태입니다. 이십여 일쯤 걸린다 하였으니 그 후에는 볼 수 있을 것입니다."

안 그래도 미심쩍게 여기고 있던 남궁원이 혀를 찼다. 그러고는 더 이상 아무런 말이 없었다. 어쩐지 미운털이 박힌 것 같았지만 원래도 남궁원은 연을 못마땅해하던 터. 그래도 조부가 한위는 마음에 들어 하는 것 같으니 아무래도 상관없었다.

"그러고 보니 연이도 약혼을 하였다고?"

"예, 그렇습니다. 백매화란 상단주입니다."

오늘따라 왜 이렇게 난감한 주제들만 나오는지 연은 알 수가 없었다……. 다른 것도 아니고 자꾸 모란에 대한 이야기만 나오니 연으로서는 대처하기가 힘들다.

"그래, 어떤 여인이더냐?"

"그……."

연은 잠깐 고민했다. 어떤 여인이냐고? 한 번도 백매화가 어떤 여식인지에 대해서는 생각해 본 적이 없다. 왜냐면 백매화란 여인은 없으니까! 그렇다고 남궁원 앞에서 허술하게 대답할 수도 없는 노릇이었다.

"나이는 스무 살로 아…름답고 기개가 넘치며…… 강인한 여인입니다."

여인이며 아름답다는 것을 제외하고는 연은 최대한 사실을 말하려고 무던히 애를 썼다. 남궁연은 이 짧은 말에 그다지 만족하지 않은 얼굴이었다.

"그리고?"

그리고? 여기서 더 무언가 말해야 하는 건가? 연이 눈을 깜박이다가 간신히 덧붙였다.

"백모란의 먼 친척입니다."

"같은 성씨이니 그럴 것이라 생각은 했다. 그래, 언제 그 백매화란 여인도 한번 만나 봐야겠구나."

……모란이 여장한 모습을 한 번 더 봐야 한다고? 연은 조부가 '백매화'를 마주 보았을 때 자신이 웃지 않고 버틸 수 있을까 벌써부터 의심이 들었다. 아니, 웃음만 나온다면 차라리 다행인 거겠지.

아무튼 남궁원은 더는 물을 것이 없는지 연오에게 관심을 돌렸다. 연이 속으로 안도의 한숨을 쉬었다.

조부를 만나고 나와 폐월당으로 향하는 길, 한위는 기운이 쪽 빠진 모습으로 터덜터덜 걸었다. 정작 혼난 건 연인데도 심력은 한위가 쏟은 모양이었다. 조부님이 널 마음에 들어 하시는구나, 넌지시 말했더니 한위가 믿기지 않는다는 얼굴로 중얼거렸다.

"설마요……."

하지만 연이 보기에는 그랬다. 남궁원은 좋은 말은 잘 하지 않았지만, 그렇다고 빈말을 하지도 않았다. 그간은 영명으로 인해 한위를 거의 보지 못했으니 오늘 처음 본 것이나 마찬가지다. 그런데도 별말이 없다는 건 한위가 제법 마음에 들었다는 의미다.

"조부님께 혼나지 않는 사람이 없다. 네가 잘 처신했다는 이야기지."

그런데 이 말에 한위는 한참 침묵하더니만 뜻밖의 대답을 내놓았다…….

"왜 사람들은 형님을 싫어하는 걸까요?"

연이 눈을 깜박였다. 오늘 조부가 저를 싫어하는 것처럼 보였나? 그럴 수도 있을 것이다. 정확히는 싫어한다기보다는 못마땅하게 여기는 것일 테다. 얼핏 비슷해 보일 수 있으나 둘의 차이는 컸다. 하지만 한위는 남궁원만을 말하는 건 아닌 듯했다.

"형님이 얼마나 좋으신 분인데."

한위가 분한 기색으로 주먹을 꽉 쥐었다. 그 모습에 연은 웃고 말았다. 세가 내 사람들 중 상당수가 저를 좋아하지 않는 건 연도 알고 있다.

그의 앞에서 대놓고 말을 하지 않을 뿐이지. 제가 모란이 되기 전에는 얼마나 모시기 까탈스러운 주인이었던가. 게다가 화정당 시비나 하인들은 연이 모란을 이유 없이 지독하게 괴롭히는 걸 오랫동안 지켜보았다. 또한 지독히도 허약하여 세가의 명예에 누가 될 정도로 별 볼 일 없는 무인이 아니던가. 이리 싫어하는 것이 당연하다면 당연한 일이다.

연은 그 미움들에도 그다지 기분이 나쁘지 않았다. 그런 사람들 백 명이 저를 싫어하는 것보다는 한위가 저를 좋아하는 게 더 중요했다.

"네가 나를 좋게 여긴다면 그것으로 충분하지 않으냐."

"형님을 나쁘게 말하는 사람들이 있으면 가만있지 않을 거예요!"

"그건 안 되지. 세상 모든 사람이 날 좋아할 수는 없는 법이니."

연이 잘 달랬으나 한위는 드물게도 불퉁한 얼굴로 입술을 비죽거렸다. 연은 기쁘면서도 한편으로는 한위가 완전히 순하지만은 않은 것 같아 다행이라고 여겼다.

검술 수련을 할 시간이라 한위를 보낸 뒤 연은 은록에게 갔다. 세가 밖으로 나가지 말라는 모란의 말이 떠오르지 않은 것은 아니다. 그러나 어차피 의원까지는 거리도 그다지 멀지 않았다. 의원에 가는 길, 문득 생각나는 것이 있어 연이 모란이 만들어 준 목걸이를 꺼내 보았다. 반들반들하니 마치 주목(朱木)으로 만들어진 나무패 같아 보인다.

'체액을 묻히거나 상태가 위험해지면 모란에게 바로 순간이동된다 하였지.'

하지만 지금 세계에는 모란이 없었다. 그렇다면 모란이 있는 세계로 넘어간다는 의미인가? 궁금했지만 일이 어찌 될지 모르니 시험해 볼 수는 없는 노릇이다. 연은 다시 목걸이를 품 안에 밀어 넣었다.

의원에 도착하니 언제나 그렇듯이 은록은 사람들을 봐 주고 있는 중이었다. 연은 가만히 앉아 제 사부가 사람들을 치료해 주는 모습을 지켜보았다. 해가 뉘엿뉘엿 질 때쯤에야 사람들이 모두 돌아갔다. 은록은 말없이 제자에게 다가와 맥부터 짚어 보고는 손목을 놓아 주었다.

"그 모란이란 자는 어디에 갔느냐?"

"고향에 일이 있어서 이십여 일 쯤 있다 오겠다 합니다."

사실을 말하는 것이었으나 아무리 그래도 사부에게 거짓말을 하는 느낌이라 연은 양심이 좀 찔렸다. 그곳을 고향이라고 할 수 있기는 한가……? 다행히도 은록은 그저 수긍하고 말았다. 모란이 사라져도 한위나 연오 정도나 묻고 말 줄 알았는데 의외로 남궁원이나 은록이 행방을 궁금해하니 난처했다.

연은 은록과 함께 환자의 병세에 대해 토론하며 시간을 보냈다. 은록의 처방에 대한 질의나 밤에 연이 보고 다니는 환자들에 대한 조언 등이었다.

실로 유익한 시간을 보내고 자리에서 일어나는데 가기 전 은록이 연아, 하고 불렀다.

"예, 사부님."

전에는 은록이 연이라고 불러 주는 날은 영영 오지 않을 줄 알았는데 정말 사람 인생은 모르는 것이다. 은록은 잠시간 연을 바라보았다.

"그 백모란이라는 자와는 언제까지 같이 지낼 생각이냐?"

"예?"

갑작스러운 물음에 연이 눈을 깜박였다. 오늘따라 왜 이리 난처한 질문들만 받는지 모르겠다. 그것도 모란과 관련해서.

"치료가 끝나면 그자를 멀리하는 게 좋을 것 같구나."

은록의 말에 연이 당황했다. 아무리 하늘과도 같은 사부의 말씀이라지만, 갑자기 모란을 멀리하라니? 평소 은록과 모란의 사이가 좋지 않구나 생각은 했지만 이런 말이 나올 정도인 줄은 몰랐다.

"저, 사부님. 그리 말하시는 연유를 여쭈어보아도 되겠습니까?"

연이 조심스럽게 물어보아도 은록은 잠시간 말이 없었다. 안절부절못하는 동안 은록은 제자 주려고 지어 놓았던 탕약을 꺼내 건네면서 이렇게 말했다.

"내가 보기에 그자에게는 선이 없다. 혹은 선이 아주 낮거나. 실로 제멋대로인 자이니 네게 해를 끼치지는 않을까 염려가 된다."

모란이…… 제멋대로인 면이 있기는 했다. 어느 순간 연도 모르게 무언가를 진행해 놓고는 끝에 가서 알려 주곤 했으니. 하지만 선이 없거나 낮다는 말은 잘 이해가 가지 않았다. 어쨌든 은록과 모란은 연에게 있어 귀한 이들이니 가능한 한 변호해 보았다.

"물론 모란이 제멋대로이고 무례하긴 하나, 그리 나쁜 사람은 아닙니다. 또한 제 몸을 고쳐 준 은인이기도 하고요."

"……그래. 네 은인이면 내게도 은인인 셈이지."

은록은 드물게도 들릴락 말락 한숨을 쉬는 듯하더니 이내 밤이 늦었다며 연을 보냈다. 연은 탕약을 손에 쥐고 타박타박 세가로 돌아오면서 고개를 갸웃하였다. 모란 정도면 정말 괜찮은 사람이 아닌가. 창연각 비급 도둑 사건이나 한위 소룡대회 우승 따위를 보면 막 나갈 때가 있기는 했지만…….

'언젠가는 사부님도 모란이 어떤 사람인지 알아주실 테지.'

그리 생각하며 연은 화정당으로 향했다.

모란이 떠난 지 어느덧 나흘이 지났다. 돌아오기까지는 보름 정도가 남았고, 모란 쪽에서는 어느새 몇 달이나 지났을 것이다. 연은 지금 이 순간에도 모란의 하루, 이틀이 쏜살같이 지나가고 있다는 생각을 하면 어쩐지 가슴이 선득해졌다.

'돌아온 모란은 예전과 같을까?'

일 년이라는 세월은 짧지만 변하기에는 충분한 기간이다. 연은 과연 돌아온 모란이 어떤 모습을 하고 있을지 궁금했다. 창을 열어 밖을 보니 하늘이 흐릿하니 곧 비가 내릴 것 같았다. 연은 생각에 잠기다가 다시 정원사를 불렀다.

"정원을 가꿀 때 모란꽃과 연꽃도 심어 주게."

"화중왕(花中王)이라면 어디에든 잘 어울리는 꽃이지요. 마침 연못이 있으니 연꽃도 매우 보기에 좋겠습니다. 연꽃을 심는 김에 연못도 손보도록 하겠습니다."

두 꽃을 심는다면 다른 것이야 아무래도 좋았던 연이 고개를 끄덕였다. 한위를 찾아가 볼까 하였으나 오후부터 비가 내리는 바람에 그저 얌전히 화정당에 머물기로 하였다. 결국 그날은 창밖으로 비가 내리는 걸 보며 차를 마셨다. 하루하루 지나가는 것이 그저 길었다.

비는 다음 날까지도 계속 이어졌다. 벌써부터 정원사가 나와 이리저리 밑 작업을 해 두는 걸 지켜보다가 연이 자리에서 벌떡 일어났다.

"이런……."

지난번 앱솔의 피가 묻은 옷을 연못 뒤쪽에 숨겨 놓지 않았나. 그 은빛으로 반짝반짝 빛나던 핏자국은 잊으려야 잊을 수도 없었다. 연은 정원사가 돌아가기만을 기다렸다. 그러나 이 성실한 정원사는 해가 질 때까지 열심히 일하다가 돌아갔다.

결국 연은 깜깜한 밤이 되어서야 밖에 나설 수 있었다. 바깥이 어두워 아무것도 뵈지 않았기에 우산과 호롱불을 들고 나왔다. 흙이 젖어 물이 추적추적 발까지 스며들었다. 한기가 들었다. 살금살금 연못까지 간 연이 뒤쪽을 파내자 금방 옷이 나왔다. 희미하게 은빛으로 반짝이고 있었다.

"원래 이렇게 연한 빛이었나?"

자세히 보지 않으면 빛나는 것도 모르겠다. 고개를 갸웃하면서도 연이 일단 옷을 가지고 돌아섰다. 뒤뜰을 가로질러 가는 중 돌연 연이 그 자리에서 얼어붙었다. 어떠한 소리가 그의 귀에 스친 탓이었다.

"뭐지?"

누군가 신음하는 소리 같았으나 주위를 둘러보아도 저만치서 나무를 지고 가는 하인 외에는 아무도 없었다. 연은 찜찜한 마음에 한참을 어정거렸으나 더는 아무런 소리도 들리지 않았다. 아무래도 바람 소리 따위를 잘못 들은 모양이었다. 한기가 훅 밀려들어 연이 몸을 떨며 얼른 화정당 안으로 돌아왔다. 그날 밤은 유달리 바람 소리와 빗소리가 마치 사람 신음 소리처럼 들려 연은 밤새 뒤척여야만 했다.

다음 날 아침에는 언제 비가 내렸냐는 듯 하늘이 맑게 개어 있었다. 제대로 잠을 못 잔 연이 지끈지끈한 미간을 누르고 있는 가운데 정원사가 신나서 꽃 묘종을 산더미처럼 들고 왔다. 꽃망울이 조롱조롱 달린 모란꽃이 연못 뒤쪽에 심어지는 걸 보니 어젯밤 비 맞아 가며 옷을 치운 보람을 느낄 수 있었다. 땀을 뻘뻘 흘리며 정원사는 연꽃 줄기도 열심히 심었다.

"어떠십니까, 도련님. 마음에 드십니까?"

아직 꽃은 피지 않았지만 봄이 되어 꽃들이 피어날 때를 상상해 보자 괜찮은 듯하여 연이 고개를 끄덕였다. 정원사는 뿌듯한 표정으로 다른 곳을 마저 꾸미러 사라졌다. 하도 열심히 하기에 연은 나중에 정원사에게 따로 보상을 해 주어야겠다고 생각했다.

연은 모습을 갖춰 가는 정원을 물끄러미 바라보다 폐월당으로 갈 채비를 하기 위해 자리에서 일어났다. 매일 옆에 있던 모란이 없으니 다소 쓸쓸하게 느껴지는 건 어쩔 수 없었다. 그러니 자꾸만 한위며 연오를 찾아가게 됐다.

'전에는 분명 혼자 지내도 괜찮았지.'

아니면 혼자 지내는 것밖에 몰라 괜찮다고 생각한 것이거나. 예전에 지낼 때에는…… 지금보다 몸이 더 안 좋아 하루 종일 앓으며 잠으로 보낼 때도 꽤 많았고. 연은 모란으로 인해 바뀐 점이 많다는 것을 인정할 수밖에 없었다. 모란이 다음 경지로 넘어가기 위한 영영화(靈英花)를 피우던 날, 연과 모란의 인생은 완전히 바뀌어 버린 것이다.

'내가 영영화를 건드리지 않았다면 지금쯤 나와 모란은 어찌 지내고 있었을까?'

연 자신은 여전히 건강한 채였을 테고, 모란과도 사이가 계속 좋았을 것이다. 기억이 사라지지 않았으니 한위와도 계속 좋은 관계를 이어 나갔겠지. 잠깐 상상해 보다가 후회만 불러오는 쓸데없는 생각이다 싶어 연이 고개를 저었다.

겉옷을 찾기 위해 자리를 뜬 그는, 화단을 뒤엎던 인부들이 아까부터 이상한 소리가 들리지 않냐며 고개를 갸웃거리는 건 미처 보지 못했다.

폐월당에 당도한 연은 마침 검술 수련을 마친 한위와 주강을 데리고 밖으로 나갔다. 이제는 한위도 다달이 세가에서 얼마간 돈을 받지만, 그래도 아우에게 맛있는 것이나 옷 따위를 사 주고 싶은 게 형님의 마음이었다. 한위와 함께 객잔이나 시장을 구경 다니며 흘끔 본 주강의 얼굴은 전보다 독기 같은 것이 사라진 듯 보여 내심 안도감이 들었다.

"오늘 저녁 늦게까지 들를 곳이 있는데 괜찮겠느냐?"

"물론이에요!"

사실 오늘 한위와 주강을 데리고 나온 데에는 다른 이유도 있었다. 전이라면 모란이 밤에 환자를 보러 다니는 것을 도와주었을 텐데 지금은 그럴 수가 없으니……. 설마 일이 있겠나 싶었지만, 이상하게도 항상 모란이 없을 때면 일이 터졌던지라 만전을 기했다.

연이 준비해 둔 면사포를 썼다. 한위가 눈을 빛내고 있어서 한위에게도 건네주었다. 주강은 이게 무언가 싶은 얼굴로 바라보았다.

"주강 형님도 써요!"

한위가 내밀자 주강이 마지못해 면사포를 썼다. 이로 인해 참으로 수상해 보이는 삼인방이 완성이 되었다. 이래도 괜찮을까 싶었지만 환자들을 보러 갈 때가 되자 한위와 주강일랑 곧 연의 머릿속에서 잊혔다.

연은 환자들을 돌보면서 당분간은 자주 올 수 없을 것 같다고도 귀띔을 해 주었다. 그러지 않으면 이 환자들은 자신만을 기다리고 있을 게 분명했으니까.

아픈 환자들을 진찰하고, 침을 놔 주고, 탕약을 지어 주는 일을 반복하고 나자 어느덧 뉘엿뉘엿 해가 지는 중이었다. 마지막 환자까지 처방을 하고 난 뒤에서야 연은 면사포를 벗을 수 있었다. 그제야 둘을 보니 한위는 '무언지는 모르겠지만 어쨌든 형님 멋져요' 하는 시선을 보내고 있었다.

"의원이었습니까?"

대체 언제부터? 주강이 의아해하는 것도 당연했다. 사냥대회 사건이 있기 전까지 주강은 거의 하루 종일 연을 감시했으니까. 연은 그저 희미하게 웃고 말았다. 은록에게야 자신이 모란이었다는 걸 밝혔다지만 주강에게는 차마 그럴 수가 없었다. 그래도 한위와 가까운 이니 의원인 것 정도는 알려도 될 듯하여 오늘 이리 함께 온 것이다. 연이 나름대로 주강에게 보여 주는 신뢰였다.

"그저 예전에 잠깐……."

연이 얼버무렸다. 주강도 더는 캐묻지 않았다. 연은 객잔에서 둘과 함께 저녁을 먹고 세가로 향했다. 그가 흡족한 마음으로 남궁세가 정문을 지나가려 할 때였다.

돌연 주강이 앞으로 나서며 검을 빼 들었다. 뒤에서는 한위가 잡아당기는 바람에 연은 둘의 맨 뒤에 서게 되었다. 주강이 냉랭하게 물었다.

"무슨 일이냐."

그제야 연은 세가의 분위기가 흉흉하다는 것을 깨달았다. 세가의 무사 여럿이 무기를 빼 들고 있었다. 대체 무슨 일인지 알 수가 없었다.

그들의 뒤에서 정문이 굳게 닫혔다. 무사들 사이에서 누군가가 나왔다. 남궁영명이 죽은 후로 호법장로까지는 아니어도 다시 장로직에 복직된 남궁사영이었다.

"당장 연 공자를 데려오라는 지시를 받았소."

"나를, 말입니까?"

한위와 관련된 일은 아닌 것 같아 차라리 마음이 놓였다. 연은 앞으로 나섰다. 검을 쥔 팔을 잡아 누르자 마지못해 주강이 검을 집어넣었다.

"대체 무슨 일입니까?"

"따라오면 알게 될 터, 부디 거친 방법은 사용하지 않게 해 주면 고맙겠소."

그리 말하면서도 사영은 거친 방법을 사용하고 싶은 듯한 눈빛을 보냈다. 한위가 발끈하여 나서려는 걸 연이 단호하게 막았다. 만약 자신에게 문제가 있다면 자신의 선에서 끝내야 하지, 절대 한위를 말려들게 하고 싶지는 않았다. 연이 순순히 나오자 무사들도 무기를 거두었다.

사영을 따라가면서 연은 무사들이나 시비, 혹은 하인들로부터 싸늘한 시선을 느낄 수 있었다. 수군거리는 분위기나 태도가 그러했다.

'대체 무슨 일이지?'

아무리 생각해도 사태의 원인이 짐작조차 가지 않았다. 연은 그대로 창일당까지 향했다. 어둑한 저녁이었지만 창일당은 횃불로 대낮처럼 밝았다. 굳은 얼굴의 남궁원과 남궁연오를 보자 연은 이일이 심상치 않다는 것을 깨달았다. 이는 마치 심문이라도 하는 것같지 않은가.

"연 공자를 데려왔습니다."

남궁사영의 태도는 남궁원을 등에 업은 듯 기세등등했다. 무슨 사건인지는 정확하게 알 수 없으나, 남궁사영이 이 일을 기회로 세가에서의 위치와 영향력을 되찾으려 한다는 건 잘 알 수 있었다.

"조부님, 그리고 가주님을 뵙습니다."

연은 일단 침착하게 인사를 올렸다. 그러고는 주위를 둘러보았다. 어쩔 줄 몰라 발을 동동 구르는 한위나, 주강, 그리고 연오를 제외한다면 연을 향하는 시선들이 싸늘하였다.

"세가에 무슨 일이 있었습니까?"

"그래. 일이 있었지. 그것도 아주 극악무도하며 끔찍한 일이 말이다."

남궁원이 고개짓을 하자 얼굴이 창백하게 질린 누군가가 걸어나왔다. 오늘 신나서 연의 정원을 가꾸던 정원사였다. 연을 보고는 몸을 부르르 떤 그는 크게 엎드려 절했다. 정원사를 보니 알 수 있었다. 정원에 무슨 일이 있었구나 하는 것을…….

"네 이름과 직급이 무엇이냐."

"소, 소인의 이름은 교량으로 연 도련님의 정원사로 일하고 있습니다."

"오늘 무슨 일이 있었는지 말해 보아라."

미간을 짚은 연오가 희미하게 침음했다. 그때까지도 연은 침착함을 유지하고 있었다. 그는 하늘에 맹세코 극악무도하며 끔찍한 일을 한 적이 없었다. 정원사는 마른침을 삼키며 연을 한번 흘깃 보고는 고개를 숙였다.

"소인은 오늘, 연 도련님의 지시로 하인들과 함께 정원을 가꾸고 있었습니다. 그런데 정원을 가꾸는 도중, 이, 이상한 소리가 땅속에서 들리는 것입니다. 모두가 그 소리를 들었기에…… 삽으로 파 보았더니……."

크게 심호흡을 한 정원사가 진저리를 치며 입을 열었다.

"땅속에 사람 네 명이 생매장되어 있었습니다."

정원사의 말을 듣는 순간 연은 등골이 서늘하게 식었다.

정원사는 아직도 그 끔찍한 순간을 기억했다. 처음에는 잘못 들은 줄 알았다. 그런데 하인들이 자꾸만 이상한 소리가 들린다며 투덜거리는 것이다. 귀를 기울여 보니 정원사에게도 그 이상한 소리가 들렸다. 마치 사람이 울부짖는 듯한 소리였다. 그것도 뜰 바로 정중앙에서 나고 있었다.

대체 왜 이런 소리가 들리는 건가 두려워하며 하인을 시켜 땅을 파 본 정원사는 심장이 멎는 줄 알았다. 땅속에 사람 넷이 묶인 채 파묻혀 있던 것이다. 셋은 정신을 잃은 상태였고 나머지 한 명은 정원사와 눈이 마주치자마자 그대로 까무러쳤다. 까무러치고 싶은 건 정원사도 마찬가지였다.

"제, 제 평생 그런 끔찍한 건 처음 보았습니다."

"지금 말한 것에 거짓은 없느냐?"

"결단코 한 치의 거짓도 없는 사실입니다. 저와 같이 일한 하인들에게 물어보아도 똑같은 답이 나올 것입니다."

모두 들었냐는 얼굴로 남궁원이 연을 바라보았다. 이 자리에 있는 사람들의 시선이 연을 향했다.

연은 어떠했냐면, 마치 뒤통수를 맞은 듯 정신이 멍했다. 제 정원에 사람 넷이 생매장되어 있었다고? 정원의 주인인 연으로서도 금시초문인 일이었다. 그는 그제야 비 오는 날 밤에 들었던 기이한 신음 소리가 이해가 갔다. 바람 소리나 빗소리 따위가 아니라 정말 사람이 내는 신음 소리였던 것이구나.

"혹 화정당에 묻혀 있던 사람들에 대해 할 말이 없느냐?"

"……."

"정녕 네 아는 바가 없기에 그리 입을 다물고 있는 것이냐?"

남궁원의 추궁에도 연은 침묵을 지켰다. 할 말이 없느냐고? 왜 화정당에 생매장당한 사람들에 대해 할 말이 없겠는가. 하늘에 맹세코 연은 생매장되어 있던 사람들에 대해서는 처음 알았다. 그러나 동시에 이게 어찌 된 영문인가를 알 것 같았기에 입을 열 수가 없었다. 머릿속이 순식간에 엉망으로 뒤엉켰다. 모란, 하고 연이 입 안으로 희미하게 중얼거렸다.

연이 창백하게 질린 채 말이 없자 남궁원이 다음 사람을 불렀다. 세가 장로 중 한 명인 남궁신건이었다. 그는 기관진식과 진법에 조예가 깊어 물러난 남궁사영 대신 창연각의 호법을 맡고 있었다.

"신건, 자네가 오늘 조사해 본 것을 말해 보게."

앞으로 나온 신건이 정중히 고개를 숙였다. 연은 대충 오늘 세가에서 있던 일들이 짐작이 갔다. 정원사가 생매장당한 사람들을 발견한 뒤에 바로 세가가 뒤집어졌겠지. 남궁원이 온 뒤로 이제나저제나 기회를 노리던 사영이 곧장 나섰을 터. 그러니 연이 도착했을 때에는 이미 그가 범인인 것으로 기정사실화된 것이나 마찬가지였다.

"아무래도 기이한 사술인 듯하여 조사를 해 본 결과, 생매장당한 이들은 생기가 극도로 소모되어 있었습니다. 진법 중에서도 매우 까다로우며 처음 보는 유형입니다. 정파나 사파 어디에서도 보인 적 없는 진법으로, 아직 완벽히 해법하지 않아 확신은 못 하겠으나 추측컨대 사람의 생기를 축출하여 어느 한곳에 모으게 하는 듯합니다."

'당연히 어디서도 본 적 없는 진법이겠지……. 마법진이니까…….'

증인은 여기서 끝나지 않았다. 이번에는 화정당에서 일하는 시비가 나와 증언했다. 비가 오던 날 밤 자신이 호롱불을 들고 몰래 나와 땅을 파고 있었다는 증언이었다. 앱솔의 피가 묻었던 옷을 파내려던 것이었지만 이런 상황에서는 어찌 보일지 빤한 일이었다.

"형님이 그러실 리가 없습니다!"

상황이 어떻게 돌아가는지 깨달은 한위가 소리쳤다. 이제 겨우 세가에서 인정을 받기 시작한 동생이다. 연은 그에게 고개를 저어 보였다. 형님? 하고 한위가 무어라 입을 열려는 것을, 주강이 끌고 나갔다. 모란에 대해 말하려는 걸 안 것이다. 한위는 반항하였으나 주강에게는 통하지 않았다.

"남궁연. 정말 할 말이 없느냐?"

모두가 그를 바라보는 가운데 연은 꾹 입만을 다물었다. 그리고 한참 후에야 입을 열었다. 변명이나 부정과는 거리가 먼 대답이었다.

"저로서는…… 드릴 말씀이 없습니다."

"연아!"

굳은 얼굴로 앉아만 있던 연오가 벌떡 일어났다. 그가 초조하고 안타까운 시선을 보냈으나 연은 일부러 시선을 마주하지 않았다. 연오는 연이 그랬다는 게 믿기지가 않았다. 필히 무슨 음모가 있는 게 분명했다.

"연이가 대체 왜 그런 일을 한단 말입니까?"

"가주님."

남궁사영이 나섰다. 짐짓 안타까운 척하였으나 의기양양한 기색이 완전히 지워지지는 않은 얼굴이었다. 연오가 남궁사영을 쏘아보았다.

"최근 들어 도련님의 건강이 급격히 좋아지지 않았습니까? 왜 그러했겠습니까. 저 무고한 사람들의 목숨을 대가로 자신의 수명을 연명한 것이 아닙니까. 동생을 아끼시는 마음은 이해하나, 그렇다고 하여 명백한 증거 앞에서도 죄인을 싸고도시면 안 됩니다."

연오가 주먹을 쥐었다. 그도 눈과 귀가 있으니 지금 상황이 명백히 연이 범인임을 가리킨다는 것은 알고 있었다. 하지만 납득이 가지 않았다. 남궁사영의 말대로 형제지간의 우애와 정으로 인해 자신이 객관적으로 보지 못하는 것일까? 하지만 어쩐지 지금 연의 태도는…… 꺼림칙한 구석이 있었다.

"만약 연이가 범인이라면 왜 들킬 위험을 무릅쓰고 직접 정원을 가꾸라 했겠습니까?"

"연 도련님께서 대범하셨거나 혹은, 죄책감에 그런 식으로라도 남이 알아차려 주기를 바라셨을지도 모르는 일이 아닙니까."

"남궁사영 장로!"

결국 연오가 큰소리를 내고 말았다. 연이 입술을 깨물었다. 남궁원이나 사영에게 추궁받는 것은 아무래도 좋았으나 연오를 보니 심적으로 괴로워진 탓이었다. 남궁원은 연오와 남궁사영의 실랑이를 보고 있다가 손을 들었다. 세가 가장 웃어른의 행동에 둘은 금방 입을 다물었다.

"조부님."

"조용히 하거라. 사영의 말에도 일리가 있지 않으냐."

"조부님! 부디 공명정대(公明正大)하게 봐 주십시오. 연이가 범인이라 하기에는 정황상의 추측뿐, 구체적이고 명확한 증거가 없지 않습니까. 사술이 관련된 일이니만큼 넘겨짚기로 판단을 내려서는 안 되는 일입니다."

남궁원은 얼굴이 희게 질린 채 아무 말이 없는 손자를 보았다. 그리고 손자를 끔찍한 사술을 행한 범인으로 몰고 싶겠는가? 문제는 연이 적극적으로 항변하거나 부정을 하지 않는다는 점이었다.

그 역시 속이 답답했다. 오랫동안 떠나 있던 세가에 이런 문제들이 있을 줄이야. 영명을 후계로 삼는 것이 아니었는데. 이 모든 것이 못난 아들의 탓으로 여겨져 마음이 참담하였다. 그는 속으로 혀를 차며 입을 열었다.

"일단 생매장당한 이들이 의식을 찾을 때까지 기다려 보도록 하겠다. 그들이야말로 가장 확실한 증거가 되어 줄 테니."

그 말에는 연오나 남궁사영도 수긍할 수밖에 없었다. 다만 남궁사영의 입술이 일순간 호선을 그린 것은 아무도 목격하지 못했다. 남궁원은 이어 지시를 내렸다.

"그때까지 남궁연은 의정당(誼正堂)에 감금하도록 해라."

"틀림없는 사실이렷다?"

"그렇습니다. 말라서 얼핏 봤을 때는 아닌 줄로만 알았지만, 가까이서 얼굴을 보니 확실합니다."

무사의 말에 남궁사영이 작게 웃음을 흘리며 자리에서 일어났다. 그가 향하는 곳은 작은 누각으로, 오늘 화정당에서 구출된 사람들이 치료를 받고 있었다.

창연각 사건 이래로 남궁사영은 내내 남궁연이 마음에 들지 않았다. 세가 내에서 비루하기만 하던 남궁한위의 위치가 갑자기 바뀌게 된 것이나, 소룡대회에서 우승하게 된 것, 모용세가와 추진하던 혼인이 파투 난 뒤 아들의 상단이 갑자기 무너지게 된 것까지……. 최근 사영이 겪은 모든 불행의 중심에는 항상 남궁연이 관련되어 있었다.

그가 이리하는 이유는 남궁원의 신뢰를 얻고 그를 기반으로 다시 원래 직위로 돌아가기 위해서만이 아니다. 남궁연을 계속 내버려 두었다간 또 자신에게 해를 끼칠 것 같기 때문이었다. 어디까지나 막연한 추측일 뿐이지만 요즘 상당히 비참한 기분을 느끼고 있던 남궁사영에게는 꽤 그럴듯하게 느껴졌다. 남궁연이 사사건건 자신을 방해하고 간섭한다는 이론이 말이다. 그러니 이렇게 좋은 기회가 있을 때 치워 둬야만 했다.

해서 그는 화정당에 무슨 일이 발생했다는 말을 듣자마자 달려갔다. 그가 어떤 식으로든 이 사건에 영향력을 미치기 위해서라면 사건 초기에 개입하여야만 했다. 도착해 보니 그의 예상보다도 훨씬 대단한 사건이었다. 사술이라니!

흡성대법[6] 같은 마공처럼, 사술이란 무릇 이치를 거스르고 사람에게 해악을 미치는 술법이 아니던가. 정파는 물론이거니와 사파인 마교에서조차 사술은 금기시되어 온 행위였다.

만약 사술을 사용하다 발각될 경우 중원의 공적으로 취급받아 단명하게 되는 것이다. 물론 남궁연은 남궁세가의 직계이니만큼 죽게 되지는 않겠지만 다시는 세가에 발도 들이지 못하게 될 것이 분명했다.

그는 화정당에서 막 사람을 파내었을 때를 떠올렸다. 곁에 있던 남궁사영의 수하는 화정당에 파묻혀 있던 사람을 유심히 보다가 놀란 기색을 보였다. 그러고는 재깍 남궁사영에게 제가 알아차린 사실을 알려 왔다. 그 사실을 듣는 순간 남궁사영은 자신이 이걸 어찌 잘 이용해 볼 수 있겠다는 생각이 들었다. 지금은 그 사실을 잘 이용하러 가는 길이었다.

---

6) 상대의 내공을 흡수해 자신의 것으로 만드는 무공

"시킨 대로 인피면구(人皮面具)[7]는 잘 씌워 뒀느냐?"

"물론입니다. 워낙 흙투성이로 몰골이 엉망이었기에 얼굴이 바뀐 걸 알아보는 사람은 없을 겁니다."

전각에 도착한 사영은 미리 매수해 둔 무사의 도움으로 안에 들어갈 수 있었다. 문을 닫자 화정당 아래 묻혀 있던 사람들의 모습이 보였다. 하나같이 메말라 생기가 없는 모습이었다. 무사는 사영을 가장자리에 있는 남자에게 안내했다. 가장 상태가 심각하여 폐인처럼 멍하니 앉아 있던 남자가 남궁사영을 보자 눈을 번득였다.

"남궁연이란 자를 알고 있나?"

그 말을 물어본 뒤 남자의 반응을 보고 흡족해진 사영이 입이 찢어지도록 웃었다. 생각보다 일이 잘 돌아갈 것 같았다.

"나와 거래를 해 보지 않겠느냐? 일이 잘된다면 넌 남궁연에게 복수도 하고 다시 자유로운 몸이 될 수 있을 것이다. 어떠냐?"

"남궁연에게, 복수라고?"

남궁사영의 제안에 남자, 왕자우가 고개를 들었다. 그가 이를 악물며 고개를 끄덕였다. 그 원수와도 같은 남궁세가의 사내였으나, 아버지의 복수를 할 수만 있다면 무엇이든지 할 수 있었다.

'분명 모란이 한 일이 틀림없다.'

의정당에서 연은 일의 전말을 정리했다. 당혹스러운 배신감이 가시고 나자 머리가 깨끗하게 정리되었다. 분명 전에 모란은 연에게 기운을 모아 주는 마법진을 화정당에 설치했다고 했다. 그 기운이 설마 산 사람에게서 뽑은 것일 줄이야.

하지만 왜 이제 와서 마법진이 들통난 걸까? 연은 전에는 하루

7) 인간의 얼굴과 흡사한 정교한 가면

종일 정원에 나가 있어도 사람 신음 소리 한 번을 들어 본 적이 없었다. 곰곰 생각해 보니 마법진이 하나가 아니라 둘일 수도 있다는 것에 생각이 미쳤다.

'그 사술 같은 마법진과, 마법진의 존재를 숨기는 또 다른 마법진이라면 설명이 가능하겠군.'

연도 상호작용하는 진법에 대해서는 어느 정도 알았다. 마법진도 진법의 일종이라면 설명이 된다. 거기에 앱솔의 피가 묻어 있던 옷자락. 앱솔은 전에 제 피가 어느 특정한 금속으로 이루어져 있어 마법을 무효화한다 하였다. 목을 잘라 내어 피를 받아 붓지 않는 이상 그에게 기운을 전달해 주는 마법진이 손상될 염려는 없다고 했었지.

하지만 다른 마법진에는 어땠을까? 가장 중요한, 진법의 정체를 감추는 역할을 하는 진법이라면? 봄비가 내린 날 앱솔의 피가 씻겨 내려가 그 진법을 손상시켜 버렸다면? 그렇다면 갑자기 아래 파묻혀 있던 사람의 소리가 들린 것도 이해가 갔다.

"모란……."

그가 입술을 깨물었다. 깊은 한숨을 쉰 뒤 풀썩 침상에 앉았다. 확실히 진법의 영향을 받지 않는 의정당에 있으니 몸이 피곤해지는 것이 느껴졌다. 이래서 매번 화정당에서 자라 한 것이었구나.

연은 모란이 무고한 사람을 잡아 생매장했다고는 생각지 않았다. 아무리 그래도 그 정도로 질 나쁜 사람은 아니었다. 짐작이 가는 것은 녹림십오채 도적들이다. 의원 납치 사건 이후로 연은 왕자 우가 관아에 체포되었다는 이야기는 한 번도 들어 본 적이 없었다. 다만 모란이 이런 식으로 처리했을 줄은 꿈에도 상상하지 못했다.

더욱 답답한 것은 모란이 엄연히 자신을 속여 넘겼음에도 불구하고 온전히 원망하거나 미워할 수는 없다는 점이었다. 이 모든 것이 자신의 치료를 위해서이지 않았는가. 그간 연의 몸이 빠르게 나은 것이 이 사술과도 같은 진법 덕분이었지 않나. 그러니 연은 남궁원의 추궁에 변호나 부정 따위를 할 수 없었다.

비록 이 일에 연의 의지는 개입되지 않았을지라도, 어쨌든 가장 큰 수혜자는 연이었다. 의지가 없었다 하여 그가 받은 이 수혜가 없는 일이 되는 것은 아니다. 살고자, 혹은 이 일에 책임을 지지 않고자 부정하는 것은 비겁한 행동으로 느껴졌다.

"……정말, 모란이 없으면 나는 항상 이런 꼴이 되는군."

연이 자조하였다. 이런 일을 저지른 모란이 미웠다가도 또 다음 순간에는 모란이 곁에 있었으면 싶으니, 기분이 널뛰듯 하였다. 대체 이 일을 어찌해야 한단 말인가? 그는 의원이다. 아무리 악행을 저지른 도적들이라 할지라도 이런 식으로 그들의 것을 갈취하는 것은 옳지 않게 여겨졌다. 어찌 다른 사람의 생기를 흡수하여 건강이 나아지는 일을 긍정적으로 볼 수 있겠는가?

모란이 오면 대체 무어라 추궁을 해야 하나?

모란이 그를 위해서 한 일이라는 사실이 연의 가슴을 무겁게 찔렀다. 은인이면서 동시에 지금은 원수나 다름없고, 연인이면서 동시에 배신자였으니. 이런 일은 처음 겪어 보는 연은 혼란스러웠다.

한숨을 쉬던 그가 몸을 떨었다. 의정당은 제대로 난방이 되지 않아 쌀쌀하고 추웠다. 또한 누구 한 명 연에게 음식을 가져다주는 자도 없었다.

'저녁을 먹고 들어온 것이 다행이다.'

겨우 다른 생각을 해 보려 했으나 다시 모란에게로 생각이 돌아갔다. 싸늘한 침상 위에서 몸을 웅크렸다. 혹여라도 이 마법진으로 사람이 죽지는 않았겠지, 그저 조금 기운이 없고 말 정도였겠지, 하다가도 사람을 죽여 가면서 제 몸을 위했다는 가정이라도 하면 숨이 턱 막혔다.

사람에게는 선이 있는 법이다. 다른 자의 생명을 해치지 않는 것은 가장 기본적인 선 중 하나였다. 돌연 은록의 말이 떠올랐다. 모란은 선이 없는 자이며, 있다 하여도 선이 아주 낮다고 했던 그 말이. 모란이 그렇게까지는 하지 않았을 것이라 스스로를 설득했다.

아직도 모란이 돌아오기까지는 십오 일이 남았다. 연은 그렇게 밤새도록 잠도 이루지 못하고 모란과 화정당의 마법진과, 제 건강에 대한 생각을 했다.

그가 불려 간 건 다음 날 이른 아침이었다. 마침내 화정당 뜰에 파묻혀 있던 사람들이 정신을 차린 것이다. 무사들의 감시를 받으며 다시 창일당으로 가니 어제보다도 모인 사람의 수가 훨씬 많았다.

'예민한 사안이긴 하지.'

사술을 이용해 제 건강을 회복하려 든 남궁세가의 차남이라니. 남궁세가에 이 얼마나 큰 오명인가. 안 그래도 중원에서 가장 큰 힘을 가진 남궁세가를 질시하는 사람들이 많았다. 사방에서 물어 뜯으려 할 터. 때문에 세가에서 중요한 직위에 있는 사람들은 죄다 모여 있었다. 아마도 세가를 완전히 폐쇄한 채 바깥에 소문이 퍼져 나가지 않게 조치를 취하고 있을 터였다.

"조부님과 가주님을 뵙습니다."

연이 침착하게 인사를 올렸다. 연오는 밤새도록 한숨도 자지 못한 얼굴이었다. 남궁원도 마찬가지로 미약하게 얼굴에 피곤한 기색이 어려 있었다. 연을 보며 세가의 사람들이 수군거렸다. 남궁사영은 창연각 사건 이래로 가장 당당한 자태로 서 있었다.

"증인이 될 자들이 깨어났으니, 어제 말한 대로 증언을 들어 보도록 하겠다."

그리 말한 뒤 남궁원이 손짓을 했다. 잠시 무사들이 남자 둘을 부축해 데려왔다. 비틀거리며 제대로 걷지 못하는 남자들의 모습은 동정심과 동시에 이 극악한 사술에 대한 혐오감을 불러일으켰다. 한 명은 벌벌 떨며 엎어지고 다른 한 명은 겨우 자리에 섰다.

"자네들의 이름은 무엇인가."

"서, 서걸이라고 합니다."

"문우……라고 합니다."

남궁원의 질문에 두 사람이 엎드려 답했다. 남궁원은 두 사람을 살펴보고는 이어 물었다.

"어쩌다가 그곳에 묻히게 되었는지 기억은 나나? 범인이 누군지는 아는가?"

서걸이란 자는 제대로 대답을 못 했으나, 문우라는 자는 고개를 들었다. 그가 땅에 이마를 한 번 찧었다. 그것만으로도 힘겨웠는지 신음하고는 외쳤다.

"알고 있습니다, 대인. 저는 그 악랄한 자의 얼굴을 똑똑히 보았습니다. 죽어서도 잊지 못할 얼굴입니다."

"그렇다면 여기서 그자를 찾아볼 수 있겠는가?"

연은 그저 조용히 지켜보기만 했다. 문우는 자리에서 일어나 주위를 둘러보다가 연을 바로 발견했다. 그의 눈에서 불똥이 튀었다. 그러더니 와락 달려들려다가 비틀거리며 바닥에 쓰러졌다. 연의 눈에는 그의 발목에 문제가 있다는 게 보였다.

"남궁연! 내 아버지의 원수!"

기어서라도 연에게 가려는 것을 무사들이 당황해 하며 잡아 제자리에 놓았다. 문우가 침을 튀기며 소리 질렀다.

"저자가 내 아버지를 죽였소! 의원을 가장해 고통스러운 독에 중독되게 한 뒤 치료해 준다고 나를 속였지! 그러고는 아버지를 죽여 버리다니! 네 이놈, 남궁연! 남궁연!"

연이 잠시 눈을 감았다. 알겠다. 저자는 문우가 아니라 왕자우다. 어찌하여 얼굴이 바뀐 상태인지는 모르겠지만 확신할 수 있었다. 문우의 외침에 사람들 사이에 웅성거리는 말소리가 퍼져 나갔다. 심기가 매우 좋지 않은 남궁원이 크게 갈하였다.

"그만!"

내공을 담은 목소리가 쩌렁하게 울려 퍼지자 다들 입을 다물었다. 그저 왕자우가 씩씩거리고 쿨럭거리는 소리가 들릴 따름이었다. 왕자우에게 있어서는 남궁세가의 모두가 원수였으나, 그중에서도 남궁연이 가장 증오스러운 자였다. 그러니 연을 모함하라는 남궁사영의 제안에 거절할 이유가 없었다.

"남궁연. 저자의 말이 정말이더냐?"

연은 잠시 주위를 둘러보았다. 오늘은 한위가 없었다. 연오가 그랬는지 주강이 그랬는지는 모르겠지만 다행인 일이었다. 그가 입을 열었다.

"저자의 아비를 죽인 것은 사실입니다."

"뭐라?!"

처음으로 듣는 제대로 된 대답에 남궁원이 기가 막혀 큰 소리를 냈다. 지켜보고 있던 다른 사람들은 이 자백에 크게 웅성거렸으나 정작 남궁사영은 눈썹을 찌푸렸다. 왕자우의 아비는 왕장호다. 그 왕장호를 남궁연이 죽였다니, 정말인가? 대체 어떻게? 믿기지가 않았으나 왕자우의 살기를 보면 정말인 듯했다.

"그는 치료할 수 없는 독에 당해 더는 살길이 없었습니다. 고통스러워하며 짧은 기간을 살아가느니 안식을 취하게 해 준 것뿐입니다."

그리고 연은 다시 입을 다물었다. 왕장호가 죽여 달라 하였으나 그건 결코 입 밖에 내지 않을 것이다. 아무리 녹림십오채의 악명 높은 두목이라 해도, 약조는 약조. 당연하지만 연의 말에 왕자우는 눈이 뒤집히고 속이 끓는 듯한 분노를 느꼈다.

"어찌 감히 네가!"

이러다가 심하게 흥분한 왕자우가 일을 그르칠 것 같아 남궁사영이 얼른 내보내게 했다. 남궁원은 잠시간 말을 잇지 못하다가 다시 물었다.

"그래, 아비를 죽이고는 그 아들은 너 살자고 사술에 사용했단 말이냐?"

"……그에 대해서는 드릴 말씀이 없습니다."

연의 대답에 저 얼마나 뻔뻔한 태도냐며, 보던 이들이 혀를 찼다. 남궁원은 눈을 감았다. 차라리 연이 절대 그렇지 않다고 부정이라도 했으면 싶었다. 이리 나오면 아무리 남궁원이라도 할 수 있는 일이 없었다. 침음하던 결국 그가 무겁게 입을 열었다.

　"네가 무슨 일을 저질렀는지 아느냐?"

　"……"

　"이 일로 인해 하늘을 날던 남궁세가가 땅으로 곤두박질칠 수도 있다. 정녕 알기는 하느냐?"

　그럼에도 연이 아무런 말을 않자 어찌나 속이 답답하던지 남궁원은 분노조차 일지를 않았다. 그도 이 일이 어딘가 이상하다고는 느끼고 있었다. 이상하게 단순히 연이 자신의 건강을 위해 그런 사술을 저지른 게 아닐 거란 느낌이 드는 것이었다.

　두 가지 가능성이 있었다. 연이 원한을 가진 누군가의 음모에 휘말렸거나, 혹은…… 배후가 있거나. 전자라면 차라리 나았다. 하지만 후자라면 남궁원으로서는 온몸의 털이 곤두설 정도였다. 연이 무어라도 항변을 하면 시간이나마 벌고 조사라도 더 해 볼 텐데.

　좌중을 둘러보니 극히 연에게 좋지 않은 분위기라. 마침내 남궁원이 판결을 내렸다.

　"죄질이 안 좋고 반성도 하지 않는 바……."

　"조부님!"

　무슨 말을 할지 알아챈 연오가 자리에서 벌떡 일어났다. 그러나 남궁원의 목소리는 엄격했다. 아무리 손자라고 해도 봐줄 수가 없었다.

　"다시는 이런 사술을 부릴 수 없도록 단전을 파괴하는 형에 처한 뒤 영원히 세가에 돌아오지 못하게 추방토록 한다."

　"할아버님!"

　연오가 아연실색했다. 그는 연이 얼마나 몸이 안 좋은지 잘 알고 있었다. 불과 몇 달 전만 하여도 고함 한 번에 피를 토할 정도가 아

303

니었나. 아무리 요즘에는 건강이 회복되었다고는 해도 여전히 몸이 다른 사람보다 약했다. 그런데 단전을 파괴하라니! 몸이 건강한 무인들도 단전을 파괴당하는 충격에 종종 죽곤 하지 않나.

"안 그래도 몸이 안 좋은 녀석입니다. 그리하면 연이는 죽습니다!"

"듣기 싫다! 아무리 네 아우라고 해도 중죄를 지은 죄인이다. 앞으로 남궁세가를 제대로 이끌어 나가려면 너도 공과 사를 구분해야 할 것이야!"

크게 호통을 치는 남궁원이 빨리 연을 가두라며 명령했다. 무사들이 얼른 달려와 연의 손목에 한철로 만든 수갑을 채웠다. 연은 고분고분히 그들이 하는 대로 손목을 내밀고, 끌고 가는 대로 옥으로 향했다. 끌려가는 동생의 뒷모습을 보니 연오는 앞이 까마득하여 잠시 눈을 질끈 감았다.

"다들 물러가지 않고 뭐 하느냐!"

남궁원의 불호령에, 혹여나 불똥이 튈까 다들 허둥지둥 물러났다. 그러나 연오는 물러나지 않고 끈질기게 남궁원을 따라갔다. 남궁원이 들은 척도 하지 않고 걸음을 옮기자, 급기야 그 앞에 무릎을 꿇었다.

"제발 다시 고려해 주십시오. 그 형만은 안 됩니다. 다른 벌을 내려 주십시오."

"……."

남궁원이 침음했다. 그도 단전 파괴형이 끔찍한 벌이라는 것을 잘 안다. 연의 몸이 별로 좋지 않다는 것 또한 한눈에 봐도 알 수 있었다. 하지만 어쩔 수 없다. 남궁세가는 그냥 지방의 그저 그런 한미한 가문이 아니었다. 법도에 따라 엄히 다스리지 않는다면 언젠가 이 거대한 세가는 흔들리게 되어 있었다.

아무리 영명이 싫어도 자식이었고, 연 역시 손주 녀석이었다. 아들에 이어 손주까지 연달아 잃을 수는 없는데 어찌 이런 일이 일어났나, 그는 속으로 탄식했다. 그러나 어쩔 수 없다. 생매장당했던 이들은 연이 그랬다 하고, 연 역시 부정을 하지 않았으니.

"할아버님."

연오가 다시 매달렸으나 남궁원은 뒤도 돌아보지 않고 저벅저벅 걸어갔다. 안 그래도 영명이 죽은 지 얼마 안 되었다. 이런 시기에 일을 크게 불릴 수는 없었다. 남궁원이 사라지고도 연오는 한참을 자리에서 일어나지 못했다.

단전 파괴형.

말 그대로 단전을 파괴하는 형벌이다. 단전이란 무엇인가. 무인에게 있어서는 심장만큼이나 중요한 부위였다. 그런 곳을 파괴당한다는 건 영원히 무공을 익힐 수 없다는 것이나 다름없었다. 연은 단전이 있는 부분을 슥 만져 보았다.

"······어차피 난 무인과는 거리가 멀지."

그저 내공심법을 익힌 수준이니. 쓰게 웃으며 그가 손을 내렸다. 남궁세가의 옥은 의정당보다 훨씬 춥고 축축했다. 절로 몸이 떨렸다. 그나마 그저께부터 내내 겉옷을 걸친 상태라는 게 다행이었다.

'그래도 생각보다 조부님께서 마음이 많이 약하시구나.'

한위가 남궁원을 어려워하는 만큼이나 연도 그가 어려웠다. 영명이 세가를 물려받고 난 뒤 그는 일 년에 몇 번 정도만 세가에 오곤 했다. 조부라고는 해도 혼난 기억밖에 없으니 연은 도통 그가 가깝게 느껴지질 않았다. 그럼에도 오늘 남궁원을 보니 그가 나름대로 자신을 아끼는 것을 알겠다.

그러니 드는 마음은 죄책감이라. 연오는 물론이고 남궁원마저 어떻게든 연에게 만회할 기회를 주려고 하는 걸 보며 연은 가슴 한 구석이 죄이는 듯했다. 그도 결백을 주장할 수 있다면 좋았을 것이다. 하나 이 일에 대해서는 차마 결백하다고 말할 수 없었다.

시간이 차츰 지날수록, 연은 옥이라는 장소가 지내기에는 참으로 고생스러운 곳이라는 걸 깨달았다. 한기가 가장 괴로웠고 두 번째로는 손에 차인 수갑이었다. 그나마도 연이 무인보다는 일반인에 가깝기에 수갑으로 끝난 것이리라. 아니었다면 온몸을 꽁꽁 묶이다 못해 형틀에 매달려 있었을 텐데.

'단전이 파괴되면 난 아마…… 죽을 가능성이 높겠지.'

단전 파괴형이 선고되는 순간 연오가 왜 그런 반응을 보였는지 그는 잘 안다. 이 몸으로 단전을 파괴당하면 당장은 아니더라도 며칠 내로는 죽을 것이다.

"죽음이라……."

항상 제 근처에 도사리고 있는 것이라 생각했는데, 언제나 죽어도 상관없다고 여기던 날이 있었는데, 왜 지금에 와서는 이토록 마음이 달라진 것인지. 연의 중얼거림에 답하는 이가 있었다.

"죽음이 두렵소, 연 도련님?"

"……남궁사영 장로."

연이 고개를 들었다. 남궁사영이 짐짓 안되었다는 표정을 지으면서도 의기양양하게 서 있었다. 왜 이 옥에 찾아왔는가 하여 연이 눈썹을 찌푸렸다.

"그러게 왜 그런 사술을 부린 것이오? 그저 전처럼 얌전히 지냈으면 이런 일도 없었을 텐데. 조금 더 오래 살려다 빨리 가게 생겼군. 아니 그러한가?"

남궁사영이 독설을 하는 걸 그저 듣고 있다가 연이 입을 열었다. 그도 결코 성격이 좋은 편은 아니었다.

"창연각 사건 말입니다, 장로님. 참으로 신기한 일이 아닙니까? 침입했던 고수가 마치 하늘이나 땅으로 꺼진 듯 사라져 버렸으니 말입니다. 또한 우연하게도 훔친 비급서의 무공들을 한위가 익히고 있으니."

연의 대답에 남궁사영이 얼어붙은 듯 멈췄다. 그가 바짝 다가왔다. 언제 즐거워하며 독설을 했냐는 듯이 얼굴에 노기가 서려 있었다.

"역시 네놈이 한 일이었구나!"

"창연각뿐이겠습니까. 하필 장로님의 아들이 운영하던 상단에서 내부 고발자가 나온 게 그토록 고대하던 제 혼인이 파투 난 뒤라니, 그 또한 참으로 기이한 우연입니다."

어찌하지는 못하고 남궁사영은 옥 밖에서 이만 빠득빠득 갈았다. 되로 주고 말로 받은 셈이었다. 내심 창연각 사건이나 혼인사건에 연이 무슨 짓을 했을 것이라 여겼는데 사실임을 확인하자 새삼 분노가 치밀어 올랐다. 연의 말은 거기서 끝나지 않았다.

"장로님의 불행이 그것으로 끝날 것 같습니까?"

"무어라고?"

연이 웃었다. 굳이 영명 때문이 아니더라도 남궁사영은 원래부터 마음에 들지 않는 자였다. 그가 세가에 남아 있는 한, 끝까지 한위에게 방해가 되겠지. 연은 앞으로 제가 어떻게 될지는 몰라도 보름 후 돌아온 모란이 가만있지는 않으리란 건 잘 알았다.

"앞으로 일어날 불행은 지금까지와는 비교도 안 될 터인데, 지금이라도 세가를 떠나시는 것은 어떻습니까?"

나름 진심으로 권하는 것이었다. 당사자야 모르겠지만 그는 모란이 땅속에 파묻어 버릴까 말까 하는 대상에 속한 적도 있었다.

남궁사영의 얼굴이 붉으락푸르락했다. 그는 연의 말을 완전히 무시할 수가 없었다. 창연각 사건 때 그를 비참하게 패배시킨 자는 분명 굉장한 고수였다. 연이 얼마든지 사주할 수도 있었다. 하지만 사주란 것도 돈과 연락 수단이 있어야 가능한 것. 감시가 치밀한 이 감옥에서는 불가능하다. 남궁사영은 크게 비웃었다.

"두고 보아라. 모레 형을 집행할 때도 네놈이 그렇게 태연한 낯짝으로 있을 수 있을지 기대가 되는구나."

그러거나 말거나 연이 무시하니 화가 치민 남궁사영이 철창을 걷어찼다. 과연 세가에서 손에 꼽히는 무인답게 철창이 움푹 패여 나갔다. 그러고도 한참을 무시무시하게 연을 쏘아보다가 떠나는 걸 보며 연이 미간을 접었다.

"모레……인가."

세가에서 이 일을 얼마나 빨리 처리하고 치워 버리려 하는지 그 노력이 보였다. 한숨을 쉬며 얼음장처럼 차가운 벽에 등을 기대었다. 머리가 욱신거리는 것이, 곧 열이 올라올 징조였다. 모란만 생각하면 속이 복잡하여 끓는 듯하고 절로 한숨이 나왔다.

남궁원이 찾아온 것은 새벽, 한기에 미열이 올라 끙끙 앓고 있을 때였다. 눈을 감고 기대어 있다가 불현듯 눈을 뜨니 남궁원이 철창 앞에 서서 연을 지켜보고 있었다. 연이 비틀거리며 바로 앉았다.

"조부님."

"정말 네가 그랬느냐?"

연은 이게 남궁원이 주는 마지막 기회임을 알았다. 잠시나마 갈등이 들지 않았다 하면 거짓말일 것이었다. 그럼에도 다짐한 바가 있기에 그가 조용히 고개를 숙였다.

"제 책임입니다."

"드릴 말이 없다, 제 책임이다, 그리 말하지 말고 제대로 대답하거라. 정말 네가 한 일이 맞느냐?"

남궁원이 깊은 한숨을 쉬었다. 연만큼이나 그도 괴로운 밤을 보낸 것이 틀림없었다. 연은 새삼 그가 꽤 나이가 들었다는 걸 깨달았다. 특히나 영명이 죽은 뒤로 부쩍 그런 듯 보였다.

"아니라면 최소한 잘못을 뉘우치기라도 하거라. 이 일에 대해 반성조차 없는 것이냐?"

잘못이라도 뉘우친다면 남궁원은 단전 파괴까지는 하지 않고 손과 발의 맥을 끊는 것으로 마무리 지을 의향도 있었다. 하지만 연은 입술을 달싹이고는 말 뿐이었다. 실망한 남궁원은 올 때처럼 다시 조용히 옥을 떠났다. 그가 완전히 떠난 뒤에야 연이 중얼거렸다.

"죄송합니다, 할아버님."

그는 참으로 이기적이었기에 남궁원이 원하는 대로 인정하거나, 부정하거나, 혹은 거짓된 반성조차도 할 마음이 없었다. 도리어 지금 연의 마음에 차오르는 것은 이때가 세가를 떠나기에 가장 적절한 때가 아닌가 하는 생각이었다.

모용단리가 죽은 뒤 십 년 내내 세가를 떠나고 싶다 생각하며 지내 왔다. 그만큼 세가가 싫었다. 모란이 돌아오고, 한위와 친해지게 된 지금은 전처럼 세가가 싫지도 않을뿐더러 떠나고 싶다는 생각이 완화되었으나 그렇다고 완전히 사라진 건 아니었다.

'평소에 인망이나 신뢰가 없었으니 사람들이 그리 단번에 내가 사술의 범인이라 믿은 것이 아닌가.'

과거에 한 행실이 있으니 자업자득이라 생각하면서도 입맛이 썼다.

연은 목의 줄을 잡아당겨 목걸이를 꺼내 들었다. 모란이 아주 대책 없이 떠나지는 않았으리라 생각한다. 어차피 자신의 상태가 위중해지거나, 피가 묻거나 했을 때에 작동한다 하였으니 단전 파괴형을 받게 된다면 필시 작동할 것이었다. 그럼 차라리 지금 작동시키는 것이 낫다.

'만약 제대로 기능을 한다면 말이지.'

듣기로는 모란이 있는 곳으로 순간이동을 하게 되어 있다고 했지만, 모란이 없는 지금은? 연은 목걸이가 제대로 작동할지 그것이 의문이었다. 작동시켰을 때 과연 일이 어찌 될 것인가? 모란이 있는 다른 세계로 가게 되나? 아니면 아무런 변화도 없이 계속 옥중에 남아 있게 되나? 연이 생각에 잠겨 목걸이를 만지작거렸다.

이리 떠나게 된다면, 그 뒤에 다시 한위와 연오 형님을 볼 수 있을까? 이후로 연은 세가에서 아예 없는 취급당하게 될 텐데. 그래도 그나마 마음이 놓이는 것이, 저 없어도 한위는 괜찮게 지내겠지 싶었다. 이제는 영명도 없는 데다가 주위에 한위를 아끼는 사람들이 꽤 늘었으니. 무엇보다 지금의 한위에게는 주강이 있었다.

마음을 굳힌 연은 목걸이를 손에 꾹 쥐었다. 붉은빛으로 반들거리는 목걸이를 한참을 바라보다가 고개를 숙였다. 조심스럽게 목걸이에 입술을 내리눌렀다. 그리고 다시 떼어 낸 순간, 연의 신형이 옥에서 사라졌다.

잠시 허공에 뜬 족쇄가 쿵, 하고 바닥에 떨어지는 소리가 들렸고, 더는 죄인이 없는 옥에는 서늘한 침묵만이 자리 잡았다.

"도련님."

시비가 난감한 얼굴로 불러도 한위는 차려진 상을 쳐다도 보지 않았다. 몇 번이고 더 불러 보다가 시비는 완전히 식은 음식들을 내갔다. 연이 사람을 납치해 생매장하는 끔찍한 사술을 행했다는 의혹에 휘말린 뒤로 한위는 아무것도 입에 대지 않았다.

"형님이 그러셨을 리가 없어."

한위가 고집스럽게 중얼거렸다. 연을 향한 한위의 신뢰는 맹목에 가까웠다. 그에게 있어 연은 형제이며, 한위의 어미나 다름없는 유모가 심하게 아팠을 때 살려 준 은인이었다. 또한 그가 세가에서 인정받을 수 있게 도와주고 이끌어 준 사람이었다.

그는 연이 환자들을 치료하는 것을 곁에서 지켜보기도 했다. 다른 사람은 그저 연을 남궁세가의 병약한 차남으로 보았지만 한위에게 연은 의원이었다. 그는 사람을 살렸으면 살렸지, 악의로 죽게 만들 사람은 아니었다.

점차 세가에서 당당히 한 사람으로 인정받아 가면서 한위는 연에 대한 평판이 그다지 좋지 않다는 걸 알 수 있었다. 시비나 하인들, 혹은 장로에게서 오르내리는 연의 평가는 대개 다음과 같았다.

병약하고 허약한, 신경질적인 사람. 성취가 부족해 세가에 누가 되고 폭력적이며 자질이 부족한 사람. 심지어는 장차 크게 자랄 한위를 이용하려는 것 같으니 주의하라고 말하는 자도 있었다. 한위가 형님은 그런 사람이 아니라며 반발하면 어려서 뭘 모른다는 태도로 쯧쯧 혀를 찼다.

그 사람들이야말로 뭘 모르는 것이다. 과거에 모란 형님을 죽도록 팼다니, 한위가 말도 안 된다며 고개를 저었다. 모란과 연이 얼마나 사이가 좋던가? 또한, 모란이 얼마나 강한 힘을 지닌 사람이던가? 일 년 동안 아공간에서 한위는 똑똑히 목격했고 또 직접 몸으로 겪었다. 모란은 그가 아는 중 가장 강한 사람이었다. 또한 가장 자비 없고 수단과 방법을 가리지 않는 사람이기도 했다. 모란의 그 눈을 보면 누구라도 알 수 있으리라……

만일 화정당에 누군가를 생매장할 사람이 있다면 단연 모란 형님이라고, 한위는 생각했다. 이 사건을 지켜보는 제삼자의 시각 중에서는 가장 정확하기도 한 판단이었다.

'남궁사영.'

한위가 주먹을 쥐었다. 드물게도 누군가를 향해 분노를 품은 그는, 이내 연을 향한 걱정으로 어깨를 축 늘어트렸다. 주강이나 시비나 아무도 그에게 연에 대한 언질을 해 주지 않았다. 한위는 마치 세가 내에서 붕 뜬 섬에 홀로 갇힌 느낌이었다.

"왜 모란 형님은 나타나질 않으시는 걸까."

이런 상황에 대체 어딜 가 있는지 한위는 알 수가 없었다. 방을 초조하게 거닐다가 마침내 참지 못하고 자리에서 일어났다. 뭐라도 해야지 싶었다. 그가 폐월당을 나서자 밖에 서 있던 주강이 바로 따라붙었다. 터덜터덜 걸어가면서 한위가 물었다.

"형님도 연이 형님이 그러셨다고 생각하세요?"

"글쎄."

주강은 연이 그런 짓을 할 만한 사람이다 아니다 판단을 내리지 않았다. 세상에는 호인의 얼굴로도 악독한 짓을 저지르는 사람이 많았다. 다만 이 일에는 어딘가 거슬리는 구석이 있기는 했다. 바로 모란의 행방이다.

만약 연이 그랬다 해도 혼자서 사람을 납치해 와 화정당 마당에 묻는다는 건 힘드니, 아마 조력자가 있었을 터. 이 경우에 그 조력자는 모란일 것이다. 아니면 모란이 바로 범인이거나.

그러나 이 모든 걸 떠나 일이 연에게 불리하게 돌아간다는 건 확실했다. 이대로라면 연은 세가에 다시는 발붙이지 못하게 될 터였다.

그게 한위에게 과연 어떤 영향을 미칠 것인가. 주강에게는 그것이 중요했다. 남궁세가에 들어온 가장 큰 이유가 사라졌고 복수도 성공적으로 마친 셈이니, 이제 주강에게 남은 건 조카가 어찌 잘 자라나 지켜보고 돌보는 것뿐. 한위는 아직 어리고 치기 어리다. 때문에 그가 혹 사고를 치지는 않을까, 주강은 평소보다 더 신경을 쓰고 있었다. 그는 한위에게 남궁세가가 중요하다고 보았다. 그리고 아직 세가에서 한위의 입지는 불안정했다.

"연이 형님은 그러지 않았어요."

주강에게 부정하는 답이 돌아오지 않자 한위의 어깨가 더욱 처졌다. 그는 조부가 지내고 있는 정영당(靜影堂)으로 향했으나 무사들에게 가로막혔고, 화정당에도 향해 보았지만 역시나 출입을 금지당했다. 연이 감금당해 있는 의정당은 말할 것도 없었다.

문밖에서 보자 사술에 대한 조사를 위해 화정당의 연못이며 뜰이며, 안채까지 죄다 뒤엎고 있었다. 그 모습을 보자 한위는 가슴이 아팠다. 그토록 아름답던 곳이었는데.

어쩔 수 없이 그는 마지막으로 화월당에 향했다. 다행히 화월당마저 출입을 금지당하지는 않았다. 들어서니 연오가 한위를 맞이했다. 그의 얼굴에는 부쩍 피로한 기색이 역력했다. 그는 방금 전까지 이 일이 널리 알려지기 전에 당장 연을 '더 깨끗하게 처리'해야 한다는 장로를 상대하다가 보낸 뒤였다.

"한위야."

"형님."

연오의 얼굴을 보자 미약하게 걸고 있던 기대가 사그라들었다. 한위가 조심스럽게 물었다.

"어제 증인들에게 증언을 듣는다 하지 않았나요? 그건 어찌 되었습니까?"

한위의 질문에도 대답 없이 연오의 얼굴은 어두워지기만 했다. 한위의 가슴이 덜컥 내려앉았다. 그러면 연이 형님은 어떻게 되는 거지? 분명 이틀 전만 해도 연과 즐겁게 외출하고 돌아오는 길이었는데, 어찌 하루아침에 이렇게 상황이 변할 수 있는지 한위는 이해할 수가 없었다.

눈을 길게 감았다 뜬 연오의 얼굴이 침착해졌다. 어쨌든 일은 벌어졌다. 이제 그는 가주였고, 언제나 냉정을 잃어서는 안 되는 위치였다. 연이 이런 상황에 처하게 되어 애가 끓기는 하였으나 섣불리 어찌할 상황은 아니었다. 그러나 포기는 하지 않는다. 상황을 낮게 만들기 위해 가능한 노력해야만 했다.

"연이를 보러 가자꾸나."

오래도록 못 보게 될 수도 있으니. 연오가 속으로 그 말을 삼켰다. 주강의 얼굴을 보니 여기서 연이 단전을 파괴당하는 형벌을 받게 된다는 걸 모르는 사람은 한위뿐인 것으로 보였다. 부러 사실을 감추는 것이다.

의정당이며 화정당을 가도 연을 볼 수 없던 한위는 얼른 고개를 끄덕였다. 그러나 연오의 발길이 화월당을 나가, 남궁세가 외곽, 그중에서도 지하의 옥으로 향하자 한위의 얼굴이 어두워졌다. 아무리 세가에서만 자란 한위라도 차고 냉한 기운과 어두침침한 지하며 횃불이 의미하는 바를 모르지는 않았다.

"설마 형님이 여기 계시는 건가요?"

"그래."

"하지만……. 하지만, 여기는……."

형님이 지내시기에는 너무 춥고 형편없는 곳인데. 한위가 입술을 꾹 깨물었다.

"가주님을 뵙습니다."

연오를 보자 옥지기가 얼른 인사를 했다. 그는 요새 얼굴도 보기 힘든 남궁원이나 남궁사영에 이르러 연오까지 보게 되어 속으로 내심 당황했다. 원래라면 이따금 말 안 듣는 무사들이나 며칠 가두는 데 사용되는 곳이라 하루 종일 지루하게 자리를 지키는 게 일이었던 것이다. 그는 연오의 옆에 있는 한위의 얼굴은 알아보지 못해 식은땀을 흘렸다.

"연이는 어디에 있지?"

"안내해 드리겠습니다. 이쪽으로 오십시오."

옥지기가 깍듯이 대하며 앞섰다. 그도 어제 오늘 세가를 떠들썩하게 만든 사건에 대해서 들었다. 무려 정파의 대표라 할 수 있는 남궁세가의 차남이 사이한 술법으로 목숨을 연장하였다는 사건.

여럿 사람들의 입과 귀를 거치는 동안 어느새 사건은 시체가 한 무더기 나왔다는 것으로 변질되어 있었다. 때문에 행여 저주나 사이한 술법을 받지는 않을까, 옥지기들은 부러 남궁연이 있는 옥방에는 다가가지 않았다.

남궁연이 위치한 옥방은 그나마 여기서도 좋은 위치에 있었다. 손바닥만 한 창문이기는 해도 어쨌든 미약하게나마 해도 들었고 지푸라기도 깔려 있었다. 그러나 연오와 한위의 눈에는 그리 보일 리 없으니, 둘의 얼굴은 점차 안 좋아지기만 했다. 마침내 목적지에 다다랐을 때, 옥지기가 어어, 하는 소리를 냈다.

"무슨 일인가?"

"아니, 아니 그것이. 그것이……."

옥지기가 땀을 뻘뻘 흘렸다. 분명 옥 안에 죄인이 얌전히 잡혀 있어야 하는데 도착해 보니 있는 것은 지푸라기 더미뿐이었다. 뒤에는 가주께서 서 계시고, 앞에는 옥방이 텅텅 비어 있는 전대미문의 사건이다. 옥지기는 얼어붙어 서 있기만 했다.

이 옥방이 어떤 곳인가. 사방은 돌로 된 벽이요, 철창이 빽빽하게 덧대어져 있는 데다가 출입구는 오로지 하나뿐이다. 철창문 또한 열쇠가 없으면 절대 열지 못하게 되어 있었다. 그런 옥방인데 죄인이 없다! 심지어 한철로 만들어진 무거운 수갑 또한 고스란히 바닥에 남아 있었다.

무슨 상황인지 눈치챈 연오의 눈이 빛났다. 잠시 뒤 정신을 차리고 경종(警鐘)을 울리려는 옥지기를 연오가 막아 세웠다. 그리고 엄격하게 말했다.

"이게 뭐 하려는 짓인가?"

옥지기가 어리둥절해했다. 죄인이 탈출한 건 아주 큰일이 아니던가. 특히나 상대는 세가의 직계 도련님이었다. 그것도 바로 내일 단전 파괴형이 예정되어 있는 중죄인이다.

"죄, 죄인이 탈출하지 않았습니까."

"그렇다고 해서 사방팔방 알릴 셈인가? 세가에서 이 일을 조용히 묻으려고 하는 것을 모르는가?"

그, 그렇구나. 옥지기는 자신의 짧은 생각을 탓했다. 남궁세가에서 왜 이리 서둘러 이 일을 처리하려고 하겠는가. 이 일이 밖으로 알려질 경우 큰 낭패를 보기 때문이었다. 마침 제 앞에는 이 세가의 가장 높은 상급자가 있었으니 굳이 밖에 나가 알릴 필요도 없는 것이다.

"일단 가서 조부님을 모셔 오게. 급하고 은밀한 일이니 조용히, 아무 일도 없는 듯이 다녀와. 아무도 이 일을 알아서는 안 되네."

"아, 알겠습니다."

고개를 끄덕인 옥지기가 식은땀을 흘리며 타닥 급한 발걸음으로 뛰어나갔다. 연오와 단둘이 남았을 때에서야 한위가 조심스럽게 물었다.

"설마…… 형님이, 탈…옥하신 겁니까?"

"아무래도 그런 것 같구나. 혼자서는 불가능했을 테니, 누군가가 도와준 것이 아닌가 싶은데."

한위의 얼굴에 화색이 돌았다. 그의 마음속에서 떠오르는 사람이 있었다. 바로 모란이었다. 역시 연이 형님이 위험에 처했는데 모란이 내버려 둘 리가 없다고, 속으로 고개를 끄덕였다.

연오는 품에서 열쇠 꾸러미를 꺼내 옥문을 열었다. 그리고 안을 유심히 살폈다. 의아한 것은, 풀리지도 않고 그대로 바닥에 남아 있는 수갑이었다.

'풀리지도 않은 채가 아닌가.'

연을 옥에서 꺼내려면 일단 수갑을 풀어야 한다. 수갑이 옥에 연결되어 있으니까. 한데 수갑은 풀린 흔적이 없었다. 풀지도 않고 어떻게 손을 빼냈는지 알 도리가 없었다. 한참을 살피다 연오가 다시 수갑을 내려 두었을 때였다. 남궁원이 도착했다. 그는 텅 빈 옥과 연오, 그리고 한위를 보더니 옥지기를 다시 내보냈다.

"네가 그랬느냐?"

"조부님이 그러셨습니까?"

거의 동시에 묻고는 남궁원과 남궁연오가 서로를 쳐다보았다. 잠시 후에 연오가 입을 벌렸다. 그는 연을 빼돌렸다면 필시 남궁원이 했을 것이라 생각했다. 그럴 만한 힘과 능력을 가진 사람이 남궁원뿐이었으니까. 연오가 연을 빼돌렸다고 생각한 건 남궁원도 마찬가지였다. 잠시 당황스러운 침묵이 흘렀다.

"네가 한 게 아니란 말이냐?"

"이 옥에 내려온 것은 오늘이 처음입니다."

"허면 대체 누가?"

누군가 연을 도와준다면 남궁원, 연오, 그리고 둘을 제외한다면 한위 정도밖에는 없었다. 잠깐 남궁원과 연오의 시선이 한위에게 갔다가 돌아왔다. 한위는 연을 매우 따르긴 하였으나 탈옥을 시킬 능력은 없었다. 한편 둘이 심각한 것과는 달리 한위는 이리 생각했다.

'역시 모란 형님이 하신 게 틀림없어.'

그러나 입 밖으로 내지는 않았다. 동시에 그는 연이 예전에 세가를 떠나겠다 말했던 걸 떠올렸다. 한위는 연이 왜 그런 말을 했는지 이제는 이해가 갔다. 이번 사건에서 연오와 자신을 제외하고는 다들 한 치의 의심도 없이 바로 연이 그러했을 것이라 말했으니까. 또 한편으로 한위는 이런 생각을 할 수밖에 없었다.

'만약, 가주님이 살아 계셨다면……'

연 형님은 이보다 더 심한 처지에 놓였을지도 모른다, 그런 생각이 들었다. 전이라면 그 생각에 스스로 놀랐겠지만 한위는 이제는 그저 무덤덤하게 여겼다. 그는 자신이 얼마나 무지했었는지, 혹은 얼마나 홀대받았었는지 차츰 깨우쳐 가는 중이었다.

"일단은 조용히 알아보도록 하겠습니다."

"그래, 그 편이 좋겠구나."

연을 데려간 사람이 누군지 알지 못해 찜찜하였으나, 어쨌든 연오는 당장 연이 내일 단전 파괴 형벌을 받지 않는다는 것만으로도 한시름 돌린 기분이었다. 그는 옥지기에게는 입단속을 시킨 뒤, 장로들과 각 대(隊)의 대주(隊主)들에게 은밀히 이 사실을 알렸다. 다들 연이 옥을 빠져나갔다는 소식에 놀라워했다. 특히나 남궁사영의 충격은 그들 중에서도 가장 컸다.

'어떻게 이런 일이 있을 수가.'

갑자기 연이 한 말이 떠올라 남궁사영이 이를 악물었다. 더 큰 불행이 다가올 테니 세가에서 떠나라고 했던가. 분명 창연각 사건 때 침입한 고수와 어떤 식으로든 연락이 닿아 탈옥한 것이리라. 그의 마음이 기이한 불안감에 술렁였다.

하지만 아무리 고수라 하여도 연이 세가의 중죄인이라는 사실을 바꿀 수는 없는 법이었다. 게다가 혹 모르는 일이었다. 남궁원이나 남궁연오가 연을 빼돌렸을 가능성도 있으니. 사영은 후자라고 생각하니 차라리 마음이 편해졌다.

"일단 천풍대(天風隊)로 하여금 안휘성을 샅샅이 뒤져 보도록 하겠습니다. 각 장로 분들도 이 수색에 협조하기를 바랍니다."

연오의 말에 각 장로들이 한목소리로 대답을 내놓았다. 긴히 추적하여 꼭 찾아내겠다는 대답이었다. 그중에서도 사영은 눈에 핏발이 설 정도로 안휘성을 샅샅이 뒤질 생각을 하고 있었다. 장로들을 돌려보낸 뒤 연오는 긴밀히 암뢰대(暗雷隊)를 불러냈다. 손꼽히는 고수들로 이루어진, 충성스러운 대대였다. 그리고 이들의 존재는 가주만이 알고 있었다.

"연이를 찾아내되, 다른 장로들이나 대주들이 눈치채게 해서는 안 된다."

이상하게 여길 법한 명령이었으나 오로지 가주의 말만 따르는 암뢰대는 의문도 가지지 않고 그저 그리하겠다는 충성스러운 대답을 돌려주었다. 암뢰대는 추적에 능한 이들이었다. 연오는 그들이 연을 찾아낼 것이라 믿어 의심치 않았다.

그러나 하루가 지나고 이틀, 마침내 사흘이 되는 날에도 연은 그 흔적조차 찾을 수가 없었다. 마치 하늘이나 땅으로 꺼진 것만 같았다. 연오는 내심 안심하면서도 한편으로는 연이 대체 어찌 지낼까 걱정스러웠다.

연오와 달리 남궁사영은 시간이 흐를수록 불안해지기만 하여 거의 날뛰는 지경에 이르렀다. 그는 세가의 일도 내팽개치고 안휘성 구석구석을 뒤지고 다녔다. 연의 약혼녀라는 백매화의 상단과 주루에 압력까지 줘 가며 뒤지고 다녔지만 그림자조차 발견하지 못했다. 결국 그는 포기하고 세가로 돌아왔다. 대신 화정당을 들쑤시기 시작했다. 무엇이라도 나올까 하는 생각에서였다. 이미 파헤친 뜰을 다시 파헤치고 더 깊게 파냈다. 흡사 미친 사람처럼 보이는 행동이었다. 동생이 도망친 걸로 이미 한시름 놓은 연오는 남궁사영을 내버려 두었다.

"장로님! 여기에 무언가가 있습니다."

연이 사라지고 아흐레 되는 날, 열심히 땅을 파던 무사가 외쳤다. 남궁사영이 반색하며 헐레벌떡 달려갔다. 그러고는 제 눈을 의심했다. 무사가 파 놓은 깊은 구덩이 안쪽에 이상하게 은은한 금빛으로 빛나는 석판이 있었다. 석판 위에는 알 수 없는 문양이 그림처럼 새겨져 있었다. 새 증거를 확보한 남궁사영이 씩 웃었다.

"아무래도 사술에 사용된 재료 같구나. 꺼내도록 해라."

"예, 알겠습니다."

무사는 사영의 명령에 따라 열심히 흙을 팠다. 그러나 이상한 일이었다. 분명 흙일 텐데 아무리 파도 석판 주위의 흙이 바위처럼 단단하여 삽이 들어가지 않는 것이다.

기이한 현상에 무사가 겁을 먹었다. 진척이 없자 사영은 쯧, 혀를 차고는 검을 빼 들었다.

"저리 비켜라."

쓸모없는 것, 하고 중얼거리며 그가 흙 위로 검을 내리꽂았다가 뒤로 물러났다. 손이 얼얼하여 하마터면 검을 놓칠 뻔했다. 등에 식은땀이 흘렀다.

"평범한 물건이 아니군. 그렇다면 이건 어떠냐."

이를 악문 남궁사영이 검을 치켜들었다. 검에는 퍼런 검기가 웅웅 어려 있었다. 그가 검기를 두른 검을 있는 힘껏 수직으로 내리꽂았다. 마침내 검이 푹, 흙 속으로 들어갔다. 동시에 쩅, 하고 무언가 크게 깨지는 소리가 났다.

남궁사영은 무언가 묵직한 바람 같은 게 자신을 스쳐 지나간 건 알 수 있었지만, 정확히 무언지는 알지 못했다. 뚜둑 소리와 함께 금빛으로 빛나던 석판에 금이 갔다.

"사, 사술이 깨진 듯합니다."

지켜보고 있던 무사가 넋이 나가 중얼거렸다. 남궁사영이 마른침을 삼켰다. 자신이 사술을 깼다. 이는 남궁원에게 말하면 공적(功績)으로 인정받을 수 있는 일이었다. 그는 당장 깨진 석판을 들고 남궁원에게 향했다. 사라진 손주 걱정에 미간을 찌푸리고 있던 그가 남궁사영을 보고는 내심 언짢은 얼굴을 감추지 못했다. 남궁사영은 공손히 고개를 숙여 보였다.

"화정당에서 이런 것을 발견했습니다. 쉬이 캐내어지지 않는 것이 아무래도 사술에 사용된 물건인 듯하여 부서뜨렸는데, 사술이 완전히 깨어진 모양입니다."

자신이 사술을 깨었노라 보고하자 한결 표정이 좋아진 남궁원이 고개를 끄덕였다.

"사술을 깨트리다니, 자네가 큰일을 해 주었군. 그래…… 남궁사영이라 하였나?"

"그렇습니다."

속으로 웃으며 남궁사영이 고개를 숙였다. 연을 찾아내지는 못했지만 이 정도로 인정을 받는 것이라면 되었다.

십이 일째 되는 날에도 연을 찾지 못하자 남궁연오는 일단 공식적으로는 말 못 할 죄를 저지른 동생의 단전을 파괴하여 세가에서 내쫓았다고 발표했다. 이런 식으로 덮어서라도 동생을 살리고 싶었다. 더 시끄러워지는 걸 원치 않던 장로들도 이에 동의했다. 단지 남궁사영만이 계속하여 은밀히 연을 찾았다. 그는 연을 죽여 없애야 이 술렁이는 마음이 편해질 것 같았다.

그로부터 시간이 흘러 연이 사라진 지 십오 일째 되는 날이 왔다.

고향에 갔다던 백모란이 남궁세가의 정문 앞에 나타났다. 시장에 들렀다 왔는지 그의 손에는 금귤이며 딸기가 들려 있었다. 떠날 때와 거의 달라진 것이 없는 똑같은 모양새였다. 모란은 정문을 지나 휘적휘적 걸어 화정당으로 향했다. 그러다 화정당에 이르기도 전에 그의 발걸음이 우뚝 멈추었다.

"어라."

중얼거리는 모란의 낯이 싸늘했다. 화정당의 마법진이 모조리 깨어져 나간 걸 인지한 것이다. 마법진이 깨어졌을 때 반작용은 술자에게 가도록 되어 있으나, 술자가 다른 차원에 가 있게 된다면 어찌 되는가? 그다음 사람을 향하게 된다.

모란은 즉시 마력 탐지로 연의 위치를 찾았다. 세가에 없었다. 그의 손에 들려 있던 금귤이며 딸기 따위의 과일이 순식간에 파삭 말라붙어 먼지로 흩어졌다.

모란은 화정당 안으로 걸어 들어갔다. 그가 떠날 때만 해도 꽃들로 풍성하여 아름답던 정원은 모조리 파헤쳐진 채였다. 연못의 물도 빠져서 죽은 잉어들이 바닥에 흉하게 널려 있었다. 모란의 눈이 그 모습 하나하나를 담았다.

'연이는?'

화정당에 얌전히 있어야 할 연은 어디로 가고, 정원은 왜 이 난리란 말인가. 그가 으득, 이를 갈 때였다. 문득 인기척이 느껴져 뒤를 돌아보았다. 남궁세가의 무사였다. 얼마 전의 일이 일이니만큼 그가 경계하며 모란에게 무기를 겨누었다.

"여긴 함부로 들어와서는 안 되는 곳이다! 누구냐!"

"남궁연 도련님의 주치의인데……. 여기서 무슨 일이 있었지?"

주치의라는 말에 경계를 푼 무사가 미심쩍어하면서 무기를 내려놓았다. 모란을 위아래로 살펴보고는 익숙한 얼굴임을 확인한 그가 쯧쯧 혀를 찼다.

"소식에 늦어도 한참 늦구만. 남궁연은 사술을 부린 죄로 단전이 파괴되어 세가에서 영원히 추방되었다."

"단전이, 파괴되었다고?"

모란의 눈썹이 꿈틀거렸다. 어금니가 맞물리며 빠득 하는 소리가 났다. 누구의 무엇을 어쨌다고? 차가운 분노가 삽시간에 몸을 점령했다. 다시 엉망진창인 화정당을 둘러보았다. 목구멍이 서늘하게 죄여 왔다.

"그래. 화정당에 불쌍한 사람들을 생매장해 두고 생기를 흡수하고 있었더군. 어찌 그런 극악무도한 짓을 하였는지."

고개를 절레절레 젓던 무사가 그제야 심상치 않은 기운을 감지하고는 흠칫 얼어붙었다. 갑자기 다리가 후들후들 떨려서 서 있을 수가 없었다. 모란이 다가오자 그가 어, 하고 비틀거리며 뒤로 물러나다가 나자빠졌다. 그는 이토록 두려운 것을 본 적이 없었다. 모란이 제게 시선을 주는 것만으로도 무거운 산에 깔리는 듯했다. 식은땀이 비 오듯 쏟아졌다.

"그럼 어디로 내쫓았지?"

"그, 그건…… 아마, 소…가주님이 아실…….."

모란은 끝내 대답하지 못하고 거품을 물며 넘어가는 무사를 바라본 뒤 지나쳤다. 휘적휘적 화월당으로 가던 그는 문득 걸음을 멈추었다. 찬찬히 생각하고 상황을 짚어 볼수록 이가 갈렸다. 금빛 분노가 넘실거리는 눈으로 주위를 둘러보았다. 실은 이 세가가 마음에 들지 않은 적이 한두 번이 아니지 않았나. 주위를 둘러보던 모란의 눈에 창일당이 보였다.

"저것이 좋겠군."

모란의 눈에 금빛 고리 세 개가 영글었다. 나머지 아홉 개는 왼손에 기이하게 걸렸다. 그가 하늘을 올려다보았다. 창일당(昌日堂). 세 개의 해가 있는 장소는 이제 별로써 스러질 터다.

그가 손을 들자 각기 다른 금빛의 고리들에서 별 무리들이 뚝뚝 떨어졌다. 단연코 눈에 띄는 행동이니 주위의 시선을 끌지 않을 수가 없었다. 지나가던 시비며 하인들이 놀랐다. 그들은 모란의 모습에 제 눈을 의심했다. 난생처음 보는 행위였다.

"저게 대체 무어야?"

"무공인가?"

모두가 자리에 멈춰서 모란이 하는 행동을 구경했다. 손에서 떨어지는 작은 별 무리들은 정말이지 사람의 눈을 홀리는 것이었다. 모란의 행동은 곧 무사의 시선도 끌었다.

"넌 누구냐! 여기서 무슨 짓을 하고 있는 것이냐!"

수상쩍은 행동에 얼른 달려온 남궁세가의 무사들을 흘깃 보고는 모란이 손을 들어 하늘을 가리켰다. 밤도 아닌데 하늘 위로 별들이 반짝이며 떴다. 얼핏 보면 아름다운 광경 같았으나 결코 아름답게만 볼 수는 없었다. 저 별들에는 이유를 알 수 없는, 소름끼치는 스산함이 있었다.

무사들을 비롯하여 사람들은 모란의 손이 느리게 금빛 궤적을 허공에 긋는 걸 바라보았다. 하늘에 떠 있던 별이 긴 궤적을 그리기 시작한 것도 바로 그때였다. 별의 꼬리가 길어지며 점점 커지더니 이내 활활 타오르는 불덩이가 되었다.

비명을 지르며 누군가는 도망가고 누군가는 넋을 놓았다. 마치 거대한 우박 같은 불덩이들이 창일당 지붕을 부수었다. 눈부신 섬광이 튀었다. 하나를 시작으로, 셀 수도 없는 별들이 창일당을 때려 부수었다. 불길이 치솟고 찬란한 별빛이 허공을 수놓았다.

창일당은 순식간에 거대한 불구덩이가 되었다. 그럼에도 부수고 또 부수려는 듯, 두려울 만치 아름다운 별들이 떨어졌다. 이 광경은 화정당, 화월당, 의정당, 폐월당…… 어디라 할 것 없이 남궁세가 모두에게 보였다.

눈부신 재앙 앞에, 세가 전체에 요란한 경종이 울렸다. 그랬다. 실로 이것은 재앙이었다. 인력으로는 막을 수 없는 어떠한 거대함이었다.

모란은 충분히 많은 사람들이 볼 때까지 그 일을 반복했다. 마지막으로 지진이라 여겨질 정도로 지반이 쿵하고 울렸다. 커다란 별을 창일당에 처박아 넣은 뒤, 그가 불타는 건물을 뒤로 하며 입으로 히죽 웃었다. 시비나 하인들은 도망갔고 나머지 이들은 갑자기 닥쳐온 재앙에 망연자실했다.

"연이는 어디에 갔지? 누구 대답할 수 있는 자 있나?"

낯선 자가 가져온 재앙에 무거운 침묵이 깔렸다. 하는 행동이나 기이한 금빛으로 빛나는 눈과 왼손 덕분에 그 누구도 모란이 이 일

을 했음을 의심치 않았다. 하나 창일당이 부수어지는 소란에 한달
음에 달려온 연오는 제 눈을 믿을 수가 없었다. 그가 아연하게 중
얼거렸다.

"백모란?"

그가 아는 백모란은 연의 주치의이자 오래도록 알고 지낸 아이
였다. 하지만 지금의 백모란은 창일당을 단숨에 거대한 불구덩이
로 만든 거대하고 두려운, 어떠한 존재였다. 어찌 지금까지 이 정
체를 숨겼을까, 상상만 해도 등골이 선득해졌다.

"사, 사술⋯⋯."

누군가가 중얼거렸다가 모란의 시선을 받자 비명을 지르며 뒤로
나자빠졌다. 모란이 형식적으로나마 지은 미소를 뚝 멈추었다.

그는 놀란 사람들의 심정을 헤아릴 정도의 여유가 없었다. 연이
지금쯤 어찌 되었을까 생각만 해도 돌아 버릴 지경이었다. 그가 다
시 하늘에서 별을 끌어왔다. 대낮에 반짝거리며 빛나는 별들은 이
제 그들에게 공포의 대상이었다. 얼굴을 사납게 일그러트리며 그
가 물었다.

"연이는 어디에 있어?"

十一章 : 연리지

　연은 왈칵 피를 토했다. 컥컥 기침을 하는데 코에서도 주르륵 피가 흘러나왔다. 마치 거대한 벽에 부딪쳤다가 튕겨져 나온 느낌이었다. 온몸이 얻어맞은 것처럼 아팠다. 그대로 바닥에 엎어져 한참을 신음하고서야 겨우 정신을 차렸다. 더듬더듬 혈을 눌러 일단 코피를 멎게 한 뒤 작게 기침하며 고개를 들었다. 까마득한 시야가 회복되고 나자 보이는 건 익숙한 풍경이었다. 숨을 헐떡이며 주위를 둘러보았다.

　"모란의, 주루……."

　모란이 루주로 지내는 주루, 그중에서도 자주 모란과 오곤 하던 삼 층의 어느 객실이었다. 남궁세가가 아닌 것만으로도 안도가 되어 몸에서 힘이 쭉 빠졌다. 밖을 내다보니 어스름한 새벽녘이었다. 자개장에 등을 기대며 소매를 들어 피 묻은 얼굴을 훔쳤다. 피를 토하기는 했으나 한번 토하고 나니 도리어 속은 개운한 느낌이었다.

　머리가 핑 돌아 한동안 앉아 있던 연은 몸을 일으키려다 말고 다시 주저앉았다. 도무지 설 기운이 없었다. 아직 옥에서 사라진 걸 모르는 이때, 어떻게든 지금 안휘성을 빠져나가야 하는데……. 연은 몇 번을 더 일어나려다가 그대로 쓰러지듯 누워 버리고 말았다. 까무룩 눈이 잠겼다.

그가 다시 정신을 차린 건 무언가가 이마를 조심스럽게 훑는 손길 때문이었다. 숨을 헐떡이며 눈을 뜨자 어머나, 하는 여인의 목소리가 들렸다. 분내가 코끝을 스쳤다. 겨우 눈을 뜨자 시야에 들어오는 건 한 기녀였다.

"연 공자님, 정신이 드십니까?"

연이 다시 눈을 감았다가 떴다. 무어라 말을 하려고 했으나 목구멍이 말라붙기라도 한 듯 목소리가 나오지 않았다.

기녀가 눈치 빠르게 깨끗한 천을 물에 적셔 입술 위를 도닥여 주었다. 누군지는 몰라도 환자를 돌보는 일에 조예가 상당한 사람이었다. 입술을 몇 번 핥고 나니 목이 좀 트였다. 연이 겨우 입을 열어 물었다.

"……제가 정신을 잃은 지, 얼마나 되었습니까?"

"하루 밤낮을 꼬박 잠들어 계셨습니다. 이제야 열이 내려 다행입니다."

그리 말한 기녀가 자리에서 일어났다. 사박사박 걸어가는 모습을 보며 연이 작게 기침했다. 하루 밤낮……. 그가 사라진 걸 세가에서 눈치채기에는 충분한 시간이었다. 애써 몸을 일으켰다. 한동안은 잊고 있었던 한기로 몸이 으슬으슬 추웠다.

잠시 후 기녀는 따뜻한 미음을 들고 돌아왔다. 딱 먹기 좋은 정도의 온도였다. 기녀가 먹여 주려고 하는 것을, 연은 정중하게 거절하고 수저를 손에 쥐었다.

입맛은 없었으나 먹어야 기운이 난다. 꾸역꾸역 먹고 난 뒤 제 몸의 상태를 살폈다. 미약하게 내상이 있기는 하나 심각한 정도는 아니었다.

"더 필요한 건 없으신지요?"

"저……."

연이 머뭇거렸다. 이 기녀에게 세가에서 자신을 쫓고 있지는 않냐고 물어봐도 될지 알 수 없어서였다. 기녀는 모든 걸 다 알고 있는 얼굴로 고개를 숙인 뒤 정중히 입을 열었다.

"현재 남궁세가에 있는 하오문 소속 하인의 말에 따르면, 세가에서는 탈옥한 죄인을 은밀히 찾아 안휘성을 수색하고 있다고 합니다."

"……알고 있었군요. 그럼에도 날 이렇게 도와주는 이유가 무엇입니까?"

기녀가 빙그레 웃었다. 그러더니 다시 우아하게 고개를 숙여 보았다.

"모란 님은 이 주루의 루주이실 뿐만 아니라 예전에 창기로 팔려 나갈 위기에 처한 저희들을 구해 주신 분입니다. 또한 연 공자님은 모란 님이 사전에 신신당부하신 귀한 분이지요. 어찌 연 공자님을 도와 드리지 않겠습니까."

연은 잠시 입을 열었다가 닫았다. 모란에 의해 목숨을 건지고, 또 그 일에 의해 위기에 처했다가 다시 목숨을 건졌다. 쓰게 웃은 연이 기녀에게 고개를 숙였다.

"도와주셔서 감사합니다."

"아닙니다. 해야 할 일을 했을 뿐입니다. 부디 필요한 게 있으시다면 얼마든지 일러 주십시오."

연이 고개를 끄덕이자 기녀가 푹 쉬시라며 물러났다. 그가 주위를 둘러보았다. 순간이동으로 도착했을 때에도 비워져 있던 걸 보니 이 객실은 언제나 모란을 위해 준비된 곳인 모양이었다. 목걸이를 꺼내 보았더니 붉게 반들거리던 것이 이제는 그저 나무토막처럼 빛이 바래 있었다. 그래도 다시 목걸이를 품에 밀어 넣었다.

"혹시나 하였는데 모란이 있는 곳으로 가지는 않았구나……."

모란을 만나면 멱살부터 잡았으려나……. 화정당에 사람을 생매장해 두다니, 절대 용납하지 못할 일이었다. 그래도 자는 동안 이틀이 지났으니 이제는 모란이 오기까지 십삼 일 남짓 남았다.

'영영 세가에서 내쫓기는 신세가 되었구나.'

연이 덤덤하게 생각했다. 이런 것도 나쁘진 않겠지. 적어도 다른 곳에 가 정착해 살다가 한위나 연오에게나 슬쩍 어디에 사는지 알리면……. 하지만 이내 입맛이 씁쓸해지는 것이었다. 가출하는 것과, 당당하게 선언하고 나가는 것, 그리고 이리 죄인 취급 받아 내쫓기는 것들 사이에는 큰 차이가 있었다.

그가 자리에서 일어났다. 오래간 누워 있었던지라 몸이 찌뿌둥하였다. 객실의 창을 열어 지켜보니 이따금 남궁세가의 무사들이 돌아다니는 것이 보였다. 자신을 찾아다니는 게 분명했다. 연오나 한위에게 피해가 가지 않았기를 바라며, 멀찍이서 바라보다가 곧 창을 닫았다.

하염없이 방을 돌아다니던 연의 눈에 문득 걸리는 것이 있었다. 자개장 밖으로 약간 삐져나온 붉은 자락이었다. 모란이 언제 붉은 옷을 입고 다녔나 하여 자개장을 열어 보니 눈에 익은 옷이 흘러나왔다. 붉은 빛깔의 고운 비단옷. 연이 비슬비슬 웃었다.

"이걸 아직도 가지고 있었나."

모란이 여장을 했던 건 언제 떠올려도 절로 웃음이 나오는 일이었다. 비단옷을 다시 개어 자개장 안에 넣다가 연의 얼굴이 다시금 어두워졌다. 화정당에 생매장되어 있던 자들. 아무리 녹림십오채 도적이라고는 해도……. 연이 손으로 얼굴을 감쌌다.

'모란에게는 선이 없다.'

사부님의 말이 맞았다. 정말 모란에게는 선이 없는 것이다. 아주 없는 건 아니겠지, 하면서도 아주 없는 것과 그냥 없는 것 사이에 무슨 차이나 있겠나 싶었다. 아니, 있긴 있으나 그 선이 연 한정으로만 통용되는 게 분명했다. 그러니 연은 사부님도 언젠간 모란이 좋은 자란 걸 알아주리라 부질없는 생각만 하고 있었지.

한데 모란이 저지른 이 사건이 연을 위한 일이라는 게 문제였다. 연은 모란을 비난하고 싶어졌다가도 또 다음 순간에는 금방 마음 한쪽이 물러져 버리곤 했다.

그러니 모란을 보고 싶다가도 다음 순간에는 보기 싫어지는 것이다. 연이 한숨을 쉬었다. 그는 벌써부터 알 수 있었다. ……제가 결코 모란에게 매정해질 수 없다는 걸.

"또 무엇을 숨기고 있었을까."

모란이 숨긴 게 과연 화정당 생매장 사건뿐일까? 연은 그조차 확신할 수가 없었다. 어찌 되었건 모란을 대면하기는 해야 한다. 하지만 연은 그때가 오지 않기를 바라는 자신을 발견할 수 있었다…….

혹여나 감당 못 할 게 있는 건 아닌가 하는 생각이 들다가도 모란이 그렇게까지 악질은 아니겠지, 하는 생각이 번갈아서 들었다.

'나는 모란에 대해서 너무 모르는구나.'

그러고 보면 창연각 사건 때도, 녹림십오채 사건 때도 사건 이후의 일은 한 번도 모란에게 물어본 적이 없었다. 알아서 잘 처리했겠지, 하고 그냥 내버려 둔 것이 몇 번인가. 여태껏 보고 싶은 것만 봤던 것은 아닐까, 한동안 그리 앉아 있다가 연이 자개장 문을 닫았다.

저녁이 되자 주루에서는 고운 선율이 흐르기 시작했다. 연은 떠들썩하게 손님들이 웃는 소리와 비파 소리를 들으며 침상에 누워 눈을 감았다. 어쨌든 이대로 주루에서 모란을 기다리고 있으면 될 것이라, 연은 그리 생각했다. 하나 현실은 그의 생각과는 달랐다.

이틀을 주루에서 보낸 뒤, 다음 날 아침. 식사가 끝나고도 기녀가 떠나지 않았다. 연이 의아하게 보았더니 그녀가 공손하게 말해 왔다.

"오전에 하오문의 문주님께서 연 공자님을 뵙고자 하는데, 시간 괜찮으신지요?"

"……하오문의 문주님, 말입니까?"

"예."

하오문의 문주가 왜 저를 보려고 하나 놀라서 연이 눈을 깜박였다. 공손하게 물어 왔다지만 실은 통보에 가까웠다. 지금 시간이 괜찮다 못해 넘쳐 나는 건 기녀도 연도 잘 알고 있었다. 연이 그러마 고개를 끄덕이자 기녀가 곧 모셔 오겠다 했다.

하오문의 문주는 연이 세수하고 옷을 단정히 입고 난 뒤에 도착했다. 세간에 하오문의 문주에 대해 알려진 바는 거의 없었기 때문에 연은 내심 궁금했다. 그리고 약간 놀랐다.

문을 열고 들어온 사람은 아무리 봐도 점소이로 밖에는 보이지 않았다. 그저 어딜 가나 있을 법한 인상이었다. 속내와는 다르게 일단 연이 침착하게 인사했다.

"하오문의 문주님께 인사드립니다. 남궁연입니다."

"공자님께 인사드립니다. 하오문의 문주입니다. 그저 위정이라고 불러 주시면 됩니다."

문주씩이나 되면서 위정이 연을 대하는 태도가 정중했다. 실례인 건 알지만 연은 하오문의 위정을 빤히 볼 수밖에 없었다. 처음에는 그저 점소이라고 생각했으나 자세히 보니 여자인지 남자인지도 알 수가 없었고, 십 대인가 싶으면 삼십 대인가 싶기도 했다. 얼굴도 별 특성이 없어 서너 번은 보아야 생김새를 익힐 수 있을 듯했다.

"저를 뵙고자 하셨다고요."

"감사의 인사를 드리기 위해서입니다."

감사의 인사? 연은 어리둥절했다. 그는 하오문 문주를 이 자리에서 처음 봤다. 문주가 자신에게 감사 인사를 할 만한 일이 있던가?

"하오문 소속 문도가 연 공자님에게서 도움을 받았지요. 문도의 은혜는 곧 문주인 제가 입은 은혜이기도 합니다."

"하오문 소속 문도 말입니까?"

"남궁한위 공자의 유모 말입니다."

그제야 연이 아, 하고 낮은 탄성을 흘렸다. 그러고 보니 한위의 유모가 하오문 소속이였다. 유모가 크게 앓았을 때 치료해 준 적이 있었지. 하도 예전에 있던 일이라 거의 잊어버리고 있었다.

하오문 문주 위정이 미소 지으며 품에서 무언가를 꺼냈다. 지난번 한위의 유모에게 받았던 패와 비슷한 모양새였다.

"어느 자이든 하오문 문도가 입은 은혜는 하오문 전체가 입은 은혜. 이 패를 차고 다니는 한 어디서든 하오문 문도의 도움을 받으실 수 있을 겁니다."

하오문은 점소이, 기녀, 장사꾼 등 평상시에 자주 보며 또 그만큼 스쳐 지나가기 쉬운 평범한 일반인들로 이루어져 있었다. 그들은 어디에나 있는 귀와 눈이다. 또한 그들은 큰 은혜를 입은 은인에게 하오문 문도만이 알아볼 수 있는 패를 선물로 내어 주고는 했다.

정작 은인은 패가 어디에 쓰이는지 모르지만, 하오문 문도만은 패를 알아보고 알게 모르게 도와주곤 하는 것이다. 그래서 은록이 허리에 그 패를 그리 달고 있었구나, 연은 그제야 깨달았다.

"또한 다른 문도들도 대가 없이 치료해 주시지 않았습니까. 저희가 공자님을 돕는 것은 당연한 도리입니다."

"무슨, 말씀이신지 잘 모르겠습니다만……."

감사하게 패를 받으려던 연이 당황하여 머뭇거렸다. 시치미를 떼려고 했으나 문주는 이미 빙그레 웃고 있었다.

"공자님이 바로 화타의 환생이자 편작의 후계자이시지요?"

저놈의 화타니 편작이니 하는 호칭……. 대체 언제까지 들어야 하는가. 연의 귀가 부끄러움에 벌겋게 물들었다. 그는 일단 잡아떼기로 했다. 그러나 하오문 문주의 얼굴을 보니 잘된 것 같지는 않았다.

"아마 잘못, 아신 듯합니다……."

"이미 문도 한 명을 치료해 준 적이 있으시고, 연 공자님을 지극히 아끼시는 루주 모란과 함께 다니는 백면공자(白面公子)라 하면 그 의원의 정체를 모르는 것이 더 이상하겠지요. 문주 위정, 최선을 다해 공자님을 돕도록 하겠습니다."

연의 얼굴은 그만 벌겋게 익어 버리고 말았다. 환자들을 치료하며 한 번도 대가를 바란 적은 없었지만, 그럼에도 이렇게 인사를 받는 것은 참으로 부끄럽고 또 마음 어딘가가 간질거리는 것이었다. 위정은 연의 반응을 즐겁게 바라보고는 이내 표정을 굳혔다.

"지금 제가 이리 찾아온 이유가 있습니다. 아무래도 남궁사영이 근시일 내로 이곳 주루와 모란 님의 상단을 들쑤실 듯합니다. 모란 님이 돌아오시기 전까지는 이곳을 잠시 떠나 계시는 게 어떻습니까? 안전한 장소를 마련해 드리겠습니다."

연이 속으로 혀를 쯧 찼다. 옥에 갇혀 있을 때 한 말 때문인지 남궁사영이 유독 끈질기게 자신을 찾아다니는 듯했으니. 기녀를 불러오며 위정이 물었다.

"공자님이 이곳으로 오신 길이 어찌 되십니까? 흔적을 지워 놓겠습니다."

이곳으로 온 길이…… 어찌 되냐면. 연이 잠시 고민에 빠졌다. 전에 모란이 순간이동이 공간과 공간을 접니 어쩌니 한 건 기억나지만, 그걸 하오문 문주에게 설명할 수는 없는 노릇이다. 그가 고개를 저었다.

"그 길은 괜찮습니다. 모란이 알려 준 길이라 아무런 흔적도 없을 겁니다."

"……알겠습니다. 그럼 여기서 빠져나가는 방법을 찾아봐야겠군요. 일단 안휘성 밖으로 나가는 것이 좋을 듯합니다. 또한 안휘성을 빠져나갈 때는 아무래도 변장을 하는 것이 좋겠습니다."

위정이 손짓하자 기녀들이 산더미 같은 옷과 분장 도구로 보이는 물품들을 가져왔다. 위정은 점소이의 옷을 연에게 대 보았다가 고개를 저었다. 그 뒤로 상인, 농부, 거지, 무사 등 온갖 복장을 다 대 보았으나 난감한 표정만이 서릴 뿐이었다.

"문주님, 하나도 어울리지 않습니다."

"역시 인피면구를 써야 하나⋯⋯. 하지만 인피면구는 손으로 만져 보면 너무 티가 나지 않습니까. 그렇다고 거친 옷도 안 어울리고, 귀한 옷은 더욱이 안 될 테니."

특이하게도 위정은 그저 문도일 뿐인 기녀에게도 공손한 말투를 사용했다. 굳이 연이 은인이라 그런 말투를 사용하는 것은 아닌 모양이다. 기녀와 위정이 머리를 맞대고 골몰하는 동안 연의 시선이 문득 자개장으로 향했다. 아까 그 붉은 비단 옷⋯⋯. 불현듯 생각나는 것이 있어 연이 머뭇거리며 입을 열었다.

"여장은, 어떻습니까? 남자만을 찾고 있을 테니 눈에 뜨이지도 않을 테고."

연의 제안에 위정과 기녀가 눈을 빛냈다. 곧 그가 고개를 끄덕였다.

"확실히, 공자님의 얼굴은 선이 곱고 귀티가 나시니 여인의 차림새도 잘 어울릴 것입니다. 좋습니다. 여장으로 하도록 하죠."

전이라면 생각도 하지 못했을 텐데, 이래서 경험이란 중요한 것이었다. 하지만 아무리 그래도 귀한 가문의 여식으로 꾸미자고 하오문 문주와 기녀가 신나서 떠들어 대는 걸 들으니 얼굴에 열이 오르는 건 어쩔 수 없었다. 이야기를 들은 기녀 여럿이 치장을 도우러 우르르 몰려들자 열기는 한층 더해졌다.

"문 대감 여식의 시중을 들던 아이가 있습니다. 이런 일에 잘 대처할 수 있을 겁니다."

나풀거리는 푸른 상의를 대어 보며 기녀가 의견을 냈다. 그사이 다른 기녀는 연의 머리카락을 풀어 헤치고 있었다. 고운 손가락이 머리카락에 반질거리는 향유를 발라 곱게 가다듬기 시작했다. 이런 저런 잘그락거리는 장신구들도 대어 보았다. 귀한 가문의 공자를 여식으로 꾸민다는 건 기녀들에게 일종의 여흥으로까지 보였다.

연은 오랜 시간 동안 꾸며졌다. 보드랍고 하늘거리는 옷자락을 걸치고 허리는 바싹 졸라매었다. 아교로 그럴싸하게 잘 붙여진 귀걸이가 귀에서 잘그락거렸고 고급스러운 비녀가 틀어 올린 머리카락에 꽂혔다. 분내 나는 화장까지 한 뒤에야 치장이 끝났다.

긴가민가하여 거울을 들여다본 연의 얼굴이 또 벌겋게 익었다. 거울 속에는 제법 가녀리고 앳되어 보이는 여식이 있었다. 연 본래 나이보다 세 살은 더 어려 보였다. 연은 신기하여 한참을 거울을 바라보았다.

'대체 어떻게 한 것이지?'

그리고 가슴……. 여인들 것처럼 부풀어 오른 가슴은 어찌했는지 민망하여 보지도 못했다. 무언가 덩어리진 것을 넣은 것 같긴 했는데. 여장하고도 뻔뻔했던 모란의 태도를 떠올렸으나 연은 가슴에 무얼 넣고는 차마 그리 굴 수가 없었다. 마지막으로 그는 얼굴이 은근하게 비치는 면사포를 썼다.

"완전히 얼굴을 가리면 그것이 더 수상해 보이는 법이지요. 오히려 은은하게 보이는 것이 의심을 피하기에 좋습니다."

연을 꾸미는 일에 위정이 제일 신난 것 같았다. 놀랍게도 그는 어느 순간부터 점소이에서 지긋하게 나이 든 유모로 변했다. 역용술(易容術)[8]이 실로 놀라운 수준이었다. 주루 뒷문으로 나오자 말 한 필과 마부, 그리고 무사가 있었다. 일견 평범해 보였으나 그 평범해 보이는 이들 모두가 하오문의 문도였다. 그러니 구파일방 오대세가라 할지라도 하오문을 무시하지 못하는 것이다. 언제 어디에 하오문의 눈과 귀가 있을지 모르니.

연은 훌쩍 말 위에 올랐다. 고삐를 쥐려다가 위정이 고개를 절레절레 젓는 걸 보고는 머쓱하게 가지런히 앉았다. 고삐는 마부가 대

─────────────────
8) 변장술의 하나로 얼굴에 분장용 가면을 쓰는 수법

신 쥐었다. 연은 잠시간 발 아래로 늘어져 나풀거리는 옷자락을 바라보았다. 여인의 옷은 부드러워 기분이 좋으면서도 퍽 묘했다.

"목소리는 어찌하지 못하니 가능한 한 말하지 않는 것이 좋습니다. 일이 생겨도 제가 알아서 처리할 테니 가만히 계시기만 하면 됩니다."

"알겠습니다."

얌전히 고개를 끄덕이자 마부가 이랴, 하는 소리를 내며 말을 끌었다. 위정과 하오문 문도는 각각 유모와 시비인 것처럼 뒤를 따랐다. 거리로 나오자 슬슬 긴장이 되었다. 혹여나 남자인 것이 티가 나지는 않을까 노심초사할 수밖에 없었다.

그러나 사람들은 흘끔거리며 보기만 할 뿐, 아무도 남자로 생각하지는 않는 듯했다. 말이 다가닥다가닥 느리게 걸을 때마다 면사포와 옷자락이 하느작거리며 움직였다. 귀한 댁 여식이 탔다고 생각했는지 사람들은 연 일행을 보자 슬그머니 옆으로 비켜 길을 내주었다.

마침내 안휘성을 빠져나가는 길목에 다다랐을 때는 연의 긴장이 최고조에 이르렀다. 남궁세가의 무사들이 마치 매와 같은 눈으로 지켜보고 있었다. 그들은 남자의 얼굴을 유독 뚫어져라 쳐다보면서 따라붙어 한 명 한 명 얼굴을 만져 대기도 했다. 만약 연이 점소이나 상인으로 변장하거나 인피면구를 썼다면 걸렸을 게 분명했다. 연이 탄 말이 그들을 지나갈 때였다.

"잠시만."

무사가 세울 때 연의 몸이 저도 모르게 바짝 긴장했다. 말이 멈추자 무사가 다가오려 했으나 위정이 바로 나섰다. 영락없는 귀한 여식 모시는 유모 모양새로 사납게 노려보았다.

"무슨 일이십니까?"

카랑카랑한 목소리에 연이 내심 놀랐다. 주루에서 들은 위정의 목소리는 차분하고 담담했던 것이다. 무사는 움찔하면서도 자세히 일행을 살폈다. 마부나 무사의 얼굴을 뜯어보고는, 이내 연에게 시선을 옮겼다.

"수상한 자가 있나 잠시 살펴보려는 것뿐이오."

그런데 수상한 자 이야기를 하면서 무사가 유독 연을 빤히 바라보는 게 아닌가. 연이 몰래 마른침을 삼킬 때였다. 위정이 벌컥 화를 냈다.

"수상한 자? 지금 우리 아씨가 수상한 자란 말이오? 우리 아가씨가 어떤 분이신 줄 알고 어느 안전에!"

"아니, 그게 이번에 남궁세가에서 중죄인이 탈옥하여……."

"남궁세가에서 죄인이 탈옥하든 말든! 그게 우리 아씨 나들이 길 막은 것과 무슨 상관이오?"

호위무사로 분한 하오문 문도가 검에 손을 얹으며 다가오자 남궁세가 무사가 난처한 얼굴을 했다. 세가의 명에 따라 안휘성을 나가는 사람들을 샅샅이 살펴보는 중이긴 하나, 어느 지체 높은 분과 말썽을 일으키고 싶지는 않았다. 위정이 눈을 세모꼴로 뜨자 그 사나움에 무사가 혀를 내둘렀다.

"혹시나 하여 살펴보았을 뿐이니, 지나가도록 하시오!"

말하면서도 무사가 연을 힐끔거렸다. 면사포에 반쯤 가려지긴 했어도 참으로 아름다운 미인이라 생각했던 것이다. 귀한 자태며 비싼 장신구를 보니 아무리 봐도 고관 댁 아씨인 것 같았다. 오늘 그가 본 사람들 중 탈옥한 차남, 남궁연과는 가장 거리가 멀었기에 무사는 의심 없이 보내 주었다.

연은 내심 안도의 한숨을 쉬었다. 들키는 것까지는 아무래도 좋은데, 여장을 한 상태로 들키는 건…… 정말이지 피하고 싶었다.

말은 저 멀리 보이는 황산을 끼고 한참을 걸어갔다. 해가 뉘엿뉘엿 저물 때쯤에 그들은 안휘성에서 벗어났다. 그런 뒤에도 일행은 숲속으로 들어가 이리저리 구불구불한 산길을 따라 들어갔다. 한참이나 그렇게 들어간 뒤 연의 눈에 어른거리는 횃불이 보이기 시작했다. 작은 마을이었다. 마을 근처에 다다르자 누군가가 헐레벌떡 뛰어나왔다.

"삼옥이 문주님을 뵙습니다."

무심코 위정을 돌아본 연이 놀랐다. 어느새 위정은 유모의 모습을 집어던지고 이번에는 제법 나이 든 무사의 모습을 하고 있었다. 도대체 어느 것이 위정의 본 모습인지 알 수가 없었다. 연이 말에서 내리자 위정이 빙그레 웃었다.

"이 마을은 하오문 문도들이 모여서 사는 곳이니, 모란 루주가 돌아오시기 전까지 안전하게 지낼 수 있을 겁니다. 아, 그리고 이 것을."

위정이 내놓은 것은 검과 침구 따위의 치료 도구였다. 검도 검이었지만 침구를 받자 연은 감동을 받았다. 당분간 치료 도구를 손에 잡기란 힘든 일이라 생각했었는데.

"오늘 은혜를 어찌 갚아야 할까요. 정말 감사합니다."

연이 포권지례를 하자 위정 역시 포권지례를 하며 고개를 숙였다.

"저야말로 하오문이 입은 은혜를 갚을 기회를 주시니 감사할 뿐입니다. 또 뵙도록 하겠습니다. 부디 이곳에서 편히 지내시기를 바랍니다."

위정은 다시 고개 숙여 인사한 뒤 같이 온 일행들과 함께 돌아갔다. 연은 잠시 그 뒷모습을 보고 있다가 삼옥이란 자를 따라 마을에 들어섰다.

마을은 작았지만 그럼에도 우물이나 마굿간 등 도시에서 볼 수 있는 것들이 잘 정비되어 있었다. 삼옥은 정중하게 연을 한 초가집으로 안내했다. 초가집이라고는 해도 안은 매우 아늑했다. 따뜻하게 불이 지펴져 있었으며 좀 낡았지만 푹신한 이불도 깔려 있었다.

"언제든지 불편한 점이 있다면 얼마든지 말해 주십시오, 아씨."

아, 아씨……. 오늘 하루 종일 이 차림새에 익숙해져서 연은 그만 제 옷차림을 깜박하고 있었다. 연은 어색하게 웃으며 의아한 얼굴로 눈을 깜박이는 삼옥에게 말했다.

"연이라 불러 주십시오. 또한 사정이 있어서 여장을 했을 뿐 여인은 아닙니다. 남자가 입을 옷을 가져다주시면 감사하겠습니다."

"아……. 아? 네, 어. 그, 그렇군요."

당황한 삼옥은 연을 뚫어져라 바라보았다가 문주님의 손님에게 실례라는 걸 깨닫고는 더 당황해 허둥지둥했다. 삼옥이 남자 옷을 가지러 간 사이 연은 가슴에 넣은 덩어리를 빼내었다. 천으로 돌돌만 감 두 개였다. 그가 얌전히 오늘 열심히 역할을 수행한 감 두 개를 한쪽에 내려 두었다.

연은 삼옥이 가져다준 옷으로 갈아입은 다음 머리에 꽂았던 비녀와 장신구들을 빼냈다. 얼굴에 발랐던 분도 지우고 머리도 단정히 하고 나자 피곤이 몰려들었다. 오늘 꽤나 긴장한 데다가 오래 말을 타고 온 탓이었다.

삼옥이 저녁을 가져다주기도 전에 연은 침상에 누워 깊은 잠에 빠져들었다. 오늘 여장을 한 탓인지 꿈속에서 연은 여자가 되어 연오를 오라버니라 부르고 한위가 저를 누이라고 부르는 꿈을 꾸었다…….

아침에 일어난 연이 보는 사람도 없는데 손으로 얼굴을 가렸다. 여자가 된 꿈은, 괜찮다. 하지만 왜 꿈의 끝이 모란과 이런저런 음란한 짓을 하는 것으로 끝난단 말인가? 아무리 꿈속이라 하여도 참으로 염치도 없는 자라 연이 생각했다.

옷을 갖추어 입고 문을 여니 벌써 해가 중천이었다. 그런데도 피로가 미처 다 풀리지 않았다. 연은 제 몸이 마치 예전으로 돌아가는 것같이 느껴졌다. 아무래도 화정당에 있지 않은 탓이겠지. 모란이 올 때까지 몸이 버틸 수 있을까? 삼옥이 두고 간 아침 소반을 들며 연이 쓴 미소를 지었다. 이제 모란이 오기까지는 열흘 정도가 남았지만…….

'어쩐지 불안한 느낌이 든다.'

하지만 연은 이내 고개를 저었다. 몸이 안 좋으니 부정적인 생각만 들었다. 아침을 다 먹자 마침 삼옥이 찾아왔다. 정말 사내였다니! 하는 게 분명한 눈빛으로 연을 바라보았다. 연은 귀를 조금 붉히며 조용히 아침 소반을 들고 나가려는 삼옥을 불렀다.

"혹여나 마을에 아픈 이는 없습니까? 부족하나마 의술을 알고 있으니 이로 보답하려 합니다."

"아이고, 아닙니다. 문주님 손님이시지 않습니까. 보답이라니요."

그리 사양하는 대답을 하면서도 삼옥이 기대하는 얼굴로 슬쩍 눈치를 살폈다. 연이 빙그레 웃었다. 그는 이 조용한 산골 마을이 마음에 들었다. 연이 이따금 이런저런 마을에 정착하여 의원을 차려야지 하며 상상하곤 하던 곳과 비슷했다.

"할 일이 없어서이기도 하니 크게 부담 가지실 필요는 없습니다."

연의 말에도 눈치를 보다가 삼옥이 얼른 나가더니 누군가를 데려왔다. 코를 훌쩍거리는 아이였다.

가벼운 감기인지라 산에서 구하기 쉬운 약초로 탕약을 지어 주니 반색한 삼옥이 다시 뛰어나갔다. 돌아올 때는 더 많은 사람들과 함께였다.

의원이란 아무래도 일반 백성으로서는 쉬이 만날 수 있는 사람이 아니었다. 특히나 산속이라면 더욱 그렇다. 연은 그날을 하루종일 사람들을 진찰하고 치료하는 데 썼다. 다시 사람들을 치료하니 잠시간 몸이 힘들고 피곤한 것도 잊을 정도였다. 시간도 빨리 가니 어느덧 해가 뉘엿뉘엿 지는 저녁나절이었다.

치료해 주는 행위는 다음 날도, 그다음 날에도 이어졌다. 연은 사람들을 치료해 주고 눈에 띄게 낫는 이들을 보며 보람을 느꼈다. 이것이야말로 그가 평소에 바라던 삶이 아니던가. 자신을 많이 걱정하고 있을 연오와 한위에게는 미안한 말이었지만 연은 이대로 계속 여기서 머무르며 사람들을 돌보고 치료해도 좋겠다 생각했다. 점차 피곤한 정도가 늘어났으나 이 정도라면 열흘 정도는 충분히 버틸 수 있을 듯했다.

그러던 어느 날이었다. 모란이 돌아오기까지 칠 일 정도가 남았을 때, 연은 환자를 치료하다가 무언가 쨍그랑 깨지는 소리를 들었다. 놀라서 주위를 둘러보았으나 그 소리는 연만 들었는지 환자들은 모두 어리둥절한 표정을 하고 있었다.

'……무엇이지? 어딘가 불길한 소리였는데.'

의아하게 여기며 맥을 짚기 위해 다시 손을 내민 다음 순간, 연은 그대로 앞으로 고꾸라지고 말았다. 숨이 콱 조이며 오장육부가 뒤틀리는 고통이 가해졌다. 심한 내상이 연을 덮쳐 왔다. 입을 열자 쏟아지는 건 붉은 피였다. 그는 본능적으로 알 수 있었다. 그가 입어 본 중 가장 심각한 부상이었다.

"쿨럭, 헉, 컥……."

"의원님? 괜찮으십니까? 의원님!"

연은 괜찮다고 말을 하고 싶었으나 마치 몸속 장기가 끊어지는 것 같아 대답할 수가 없었다. 진찰을 받던 환자가 놀라 사람을 부르기 위해 뛰쳐나가는 걸 보며 연은 까무룩 정신을 잃었다.

그가 다시 눈을 떴을 때에는 삼옥이 걱정스러운 얼굴로 지켜보고 있었다. 몸을 움직이자 느껴지는 고통이 지독해 연이 신음했다. 왜 갑자기 이런 내상을 입었는가, 생각해 보니 짐작이 가는 구석이 있었다. 예전에 녹림십오채에게 잡혔을 적 모란이 화정당에 있는 마법진의 반작용에 대해 말한 적이 있었다.

'화정당의, 그 마법진이…….'

어떤 식으로든 손상된 게 아닐까, 그래서 반작용이 돌아온 것이 아닐까 하는 생각이 들었다. 연이 숨을 헐떡이며 몸을 일으켰다. 삼옥이 얼른 연을 부축했다.

"연 의원님, 괜찮으십니까? 피를 어찌나 토하시는지……."

연 의원님. 그 명칭을 곱씹어 보다가 연이 겨우 웃었다. 괜찮지 않다. 사실 진찰을 하기 전부터 벌써 무언가를 예감한 가슴이 선득했었다. 등골에서는 식은땀이 쏟아지고 내장은 온통 뒤틀리는 듯했으나 연은 그 모든 걸 그대로 삼켜 냈다.

"괜찮습니다. 지병이, 있어서……. 하루 푹 쉬면 나을 것입니다."

"정말 괜찮으신 것이지요? 안색이 무척 좋지 않습니다."

삼옥은 몇 번이고 괜찮냐고 물어보고는 대답을 들은 뒤에야 물러났다. 삼옥이 간 뒤 연은 몸 상태를 살펴보았다.

"아……."

연의 입에서 절로 신음 소리가 흘러나왔다. 그가 몇 번이고 제 몸을 살펴보고는 스륵 벽에 기대었다. 절망스러운 감정이 그의 눈꺼풀을 짓눌렀다.

마치 거대한 힘에 후려쳐진 듯 그의 몸 안은 온통 진탕이 되어 있었다. 장기 중 일부는 제 기능을 제대로 수행하지 못한다. 평범한 사람이라면 이 정도는 오래 앓고서라도 이겨 낼 수 있을 것이었다. 그러나 지금 연의 몸은 열 살 때 크게 앓고 난 이래로 가장 좋지 않았다.

잠시 후 연은 냉철하게 판단을 내렸다. 입술이 떨렸다.

'길어 봤자 며칠이다.'

그가 잠시 눈을 감았다. 화정당 마법진이 깨어진 반작용 때문에 몸이 이리된 것이리라. 일순간 모란을 원망하는 마음이 들지 않았다면 거짓일 것이다. 그러나 그럼에도, 이 모든 게 자신이 책임져야 할 일로 여겨졌다.

원인을 따지고 또 따지고 들다 보면 열 살, 모란의 영영화를 건드려 깨트린 바로 그때로 돌아가게 되는 것이다. 번잡하게 들끓던 머릿속이 일순간 평온하게 가라앉았다. 연의 눈이 침잠했다.

'언제는 길게 살 것이라 생각했던가.'

어렸을 적부터 피를 토하고 기절하고 크게 앓을 때마다 연은 항상 죽음이란 것에 대해 생각했다. 죽음은 언제나 그의 곁에 머무는 존재였다.

그럼에도, 살고 싶다는 생각을 버릴 수는 없었다. 모란을 만나고 나서는 그래도 이제 완치할 수 있을 것이라 생각하였는데…….겨우 건강해졌다가 도로 빼앗기니 드는 안타까운 마음을 어찌할 수가 없어서. 이제는 자신이 가진 것들이 많아서……. 그가 아끼는 사람들의 얼굴이 두서없이 떠올랐다.

"완치라."

연이 웃고 말았다. 모란이 제게 숨겼던 것 중 하나를 비로소 알 것 같았다. 혹여 자신은 완치가 될 수 없었던 게 아닐까? 모란은 화정당에 사람을 생매장까지 해 가며 제게 생기를 보내는 마법진을 만들었다. 그게 무슨 의미겠는가.

그러지 않는다면 연의 몸이 부지가 안 되기 때문이었다. 그래서 모란이 곁에 있을 때는 겨우 수명을 유지하다가 그가 떠난 뒤에는 이리된 것이 아닌가. 그러나 그 웃음은 떨리는 입꼬리에 묻혀 사라지고 말았다.

완치는 불가능하다. 완치는커녕 이대로라면 죽는다. 의원이니만큼 연은 알 수 있었다. 사람이 살아가기 위해 필요한 중요한 맥들이 있다. 그 맥의 흐름이 끊겼다. 기혈이 뒤엉켜 설사 화타나 편작이 직접 온다 해도 살려 낼 수 없을 내상이다. 연은 모란과 만난 후로는 한 번도 예상치 못했던 죽음이 근처에 왔음을 알았다. 연의 눈꺼풀이 천천히 감겼다.

"모란……."

그는 정말이지 연에게 잔인한 일을 하였다. 화정당에 숨겨 두었던 마법진을 말하는 게 아니다. 그는 연에게 희망을 주고, 미래를 주고, 완전히 나아 건강해질 수 있다는 약조를 주었다. 주위에 아무도 없어도 괜찮았던 연의 곁에 끈질기게 머무르며 연인이 되어 주겠다 하였고 세상에서 그가 가장 소중하다는 듯이 대해 주지 않았나. 그래서 이렇게, 정말로 죽기 싫다 생각하게 만들었다.

"죽기 싫어, 정말로……."

모란이 곁에 있었더라면, 하고 중얼거리다가 연이 고개를 저었다. 모란, 모란, 모란. 거세게 기침하자 속에서 후끈한 것이 올라왔다. 피가 주르륵 쏟아졌다. 연이 소매로 바닥의 피를 문질러 닦아 보았다. 두려움으로 손끝이 떨렸다.

"한심하구나……."

중얼거리다가 연이 입술을 깨물었다. 그는 왕장호가 자신의 죽음을 받아들이고 눈을 감았던 걸 떠올렸다. 죽는 게 어쩔 수 없다면 받아들이는 방식 정도는 그가 정할 수 있었다.

그래, 죽음으로서 모든 것이 끝이 아니리라. 죽기 직전까지 무엇을 어떤 마음으로 행했느냐가 중요한 것이다.

그리 마음을 먹는 연의 눈동자에 얼핏 금빛 광채가 희미하게 머무르다 사라졌다. 연은 다시 한차례 피를 토하고는 쓰러지듯 침상에 누워 눈을 감았다.

다음 날 정신을 차렸을 때 몸 상태는 한층 악화가 되어 있었다. 겨우 일어난 연은 하루 종일 말없이 앉아 있다가 사부님에게 드릴 서찰을 작성했다. 그를 쓰는 것에만 해가 지도록 오랜 시간이 걸렸다. 연오와 한위에게 줄 서찰도 생각해 보지 않은 것은 아니나, 차마 무어라 쓸 말이 없어서 종이만 버렸다.

모란에게는 무엇이라도 써 주어야 할까, 생각하다가 힘없이 붓을 내려 두었다.

둘째 날에 연은 겨우 일어나 여섯 명의 환자를 돌보았다. 어찌 앉을 수는 있어 속으로 올라오는 피를 삼켜 내며 치료했다. 이따금 속이 끊어질 것같이 아팠으나 그럴 때에는 진통 역할을 하는 약초를 삼켰다. 어차피 망가진 몸이니 망설임은 없었다. 여섯의 환자를 보고 난 뒤 그는 까무러치듯 침상에 누웠다.

다시 깨어난 뒤 연은 반사적으로 곁을 보았다. 아무도 없었다.

셋째 날, 그는 세 명의 환자를 진찰했다. 진맥을 하는데 환자가 소스라치게 놀라기에, 제 손이 얼음장처럼 차갑다는 걸 알았다. 현기증이 심하게 돌아 네 번째 환자는 돌려보내고 말았다. 컥컥 붉은 피를 토하면서 연이 문을 바라보았다. 문이 열리는 일은 없었다.

넷째 날, 연은 침상에서 일어나지 못하고 고열을 내며 앓았다. 아파서 신음하다가 진통 역할을 하는 환약을 씹어 먹고는 한참을 이불만 움켜쥐었다.

다섯 째 날, 혼몽한 채로 눈을 뜨니 위정이 어두운 얼굴로 연을 내려다보고 있었다.

"연 공자."

연은 숨을 헐떡거렸다. 문주님, 하고 부르고는 올라오는 피를 꿀꺽 삼켰다. 말을 제대로 잇지 못하고 숨만 가쁘게 쉬다가 그만 까무룩 정신을 잃었다.

여섯째 날에 희미하게 정신을 차린 연은 제 숨이 천천히 멎어 간다는 걸 깨달았다. 위정이 그를 지켜보고 있었다. 연이 천천히 떠올렸다. 주강, 연오와 한위…… 은록을. 그리고 모란을. 죽기 직전에는 고통조차 둔중하게 멎어 있었다. 모란, 하고 중얼거리며 눈을 감았다. 죽음을 맞이한다는 걸 아는 연의 눈가로 눈물이 느리게 흘렀다.

'죽기 전에, 한 번이라도…….'

이제 얼마 남지 않았다. 조금만 더 버티면 되는데. 그 조금을 도무지 버틸 수가 없었다. 연의 시선이 다시 문으로 향했다. 그러나 문이 열리며 그가 그리던 사람이 일찍 나타나는 일은 벌어지지 않았다. 마지막 숨을 내뱉기 전까지 문이 열리기를 기다리던 연은 눈꺼풀을 떨며 마침내 눈을 감았다.

심장이 느리게 멎었다.

죽음의 그림자가 그를 덮쳤다. 흐르던 시간이 완전히 끊어져 버린 채로, 연은 죽음 속에서 칠 일째 되는 날을 맞이했다.

모란은 어떤 존재를 먼지 하나 남기지 않고 소멸시키는 방법 수십 가지를 알았다. 영원히 불타오르는 잉걸불, 가리지 않고 죄다 먹어 치우는 끔찍한 아귀, 심장과 머리가 사라지기 전까지 산 채로 상대를 사지 끝부터 먹어 치우는 저주, 불타는 운석을 떨어트리고 생명을 얻은 대지가 아가리를 벌려 상대를 집어삼키게 만드는 마법.

모란은 그 모든 걸 이곳에 불러내 산지옥을 만들면 어떨까 잠시 진심으로 생각했다. 그러나 이곳이 연이 평생을 살아온 곳이라는 사실이 겨우 모란의 이성을 붙들었다.

"죽는 한이 있어도 연이 있는 곳을 네게 알려 주지는 않을 것이다!"

창일당을 한 번에 부수어 버린 고수 앞에서도 각오를 단단히 한 연오의 대답을 들을 적에 모란은 잠시 짜증이 났다가, 곧장 깨달았다. 마법진이 손상된 것도 모자라 단전 파괴형을 받았다는 걸 알게 된 순간 살벌하게 들끓었던 머릿속이 잠시 차분해졌다.

'단전 파괴형을 받았다면 목걸이가 작동했을 터다.'

괜히 목걸이를 걸어 주고 간 게 아니다. 위급한 상황에 연을 안전한 곳에 두기 위해 만들어 놓은 목걸이었다. 일회용이기는 하나 기능은 완벽했다. 결론은 하나였다.

단전 파괴형을 받았든, 혹은 연 스스로가 위기를 인지하고 사용했든 아무튼 그는 지금 주루에 가 있을 터였다. 한순간 눈에 뵈는 것 없이 막 나갈 뻔했던 모란이 남궁세가고 뭐고 뒤로한 채 서둘러 순간이동을 했다.

"연아?"

그러나 예상과는 달리 주루에는 연이 없었다. 모란의 얼굴이 한층 더 싸늘하게 식었다. 연이 없는 걸 확인할 때마다 명치가 조여들었다. 불길한 느낌이 스멀스멀 엄습해 왔다. 상황이 좋지 않음을 직감적으로 느끼고 있기 때문이다. 바로 마력 탐지로 근처에 연이 없다는 걸 확인한 후로는 마음이 다급해지기 시작했다.

마법진이 파괴된 반작용이 어느 정도일지는 모란조차 감이 잡히지 않는다. 어떤 식으로 파괴되었느냐에 따라 달랐다. 하지만 지금은 어쩌다가 마법진이 들통나게 되었는지, 누가 어떻게 파괴하였는지는 중요한 일이 아니었다. 가능한 연을 빨리 찾아내야 했다.

그가 이를 악물었다. 고작 이십 일을 비웠을 뿐인데. 객실을 뛰쳐나와 일 층으로 뛰어 내려가니 지나가던 기녀가 있었다. 마침 하오문 문도였다.

"루주님, 돌아오셨……."

반갑게 말을 걸던 기녀가 얼어붙었다. 루주님의 눈이 좀…… 하고 생각한 뒤로는 기녀의 의식이 침잠하였다. 모란이 비틀거리는 기녀를 잡아 세웠다. 그의 눈에서 사나운 금빛 광채가 번득였다.

"연이는?"

모란의 질문에 기녀가 멍하니 입을 열었다. 그 어디도 바라보고 있지 않은 눈동자에는 아무런 이지가 없었다.

"며칠 전…… 오셨다가…… 남궁사영의 추적으로, 문주님과 함께……."

"함께 어디로?"

"황산, 북쪽 기슭, 계곡을 지나면 있는 하오문 분파……."

그 정도만 들어도 충분했다. 손을 놓자 기녀가 스르륵 벽에 기대어 주저앉았다. 아마 몇 분 뒤에야 정신을 되찾을 것이다.

모란은 바로 황산으로 이동했다. 과연 황산 북쪽에 깊은 계곡 하나가 있었다. 하오문의 분파를 찾는 건 쉬웠다. 곧장 마을로 간 모란은 멈칫했다. 마을이 이상하게 조용하였다. 다시금 불안한 기분이 등골을 덮었다.

모란이 곧장 근처를 마력으로 덮었다. 이내 그의 발걸음이 한쪽으로 향했다. 어느 초가집이었다. 하오문 문도 몇이 걱정스러운 얼굴로 왔다 갔다 하고 있는 중이었다. 갑자기 나타난 이방인에 하오문 문도들이 놀랐다.

"웬 놈이냐!"

그들이 막아서려는 것을 모란의 얼굴을 알고 있는 삼옥이 얼른 제지했다. 모란은 그들을 헤치고 저벅저벅 걸어 들어가 문을 열었다. 연이 누워 있었다. 불쾌한 고요함이 연의 몸에 드리워져 있었다. 모란의 귓가에서 심장이 요란하게 뛰었다.

모란은 알 수 있었다. 연의 상태가 어떠한지 그의 눈에는 단번에 보였다. 당황한 얼굴의 위정이 자리에서 일어났다. 그가 무어라 말하기도 전에 얼굴이 굳은 모란이 명령했다.

"나가."

눈을 잠깐 크게 떴던 위정이 서둘러 방에서 나갔다. 손도 대지 않은 채로 모란의 등 뒤에서 문이 쾅 닫혔다. 그는 누워 있는 연의 앞에 천천히 앉았다. 얼굴이 핏기 없이 매우 희고 창백했다. 몇 달 동안 모란이 돌보며 차근차근 채워 갔던 본원지기가 죄다 달아나고 없었다. 한 줌. 아니, 한 줌도 아니다. 한 방울 정도만이 남아 아주 가느다란 숨이 이어질 뿐.

심장이 거의 멎었는데도 연이 죽지 않고 있는 것은 오로지 모란이 뜯어 건네준 근원 조각 덕분이다. 아니, 이건 죽은 것도 산 것도 아니다. 겨우 종이 한 장의 차이가 있었다. 연의 혼은 이미 영면(永眠)에 한 자락 걸쳐져 서서히 잠겨 들어가고 있었다.

모란은 일순간 멍하여 아무런 생각도 할 수가 없었다. 숨을 멈춘 채 그 자리에 섰다. 악문 잇새 사이로 신음 소리가 나왔다.

"연……."

우두커니 선 모란의 눈에 순식간에 영영화가 어렸다. 금빛 꽃잎이 불규칙하게 어그러지며 공멸하다 동공을 까마득한 빛으로 채웠다. 붉은 점이 아슬아슬하게 일렁였다. 사방에서 바스락바스락하는 소리가 나기 시작했다.

셀 수 없이 많은 벌레들이 온갖 것을 갉아 대면 이런 소리가 날까. 모란과 연을 제외한 사방에 붉고 얇은 선이 죽죽 그어졌다. 그러더니 불길한 소리를 내며 쩍 벌어졌다……. 모란의 검지에서 핑하고 날카로운 소리가 나며 금빛 고리가 요란하게 요동쳤다.

소중히 쌓아 올렸던 것이 그 잠시 사이에 망가져 있는 걸 눈에 담자 피가 거꾸로 솟구쳤다. 으스러트릴까, 가루를 낼까, 끝없이 갉아 먹히는 지옥에 던져 넣을까. 죽지도 살지도 못하게 만들어야지. 안휘성을 통째로 무간지옥으로 만들 것이다. 이 땅에서 살아 숨 쉬는 모든 것들에게는 목숨을 구걸할 수 있는 자비조차 주어지지 않으리라…….

붉은 선들이 소름 끼치는 모양새로 지글거리며 끓기 시작했다. 모란이 손짓만 한다면 천리만리 퍼져 나갈 것이리라…….

그러다가 어느 순간 모란의 동공이 훅 원래의 검은빛으로 거꾸러졌다. 언제 붉고 불길한 선이 그어지고 난잡하게 갉는 소리가 났냐는 듯 사방도 원래대로 돌아왔다. 눈을 감았다 뜬 그가 겨우 발걸음을 옮겨 연의 곁에 앉았다.

하지만 지금은 아니다. 아직 죽지 않았다. 가늘게 떨리는 손가락이 연의 이마에 닿으려다 움츠러들었다. 모란이 길게 숨을 뱉었다.

"연아."

모란의 목소리는 일견 무덤덤했다. 몸을 숙여 파랗게 질린 입술을 머금었다. 길게 숨을 불어 넣어 주니 가슴이 크게 들썩이며 심장이 한 번 크게 뛰었다. 하지만 그뿐이었다. 육체적으로는 이미 어제 죽은 몸이다. 모란이 제 혼을 거두어 가면 이 몸에서는 완전히 핏기가 가시는 것이다.

"완치해 주겠다 하였지."

그리 말하며 모란이 다시 숨을 불어 넣었다. 본원지기가 흘러 들어가자 심장이 두 번 크게 뛰었다. 그러나 입술의 온기는 여전히 망자의 것이었다. 그 입술을 핥으며 모란이 중얼거렸다.

"혹여 그 말이 거짓이라 생각하였어?"

그가 입꼬리로만 희미하게 웃었다. 아무리 실리낙스의 눈이 있다 한들, 몸이 이런 상태이니 의미가 없었다. 이미 죽음의 강에 한 발 디딘 혼을 건져 내오기는 불가능에 가까웠다. 그러나 어디까지나 불가능에 가까웠지 완전히 불가능하지만은 않았다.

모란은 무엇이든 부수어 없애고 싶다가도, 연에게 조금이라도 해가 가지 않도록 감싸고 싶은 마음을 동시에 느꼈다. 또한 죽음이라는 무형의 존재를 향해 적개심과 살기를 품었다.

이렇게 쉬이 보내 버리지는 않을 것이다. 그럴 수는 없을 것이었다. 모란이 천천히 제 감정을 곱씹었다. 그동안 내내 금방 죽어 버려도 이상하지 않을 정도로 약한 몸을 붙들고, 갈라진 혼을 억지로 꿰매고 이어 붙였다. 그럼에도 부족해 사람 몇십 명을 땅에 파묻었고 안전하게 지켜 줄 목걸이를 걸어 주었다. 제 근원 조각과 본원 지기를 내주었다. 그럼에도 모자라고 또 모자라 수명을 연장해 줄 것을 구해 차원을 넘었다.

그렇게 공을 들이고 애를 썼는데. 한데 이리 죽어 버린다니, 가당키나 한 일이던가. 짐짓 다정하게 연의 이마를 쓸어 보았다. 손길과는 달리 모란의 눈 속에서는 금색 고리로 이루어진 꽃이 만개했다 사납게 져 버리기를 몇 번이고 반복했다. 고작 이런 것으로 연을 잃어버릴 수는 없는 것이다.

모란은 제 안에서 무수한 것들이 날뛰는 것을 느꼈다. 과보호나 과거의 일에 대한 책임감 따위는 아니었다. 도리어 집착이나 소유욕에 가까운 것이다. 놓아야 하는 것을 도무지 놓을 수가 없었다.

"정말로, 근원 찢어진 정도로는 죽지 않는 것을."

모란이 제가 입은 옷을 헤쳤다. 보기 좋게 근육이 붙은 가슴과 복부가 드러났다. 중지와 검지가 가슴골을 타고 내려와 명치보다 좀 더 아래, 어느 부분을 더듬었다. 꾹 누르는가 싶더니 다음 순간에는 손끝이 칼처럼 날카롭게 안으로 파고들었다.

순식간에 피가 흘러내렸다. 입은 옷과 이불을 적시고 그도 모자라 창백한 연의 얼굴에도 튀었다. 고통스럽기 짝이 없을 텐데도 모란은 제 속을 헤집는 걸 멈추지 않았다. 원하는 걸 찾아 움켜쥐어 잡아 뺄 때서야 악문 잇새로 희미한 신음 소리가 살짝 샜다. 잠시 후 피에 젖은 모란의 손에 금빛으로 빛나는 구슬이 걸려 나왔다.

짐승들 중 특별난 것이 영물이 되듯이, 모란은 인간들 중 특별난 것이다. 그러니 영물에게도 있는 내단이 모란에게는 왜 없겠는가. 구슬이 완전히 몸에서 뽑혀 나왔을 때 모란의 눈에서 빛나던 금빛의 고리도 점차 흩어져 사라졌다.

모란은 연의 입을 벌려 구슬을 흘려 넣었다. 모란의 손가락에 차가운 혀가 눌렸다. 구슬이 그대로 미끄러져 목구멍으로 넘어갔다. 모란은 연의 육신이 무의식중에 제 가장 귀한 것을 삼키는 것을 눈도 떼지 않고 지켜보았다.

내단을 삼킨 지 얼마 안 되어 연의 혼은 강제로 영면에서 끌어올려졌다. 심장이 힘차게 쿵쿵 뛰기 시작하더니 이내 입술과 손끝에 온기가 돌기 시작했다. 벌어진 연의 입에 반 마디쯤 잠긴 모란의 손가락에도 따스한 숨결이 감겼다. 마법진이 반파된 영향으로 입었던 심각한 내상이 빠른 속도로 회복되었다.

이어 모란은 아공간에서 실리낙스의 눈을 꺼냈다. 평소에는 숨 쉬듯이 열던 것이 아공간인데도, 내단이 강제로 제거되어 큰 타격을 입은 상태라 입에서 울컥 피가 쏟아져 내렸다. 하나 그는 개의치 않았다.

실리낙스의 눈은 오묘하게 빛났다. 마치 구인가 하면 육면체로 보이기도 했고, 혹은 반딧불이 빛처럼 보이기도 했다. 희게 빛나는가 하면 어느새 어둑어둑하였다. 모란이 손에 들어 올리자 실리낙스의 눈에서 흘러나온 빛줄기가 손목과 손가락에 감겼다. 모란은 실리낙스의 눈을 연의 오른쪽 눈꺼풀 위에 올렸다. 곧장 녹듯이 실리낙스의 눈이 스며들었다.

모란의 내단은 육신을 만들고, 실리낙스의 눈은 찢겨졌던 혼을 완벽히 할 뿐만 아니라 더 단단하고 아름답게 빛나게 만든다. 하나 이 모든 것에는 고통이 따르는 것이라. 고통으로 인해 강제로 깨어난 연의 눈과 입이 열렸다. 힘이 없어 새는 듯한 비명을 지르기에 모란이 몸을 숙이며 이름을 불렀다.

"연아……."

이름을 부르는 소리에 반응해 연이 시선을 돌렸다. 눈동자가 선명하다 못해 말간 금빛에 잠겨 있었다. 아득하게 저를 보는 시선을 보며 모란이 웃었다. 혼이며 육신이며 온통 제가 준 것들로 이루어진 연이 얼마나 어여쁘고 사랑스럽던지, 입을 맞추지 않고는 도무지 버틸 수가 없었다.

"죽음 따위가, 널 내게서 **뺏어** 가지는 못할 것이다."

이제는 온기가 도는 입술을 베어 물자 연의 금빛 눈동자에 고인 물기가 눈꼬리를 타고 굴러떨어졌다. 모란이 입 속으로 중얼거렸다. 그래, 결코 연은 제 앞에서 죽지는 못할 것이라. 연의 목숨은 언제든 반드시 제 손에 쥐여져 있어야만 했다. 모란의 마음속에서 극단적인 소유욕이 치솟았다. 연의 육신이나 목숨, 혼까지도 죄다 그에게 속해 있어야 하는 것을…….

몇 번 눈꺼풀을 떠는 것을 모란이 손을 뻗어 잠재웠다. 길게 숨을 뱉는 걸 보며 기침을 하자 후두둑 핏덩이가 떨어졌다. 오래도록 벌건 피를 뚝뚝 떨구며 기침을 한 모란은 한숨을 쉬며 연의 가슴께에 이마를 기댔다. 고통이 심해서가 아니다. 안도감이 깊었던 탓이다.

한참 만에서야 모란은 하마터면 잃어버리는 줄 알았지, 하고 질끈 눈을 감고 중얼거렸다. 내단이며 실리낙스의 혼이 있어도 일이 잘못 어긋나면 그르쳐 버리는 것이다. 따뜻한 연의 손을 쥐는 모란의 손가락이 희미하게 떨렸다. 떠나기 전에 준 근원 조각이 아니었다면 연은 정말로 죽었다. 아무리 모란이라도 완전히 죽은 자를 살려 내지는 못한다.

급한 불을 끄자 뒤늦게 모란의 마음속에서 다시금 걷잡을 수 없는 분노가 끓어올랐다. 연이 제대로 살아 숨 쉬는 걸 본 덕에 아까처럼 앞뒤 안 가리는 수준은 아니었으나 결코 얕은 분노도 아니었다. 마법진은 어지간해서는 발견도 되지 않고 깨어지지도 않는다. 연이 그랬을 리는 없으니 분명 남궁세가의 누군가가 그 지랄을 해 놓은 것이 분명했다. 모란은 속에서 몇 번이고 누군가를 갈기갈기 찢어발겼다.

'죽인다……. 아니, 죽이는 것은 자비롭지. 결코 죽이지 않을 것이다.'

기침을 할 때마다 피가 울컥울컥 솟았다. 모란이 이를 갈았다. 어느 잡놈인지 잡히기만 하면 가만히 두지 않을 작정이었다. 그놈뿐만이 아니었다. 모란은 남궁세가도 매우 못마땅하였다. 사술? 사술이라 하였나? 그래, 사술이라 하여 그리 약한 애를 쥐 잡듯이 잡았단 말이지. 단전 파괴형이 어쩌고 어째?

신경을 안 쓰는 척했을 뿐이지, 모란에게는 남궁세가가 언제나 거슬리는 존재였다. 연이야 자신의 자업자득이라 하였으나 시비나 하인이나, 혹은 장로까지도 연을 향해 수런대는 게 모란에게는 늘 마음에 들지 않았음이다.

하지만 지금은 자신도 꽤 상태가 안 좋으니 일단은 미뤄 두기로 했다. 아이낙스와 거하게 한판 떴을 때나, 혹은 타마타모를 잡아 족쳤을 때조차 이렇게 몸 상태가 안 좋지는 않았다. 실은 벌써 눈앞이 가물가물하다.

모란은 마지막 힘을 쥐어짜 초가집에 아무도 들어올 수 없게 결계를 쳤다. 그러고는 쓰러지듯이 연의 곁에 누웠다. 그대로 기절하듯이 한참을 잠에 들었다.

그리고 얼마나 시간이 흘렀을까, 끙끙 앓는 소리에 모란이 다시 일어났다. 몸을 일으키던 모란은 다시 핏덩이를 토해 냈다.

"죽겠군……."

마치 보통 사람이 된 느낌이었다. 눈앞이 핑 도는 탓에 미간을 누르며 일어난 모란이 연을 살폈다. 보통 영물의 내단이라면 제 것으로 만드는 과정에 높은 위험이 따른다. 짐승의 것이니 사람이 제 것으로 만들기가 여간 힘들지 않겠는가. 그러나 모란의 내단이나 실리낙스의 눈은 달랐다. 일단 인간의 것이었으며, 실리낙스의 눈은 구하기가 실로 까다로워서 그렇지 혼에 더할 나위 없이 좋은 보물이었다. 다만, 내단과 실리낙스의 눈을 제 것으로 만드는 데는 고통이 뒤따랐다.

모란은 연을 다시 강제로 잠재우고 저도 또 옆에서 잤다. 마법을 걸 만한 몸 상태가 아니라서 피를 몇 번 토하며 두어 번 이 과정을 반복하니 연은 더는 끙끙 앓으며 무의식중에 고통스러워하지는 않았다. 그제야 모란은 마음 놓고 몸을 회복하는 것에 집중했다.

이틀 밤낮을 꼬박 자고 나서야 모란은 겨우 몸을 움직일 수 있었다. 연이 동면하는 짐승처럼 색색 고른 숨을 내쉬며 자는 걸 한참을 보고 난 뒤 모란이 목덜미를 긁었다. 이백오십 년 만에 처음으로 머리가 멍하고 아팠다. 잠깐 미간을 찌푸리자 모란의 눈에 금빛 무언가가 깜박이듯 스치고 지나갔다. 하지만 그도 아주 잠시였다. 모란은 끙, 하는 소리를 내며 자리에서 일어났다. 무엇이라도 좀 먹어야겠다.

문을 닫고 나오니 하오문 문도가 하나 문을 지키고 있었다. 꾸벅꾸벅 졸고 있던 문도가 모란을 보고는 놀라 눈을 크게 떴다. 모란은 뒷덜미를 긁었다.

"먹을 것 좀 없나?"

"고, 곧 가져다 드리겠습니다."

잠시 기다리자 곧 문도가 후다닥 음식이 담긴 소반을 가지고 돌아왔다. 소박하긴 해도 나름 정성이 가득 담긴 음식이었다. 모란은 털썩 앉아 말없이 음식을 먹기 시작했다. 하오문 문도는 공손하게 서 있다가 모란이 음식을 해치우는 속도에 한 번, 그리고 중간에 두어 번 피 섞인 기침을 하는 것에 두 번 놀랐다.

"잘 먹었어, 고마워."

"저, 안색이 많이 안 좋으시고 피도 토하시는데 의원을 불러 드리겠습니다."

"아냐, 의원은 됐고."

손을 내저은 모란이 자리에서 일어났다. 결계를 쳐 놓아 아무도 초가집 안까지는 들어갈 수 없겠지만 그래도 최대한 빨리 다녀오고 싶어 걸음이 빨라졌다. 원래라면 순간이동으로 갔겠지만 지금은 그마저도 무리였다.

모란은 휘적휘적 걸어 산속으로 들어갔다. 중간에 잠깐 또 피를 토했다가, 슥슥 소매로 닦았다. 계곡을 타고 들어간 그는 산세가 험한 곳에 멈추었다. 그리고 주위를 기웃거리다가 마침내 원하던 걸 발견했다. 절벽 사이에 초록 잎이 바람 따라 한들거리고 있었다.

모란은 잠시 허리를 숙이고 또 피 섞인 기침을 했다. 피가 떨어진 흙이 까맣게 번졌다. 이마에 식은땀이 어렸다. 하지만 곧 어렵지 않게 절벽을 타고 올라가 원하던 걸 구해 내려왔다.

"이걸 백년하수오(百年何首烏)라고 하던가?"

원래라면 이런 건 거들떠도 안 볼 텐데, 상태가 상태다 보니 급한 대로 이런 풀 쪼가리라도 필요했다. 모란은 마치 일반 삼이라도 씹듯이 무심하게 백년하수오를 아작아작 씹어 넘겼다. 다 먹고 난 뒤에는 그가 또 휘적휘적 걸음을 옮겼다.

하수오처럼 좀 특별난 것들을 몇 개 발견해 그 자리에서 주워 먹으니 머리가 핑 도는 건 어느 정도 사라졌다. 물론 속은 여전히 아팠다. 하루 이틀로 회복될 만한 상처가 아니다. 다 아물기까지는 적어도 이삼 년이었다.

해가 뉘엿뉘엿 저물 때쯤 모란은 산에서 내려왔다. 초가집에 내려가 보니 결계 때문에 안으로 들어가지 못해서 음식이 담긴 소반만 문 앞에 놓여 있었다. 무엇이든 많이 먹어 두어야 회복이 좋기에 연의 몫까지 먹어 치우고 있을 때였다. 기다리고 있었는지 위정이 스륵 나타났다.

"모란 님."

"위정."

모란이 빈 소반을 향해 고개를 까닥했다. 위정이 빙그레 웃었다.

"이 은혜는 언젠가 갚도록 하지."

"모란 님과 연 공자님에게 입은 은혜가 큰 바, 당연히 해야 할 일을 하였을 뿐입니다."

하오문의 문주 위정은 모란을 처음 본 날을 떠올렸다. 하오문의 기반은 많은 문도들에게서 수집하는 정보다. 때문에 하오문의 본진은 항상 정해진 곳이 없었다. 중원에서 가장 강력한 집단이 머무르는 곳이 언제나 하오문의 본진이다. 그러다 보니 요즘 하오문은 남궁세가가 있는 안휘성에서 머무르는 중이었다. 안휘성에서 일어나는 일은 죄다 하오문의 눈과 귀로 들어갔다. 백모란에 대한 일도 마찬가지였다.

어느 날 갑자기 어떤 사내가 나타나 도박판을 죄다 털어 버리고는 그 돈을 뿌리며 사람들에게서 정보를 사들이고 있다 하니 하오문에서 관심을 가지지 않을 수가 없었다. 누군가 하여 거지를 가장하여 접근하니 모란은 마치 기다렸다는 듯이 위정에게 씩 웃어 보이기까지 했다.

위정은 넌지시 모란에게 하오문 문도들이 당하고 있는 어려운 일들을 알려 주었다. 가령 어느 주루가 악덕 고리대금업자와 왈짜패들에게 시달려 헐값에 팔리고 기녀들은 창기로 넘겨질 위기에 처했다는 것, 하오문의 어느 분파가 무력이 아니면 해결 못 할 야비한 분쟁에 휘말린 것, 매일 밤 밭을 쑥대밭으로 만들고 사람도 물어 죽이는 거대한 짐승 등등.

모란은 그 모든 것을 간단하게 해결했다. 자연히 위정은 모란과 우호적인 관계를 유지하게 될 수밖에 없었다. 모란도 위정이 필요했고, 위정도 모란이 필요했으니.

위정은 도무지 모란이란 자의 정체를 믿을 수가 없었다. 조사에 따르면 분명히 평범한 농부의 아들일 터였다. 나이도 고작 열여덟 정도에 지나지 않거늘. 그러나 도무지 그 나이 대의 범부라고는 보이지가 않았다.

시정잡배들이 모여 만들어진 하오문이라고는 해도 위정도 한 문파의 문주이니만큼 고강한 무공의 소유자였다. 하나 그런 그도 모란이 어느 정도의 실력자인지는 감도 잡을 수 없었다. 백모란이라는 신분 자체가 교묘하게 만들어진 것이고 차라리 반로환동한 은거기인 고수가 나타났다고 보는 게 가능성이 높았다. 그조차 모란이 아기일 때부터 지켜봐 온 이웃들의 증언이 수두룩하니 믿기지가 않았지만.

그렇게 모란이 힘이 어마어마하다는 걸 어렴풋이 알고 있던 위정도 남궁세가에서 벌어졌던 일에 대해서는 놀라지 않을 수가 없었다. 갑자기 하늘에서 별이 떨어져 남궁세가를 공격했다고? 그로 인해 창일당이 흔적도 없이 소멸되었다고? 아무리 날고 기는 고수라 하여도 그런 일은 불가능했다. 어찌 사람의 힘으로 하늘에서 별을 떨굴 수가 있겠는가? 불가능해야만 했다.

그러나 남궁세가에서는 아직도 검은 연기가 피어오르는 것이 눈으로 보일 정도고 수십 수백 명의 목격자가 있으니 믿지 않을 수가 없었다.

위정은 초가집을 흘깃 보았다. 남궁연의 상태가 갑자기 나빠졌던 날, 하오문 분파를 찾아온 위정은 연을 보고는 오늘내일한다는 걸 깨달았다. 알 수밖에 없었다. 안색은 새파랗고 의식을 잃은 중에도 계속 벌건 피를 토해 내니 모를 리가 있나. 급히 불러온 의원조차도 고개를 저으며 며칠 내로 죽을 거라 선고하였다.

백모란을 아는 하오문 문도들이라면 그가 남궁연이라는 공자를 퍽 아낀다는 것을 모두 안다. 세상 무심하게 사는 백모란이었지만 유일하게 남궁연이라는 사람에 대한 이야기를 종종 입에 올리고, 주루의 이들에게 연 공자를 자신같이 대접하란 말을 단단히 하였으니 모를 수가 없었다. 이따금 주루에 연 공자를 데려올 때면, 모란의 태도와 말도 평상시와는 완전히 달랐다.

그렇기에 남궁연이 죽어 갈 때 위정은 등골이 차게 식었다. 백모란의 그 가공할 힘을 알기 때문이었다. 마지막 숨을 뱉고 심장이 멈추었을 때는 안타까운 탄식이 나왔다. 연의 죽음이 안되기도 하였으나 무엇보다도 모란이 연의 죽음을 알게 되었을 때의 반응이 두려웠다.

모란에게 이를 어찌 전해 주어야 충격이 덜할까, 지금이라도 문도들을 대피시켜 놔야 하나 고민하는 와중이었다. 놀랍게도 연이 잠시 후 다시 끊어질 듯 말 듯 아주 가느다란 숨을 이어 나가는 것이 아닌가. 그에는 차라리 미미한 안도감이나마 들었다. 겨우 숨만 붙어 있는 상태일지라도 죽은 것과는 천지차이 아니겠는가.

한데 이상도 하지, 지금 백모란의 모습을 보니 꼭 남궁연이 죽지 않은 것처럼 느껴지는 것이다. 도무지 살아날 가망이 없다는 의원의 말을 들었는데도 그런 생각이 들었다. 혹여나 백모란의 분노가 하오문과 자신에게 향하지는 않을까 노심초사하였기에 죽지 않았다면 다행인 일이었다.

다만, 죽은 것이나 마찬가지인 사람을 다시 살려 내는 자를 과연 인간이라고 부를 수 있을까? 위정으로서는 그런 의문이 들었다.

"연 공자는 어떻습니까?"

"고비를 넘겼으니 이제는 괜찮아질 테지."

목구멍으로 다시 울컥 올라오는 피를 삼키며 모란이 말했다. 자신의 내단에 실리낙스의 눈까지 먹였으니 세상에서 가장 건강한 몸을 가지게 되었다고 해도 과언이 아니었다. 다만 씨앗이 꽃을 피울 때까지는 시간이 필요한 것처럼 육신이며 혼이 완성될 때까지는 잠자코 기다려야 했다.

"그러고 보니 남궁세가에서 이번 일을 사파의 공격이라 규정하였다고 합니다. 현재 정파연합에서 안휘성으로 고수들을 보내고 있다는 군요."

위정의 말에 모란이 이를 드러내며 히죽 웃었다. 이 몸으로 타마타모나 아이낙스를 상대하지는 못하겠지만 이 세계에서 고수들이라 하는 자들은 얼마든지 잡아 족칠 수 있었다.

"그것 참 잘된 일이군."

아무리 다시 살아났다고는 해도 한때 죽은 것이나 마찬가지였던 연을 본 모란의 심기는 음산하기까지 한 것이었다. 그는 마법진이 반파된 것을 보았을 때, 그리고 연이 거의 죽어 있는 것을 보았을 때 눈이 뒤집히던 감정을 아직도 생생하게 간직하고 있었다.

화풀이를 할 곳이 필요했으니 마침 잘되었다 말하는 모란의 말에 위정은 내심 혀를 내둘렀다. 정파연합에서 고수들을 보낸다는 게 무슨 의미던가. 모란이 중원의 공적이 된 것이나 마찬가지란 이야기다. 하지만 모란의 얼굴에는 걱정하는 기색이라고는 전혀 없었다.

위정은 속으로 미소를 지었다. 연 공자를 도운 것은 굳이 은원을 갚기 위해서만은 아니다. 이자에게 빚을 지우기 위함도 있었으니. 모란은 언제고 문파에 위기가 찾아올 때 도움이 될 것이었다.

그러나 지금은 손을 떼고 한 발짝 물러날 때였다. 모란과 정파연합 사이의 갈등에 괜히 휘말리고 싶지는 않았다. 그가 포권지례를 해 보였다.

"그럼 다음에 또 뵙도록 하겠습니다."

모란이 고개를 까닥거렸다. 위정이 물러나고 난 뒤 그가 초가집

안에 들어섰다. 연은 그가 떠났을 때와 별반 다르지 않는 모습으로 잠들어 있었다. 고개가 다소 옆으로 기울어져 있을 뿐이었다.

모란의 눈에 아주 희미한 금색 고리가 겨우 하나 떴다. 울컥 올라오는 피를 삼키며 찬찬히 살펴보니 몸은 더할 나위 없이 건강했고 혼 또한 찢어진 곳 없이 더 강하고 아름답게 빛났다. 다만 아직 모두 제 것으로 만들지 못해 한동안은 잠만 잘 것이었다. 모란은 연이 자는 동안 남궁세가를 어찌 손을 좀 볼 요량이었다.

마법진을 사술로 매도하는 것까지야 괜찮다. 어차피 그런 종류의 마법이었으니. 그러나 연을 천하의 악당처럼 다룬 것에는 상당한 악감정을 가지고 있었다. 단전 파괴형? 다시 읊조리고는 모란이 음험하게 눈을 빛냈다. 누군지는 몰라도 그 작자의 단전을 아주 가루를 내 버릴 것이다.

모란은 황산에 가 이것저것 괜찮은 것들을 주워 먹고 오는 시간 외에는 내내 연의 곁에 머물렀다. 내단과 실라낙스의 눈을 받아들인 지 나흘째 되는 날에서야 연은 겨우 잠에서 깨어났다. 천천히 깜박이는 눈꺼풀이며 말간 금색 눈동자가 참으로 보기 좋아 모란은 흐뭇하게 턱을 괴고 보았다.

"……모란?"

"그래."

비몽사몽하는 얼굴로 이름을 부르더니 연이 끙끙거리며 손을 뻗었다. 잠기운에 몸이 축축 늘어질 텐데 무엇을 하고 있나 지켜보고 있자 그는 모란의 상의를 들추었다. 모란이 눈썹을 들어 올렸다. 옆구리를 더듬거리려는 모양으로 허공을 휘적거리더니 이내 스르륵 팔이 내려앉았다. 그러더니 결국 잠을 이기지 못하고 눈을 감았다.

무얼 하려고 했는지 알아차린 모란이 웃는 얼굴로 연의 손을 쥐었다. 전과 달리 따뜻한 체온이 이렇게 마음에 들 수가 없다.

"걱정이 되었어?"

이불에 얼굴을 파묻은 채 연은 새근새근하는 숨소리만 냈다. 모란은 마음 아주 깊은 곳에서부터 근질거리는 애정을 어찌하지 못하고 그저 연의 손을 쥔 채 손끝만 입술로 야금야금 간지럽게 베어물었다.

모란은 이틀 정도를 더 푹 쉬고 난 다음에야 얼추 운신할 정도로는 회복이 되어 자리를 털고 일어났다. 혹여나 중간에 연이 깨어날까 수면 마법도 걸고 결계도 강화하고 난 뒤에서야 초가집을 나섰다. 그는 순식간에 순간이동으로 안휘성 남궁세가, 화정당에 도달하였다.

모란이 운석 마법을 떨구어 놓고 나간 후 남궁세가의 분위기는 침울하다 못해 처참한 지경에 가까웠다. 창일당에서는 아직 연기가 풀풀 피어오르고 있었다. 모란은 느긋하게 화정당 정원으로 향했다. 그러고는 쯧쯧 혀를 찼다.

"연이 속이 좀 상하겠군."

퍽 아름다운 정원이 아니었던가. 정원을 둘러보다가 고개를 돌리며 모란이 팔을 들었다. 퉁 소리와 함께 상대방의 칼날이 튕겨나갔다. 칼날이 튕겨 나갈 거라고는 생각하지 못했는지 상대가 당황한 틈을 타 모란이 발끝으로 걷어찼다. 막아 보려던 무사가 저 뒤로 크게 나자빠졌다. 그러더니 몇 번 피를 토하고는 다시는 일어나지 못했다. 그런 그를 누군가 황급히 끌어냈다. 어느새 모란의 주위에는 각각 병장기를 겨눈 사람들이 포진해 있었다.

"이게 정파연합에서 보냈다는 고수들이냐?"

무인들을 둘러보고는 모란이 피식 웃었다. 이것들도 고수들이냐고 하는 듯한 웃음에, 경계하던 이들의 얼굴이 굳었다.

처음 정파연합에서는 남궁세가가 받은 공격에 대해 반신반의했다. 어느 정도 경지에 이른 무인이라면 건물 벽 부수는 것쯤이야 쉬운 일이었다. 하지만 창일당같이 거대한 건물을 단번에 부수는 것이라니? 그것도 하늘에서 불덩이가 떨어져 창일당을 완전히 태우고 박살 냈다니 도무지 믿을 수가 없는 일이었다.

그래도 남궁세가의 요청을 무시할 수는 없어서 과장이 섞였겠거니 하고 고수들을 보냈다. 그리고 까만 잿더미가 된 창일당을 눈으로 직접 보고는 경악했다.

이게 정말 백모란이라는 자가 단신으로 저지른 일이 맞는가?

상황의 심각성을 인지한 그들은 머리를 맞대었다. 그들은 나름대로 창일당을 파괴한 방법에 대해 알아내려고 애를 썼다. 그러나 겨우 사술을 이용해 벽력탄[9]을 하늘에서 떨어트렸다 정도의 의견만이 오갔고, 결국에는 이게 사실이라면 이자의 파괴력이 막강하다는 결론밖에는 내리지 못했다. 그런 자가 다시 남궁세가에 나타난 것이다.

"대체 네놈의 정체가 무엇이냐? 어디에서 온 놈인 것이냐!"

이번 일에 가장 크게 충격을 먹고 며칠간 식음을 전폐하기까지 한 남궁원이 노기에 몸을 떨면서 물었다. 그는 오랜 전통을 가진 창일당이 완전히 파괴되었다는 게 믿기지가 않았다. 남궁세가의 자존심이 박살 난 것이나 마찬가지였다. 모란은 남궁원을 보고는 이런 생각을 했다.

'개중에 그나마 강한데. 하필이면 연이 조부라서.'

남궁영명 같은 자라면 차라리 마음 놓고 두들겨 패겠으나 연이 조부를 퍽 존경한다는 게 문제였다. 더 난감한 건 남궁연오였다. 이자는 정말 연에게 있어서는 소중한 가족에 속했다. 어찌할까 손가락을 까닥거리면서 모란이 팔짱을 꼈다.

"내 정체가 무엇이냐고? 조사해 보았으니 알 텐데⋯⋯."

모란이 고의로 말꼬리를 흐렸다. 주위를 한 바퀴 둘러보자 다들 움찔했다. 실은 남궁세가가 아닌 정파연합에는 딱히 유감이 없다. 그러나, 지금 모란은 목적하는 바가 분명했다. 이내 히죽 웃으며

---

9) 폭탄

입을 열었다. 웃고는 있으나 웃는 것이 아니다. 모란의 분위기는 매우 살벌했다.

"우리 연 도련님의 시종이자 주치의라고 할까."

"거짓말하지 말아라! 분명 목적이 있어서 이리 남궁세가에 숨어 든 것이 아니냐! 네놈이 사파에서 왔음을 다 알고 있다!"

사술이니, 사파니. 이자들은 어떤 일만 벌어지면 그런 소리밖에 지껄이지 못하는가? 모란의 눈매에 짜증이 어렸다.

"아, 목적이라면 당연히 있었지. 흠, 그래. 사파라……. 그럼 이런 소개를 원하는 것이었군?"

모란이 아공간에 넣어 두었던 서책을 꺼내 던졌다. 암기를 던지는 것인가 하여 황급히 뒤로 물러난 이들이 뜬금없는 서책에 의문 어린 시선을 주고받았다. 서책이 무엇인지 깨달은 것은 남궁세가의 사람들뿐이었다.

"이, 이것은……."

"그래, 창연각 도둑이 바로 나였지."

모란이 씨익 길게 웃었다. 가장 놀란 것은 연오였다. 창연각에서 마주쳤던 그 괴한이 백모란이었다니! 지금 보니 저 히죽거리는 모양새가 비슷했다.

그중에서도 가장 충격을 받은 것은 남궁사영이었다. 창연각 도둑이 백모란이라니 믿을 수가 없었다. 갑자기 남궁연의 말이 떠오르는 것은 왜인가. 더 큰 불행이 오기 전에 세가에서 도망가라던……. 그가 저도 모르게 주춤 뒤로 물러났다.

"하지만 이따위 허접한 것 때문에 남궁세가에 들어온 것은 아니거든. 어디 보자. 설명하기 전에 좀 억울한 것부터 풀도록 할까."

모란이 고개를 기울였다.

"화정당의 그 진법 말이지, 연이가 그리 사람들을 매장해 놓았다고, 정말 그리 생각했나? 허약해서 남궁세가에 오점이 될 정도라고 떠들어 댈 때는 언제고?"

모란도 귀가 있으니 남궁세가에서 연을 두고 뭐라 떠들어 대는 지는 알고 있었다. 당연히 불쾌하지 않을 리가 없었다. 연이 대수 롭지 않게 여기기에 그도 별 반응을 하지 않았을 뿐. 그러나 이제 는 참고 넘어갈 이유가 없었다.

모란이 화정당 사술에 대해 이야기를 꺼내자 다들 움찔했다. 지 난번에 창일당이 처참하게 파괴된 후로는 놀란 몸과 정신을 추스 르느라 남궁연이 화정당에 벌였던 사술에 대해서는 생각도 못했 다. 모란이 다시 찾아와 똑같은 일을 벌이면 어떻게 대처해야 하나 그 수를 강구하는 데만도 바빴다.

그들 중 오로지 연오만이 생각했다.

'왜 백모란은 연이를 찾았나?'

무슨 이유로, 무슨 필요가 있어서 연이를 찾은 것일까? 다들 창 일당을 파괴시킨 모란의 가공할 만한 힘에 집중하였으나 연오는 아니었다.

"아니, 진심으로 묻는 말인데. 다들 머리가 비었나 하여서."

모란이 톡톡 손가락으로 제 머리를 두드려 보았다. 그는 정말 이 해할 수가 없었다. 눈이 달린 자들이면 생매장된 이들이 어떤 이들 인지 알아볼 것이 아닌가?

……다만, 누군가가 중간에 수작질을 해 놓은 것이 아니라면 말 이다.

"녹림십오채 스무 명을 연이 혼자서 잡아 생매장해 놓았다고?"

"녹림십오채라니 그 무슨 말이더냐! 무고한 사람들을 잡아 생매 장한 것이 아니냐!"

남궁인이 노성을 질렀다. 장로인 그는 화정당 사건 때 가장 크게 노한 사람들 중 하나였다. 자기 하나 살겠다고 많은 이들을 생매장 한 극악무도한 사건이었다. 노하지 않을 수가 없었다. 한데 녹림십 오채라니? 생매장당한 자들이 녹림십오채라면 완전히 말이 달라 진다. 게다가 스무 명이라니! 당시 땅속에 파묻어 놓은 자들은 다섯 명밖에 되지 않았다.

"무고한 사람들이라."

모란이 손가락을 까닥하자 화정당 담장 귀퉁이가 풀썩 무너져 내렸다. 어찌 손도 안 대고 저럴 수 있나 다들 경악했다. 그들이 보는 가운데 무형의 힘에 의해 흙이 파내어지고 곧 아래에서 정신을 잃은 사람이 질질 끌려 나왔다.

마치 안 보이는 실에라도 묶인 듯한 그 모습에 지켜보고 있던 자들은 눈을 의심했다. 또 다른 귀퉁이에서도 같은 일이 반복되었다. 모두 네 번이었다.

모란은 이 모든 일을 심드렁하게 해치웠다. 그러나 지켜보는 연오나 남궁원은 사정이 달랐다. 둘의 낯빛이 희게 굳었다. 그들은 한 번도 이런 기이한 술법을 본 적이 없었다. 허공섭물(虛空攝物)[10]과는 비교도 되지 않는다. 가히 마공이라고 할 만한 것이었다.

곧 얼마 안 가 장로 몇이 생매장되어 있던 녹림십오채의 얼굴 중 두셋을 알아보았다. 남궁세가와 장강의 녹림십오채, 그리고 수로채가 다툰 세월은 꽤나 오래되었다. 때문에 녹림십오채 중에서도 왕장호의 측근들의 얼굴은 몰라보려야 모를 수가 없는 것이다. 파묻힌 자들이 도적이라는 건 부정할 수 없는 사실이었다.

"그런데 이상하네. 내가 분명 화정당 중앙에는 왕자우를 넣어 두었거든. 가장 팔팔한 놈이라. 누가 숨겨 두었을까?"

"닥쳐라, 네 이놈! 어디서 세 치 혀를 놀려 감히 이간질을 하려 드느냐!"

모란의 말이 이어질수록 얼굴이 희게 질리던 남궁사영이 크게 소리쳤다. 그러나 다음 순간에는 입을 다물 수밖에 없었다. 모란의 시선이 남궁사영을 향한 탓이었다.

---

10) 내공으로 멀리 떨어진 물건을 움직이는 기술.

'네놈이구나.'

모란의 얼굴에서는 미소가 싹 가셨다. 놀랍지만은 않았다. 남궁사영은 전부터 걸리적거리는 놈이었으니…….

한편 남궁사영은 식은땀이 절로 흐를 정도였다. 왕자우를 비롯하여 녹림십오채를 민간인처럼 꾸민 다음 거짓 증언을 하는 것까지는 좋았다. 모든 것이 잘되어 가고 있었다. 남궁연이 탈옥하기 전까지만.

원래라면 남궁연이 형벌을 받고 난 뒤에 후환을 없애기 위해 왕자우를 비롯하여 다른 놈들을 죽여 버릴 예정이었다. 한데 탈옥 사건이 일어났고, 사영이 남궁연을 추적하는 데 신경이 팔려 있는 동안 왕자우 그 교활한 놈이 세가에 보호 요청을 했다. 세가 밖에 나갔다가는 탈옥한 남궁연이 저들을 죽일 수도 있으니─실상은 남궁사영에게 살해당할 수 있으니─ 잠시만 보호해 달라는 요청이었다.

가능한 한 빨리 처리한다는 것이, 그 후 창일당 사건으로 비상사태에 돌입한 남궁세가가 완전히 문을 걸어 잠가 버리는 바람에 물거품이 되었다. 아직도 왕자우와 그 부하 놈들은 뻔뻔하게 무고한 피해자를 가장하여 이 세가 안에 있으니, 자칫 잘못하다가는 불명예스럽게 세가에서 완전히 쫓겨날 판이었다.

"이간질인지 사실을 말하고 있는지는 확인해 봐야 알겠지."

모란이 주위를 가볍게 둘러보았다. 왕자우의 위치를 파악하기 위해서다. 주위를 마력으로 뒤덮어 보자 과연 세가에 아직 왕자우가 남아 있었다. 모란이 허공을 쥐어 챘다. 뜯어내듯 아래로 손을 뻗자 허공에서 네 명의 사내들이 갑자기 와르르 쏟아졌다.

"이, 이게 무슨!"

이 자리에 있는 이들은 보고 있으면서도 제 눈을 믿을 수가 없었다. 창일당에 불타는 돌덩이들이 쏟아지게 만들고, 다른 곳에 있던 사람들을 허공에서 불러온다. 단순히 사술이라 하기에는 기이하고 또 경악할 만한 일이었다. 실로 설명할 수 없는 비현실적인 능력이 아닌가. 단순히 빠르거나 강하다고 하여 가능한 일이 아니었다. 이 자리에 있는 이들이 누구던가. 각기 문파나 세가에서 고수라 불리는 이들이었다. 온갖 기이한 기술을 쓰는 자들을 몇 번이나 겪어 왔다. 그런 그들도 방금 일은 어찌했는지 파악조차 하지 못했다.

'단순히 건물을 파괴한 강자의 수준이 아니구나.'

다들 죽음까지 생각하며 각오를 단단히 다졌다. 반면 모란은 치밀어 오르는 피를 삼키며 속으로 혀를 차고 있었다. 원래 아공간을 여는 것이나 순간이동이나 그다지 쉬운 마법은 아니다. 시공간과 관련된 마법은 항상 마력도 미친 듯이 많이 잡아먹는 것이라.

원래라면 그저 때려 부수었을 것을 연이라서 이리 귀찮은 짓을 하고 있는 것이다. 남궁세가가 연에게는 중요한 장소이기 때문에, 이 세가에 속한 자들 중 몇이 연에게는 소중한 인연이기 때문에……. 모란이 무심하게 왕자우를 바라보았다. 얼굴이 달라진 걸 보니 인피면구라도 씌워 놓은 모양이지.

한편 왕자우와 도적들은 완전히 겁에 질리고 말았다. 백모란이 그들에게 어떤 존재이던가. 왕장호가 죽은 그날 이후, 정신을 잃었던 왕자우와 도적들은 눈을 떠 보니 어느 계곡에 갇혀 있는 상태였다. 하늘만이 뻥 뚫려 있을 뿐 깎아지른 절벽이 사방이라 도저히 탈출할 수가 없는 그런 계곡 말이다.

백모란은 참으로 잔혹하게도 무공을 쓸 수 있는 자들의 단전과 맥만을 교묘하게 끊어 냈다. 더는 무인으로서 살 수가 없게 만들었다. 그도 모자라 며칠에 한 번씩 그들 중 몇 명을 데려가서는 다시는 돌려보내지 않았다. 계곡에서 지내는 내내 남은 자들의 공포는 이루 말할 수 없는 것이었다.

마침내 왕자우와 마지막 부하들이 끌려갔을 때, 그들의 기억 속에 남은 것은 자신을 땅속에 산채로 묻어 버리는 괴물의 모습이었다. 그 괴물이 지금 바로 그의 앞에 서 있었다.

"사, 살려, 살려 주십시오. 살려 주세요!"

남자들이 백모란을 보자마자 혼비백산하여 벌벌 떨며 비는 모습이야말로 확실한 증거였다. 남궁세가의 장로들은 자신의 눈을 의심하며 눈을 부릅떴다. 만약 그들이 보는 대로라면 화정당에 사람들을 산 채로 묻은 건 남궁연이 아닌 백모란이 아닌가?

백모란은 말도 못 하고 벌벌 떠는 왕자우에게 다가갔다. 모란의 눈에 금빛 광채가 어리는 걸 볼 적에 그는 그만 오줌을 지리며 까무러치고 말았다.

이미 두려움에 질린 상태에서 인지를 넘어선 어떠한 것을 보자 제대로 정신을 붙잡을 수 없었던 탓이다. 모란은 손을 뻗어 왕자우의 얼굴에 덮인 인피면구를 뜯어냈다. 왕자우의 맨얼굴이 드러나자 큰 술렁임이 번졌다.

"아니 이, 이런……!"

"저자는 바로 왕자우가 아닌가!"

백모란의 말대로, 그동안 보호해 왔던 사내가 왕자우라는 걸 알게 된 이들의 충격은 무척 컸다. 그들이 충격받거나 말거나 모란은 연신 제게 살려 달라 손을 싹싹 문지르며 비는 도적을 툭 발로 찼다.

"살고 싶으냐? 그럼 사실대로 말해라. 누가 왕자우에게 이 인피면구를 씌웠느냐?"

살고 싶냐는 말에 도적들은 바로 반응했다. 그들은 다시는 산 채로 땅에 파묻히는 경험을 하고 싶지 않았다.

"저, 저자입니다!"

그리 소리치는 도적들의 손가락은 남궁사영을 똑바로 가리키고 있었다.

"저자가 찾아와, 남궁, 남궁연에게 죄를 뒤집어씌우라고 했습니다! 그리하기만 하면 나중에 자유롭게 풀어 준다 하였습니다!"

"맞습니다! 두목에게 인피면구를 씌운 것도 저자입니다!"

남궁사영이 저도 모르게 뒷걸음질 치다가 자신에게 쏠리는 시선을 알아차리고는 얼굴을 벌겋게 붉혔다.

"아니다! 이것은 모함이다! 사술의 죄를 내게 뒤집어씌우려는 모함이다! 어디서 이 도적들을 매수하여 내게 죄를 뒤집어씌우려 하느냐!"

중원에서 사술에 관련된 자는 공적이 되니 만큼, 혹여나 자신이 연관될까 두려웠는지 남궁사영이 악을 써 댔다. 그러나 손자에게 죄를 뒤집어씌우려 했던 자를 보는 남궁원의 시선은 이미 차디찬 것이었다. 세가의 위기 상황이며 적을 앞에 두고 있으니만큼 지금은 당장 추궁을 하지 않을 뿐이었다.

한데 그 와중에 모란이 팔짱을 끼고는 크게 웃었다.

"아니지, 결코 화정당의 사술을 뒤집어씌우려는 모함은 아니야. 가릴 건 제대로 가려야 하지 않아. 연이를 모함한 것은 네놈의 짓이고."

모란이 남궁사영을 똑똑히 가리켰다. 그리고 그 손으로 자신을 가리키며 말했다.

"사람 생매장시키는 화정당 사술은 내가 한 짓이고."

자신이 사술을 행했다고 너무나도 당당하게 말하는 모습에 이 자리에 있던 모두의 말문이 막혔다. 방금 그는 자신이 그 극악무도한 사술을 저질렀다고 자백한 셈이다. 이는 자백을 해도 아무런 거리낄 것이 없다는 강자의 오만함과 같은 의미로 받아들여졌다. 모란이 말을 이었다.

"남궁사영 저자는 세가에 대한 충성과 애정이 대단한 자일 뿐이야."

이번에는 무슨 말을 하려는가 싶어 남궁사영이 멍청하게 모란을 바라보았다. 도무지 일의 흐름이 예상이 가지 않았다.

"그러니 창연각에서도 그리 필사적으로 나를 막으려 하고 화정당 사술이 발각되었을 때는 연에게 모든 죄를 뒤집어씌우기까지 하며 사술의 진행을 막으려 노력한 것이 아닌가. 충신이 따로 없으니, 실로 칭찬해야 마땅한 일이지."

"뭐, 뭣……?"

어찌 반응해야 할지 몰라 남궁사영의 턱이 땅까지 떨어졌다. 저 말에 부정도 긍정도 할 수 없었다. 부정한다면 혹여라도 사술이나 사파에 관련되었다는 의혹을 받게 되고, 긍정한다면 세가를 위해 연에게 죄를 뒤집어씌웠다는 걸 인정하는 셈이 되지 않는가.

모란은 속으로 냉소했다. 이는 남궁사영 따위를 위한 게 아니다. 남궁세가에서 바닥까지 떨어진 연의 평판을 바꾸기 위한 발판이었다. 모란의 눈동자 속에서 요요한 금빛이 희미하게 맴돌았다.

"물론 그 모든 노력이 내게는 가당치도 않게 느껴지는 헛짓거리지만."

당장 위기를 모면하였다 하여 훗날의 일신이 결코 편하지는 않을 것이라. 그 의미를 알아들은 남궁사영의 얼굴이 완전히 창백해졌다. 정말로, 그는 옥에서 남궁연에게 충고를 들었을 때 도망쳐야 했던 것이다.

그동안 조용히 있던 남궁연오가 나선 것은 바로 그때였다. 아우에 대한 걱정으로 더는 참을 수가 없었다.

"대체 왜, 그 오랜 기간 동안 사람들을 속여 가며 화정당에 그런 사술을 행한 거지?"

백모란이 그간 이 사술을 주도한 자라 하니 남궁연오는 분노보다는 애가 타는 걱정이 앞섰다. 그도 그럴 것이 백모란의 곁에 줄곧 있었던 건 연이었으니, 걱정이 안 될 리가 없는 것이다. 더군다나 연은 지금 행방을 알 수 없는 상태가 아니던가? 모란은 잠시간 그런 연오를 바라보다가 턱을 긁적였다.

"사술을 행한 이유? 당연히 내 힘과 수명을 늘리기 위해서지."

당연히 아니다. 수명은 그저 타고난 것이나 마찬가지고 순간이동이며 마법진이며 죄다 차원을 넘어가 이백오십여 년을 굴러다니며 직접 체득했다. 모란도 처음에는 마법으로 불씨 하나 피워 내는 일도 못 했다. 물론 저들에게 알려 줄 바는 아니었다.

상황이 상황인지라 졸지에 저들에 속해 버린 남궁연오와 남궁원의 얼굴이 희게 질렸다.

"분명 건강하던 남궁세가 둘째 도련님은 왜 하루아침에 허약하게 되었을까?"

모란이 느긋하게 말하며 다 들으라는 듯 주위를 둘러보았다. 바보가 아니고서야 모란의 말뜻을 모르지는 않을 것이다.

"왜 성격 좋고 착하던 둘째 도련님이 갑자기 포악해졌을까? 어째서 백모란이란 시종에게만 그토록 적대감을 보였을까? 한 번이라도 이상하게 여긴 사람이 단 한 명도 없나 보지?"

모란의 말에 남궁연오는 세게 뒤통수를 두드려 맞은 듯했다. 돌연 어린 시절 연이 크게 앓은 것과, 그 후로 병약해져 백모란만을 죽도록 괴롭힌 게 떠오른 탓이었다. 설마 그 이유가 사술 때문이었다니 상상도 해 본 적이 없다.

"나의 이 극악무도한 사술……."

경악하여 공격할 생각도 하지 못하고 있는 이들을 둘러보면서 악당의 분위기를 연출하던 모란이 속으로 고민했다. 뭐 적당히 사악하고 거대해 보이면서 피나 어둠 따위가 들어가는 이름이 무엇 없나? 생각 좀 해 올걸 그랬군. 모란이 즉석에서 대충 사술 진법 이름을 지었다.

"……혈마암천광진(血魔暗天狂陳)은 진법 재료에 산 사람의 그릇이 필요하거든."

"설마 산 사람의 그릇이, 연이란 말이냐!"

남궁원이 경악하여 외쳤다. 연오의 얼굴에서는 완전히 핏기가 가셨다. 남궁세가의 사람들과 정파연합에서 보낸 이들로부터 천하의 몹쓸 악당을 보는 듯한 시선을 받으며, 모란은 이 역할에 다소 심취했다. 매번 영웅 소리를 듣다가 악당 취급받는 것도 재미가 쏠쏠하였다. 이리도 재미있을 수가.

모란은 안제테다에서도 종종 악당이니 피도 눈물도 없는 괴물이니 종종 듣곤 했던 건 없는 셈 쳤다.

"겨우 십 년을 채워 혈마암천광진이 완성되어 가려던 찰나였지. 한데 벌레만도 못한 저 남궁사영이란 자가 우연찮게도 내 사술을 눈치챌 줄은 꿈에도 몰랐어. 덕분에 고맙게도 내상까지 입게 되었지."

몇 달 동안 불면 날아갈까 쥐면 꺼질까 애지중지 연에게 본원지기며 혼이며 부어 가며 치료하려 했던 모란은 진심으로 이를 갈았다. 아무리 아낌없이 연에게 내준 그라도 그동안 들인 공이 한순간에 무너져 버렸으니 아깝지 않을 수가 없었다. 그가 없는 동안 연이 겪었을 두려움과 고통을 떠올리면 절로 이가 빠득 갈렸다.

일이 어떻게 돌아가는가를 깨달은 남궁사영이 고개를 저으며 뒤로 주춤 물러났다.

"감히 내 대업을 방해한 것도 모자라 연을 **빼돌려**?"

말하고는 모란이 내심 감탄했다. 대업이란 용어를 넣으니 과연 광오(狂傲)한 악당의 말처럼 들리지 않는가.

"그, 그게 대체 무슨 소리냐!"

사실이 그런 것이 아니니 남궁사영은 정말 환장할 지경이었다. 대체 이 미친 자는 어디서 나타났단 말인가! 그러거나 말거나 모란이 입꼬리를 비틀어 웃었다. 이제야 그가 기다리던 때가 왔다.

"모르는 척해도 소용없다. 내 것을 돌려받아야겠어. 네놈이 **빼돌린** 남궁연이 어디 있는지 어서 불거라."

"아까부터 무슨 헛소리를 하는 것이냐! 나는 모르는 일이다!"

저를 번득이며 노려보는 눈초리에 주춤거리며 물러나다가 겁에 질린 남궁사영이 검을 **빼** 들었다. 그제야 모란의 당당한 자백에 넋을 놓고 있던 이들도 경계를 다시 세우며 모란에게 무기를 향했다. 지금까지 들은 말대로라면 백모란은 남궁세가 차남을 사술의 제물로 삼은, 천인공노(天人共怒)할, 능지처참해 마땅할 자였고, 남궁사영은 그런 백모란을 막으려 차남을 **빼돌리**고 그 행방을 불지 않

371

는 의로운 자였다.

물론 남궁사영 본인의 속마음은 달랐다.

'그런 것이 아니다!'

하나 이쯤 되니 그의 말을 믿을 사람이 누가 있으랴. 모란이 몸을 낮추며 공격할 태세를 갖추자 의로움에 가득 찬 고수들도 무기를 단단히 쥐었다. 사술의 중지로 내상을 입은 상태에, 이쪽은 이리도 수가 많으니 어느 정도 가망이 있으리라. 그들은 미래의 자신들이 어찌 될지 감히 추측하지도 못한 채 소리를 지르며 모란에게 덤벼들었다.

좋은 화풀이 대상이군, 하고는 모란이 짐승같이 이를 드러내며 웃었다.

연의 정신이 든 건 은은한 꽃향기 때문이었다. 또 모란이 꽃을 피웠나, 하다가 눈을 떴다. 머리가 뒤죽박죽이라 잠시간 눈만 깜박였다.

'나는…… 죽은 게 아니었나?'

분명히 내상으로 몸이 진탕이 되어 며칠에 걸쳐 고통 속에 죽어가고 있었다. 아니, 아니다. 죽어 가고 있던 게 아니라 필히 죽었었다. 그는 자신이 마지막 숨을 뱉었던 걸 기억해 내고는 몸을 떨었다. 한데 지금은 이렇게 숨을 쉬고 있지 않나. 이어 떠오르는 건 옆구리며 입에서 피를 쏟아 내고 있던 모란의 모습이었다. 연은 숨이 턱 막혔다.

그는 분명 끈적하고 차가운 죽음 속으로 천천히 가라앉는 중이었다. 모든 것을 완전히 놓아 버리려는 순간 희미하게 빛나는 꽃을 보았다. 꽃잎이 흩어져 점점이 가슴 위를 수놓았다. 그 희미하게 빛나는 꽃잎만이 연이 완전히 가라앉으려는 걸 겨우 막았다. 그렇게 얼마나 시간이 흘렀던가?

짧으나 긴 시간이었고, 찰나였으나 영원인 순간이었다. 그때를 떠올린 연의 눈동자가 잠시 아득해졌다. 곧장 연의 머릿속에서 죽음에 머무르던 순간이 잊혔다…….

대신 그는 자신이 끔찍한 고통 속에 비명을 지르며 깨어났던 걸 떠올렸다. 진흙과도 같은 수렁에서 억지로 끄집어내졌고, 온몸에 달라붙어 있던 죽음이란 것이 뚝뚝 끊어졌다. 뇌수에서 연신 번개가 울리는 것처럼 온몸의 혈맥이 날뛰고 비틀리고 끓어올랐었다. 그때의 고통을 떠올리자 몸이 떨렸다.

비명을 질러도 입은 그저 새된 소리만 낼 뿐이었다. 아프고 또 아파서 제대로 된 생각을 할 수 없었다. 자신을 부르는 이름에 고개를 들자 그 자리에 모란이 있었다.

모란은 모란이되 분명 평소와는 다른 모습이었다. 온통 피칠갑을 했고, 입이며 커다란 구멍이 뚫린 옆구리에서는 진득한 피가 울컥울컥 흘러나왔었다. 그렇게 창백한 얼굴로 무어라 했었지? 죽음 따위가 뺏어 가지는 못할 것이라고…….

'……죽은 게 아니었구나.'

온몸이 매우 나른하여 연이 겨우 시선만 돌렸다. 제 머리맡에 꽃들이 잔뜩 흐드러져 있었다. 꽃을 보자 정말로 모란이 돌아왔다는 것이 실감이 났다. 보나마나 또 피워 냈겠지 하고 연이 상체를 일으키려다 멈칫했다. 바로 옆에 모란이 있었다.

그는 연의 머리맡보다 조금 더 위에서 자신의 팔을 베개 삼아 벤 채 미동이 없었다. 매번 자는 시늉을 했던 것과는 달리 매우 깊게 잠들어 있었다.

그동안은 한 번도 모란이 잠든 걸 본 적이 없었다. 그는 항상 연보다 일찍 일어나 늦게 잠들곤 했다. 그랬기에 연은 정말 제가 모란을 보고 있나, 꿈은 아닌가, 하는 의심이 들었다. 졸리고 나른하긴 해도 자신의 몸이 더할 나위 없이 건강하다는 걸 알기 때문에 더욱 그랬다.

연이 숨을 죽여 가까이 다가갔다. 무어가 불만인지 모란의 미간에 얇은 주름이 잡혀 있었다. 눈꺼풀 아래에서 움찔 눈이 움직이더니 미세하게 끙, 하고 앓는 소리를 낸다. 홀린 듯 모란이 자는 모습을 보고 있던 연이 그제야 정신이 들었다. 그러고 보니 어쩐지 안색이 안 좋은 것도 같다.

모란이 피를 토하는 걸 본 건 착각이 아니었구나. 덜컥 겁이 난 연이 모란의 옷자락을 들추었다. 그러고는 숨을 집어삼켰다. 오른쪽 옆구리에 흉한 상처가 있었다. 피가 흐르지는 않았지만 여전히 벌겋게 환부가 벌어진 채로 아물어 가는 중이었다.

'대체 누가 모란에게.'

연이 입술을 깨물며 환부를 조심히 눌러 보았다. 다음 순간 다시 한번 숨을 집어삼켰다. 놀란 첫째 이유는 장기가 있어야 할 부분이 움푹 들어가기 때문이었다. 둘째 이유로는 모란에게 손이 턱 잡혔기 때문이라. 연이 마치 얼어붙은 듯 굳어서 바라보기만 하는 가운데 언제부터 깨어 있었는지 모란이 잡은 손에 꼭 힘을 주었다. 웃으면서도 미간이 찡그려져 있어 연의 가슴이 덜컥 내려앉았다.

"그렇게 눌러 대면 아픈데."

"이, 대체…… 이 상처는 뭐야? 그 타마타모란 것을 잡다 이렇게 된 거야?"

캐물어 보아도 모란은 대답은 하지 않은 채 빙그레 웃으며 연을 바라보기만 했다. 그 시선이 얼마나 다정한지 그만 말문이 턱 막혀 버리고 말았다. 모란은 살금살금 연의 손에 깍지를 꼈다.

"몸은 좀 어때?"

"지금 내 몸 물을 때야? 모란 당신 몸이야말로…… 심각하잖아."

연이 모란의 상태를 살폈다. 그가 미간을 찌푸렸다. 깍지를 빼 손목을 잡아 맥을 짚으니 건강하게 펄떡펄떡 뛰고 있는 중이었다.

다만 사람이라면 응당 있어야 할 혈도 네 개가 없다. 통째로 뜯어 버린 게 아니고서야 대체 이게 가능한가 싶어 다시 안색을 살피는 데 그가 물어 왔다.

"상태는 괜찮지? 어때, 완치된 것 같아?"

"완치된, 것 같냐고?"

그제야 연이 제 몸을 살펴보았다. 전혀 고통도 없고 심했던 내상도 씻은 듯 사라졌다. 아니, 제가 살아온 중에 비교할 수 없을 정도로 가장 건강한 몸 상태였다. 죽지 않는 게 신기할 정도의 내상이었는데.

연은 믿을 수가 없어 저도 모르게 제 몸을 더듬었다. 항상 희고 냉기가 돌던 손가락과 푸른빛을 띠던 손톱은 건강하게 혈기가 도는 분홍빛으로 따뜻했다.

"하지만, 나…… 분명 죽……었었는데……."

모란은 건강해진 연을 보며 퍽 흐뭇한 얼굴을 하고 있었다. 그가 보드레한 발간 꽃잎 색을 한 연의 손톱을 이로 깨물어 보고는 웃었다.

"내가 도착했을 때는 거의 죽은 것이나 다름없는 상태였지, 분명."

"……어떻게 살린 거야?"

그리 묻고는 연이 깨달았다. 지금 이 상태는 마치 모란과 자신의 건강을 맞바꾼 것이나 마찬가지로 보이지 않은가. 자신이 건들기 전까지 깊게도 잠들어 깨지 않던 모란도 모란이지만, 복부의 상처가 자꾸만 눈에 걸렸다.

물어보고 싶은 것이 너무 많은데 아까부터 몸을 나른하게 만들던 잠의 무게가 점차 묵직해져 눈꺼풀이 자꾸 감겼다. 연이 매달리듯이 옷자락을 잡자 모란이 가라앉는 몸을 잡아 침상에 뉘였다.

"뭘, 했어? 왜 이렇게…… 졸린 거…….."

"나의 내단을 뜯어 먹였지."

졸린 와중에서도 일순간이나마 연의 정신이 번쩍 들었다. 내단을 뜯어 먹였다고?

내단이란 것이 무엇인가. 보통 영물이 몸속 깊은 곳에 소중히 품고 있는 것이었다. 이 내단을 복용하면 단순히 힘이 늘어나는 정도부터 환골탈태(換骨奪胎)하는 수준에 이르기까지 그 효과가 아주 좋아 무릇 무인에게는 보물이나 마찬가지인 귀한 물건이었다. 아니, 그게 본인의 것이라면 모란에게 있어서는 단순히 귀한 수준을 넘어선다. 무인이 제 내공을 모두 포기하는 것이나 다름없는 일이었다.

눈꺼풀을 파득 떨며 연이 아까 보았던 복부의 상처에 다시 시선을 주었다. 모란은 꼭 제 멱살을 쥐려는 듯한—착각이라 여겼다—연의 손을 잡아 이불 속으로 넣어 주며 말했다.

"거기에 안제테다에 다녀오면서 괜찮은 보약을 가져왔거든. 그걸 먹였으니 네 것으로 소화시키느라 한동안은 꽤 졸릴 테지."

물론 실리낙스의 눈은 그저 '괜찮은 보약' 수준이 아니었다. 사람에게 먹일 수는 있어도 보통 먹이는 데 사용하지도 않는다. 일단 모셔 두고 실리낙스의 눈에서 종종 떨어지는 부스러기나 주워다가 아끼고 아껴서 공성 마구의 마법진 보강 따위에 쓰는 대단한 물건이다. 물론 그런 쓰임새 따위는 모란에게는 알 바 아니었다.

"대체……."

하고 싶은 말은 산더미인데 연을 덮치는 잠은 마치 해일과 같은 수준이었다. 모란이 다정하게 눈꺼풀을 손마디로 내려 주었을 때 그는 저항도 못하고 깊은 잠에 빠져들고 말았다. 얼마 지나지 않아 숨소리가 새근새근 규칙적으로 느려지는 걸 확인한 뒤 표정을 바꾼 모란이 뺨을 긁적였다.

"……왜 벌써 깼지. 아직 작업도 다 안 끝났는데."

어쨌든 연의 잠든 모습이 속이 간들거리도록 보기 좋았다. 모란은 히죽거리며 하염없이 바라보았다. 흐트러진 머리카락이나 옷깃도 반듯하게 정리해 주고, 흰 이마를 살살 쓸어 주었다가 밖에서 따 온 꽃을 귀 뒤에 꽂아 주기도 했다. 연에게서 흘러넘치는 기운으로 꽃은 며칠 전에 따다 놓은 것임에도 시들지 않고 생기가 넘쳤다.

질리지도 않고 연이 자는 모습을 지켜보다가 모란이 자리에서 일어났다. 다시 깨지 말라고 수면 마법 사락사락 뿌려 준 다음 그가 초가집을 나섰다. 꽃내음이 살랑살랑 풍겨 왔다.

"벌써 봄인가."

어느덧 꽃망울이 툭툭 터지는 때가 왔다. 달리 말하자면 연이 깊은 잠에 빠지게 된 지도 벌써 보름 정도가 훌쩍 지났다는 이야기다. 그 보름 동안 모란은 착실하게 다져 놓고 있었다. 이를테면, 여러 가지를.

'이런 곳에서 사는 것도 괜찮겠지만 역시 안휘성이 좋겠지. 먼 나중이라면 또 모르겠지만.'

모란은 그 자리에서 바로 안휘성으로 이동했다. 순간이동을 사용할 때마다 배 속이 쑤셨으나 그럭저럭 버틸 만했다. 이 '다지기' 때문에 도통 몸이 회복될 기미를 보이지 않았지만, 지금 수준으로도 그럭저럭 지내기에는 괜찮았다.

내단을 연에게 내주는 건 모란에게 나름대로 꽤 부담이 되는 일이었다. 모란의 본래 가진 힘이 백 정도라 하면 그중 칠십 내지 팔십 정도가 사라진 셈이다. 하지만 모란은 대수롭지 않게 여겼다. 안제테다에서라면 제법 심각한 문제가 되었을 터다. 모란의 목을 노리는 자들이 많았으니. 하지만 다시 안제테다로 돌아갈 것도 아니고 여기서라면 그럭저럭 괜찮았다.

'확실히 장생종이 다수인 세계와 단생종이 다수인 세계는 실력 차이가 많이 나는군.'

때문에 모란은 내단을 내준 일에 대해 대수롭지 않게 생각했다. 내단이야 시간이 좀 오래 걸려도 언젠가는 회복되는 법이다. 연을 완벽하게 살리는 것에 대한 대가라면 그다지 아깝지 않았다.

"어쩌면 이곳 나름대로의 균형 조정일지도……."

아무래도 좋겠지, 모란은 어깨를 으쓱하고는 걸음을 옮겼다. 얼핏 보면 최근 안휘성은 남궁세가를 중심으로 일어난 일들에는 거의 아무런 영향도 받지 않은 듯했다. 하지만 전과 달리 남궁세가에 소속된 이들의 활동은 많이 위축되어 있었다. 모란이 죄다 밟아 놓은 탓이었다.

죽음에서 연을 건지고 남궁세가를 찾아간 날, 모란은 그를 향해 덤벼드는 이들에게 자신이 어떤 존재인지를 단단히 알려 주었다. 다른 말로는 그들의 육체를 여러 가지 방식으로 작신 다져 놓았다는 이야기다.

죽이지는 않았다. 죽이는 순간 지울 수 없는 원한이 생기고 그런 원한은 끝없는 증오를 불러온다. 그건 모란이 원하는 방식에서 벗어나게 되는 셈이다. 연에게도 좋은 상황이 아니었다.

그러나 죽이지 않는다는 것이지 손대지 않는다는 건 아니라, 다시는 기어오를 생각이 들지 않도록 만들어 주기는 했다. 중력 마법으로 짓눌러 바닥을 기게 만들고 손짓 하나로 기절시켰다. 검이며 창을 부러트리고 먼지로 만들어 제게 덤빌 의지를 꺾어 버렸다.

이는 싸움이라고 하기에도 부적절했다. 실은 마음대로 화풀이를 하며 갖고 논 것에 가까웠다.

'정작 화는 제대로 풀리지 않았지만.'

어쩌겠는가. 안제테다에서 하고 싶은 대로 군 것은 그곳에 오로지 모란 혼자밖에 없었기에 가능한 일이었다. 가족이라거나, 혹은 동료, 아니면 지인까지도 그곳에는 없었다. 글쎄, 일방적으로 모란을 동료나 지인이라 부르는 자들이 있기는 했지만 모란에게는 아무래도 상관없는 것들이었다. 하지만 여기서는 연이 있었기에 마음대로 굴 수가 없었다. 그러니 이런 유치한 방식으로 화풀이를 하는 수밖에.

"몇 번이나 덤벼도 소용없는 것을 모르나?"

히죽 웃으며 모란이 뒤돌자 따라붙던 이들이 바짝 긴장하여 뒤로 물러났다.

"자, 잠시만! 싸우려고 온 것이 아니오!"

"싸우려는 것이 아니야?"

뭐, 실은 싸운다고 말하기도 힘든 전투들이었지만. 일방적인 구타라 할 수 있는 이 싸움들로 인해 고작 보름 만에 중원에서 모란의 악명…… 아니 위명은 높아질 대로 높아진 상태였다. 모란의 위명은 다음과 같았다.

남궁세가의 차남을 제물 삼아, 불쌍한—대체 왜 그놈들에게 불쌍하단 수식어가 붙는지는 모르겠지만— 녹림십오채 도적들 수십 명을 생매장시킨 희대의 악당.

남궁세가의 창일당을 한 번에 날려 버리는 위력의 희대의 폭살마(爆殺魔). 물론 누구도 폭살(爆殺)시킨 적은 없다.

마지막으로, 어째서인지 아무도 죽이지 않았건만 정파와 사파를 가리지 않고 잔인하게 학살한다는 잔인무도한…….

"불살(不殺) 혈화신마(血花神魔) 당신에게 전할 말이 있어서 온 것뿐이다."

"……그런데 말이야, 그 호칭 좀 통일할 생각 없나?"

모란은 보름 동안 꽤나 여러 가지의 호칭들을 얻었다. 죽이지 않는다 하여 일단 불살이 붙는다. 그 외에 무적이니, 절대니, 두 단어 가량의 수식이 붙은 뒤 파성귀왕(破城鬼王)이니 수라혈불(修羅血佛), 광천마존(狂天魔尊)에……. 그 외 한 다섯 가지는 더 있는 듯했다. 모란으로서는 썩 그다지 탐탁지 않은 호칭이었다.

'그냥 이름으로 부르면 좋지 않겠냐고.'

하긴 안제테다에서도 근질거리는 호칭으로 부르는 녀석들이 있었지. 모란이 팔짱을 꼈다. 매화가 수놓인 옷을 입고 있는 걸로 보아 화산파에서 보낸 이들이 분명했다. 최근 모란의 행보에 위기를 느끼고 미리 파견한 모양이다. 그도 그럴 것이, 모란은 정파와 사파를 막론하고 죄다 꺾어 왔으니.

모란은 먼저 자신에게 시비를 걸었다는 명목으로 남궁세가에서 자신에게 덤빈 자들의 세가와 문파를 찾아가기로 했다. 가장 처음 당한 건 남궁세가와 제법 탄탄한 동맹을 맺고 있던 제갈세가였다. 구궁척열환진(九宮斥閱幻陳)인가 뭔가 아무튼 지난번 마차 사고를 유발했던 진법을 가볍게 무시하고 들어오니 다들 경악을 금치 못했다.

'지난번 마차 사고가 네놈 짓이었구나!'

제갈우가 입을 딱 벌린 얼굴로 손가락질했지만 모란은 그대로 무시했다. 제갈세가에서 고수란 자들이 덤벼 오기는 하였으나 남궁세가에서 그 많은 고수들도 상대한 모란이니 구파일방 오대세가에서도 약한 축에 속하는 이들이 상대가 될 리가 없었다.

그렇게 모란은 전력이 될 만한 자들은 죄다 쓰러트리고서, 무슨 짓을 하려나 달달 떨고 있는 이들에게 말했다.

"남궁세가에서 날 공격해 오기에 되갚아 주러 오긴 했지만, 솔직히 이외의 원한은 없거든. 있다면 남궁세가와 있을 뿐이지. 그러니 남궁세가와 내가 북 치고 장구를 치건, 뭘 지지고 볶건 빠져 줬으면 하는데."

모란은 그래도 정파연합이랍시고, 남궁세가의 큰 동맹이라며 망설이는 이들에게 덧붙였다.

"사술이라고 해도 말이지, 녹림십오채 말고 내가 다른 이들에게 피해를 준 적이 있던가?"

싸울 만한 이들이 모두 쓰러져 긴 요양이 필요하게 된 제갈세가로서는 모란의 말에 고개를 끄덕일 수밖에 없었다. 정파연합이니 의협(義俠)이니 하긴 했어도, 약육강식(弱肉强食) 강자생존(强者生存)이라. 봉문을 요구해도 어쩔 수 없는 상황에서 아무런 조건 없이 물러나겠다는데, 가주도 간단히 이겨 먹는 압도적인 힘이 있는 모란에게 따를 수밖에 없지 않겠나.

그는 그렇게 차근차근 다른 정파연합을 꺾어 나갔다. 벌을 준 뒤에는 살살 구슬렸다. 먼저 시비를 걸었으니 되갚아 주는 수밖에는 없다는 논리로, 사실상 협박을 강제한 설득이었다.

한데 그리 정파연합과 안휘성 부근의 대단하다 하는 실세들을 꺾고 다니니 사파가 접근해 왔다. 사파는 대개 두 종류로 나뉘었다. 억만금이라도 줄 테니 제 밑에서 일하라는 자와 천하의 제일강자(第一强者)를 겨루어 보자며 싸움을 걸어오는 미친 자들 말이다.

유독 사파 중에는 머리가 돌아 버린 게 아닌가 싶은 끈질긴 놈들이 많았다. 안 그래도 지나치게 정파연합을 꺾어 놓은 듯해 균형이 필요한 시점이라고 여긴 모란은 사파도 개미 밟듯 지르밟았다. 바라는 것은 원한을 만드는 것이 아니었기에 적당히 손봐 주는 선이었다.

이렇듯 정파, 사파 모두 같은 취급을 해 주는 모란이었으나 물론 그들 중 단 한 명에게만은 대접이 달랐다…….

"아무튼, 무슨 일로 왔는데?"

"화산파에서는 결코 대협과 적대할 뜻이 없다는 것을 알리러 왔소이다. 부디 지난번 남궁세가에서의 실수는 너그럽게 넘어가 주면 좋겠소."

모란이 잠시 턱을 문질렀다. 오늘 연이 깨어난 걸 보니 조만간 일상생활 정도는 해도 될 것 같고, 또 서른쯤 되는 문파와 세가들 중 스물 정도를 손봐 주었으니 이쯤 하면 충분할 듯했다. 이제 중원에서 백모란을 모를 자는 없을 것이다.

보아하니 화산파는 중원의 어지간한 세가와 문파가 거꾸러진 상황을 틈타 어찌 천하제일(天下第一)문파의 간판을 따 놓고 싶은 모양이다. 모란에게는 아무래도 좋았기 때문에 고개를 끄덕였다.

"좋아. 그쪽에서 그리 말하니 나로서도 굳이 나설 필요는 없겠지."

화산파에서 온 자들은 모란의 순순한 말이 정말인가 하고 다소

미심쩍은 얼굴로 보면서도 냉큼 포권지례를 취해 보였다. 그러고
는 모란의 마음이 바뀔까 꽁무니가 빠지도록 순식간에 사라졌다.
화산파가 하는 걸 보아하니 조만간 다른 곳에서도 알아서 백기를
흔들 것 같았다.

"그럼 오늘은 남궁세가를 먼저 가 볼까."

오늘 연이 깨어났기 때문에 퍽 기분이 좋았던 모란이 콧노래를
흥얼거리며 걸음을 옮겼다. 여유롭게 익숙한 거리를 지나면서 그
는 시장에서 과일 몇 개를 샀고, 객잔에 들러 음식 따위를 사들이
기도 했다. 연이 깨어나면 먹일 참이었다. 아무리 내단 덕에 먹을
필요가 없다 하여도 식욕이 없어지는 것은 아니었으니까.

오늘도 남궁세가의 정문은 굳게 닫혀 기관진식이며 진법이 설치
되어 있었으나 그런 것들 따위는 모란에게 아무런 소용이 없었다.
그는 가볍게 담장을 넘어 들어갔다.

모란에게 처참하게 당한 후로 남궁세가는 완전히 침체 그 자체
였다. 세가에서 가장 강한 남궁원을 비롯하여 호법장로들은 죄다
운신도 못 할 정도로 앓고 있는 중이었다. 허니 모란이 왔다 갔다
한들 막을 자가 없는 것이다.

모란은 싸울 의지나 기력이 없는 자들은 내버려 두었다. 그의 목
표는 오로지 하나, 남궁사영을…… 영혼까지 자근자근 짓밟아 버
리는 것이었다. 모란은 감히 사사로운 감정으로 연을 죽기 직전까
지 몰아붙인 남궁사영을 용서할 마음이 없었다.

"흐어억!"

오늘따라 일찍 도착한 백모란을 본 남궁사영의 입에서 저도 모
르게 볼썽사나운 소리가 나왔다. 하지만 그런 걸 신경 쓰고 창피해
할 만한 여유가 없었다. 백모란 이자는 정말이지 이가 갈리도록 악
랄한 자였다. 마치 악몽과도 같았다. 아니, 실제로도 남궁사영은
선잠을 잘 때마다 백모란이 나오는 악몽을 꾸곤 했다.

악몽에서나 현실에서나 백모란은 그 어떤 방벽도 가볍게 넘어와

서는 이리 말했다.

"연이는 어디에 있어?"

남궁사영은 돌아 버릴 지경이었다. 그는 정말이지 남궁연이 어디로 갔는지 알 길이 없었다. 남궁연이 어디에 갔는지 안다면 남궁사영이 제일 먼저 가 찾아왔을 터였다. 그런데도 주위 모든 사람들은 남궁사영을, 비열하고 잔인무도한 백모란에게 용감하게 맞서 남궁연의 행방을 숨기는 용감한 자로 보았다.

첫날 정파연합에서 보낸 고수들과 함께 모란에게 덤벼들었을 때 그들은 이루 말로 할 수도 없이 처참하게 당했다. 백모란의 앞에서 거의 모든 이가 삼 초식도 넘기지 못하고 검을 떨어트리거나 정신을 잃고 나자빠졌다.

그중에서도 남궁사영은 백모란에게 제일 처절하게 당한 사람이었다. 모든 이가 이 합 만에 정신을 잃은 데 비해 남궁사영은 유일하게 의식이 남아 있었다. 백모란은 남궁사영을 사정없이 구타했다. 말복 개조차도 남궁사영처럼 흠씬 두들겨 맞지는 않았으리라. 심지어 백모란은 치밀하게 생명에 전혀 지장이 없으면서도 고통스럽기 짝이 없는 곳들만을 골라 팼다. 차라리 죽이라는 말이 나올 때쯤에서야 모란은 발끝으로 남궁사영을 굴리며 치욕을 안겨 주고는 자리를 떠났다.

그러나 이로써 끝이 아니었다. 모란은 보름에 걸치는 기간 동안 이틀, 혹은 사흘에 한 번 찾아와 남궁사영을 잔혹하게 고문했다. 그건 정말이지 고문이라 할 만한 악랄함이었다.

그들이 알고 있는 온갖 기관진식이며 진법 따위는 백모란 앞에서 아무런 소용이 없었다. 백모란은 그 끔찍한 금빛 안광을 빛내며 담장을 넘어, 때로는 위풍당당하게 정문을 넘어 걸어왔다. 덤비는 자가 있다면 무자비하게 한 번의 손속으로 정신을 잃게 만든다. 아니, 차라리 그것은 자비에 가까웠다. 모란은 한 번도 남궁사영에게는 기절을 허하지 않았다.

두 번째 방문이나 세 번째 방문까지는 남궁세가의 장로와 무사들도 나름 모란에게 저항을 했다. 그러나 항상 결과는 모두가 정신을 잃은 채 유일하게 남궁사영만이 땅바닥을 구르며 쥐어 터지는 것이었다. 때로는 그에게 육체적인 타격 이상의 것이 가해지기도 했다.

모란이 그 금안(金眼)으로 쳐다볼 때면 남궁사영은 마치 돌아 버릴 것만 같았다. 그의 온 정신이, 정신이라고도 할 수 없는 무언가가 끔찍한 고통을 받았다. 몸은 멀쩡한데 얻어터지는 것보다 더한 괴로움이 닥치는 것이다. 자연히 남궁사영은 백모란만 보면 저도 모르게 소변을 찔끔 지릴 정도로 두려워하게 되었다.

하지만 남궁세가에서 도망칠 수도 없었다. 남궁사영은 자신이 세가에 있기에 모란이 그나마 저를 살려 둔다는 사실을 직감적으로 알고 있었다. 그러니 울며 겨자 먹기로 이 끔찍한 자로부터 남궁연을 지키려 드는 기개 있는 자의 역할을 수행하는 수밖에는 없었다. 끔찍한 인형극이나 마찬가지였다.

무자비하게 두들겨 팬 뒤 모란이 떠나면 그는 남은 사람들에게 시달려야만 했다. 특히 동생에 대한 걱정으로 반쯤 눈이 뒤집힌 연오는 모란 못지않게 사영에게 지독하게 굴었다.

─절대 연이가 어디에 있는지는 말해서는 안 됩니다!

무시무시한 기세로 그리 말하고는 연오는 남궁사영을 노려보았다. 그는 결코 사영을 신뢰하지 않는 사람들 중 하나였다. 심지어 연을 모함한 일로 사적인 원한을 가지고 있기도 했다.

─한데 정말 연이가 어디에 있는지 알고 있는 게 맞기는 합니까?

모른다고 하면 사영을 남궁세가에서 당장 내쫓을 기세였다. 남궁세가에서 나가면 그야말로 사영의 목숨은 끝장나는 셈이다. 그는 도련님을 아주 안전한 곳에 빼돌렸다며, 죽어도 말하지 않겠다고 식은땀을 흘리며 연오를 설득해야만 했다.

장로들은 또 연오와는 입장이 또 달랐다. 그들은 사영을 은밀한 곳으로 질질 끌고 간 뒤 남궁연을 어디에 숨겨 놓았느냐고 윽박질렀다. 더는 모란에게 시달리기 싫었던 건 장로들도 마찬가지였다.

─글쎄, 나는 모르오!

사영은 답답해서 가슴이 터질 지경이었다. 남궁연이 어디에 있는지는 그가 제일 알고 싶었다. 모란 그자의 괴롭힘이 제발 끝났으면 했다. 대체 이 괴로움은 언제까지 이어지는가. 사영의 고통과는 상관없이 오늘도 찾아온 모란은 이렇게 지껄였다.

"지난번 말한 장소에는 없던데. 연은 어디에 있지?"

백모란에게 질리고 두려움에 질린 자들은 이제 더는 저항하지도 않았다. 반은 도망쳤고 반은 아무런 반항도 하지 못한 채 모란이 남궁사영을 끔찍이 괴롭히는 모습을 보기만 했다.

"모, 모른다! 정말 나는 모른다니까!"

남궁사영이 악을 질렀다. 지난번 그는 괴로움을 견디다 못해 아무 장소나 되는대로 말해 버리고 말았다. 남궁연이 어디에 있다 말하는 순간 세가의 실망 어린 눈초리가 그에게 향했지만, 그것쯤은 고통에서 벗어날 수만 있다면 아무래도 좋았다. 그는 다만 자신이 대답을 뱉자마자 백모란이 봐준다는 듯 사라진 걸 다행으로 여길 뿐이었다.

하지만 오늘 또 이렇게 찾아오니 이제는 정말 미칠 지경이었다. 제발 이 끔찍한 기간이 끝나기만을, 백모란이 제게 자비를 베풀어 주기만을 빌었다. 그러나 남궁사영의 기대와는 반대로, 모란은 오늘도 천천히 손을 들어 올리며 다가왔다. 어쩔 수 없이 그가 부들부들 떨리는 손으로 검을 뽑아 들 때였다.

"이런."

백모란이 뒤로 물러나자마자 그가 서 있던 자리에 번개같이 검이 꽂혔다. 모란이 피하자 바로 그 뒤를 쫓아 전광석화처럼 검 끝이 쏘아져 나갔다. 모란이 쯧 혀를 차며 손을 뻗었다. 순식간에 가해지는 중력에 연오가 땅에 무릎을 꿇었다. 검을 지지대 삼아 겨우 버티면서도 그는 모란을 쏘아보는 걸 멈추지 않았다.

'정말 제일 성가신 상대란 말이야.'

모란이 쯧 혀를 찼다. 오로지 동생을 향한 염려로 연오는 끊임없이 모란에게 덤벼들었다. 어쩌나 정신력이 지독한지, 지난번에는 수면 마법을 걸었더니 왼손 새끼손가락을 분질러 버린 뒤 그 고통으로 이겨 내어 검을 내지르는 것이었다. 지금도 중력장에 짓눌려 몸에서 으득하는 소리가 날 정도인데도 천천히 몸을 움직이고 있었다. 모란은 혀를 내둘렀다.

이 세가에서 가장 상대하기 껄끄러운 상대라면 단연 남궁한위와 남궁연오였다. 둘 다 연이 지극히 아끼는 상대이기 때문이다. 남궁원은 좀 두들겨도 되겠지 싶어 몇 달 요양 질 신세로 만들었지만 둘에게는 그리할 수가 없었다.

일단 한위에게는 긴밀하게 찾아가 사건의 정황을 설명하는 것으로 무난하게 해결되었다. 워낙에 사람을 잘 믿고 순진한 성격이기도 했거니와, 남궁사영이 어떤 자인지 직접 겪었기에 이해시키기가 쉬웠다. 그는 모란의 설명에 고개를 끄덕이고는 그저 연에 대한 걱정을 할 따름이었다.

반면 남궁연오는 어떠했는가.

모란이라고 은밀히 설명을 시도해 보지 않은 것은 아니다. 한위에게 말하듯 툭 터놓고 말하지는 않았지만 대충 그 사술은 저를 위한 게 아니라 연을 위한 것이며, 연은 제가 건강하게 잘 데리고 있다 말하기는 했다.

그러나 납득을 하는 것 같다가도 무엇 때문인지 분노에 떨며 이를 갈더니만 도중에 검을 뽑아 들고 덤볐다. 설득이 안 된 건지 아니면 설득이 되고서도 그렇게 덤비는 건지…….

하긴, 앞으로 세가를 이끌어 나가야 할 가주가 창일당을 하루아침에 박살 내어 놓은 자의 말을 순순히 믿는다면 그것도 나름대로 문제겠지만…… 아무튼 모란으로서는 썩 피곤한 일이었다.

모란은 잠시 고민했다. 이제는 슬슬 일을 정리할 때도 되지 않았나? 보름이나 되었으면 이제는 연이 남궁세가에 돌아와도 전처럼 오명을 쓸 일은 없을 테고. 명실공히 비열한 악당 백모란에게 오랜 세월 고통 받은 피해자이자 세가를 위해 희생한 사람이 될 터이니. 마침내 모란이 깊은 한숨을 쉬고는 입을 열었다.

"나를 막으려는 기개가 이렇게 대단하니, 좋아. 이쯤에서 타협 정도는 해 줄 수 있지."

또 무슨 소리를 하려는 건가 싶어 남궁사영이 질린 눈으로 바라보았다. 그는 백모란이 지껄일 때마다 이제 듣기가 겁날 지경이었다.

"연이를 돌려받게 되는 순간 술식은 완성되고, 그때부터는 연이와 나는 생사를 함께하게 되니, 그리되면 내가 굳이 남궁세가와 척을 질 필요가 있겠는가."

모란의 말에 어떻게든 중력장에서 벗어나고자 이를 악물고 있던 연오의 안색이 희게 질렸다. 사술이 완성되면 저 백모란이란 자와 제 아우가 생사를 함께하게 된다니? 저자가 지금 자신이 죽으면 연이도 죽어 버린단 의미로 말하고 있는 건가?

사실인지 아닌지는 섣불리 판단할 수 없으나 혹 사실이라면 정말로 큰일이 아닌가. 검을 꽉 쥔 연오의 손이 떨렸다. 저런 자를 곁에 두고도 몰랐다니 참으로 후회막심이었다.

"그, 그게 무슨 말인가."

희미한 희망을 엿본 남궁사영이 떨리는 목소리로 물었다. 모란이 히죽 웃었다. 그래, 잠시간 희망을 주는 것도 괜찮겠지. 겨우 악몽에서 벗어났다 여기는 순간 다시 나락으로 떨어지는 기분은 실로 처참할 테니.

"다른 자의 생명과 힘을 빼앗아 쓰는 사술이라 하여도, 어디까지나 죽어 마땅할 녹림의 도적들을 사용할 뿐이라. 내 한 번도 무고한 사람을 쓴 적은 없거든.”

모란은 스스로 생각해도 제가 참으로 비열한 목소리를 낸다 싶어 퍽 흡족했다. 그가 이 자리에 있는 사람들을 둘러보았다. 장로 셋, 세가에 대한 충성심으로 남아 있는 용감한 무사 여덟과 미처 도망가지 못한 시비 두어 명. 그리고 남궁연오. 이 정도면 충분하다.

“일시적으로 병약해지긴 했으나 사술이 완성되면 연이 또한 정상적으로 돌아올 테니 왜 이 사술이 완성되는 걸 막는지 알 수가 없군. ……아, 그야 완전히 예전대로의 모습은 아닐 테지만.”

금빛으로 변한 눈을 떠올리며 덧붙이자 말뜻을 어떻게 받아들였는지 남궁연오가 빠득빠득 이를 가는 소리가 들렸다. 모란은 이거, 나중에 남궁연오가 제게 좀 성가시게 구는 것이 아닌가 하는 생각이 들었다. 하긴 아무려면 어떤가. 어쨌든 중요한 사람은 연이인 것을.

“연이가 있는 곳을 말해. 그리하면 이제까지의 일은 없었던 걸로 쳐주지. 뿐만 아니라 남궁세가에 입힌 피해도 모두 보상할 테니.”

모란이 이를 드러내며 웃었다. 남궁사영은 모란과 연오를 번갈아 보았다. 연오가 결코 말하지 말라는 시선을 보내고 있었다. 사영이 고개를 떨구었다. 가주에게 단단히 밉보일 테지만 그로서는 어쩔 수 없었다. 모란의 이 연극에 따를 수밖에.

“남궁연은……. 장강 근처 낙양이라는 객잔에 있다.”

장강 근처에 낙양이라는 객잔이 있는지 없는지는 모른다. 하지만 어떤 지명과 어떤 장소를 대어도 모란은 그곳에서 남궁연을 데리고 오리라. 남궁사영에게는 그러한 느낌이 있었다. 남궁사영에게 완벽한 좌절감을, 남궁연오에게는 본의 아니게도 아마 제법 오래갈 원한을 안겨 주고는 모란이 그 자리를 떴다.

이제는 모란이 떠나기 직전처럼 연이 세가로 돌아가는 일만 남은 것이다. 남궁사영은 공들여서 서서히 연의 주위에서 치워 버릴 작정이었다. 그에게서 남궁세가라는 명예를 빼앗고 재산을 빼앗으리라. 부귀와 명예. 평생토록 남궁사영이 다시는 그것들을 누릴 기회는 오지 않겠지. '화병(火病)'으로 인해 어느 날 갑자기 쓰러졌다 무인으로서의 힘도 잃어버릴 테고, 모란이 혼에 가한 흠집으로 잘 때도 평온을 얻을 수 없을 터. 그에게는 오로지 버러지처럼 바닥을 기며 목숨을 겨우 이어 붙이는 삶만이 기다릴 것이다.

　그는 원한을 쉬이 가지는 편은 아니었으나 한번 가지게 되면 결코 잊지도, 용서하지도 않았다.

　모든 일을 끝마치고 난 모란은 개운한 기분으로 초가집으로 돌아왔다. 연은 모로 누운 채 떠나기 전처럼 얌전히 잠들어 있었다. 초가집에 들어서며 모란이 미간을 찌푸렸다. 끙, 하는 소리를 내며 그가 자리에 앉았다.

　"좀 무리를 했나……."

　내단을 쥐어뜯어 놓은 상처 부위에서 다시 질금질금 피가 흘렀다. 몇 번 기침을 하니 또 피가 섞여 나온다. 대충 소매로 슥슥 닦은 모란이 연의 옆에 쭉 몸을 펴고 누웠다. 수면 마법을 걸어 놓았으니 며칠 동안 연은 자기만 할 터. 모란도 다시 연이 깨어날 때까지 잠이나 잘 예정이었다.

　그가 미처 예측하지 못한 건 실라낙스의 눈을 가지게 된 연에게 약간의 항마력이 생기게 되었단 점이었다. 이백오십여 년을 산 모란도 실라낙스를 통째로 삼킨 자는 겪어 본 적이 없던 것이다.

　해서 모란의 예상보다도 연은 훨씬 빨리 깨어났다. 눈을 뜨고 나서도 연은 한참을 정신을 차리지 못했다. 정말 지독스럽게 졸렸던 탓이다. 하마터면 깨자마자 다시 잠에 빠질 뻔한 것을 겨우 고개를 흔들어 떨쳐 냈다. 눈가를 꾹꾹 누르며 애써 상체를 일으켰다.

　"왜 이렇게 졸린 것이라고 했더라……."

중얼거리다가 잠이 완전히 달아났다. 모란의 내단. 그가 휙 고개를 돌렸다. 연이 깨어난 줄도 모르고 모란은 또 푹 마음 놓고 곁에서 쿨쿨 자고 있는 중이었다.

"내단이라고?"

내단이라 하면 보통 영물을 죽이고 나서 얻는 전리품 같은 것이었다. 그러니 연은 한 번도 모란과 내단이라는 것의 상관관계를 고려해 본 적이 없었다. 하지만 모란이 준 과거 기억에 따르면, 어렸을 적의 모란은 영물이나 다름없는 존재였으니…… 내단이라는 것이 있어도 이상할 것은 없겠지.

다만……. 연이 입술을 깨물었다. 그의 시선이 입술과 소맷자락에 묻은 핏자국에 향했다.

다른 것도 아니고 내단이다. 무인으로 따지면 단전과 비슷한 게 아닌가? 이것이 스스로 단전 파괴형을 행한 것과 무어가 다르단 말이야? 마치 저 대신 그 형벌을 당한 것처럼 여겨져 연은 가슴 한 구석이 죄여들어 왔다.

모란이 저 몰래 화정당에 사람들을 생매장했던 걸 떠올리지 않은 것은 아니다. 하지만 연은 이내 한숨을 쉬며 고개를 저었다. 연은 이제…… 차마 그 일로 모란을 어찌 비난할 수가 없었다.

다시 모란을 힐끔 본 뒤 연은 기다시피 방 한쪽으로 향했다. 얼마 전 사용한 침이며 여러 가지 도구들이 가지런히 놓여 있었다. 다시 졸음이 쏟아지기에 연이 일단 제 혈 자리를 더듬어 침을 놓았다. 당장 정신이 맑게 개었다.

"……좋아."

그가 다시 살금살금 모란에게 다가왔다. 모란은 지난번보다도 훨씬 더 깊게 잠들었는지 꿈쩍도 하지 않았다. 연의 손이 조심스레 상의를 들추었다. 상처에서 질질 피가 흘러나오는 것이 지난번보다도 더 악화된 모양이었다. 연이 입을 꽉 다물었다. 상처가 있는데 왜 처치도 하지 않고. 연의 손이 이내 침을 집어 들었다.

혹여나 깰까 아주 조심스럽게 침을 찔러 넣었다. 침 서너 개가 꽂히는데 모란은 인지도 못하고 잘만 자고 있었다. 그래, 계속 그렇게 자라. 연은 다음으로는 바늘과 실을 꺼내 들었다. 그리고 열심히 모란의 상처를 바느질하기 시작했다. 재빠르고 신속하게 바늘이 왔다 갔다 하자 벌겋게 벌어져 있던 상처가 차츰 다물리기 시작했다.

얼마 안 가 마무리까지 완벽하게 끝났다. 모란은 상처 가장자리에 바늘을 꽂아 넣을 때에 잠깐 미간을 두어 번 찌푸리기만 하고는 깨어나지 않았다. 잘되었다 싶어서 연은 무자비하게 모란의 몸에 침을 몇 개 더 꽂았다.

안색도 살펴보고, 심한 부상에도 불구하고 기이할 정도로 펄떡펄떡 잘만 뛰고 있는 맥도 짚어 보고 있는데 연의 시야에 문득 무언가가 걸렸다.

"……이게 무어지?"

처음에는 보면서도 인지하지 못하고 스쳐 지나갔다. 하지만 한번 보이기 시작하자 왜 못 봤을까 싶을 정도로 눈에 확연하게 보였다. 무엇인가 하면, 마치 허공에 난 흉터처럼 생긴 것이었다. 아지랑이 같기도 하고 은은하게 빛나는 것 같기도 한 것이 모란 주위에 서너 개 있었다. 연은 미간을 찌푸린 채 이리저리 살펴보았다. 이게 대체 뭘까? 모란의 마법인 걸까? 마법이라면 대체 뭐에 쓴단 말인가?

한참을 살펴보다가 그가 조심스럽게 침을 들어 끝으로 건드려 보았다. 그냥 통과했다. 망설이다가 연이 손가락 끝으로 쿡 눌러 보았다. 매우 이상한 느낌이었다. 마치 실체를 가진 안개를 건드리는 듯한…….

"틈……인가?"

미묘하게 진동하는 듯하던 아지랑이 같은 것이 돌연 크게 입을 벌렸다. 놀라 연이 뒤로 물러나는데 안에서 과일이 우르르 쏟아져 나왔다. 미처 뭘 하기도 전에 과일 무더기가 모란의 얼굴에 정통으로 떨어졌다. 달게 자고 있다 감에 퍽 소리가 나도록 얻어맞은 모란이 벌떡 일어났다.

"……아."

당장 누군가를 죽일 기세로 사납게 눈을 치켜떴던 모란이 황망하게 입을 벌린 연과 과일 무더기를 발견했다. 그가 눈을 감았다가 떴다. 주위를 한번 둘러보고는 느릿느릿 손을 뻗어 콧잔등을 덮었다. 고개를 숙이더니 꿍, 하는 소리를 냈다.

"내, 이백오십 평생 과일로 얼굴 얻어맞아 보기는 처음이야."

정말이다. 채찍이나 몽둥이, 혹은 무기로 맞아 본 적은 있었지만 과일로 얻어맞아 보기는 처음이었다.

"그…게……."

연은 말을 이을 수가 없었다. 얼마나 무방비하게 있던 것인지 콧등을 쥐고 있던 모란의 손 아래로 피가 뚝뚝 떨어졌다. 코피였다. 모란도 드물게 눈을 크게 뜨고 뚝뚝 떨어지는 핏방울을 바라보았다. 코피는 모란이 콧등 부근을 꾹꾹 몇 번 누르자 곧 멎었다. 그럼에도 연은 살면서 지금처럼 죄책감이 든 적이 없었다.

"음?"

상의가 풀어 헤쳐져 있기에 모란이 살펴보다가 제 상처를 발견했다. 꼼꼼하게 봉합되어 있는 것을 손가락으로 문질러 보더니 무어가 그리 좋은지 씩 웃었다.

그러나 그 얼굴을 보자 연의 얼굴은 붉어졌다. 부끄러움이나 수치심 따위가 아니었다. 도리어 분노와 비슷한 것이었다. 연이 떨리는 손으로 꽂아 두었던 침을 다시 회수할 때에서야 모란은 뒤늦게 상대의 기분이 별로라는 걸 깨달았다.

"왜 그래? 어디 아파? 내단에 실리낙스의 눈까지 먹였으니 이제는 만독불침(萬毒不侵)[11]이나 다름없을 텐데."

---

11) 어떤 독도 침범하지 못하는 신체

"모란…… 당신은 대체!"

연은 저도 모르게 언성을 높였다가 그 끝을 삭여 삼켰다. 화정당 사술 사건부터, 죽는다고 생각했을 때, 그리고 다시 숨을 쉬며 눈을 떠 모란을 봤을 때까지 순식간에 머릿속을 스쳐 지나갔다. 애써 침착하려 애쓰며 고개를 돌린 연은 주위를 정리했다. 그가 침구를 돌돌 말아 넣는 동안 모란은 턱을 문질렀다.

'……화가 난 것 같은데, 이유가 무엇이지?'

결론은 쉽게 도출되었다. 화정당 사건 때문이겠거니 한 것이다. 하기야 사람들 생매장해 가며 치료한 걸 숨겼고 그 때문에 세가에서 안 좋은 취급 받으며 내쫓겼으니 화가 날 만도 했다.

연아, 하고 모란이 다정하게 불렀다. 연은 귀를 붉게 물들인 채 입을 꾹 다물고 있었다. 날이 선 눈매나 파르르 떨리는 눈꺼풀이 보인다. 모란은 그 아래 반쯤 잠긴 금색 홍채를 만족스럽게 보며 살살 달랬다.

"화정당 일은 미안하게 되었어. 하지만 그 일로 죽은 사람은 아무도 없고……."

죽은 사람이 없다니 안도가 되기는 했다. 모란에게 낮은 선이나마 있기는 하였구나, 다행이라 여기고 있는데 이어지는 말에 연이 고개를 돌렸다.

"오해를 산 것도 잘 해결해 두었으니 이제는 세가로 돌아갈 수 있어."

"잘 해결하였다고?"

되묻자 모란이 잠시 고민에 빠졌다. 사실 잘……이라고 할 수 있을까? 남궁세가를 그리 박살을 내 놓았으니……. 생각해 보니 그 다지 연이 선호하는 해결 방식은 아닌 듯했다. 연이 나중에 더 화를 내기 전에 모란은 지금 솔직히 털어놓기로 했다.

"음, 정파연합과 싸우게 된 건 말이야…… 먼저 그쪽에서 덤벼

오니 어쩔 수가 없었던 것이거든. 사파도 그렇고."

"······정파연합과 싸우다니 그게 무슨 말이야? 그러면 그 몸으로 싸움을 벌였단 이야기야?"

어쩐지 연은 더 화가 난 것 같았다. 모란이 턱을 문질렀다. 하긴 이 몸으로 싸운 건 이쪽 세계 사람들에게 좀 미안한 일이긴 하지. 완전히 어른이 어린아이를 쥐어 패는 격이 되지 않았나. 한데 화가 난 것도 꽤 귀여운걸, 하면서 모란이 연의 따뜻한 손을 살금살금 쥐었다. 연이 손가락을 움찔하였다.

"미안해, 다시는 그럴 일 없을 거야."

연은 알고 있을까. 모란이 사과를 하는, 유일하면서도 최초의 상대가 자신이라는 것을. 하지만 그럼에도 사과하는 것쯤은 아무렇지 않다는 걸. 하지만 어째서인지 연의 기분은 풀어지기는커녕 급기야 더 악화만 되어서는 급기야 모란의 손을 뿌리쳤다.

"당신이 왜 내게 사과를 해?!"

어쩐지 원망 어린 것도 같은 눈으로 모란을 노려보고는 휙 차게 몸을 돌려 침상에 누워 버리는 것이다. 매몰차게 이불까지 머리끝까지 덮어 버리는 행동을 보아 단단히 화가 난 듯했다. 모란은 드물게 곤혹스러운 기분이 들었다.

'어쩐지 내가 아까부터 요점을 잘못 짚고 있는 것 같은데 말이야.'

그럼 정파연합에 사과를 하란 말인가? 그건 아닌 것 같은데······. 무엇보다 모란은 아직 연에게 사과할 것이 더 남아 있었다.

눈동자 색이 찬란할 정도로 아름다운 금색으로 영원히 바뀌어 버린 것에 대해서는 아직 말도 꺼내지 못한 것이다.

十二章 : 그래도 꽃은 핀다

'멍이 들었네.'

모란이 꾹 콧잔등을 눌러 보았다. 보통은 항상 마력으로 몸을 감고 있어 감은커녕 쇳덩이로 얻어맞아도 멀쩡했을 터였다. 요 보름간 정파나 사파에서 덤벼 오는 무리들을 경험하며 저를 상대할 놈들이 없다는 것을 직접 체득한 데다가, 튼튼하고 강력한 결계도 쳤겠다, 옆에서는 연이 건강하여 뜨끈뜨끈하게 잘도 자고 있겠다, 완전히 마음을 놓고 자 버린 것이 원인이었다. 감에 얼굴을 맞는 순간 방심했다 싶어 식은땀마저 났었는데 눈을 떠 보니 연이 짓고 있던 그 표정이라니……

"진짜 한도 끝도 없네."

모란이 중얼거렸다. 잠자다가 날벼락으로 과일에 두드려 맞아도 연이 짓고 있던 표정만으로 괜찮아지니, 이러다 나중에 가면 연이 자신을 두들겨 패도 좋다고 맞아 주는 게 아닌가 싶었던 것이다. 뭐어, 실은 푸르게 멍든 얼굴을 볼 때마다 연이 내심 안절부절못하는 것이 좋기도 했고.

"연아?"

인기척이 없기에 모란이 초가집 문을 열고 들어왔다. 분명 옷을 갈아입는다 하였는데, 들어와 보니 연은 벽에 고개를 기댄 채 졸고 있었다. 어떻게 옷은 다 입긴 하였지만 때와 장소를 가리지 않고 덮쳐 오는 수마에 이기지 못한 게 분명했다. 모란은 유심히 연을 살폈다.

"아직 백분지 일도 안 되는군."

내단이야 진즉 연의 것이 되었다. 그러나 실리낙스의 눈은 이제 겨우 조금 녹아났을 뿐이다. 아직도 녹여 소화할 것이 한참 남았으니 시도 때도 없이 잠이 쏟아지는 것이다. 모란의 생각보다 진행 과정이 한참 늦어 앞으로 일 년 중 반 정도는 이리 잠으로 보내게 생겼다.

'몸이 낫자마자 여행을 가자 하였는데, 싫어하겠군…….'

어쩔 수 없지, 하며 모란이 연을 잘 추슬러 안아 올렸다. 실리낙스의 눈은 그럴 만한 가치가 있는 물건이다. 현재 연의 혼이 어찌나 단단하게 빛나는지, 심지어 모란이 현재 가지고 있는 혼 조각—혼이 찢기던 순간의 그 고통을 담은—을 돌려준다 하여도 무난히 감당할 수 있을 정도였다. 전에는 그 조각을 돌려주면 미쳐 버릴지도 모르는 정도였다면 지금은 '아, 그때 정말 아팠지' 하고 넘어갈 정도가 되는 것이다. 물론, 그래도 돌려줄 생각은 없지만.

"음……."

미간을 찌푸린 연이 가늘게 눈을 떠 몽중 간에 모란임을 확인하고는 그대로 고개를 묻고 푹 잠이 들었다. 그느르라 머리카락이 모란의 목덜미를 간지럽게 스쳤는데 정작 근질거리는 건 목덜미가 아니라 가슴께 어느 부분이었다.

영문 모를 화를 낸 뒤로 연은 의기소침해졌다. 화를 내는 듯싶기도 하고 혹은 침울해하는 것 같기도 했다. 이제는 몸도 완벽하게 건강해지고 세가의 일도 나름 해결해 두었으니 아무런 문제없을 것이라 여기던 모란으로서는 의아한 일이었다. 그렇게 사흘 정도를 지낸 뒤, 연이 문득 세가에 가고 싶다 말을 꺼냈다.

가기 전 옷을 갈아입는다기에 그동안 모란은 하오문 분파에 머무르고 있는 당주를 찾아갔다. 그간 연을 보호해 준 보답을 하기 위해서였다. 황산을 돌아다니며 구한 귀한 내단과 금덩어리를 쥐여 주자 당주의 얼굴은 활짝 피었다. 최근 정파와 사파를 막론하고 다들 고루고루 다져진 가운데 하오문만 유일하게 모란과 우호적인 관계를 쌓았으니 더욱 기쁠 것이었다.

보답을 하고 돌아오니 연이 자고 있는 게 아니겠는가. 한번 잠들면 몇 시간을 내리 잠들기에 모란은 차라리 자고 있을 적에 세가에 옮겨 놓기로 하였다.

얼마 전 모란은 남궁세가에 화풀이를 하느라 부서진 건물 재건을 좀 도왔다. 상당한 보화를 내주고 대들보를 세워 주자, 세가의 사람들은 병 주고 약 주느냐며 기가 막히다는 시선으로 모란을 바라보았다.

모란이 운석 마법으로 창일당을 박살 낸 일은 세가 사람들에게 오래도록 아주 강렬한 기억으로 남아 있을 터였다. 모란이 바라는 바였다. 연의 뒷배가 그런 자라는 걸 알아야 전처럼 허약하니 어쩌니 입방아를 찧어 대며 함부로 굴지 못할 터니.

세가 재건 중에서도 모란이 유일하게 직접 손을 대어 완벽히 돌려놓은 것은 화정당이었다. 그는 그중에서도 정원을 가장 신경 썼다.

연이 사술을 썼다 했을 때 가장 중요한 증인이었기에 얼굴이 사색이 된 정원사는 정원을 다시 만들며 모란에게 적극적으로 협력했다. 혹여나 저를 어찌해 버리지는 않을까 무서웠던 것이다. 그러나 실상 중요한 증인이었다고는 해도 모란은 정원사에게는 별 유감은 없었다. 실은 정원사를 만나고 나서 기분이 좀 좋아지기까지 했다. 모란꽃과 연꽃을 심으라 연이 지시했다는 말을 들었기에……

해서 모란은 연이 다시 정신이 들 적에 화정당이라는 걸 알게 되면 기분도 좋아질 것이라 여겼다. 그는 의식이 없는—것처럼 보이는—연을 안고 남궁세가에 갔을 때 사람들의 눈에 어찌 보일 것인가에 대해서는 전혀 고려치 않았다.

"연아!"

남궁세가에 들어서자마자 동생 생각에 잠도 제대로 못 이루고 희게 질린 얼굴로 왔다 갔다 하던 연오가 냉큼 달려왔다. 그는 쿨쿨 자고 있는 연을 보고는 마치 모란이 큰 해코지라도 한 것처럼 치를 떨었다. 금방이라도 모란을 베어 넘기고 싶은지 검을 잡은 손이 부들부들 떨렸다. 모란과 연이 생사를 함께한다느니 어쩌니 하는 소리를 들었기에 그나마 공격을 하지 않는 모양이었다.

'언제 날 잡아서 제대로 해명을 해야 하나……'

물론 귀찮으니 지금은 말고. 연오는 가타부타 별말은 없었지만 모란을 노려보는 시선이 다 말해 주고 있었다. 얼굴만 보면 백 번은 모란을 죽였을 그런 얼굴로 연오가 딱딱하게 입을 열었다.

"연이는?"

"보시는 대로, 이제는 아주 건강한데."

말이 끝나기가 무섭게 잠결에 뒤척거리느라 연의 고개가 스륵 뒤로 넘어갔다. 연오는 마치 연의 목이 꺾이는 걸 보기라도 한 것처럼 낯빛이 안 좋아졌다. 깨어나면 목이 아플까 모란이 대충 잡아 다시 어깨에 기대게 하자 자꾸만 연오의 손이 검 손잡이 근처에서 헤맸다.

한참을 노려보던 연오가 두려움 반 호기심 반으로 둘을 지켜보고 있는 세가 사람들을 물렸다. 그러고는 대놓고 물었다.

"연이를 인질로 잡아서 앞으로 대체 어찌할 작정이지?"

"글쎄, 인질이 아니라, 다 연이 건강 좋아지라고 한 일이라니까.

게다가 단전 파괴형이니 뭐니 세가에서 그런 식으로 나와서…….”

“금전적인 지원을 하는 것은 남궁세가를 마음대로 할 계략인가, 네 꿍꿍이가 대체 무엇이냐!”

“…….”

전혀 안 믿는군. 말도 안 통한다. 그래도 살기는 어느 정도 미미해진 걸 보아 아주 설득이 안 된 건 아닌데, 모란에 대한 신뢰감은 바닥을 치는 게 확실했다. 귀찮으니 포기한 모란은 설득은 연에게 넘기기로 하고 몸을 돌렸다.

입을 꾹 다문 연오는 기어코 모란의 뒤를 쫓아 화정당까지 왔다. 모란이 침상에 연을 잘 뉘여 놓은 뒤에도 맥을 짚어 보고는, 의원까지 불러 다시 진맥을 하게 했다. 모란에 대한 두려움으로 몸이 뻣뻣해진 의원이 연의 맥을 짚어 보는 모습을 보자 모란은 완전히 잊고 있었던 것이 하나 더 떠올랐다.

‘아, 연이 스승.’

모란이 저도 모르게 미간에 주름을 잡았다. 성가시게도 하필이면 저를 제일 싫어하는 이들이 연이 가장 귀하게 여기는 자들이라니. 심지어 은록은 이런 거대한 연극을 벌이기 전에도 모란을 탐탁지 않게 생각하던 이였다.

“저, 공자님께서는…….”

“어떻더냐? 어디가 얼마나 좋지 않은 것이냐?”

최근의 일로 신경이 날카로워진 연오가 평소와 달리 의원을 닦달하였다. 모란은 시큰둥하게 걷어 올려진 연의 소매나 다시 내려 주었다. 제 형이 걱정을 하거나 말거나 맥을 짚거나 말거나 연은 달게 잠만 잤다.

“아주 건강하십니다.”

“하지만 저리 의식이 없지 않아!”

“의식이 없는 건 공자님께서 지금은 자고 계시기에 그런 것으로…….”

연은 아주 건강하며 그저 자고 있을 뿐이라 의원이 몇 번이나 말해도 연오는 걱정스러운 기색을 지우지 못했다. 모란은 연오가 과보호를 좀 한다고 했던 연의 말을 떠올렸다. 과보호를 좀, 한다고? 조금의 수준이 아닌데?

한참을 모란을 노려보며 머무르던 연오는 남궁원이 부른다며 시비가 찾아온 후에야 겨우 물러났다. 그것도 노골적으로 모란이 연의 곁에 있는 게 매우 싫고 꺼려진다는 태도를 내내 취하고 가는 것이 아닌가. 모란이 쯧 혀를 찼다.

"……대단하다고 해야 할지."

현재 중원이 어떤 상태던가. 갑자기 나타난 백모란이란 고수로 인해 발칵 뒤집혀 있었다. 그도 그럴 것이 아홉 개의 문파 중 여섯에 오대세가 중 셋이나 하루아침에 깨진 것이다. 뿐만 아니라 모란을 적대하거나 공격한 사람들의 소속 문파와 세가들 또한 몇 번 만져 준 후로는 나머지 문파들까지 알아서 기고 있었다.

제 힘을 보여 줄 요량으로 다소 두들겨 패기는 하였으나 아무도 죽이지 않은 데다가 보상금도 좀 보내 주었기 때문에 다들 몸을 사리며 눈치를 보고 있는 중이었다. 모르긴 몰라도 모란에 대해 더 많은 정보를 알아내기 위해 안휘성에 온갖 첩자들이 숨어들었을 터다.

모란은 대수롭지 않게 여겼다. 때려눕혔을 뿐 약탈을 하거나 죽이지 않았으니 복수나 원한도 없고, 그저 쓰라린 패배감과 새로운 강자에 대한 인식이 생겨났을 뿐이지 않은가.

그렇게 가히 중원의 절대고수라 해도 과언이 아닌 모란을 향해 연오는 감히 제 동생을 사술의 제물 삼았다며 대놓고 이를 갈았다. 그나마도 직접적으로 덤비지 않은 건 그가 앞으로 남궁세가를 책임져야 할 가주이기 때문이었다.

'혹은 일말의 배신감 같은 것일지도 모르지.'

어쨌든 연오는 어릴 적부터 모란을 봐 오지 않았나. 연의 주치의이자 아는 동생이라고 나름 아끼고 챙겨 주기까지 했는데 하루아침에 그리 깽판을 쳐 놓았으니 배신감에 속이 끓을 만도 했다. 물론 모란이 신경 쓸 바는 아니지만.

　모란이 도사리고 있으니 화정당은 숨소리도 들리지 않을 정도로 아주 조용했다. 이따금 화정당을 살피러 조심스럽게 들르는 인기척이 느껴졌으나 그는 모른 척했다. 건드리지만 않는다면 모란도 딱히 나서지 않을 것이다.

　한위가 찾아온 건 연오가 떠난 지 얼마 안 되어서였다. 주강을 곁에 끼고 찾아와서는 조심스럽게 문 사이로 보고 있기에 모란이 들어오라고 손짓하자 얼굴이 환해졌다. 당장이라도 달려들 것처럼 문을 열고 들어왔다가 자고 있는 연을 보고는 한위가 멈칫했다.

　"형님 또 아프신 건가요?"

　"아니, 그냥 자고 있는 거야."

　"그렇구나……."

　얌전히 굴며 한위가 연을 물끄러미 바라보았다. 참으로 오랜만에 뵙는 형님이라서 반갑기만 하였다.

　그간 한위는 폐월당에서 조용히 지냈다. 주강이 가만히 있으라고 충고하기도 했고, 모란도 나름 찾아와 별일 아니니 네 형님 데려올 때까지 기다리라고 하기도 했던 것이다. 그렇기에 밖에서 무슨 소란이 일어나든 못 들은 척 지냈다. 한위는 그저 모란이 제 형님이 옥에 갇히거나, 형벌을 받고 내쫓기지 않게 해 주었다는 것만이 중요했다.

　돌아온 연을 보며 한위가 안도하는 동안 모란은 주강에게 눈썹을 들어 올려 보였다.

　"그동안 잘도 즐겼던데."

　"무슨 말인지 모르겠군."

　주강이 덤덤하게 대꾸했으나 모란은 알고 있었다. 그가 남궁사영이며 장로들을 가지고 노는 동안 주강이 그 모습을 빤히 지켜보고 있었다는 걸. 한위 때문에 남궁세가에서 머무르는 것이지 주강은 남궁세가를 딱히 좋아하는 자가 아니다. 도리어 싫어했다. 그도

401

그럴 것이 마교인이지 않은가. 아마 창일당이 박살 나는 순간 가장 속 시원해한 건 모란이 아니라 주강이었음이 틀림없었다.

딱히 추궁할 생각이 없었기에 모란은 어깨를 으쓱하고 말았다. 한위는 연이 깨어나는 걸 보고 가겠다고 기다리다가 한 시진이 지나도 깨어나질 않자 내일을 기약하고 돌아갔다.

세 번째 방문자는 저녁이 다 저물 때쯤에 찾아왔다. 바로 남궁원이었다. 말없이 화정당에 들어온 그는 모란은 쳐다도 보지 않고 들어와 연을 가만히 바라보았다. 손자의 건강한 혈색을 확인하고 나서야 모란에게 시선을 주었다.

"힘과 수명을 늘리기 위해 사술을 하였다?"

"그래."

"이미 가지고 있는 것도 모자라 또 가지려 한단 말이냐?"

……모란은 눈썹만 까딱거렸다. 남궁세가에서 가장 상대하기 까다로웠던 자, 남궁원. 굳이 연의 조부이기 때문이 아니라 가장 실력이 뛰어난 자였기 때문에 까다로웠다. 어중간하게 강하니 완전히 통제를 할 수 없어 적당히 다치게 하는 게 힘들었다는 의미다. 또한 어찌나 교묘하게 덤벼들던지 마지막에는 짜증이 나 건물에 내동댕이치고 말았는데, 피를 토하는 모습에 내심 아차 할 정도였다. 남궁원은 다시 연을 보고는 잠시 눈을 감았다가 떴다.

"그래, 그리 생각하길 원한다면 그리해 주지."

나이를 헛먹은 것은 아니군, 하고 모란이 생각했다. 남궁원의 얼굴에는 노기 따위는 없었다. 모란의 과장된 연극을 눈치챈 것이었는지…….

그리고 과연 모란의 추측대로인지라.

연이 무사한 걸 확인하자 남궁원의 얼굴에는 비로소 피로한 기색이 어렸다. 최근에는 그에게 있어 감당하기 힘든 일투성이였다. 아들의 죽음이나, 화정당의 사술 사건, 창일당 붕괴에 백모란이 저지른 만행까지. 이미 은거하기로 결심했던 몸이라 더욱 감당하기 힘들었는지도 몰랐다. 그가 모란을 바라보았다.

모란에게 무참하게 패한 뒤로 남궁원은 속이 까맣게 타들어 가는 듯했다. 중원에서 그와 비등하게 겨룰 자는 얼마 없었다. 그러니 그를 이길 자는 거의 없었다고 해도 과언이 아니다. 그렇게 강한 남궁원인데도 모란은 완전히 달랐다. 백모란은 단순히 이기고 지는 문제를 떠나 있는 자였다. 승부욕이 없다기보다는 상대가 너무 하잘것없기에 승패가 그에게는 아무런 의미도 없는 것이었다.

겨루어 보면서 남궁원은 모란과 자신 사이에 커다란 벽이 있음을 깨달았다. 자신이 뛰고 있으면 모란은 그보다 한층 위에서 날고 있는 중이었다. 저나 호법장로들이 상대에게 조금의 상처도 입히지 못하고 무참하게 지고 말았으니, 남궁원은 남궁세가의 미래를 떠올려 보고는 눈앞이 캄캄해졌다.

한데 모란의 말과 행동을 한참 곱씹다 보니 무언가 석연치 않은 점이 있었다. 힘과 수명을 늘리기 위해 그런 사술을 한다 하였다. 하나 지금도 그를 이길 자는 아무도 없는데 여기서 더 힘을 늘려 봤자 무엇 할 것인가? 또한 힘이 늘면 수명도 같이 따르는 것이 아니던가.

'거기서 무엇이 더 부족하여?'

모란이란 자는 분노는 하였으나 그것이 살생을 탐하는 방향으로 향하진 않았다. 덤벼드는 상대를 향한 손속은 가차 없었지만 살의는 없었다. 그가 죽이고자 하면 누군들 못 죽이겠는가. 가지고 싶어 한다면 뭘 못 가지겠나. 그래, 너무나 강해서 아무것도 신경 쓰지 않아도 되는 자가 굳이 남궁세가까지 들어와 화정당에 그런 사술을 벌이고 있었다?

아니면, 화정당이어야만 하는 이유가 있음이라…….

분명 세가에 다시는 없을 위기 상황이었으나 남궁원은 부상을 핑계로 한 발짝 물러나 지켜보았다. 일이 마무리될 때 모란이 과연 어떤 행동을 취할까 지켜보기 위함이었다. 그리하여 결과만 따지자면 사술의 범인으로 내쫓기다시피 사라졌던 연이 명예를 회복하여 다시 돌아온 것이다. 그리고 지금 전과 달리 건강해 보이는 손자를 보니 어떠한 확신이 들었다.

남궁원은 다시 한번 모란을 보았다. 다음으로는 연을 보고는 남궁세가에서 유일하게 깨끗하여 정돈이 잘된 화정당을 바라보았다.

'어쩌면 내가 그릇된 판단을 하는지도 모른다.'

하지만 그릇된 판단이라 하여도 어찌할 방도가 없었다. 백모란인 자가 너무나 압도적이었기에, 그저 이 판단이 맞기를 바랄 뿐이다. 남궁원은 한참을 백모란을 쳐다보다가 조용히 화정당을 떠났다.

"……싱겁기는."

그저 손자나 보러 왔단 말인가. 모란은 다시 편안히 침상에 누웠다. 그러고는 심심한 사람처럼 괜히 연의 머리카락을 만지작거렸다. 아무리 손님들이 방문하고 떠들어도 깨지 않았지만, 그럼에도 움직이는 손은 혹여나 그를 깨우기라도 할까 조심스러웠다. 그렇게 모란은 연이 깨어날 때까지 옆에서 가만히 기다렸다.

"아……."

잠시 후 무언가 떠올린 모란이 중얼거렸다. 눈이 변한 거 아직도 말 못 했네.

"대체 이를 어찌한단 말입니까."

남궁세가의 호법장로 남궁지랑이 큰소리로 한탄했다. 이 자리에 모인 이들은 다들 다리를 절룩거리거나 얼굴에 커다란 멍 자국들을 하나씩 달고 있었다. 팔이 부러져 부목을 대고 있는 자도 몇 있었다. 모두가 중원에서는 큰소리 땅땅 칠 정도로 잘나가던 고수들이었다. 그들은 백모란에 대한 논의를 위해 모인 참이었다.

"우리가 뭘 어찌해 볼 수는 있습니까."

보름 사이 십 년은 훌쩍 늙어 버린 듯한 남궁인이 중얼거렸다. 다들 그의 말에 침묵으로 동조했다. 그들은 그동안 백모란에게 처절하게 당했던 걸 떠올리고 있었다.

가까이 접근을 하면 어느새 걷어차여 땅바닥에서 흙을 먹으며 구르고 있고, 멀리서 공격하면 무형의 힘에 짓눌려 땅을 기게 된다. 합격(合擊)해도 방진을 짜도 아무런 소용이 없었다. 마치 넘볼 수 없는 산처럼 느껴지는 힘이었다. 이다지도 실력이 극심하게 차이가 나니 마치 어른이 아이를 가지고 노는 듯한 느낌도 들었다. 느껴지는 것은 오로지 무력감과 절망뿐이었다.

"당장 그자가 창일당을 부수었을 때를 생각해 보십시오. 또 그런 공격을 하면 우리가 막을 수나 있겠습니까."

다들 침음했다. 창일당이 부서졌을 때는 그들에게 악몽으로 남아 있었다. 실제로 악몽을 꾸는 자들도 여럿 되었다. 그런데도 이렇게 세가를 박살 내 놓은 적이 화정당에 들어앉아 있는데 그들은 아무것도 할 수가 없었다.

차라리 백모란을 무림 공적으로 공포해 보면 어찌해 볼 여지가 있을 것이다. 아무리 괴물이라지만 몇백, 몇천 명이 달려드는 공격에도 당해 내겠는가? 사실 그만한 공격도 가볍게 해치우지 않을까 의구심이 들기는 했지만……. 설마 그렇게까지 괴물은 아닐 터다.

그런데 백모란을 무림 공적으로 지정하기에는 참으로 애매했다. 일단 모란에게 죽은 사람이 한 명도 없었다. 다들 자존심에 큰 상처를 입고 침상에 누워 요양 중이긴 했으나 회복 불가인 것도 아니다. 사술을 사용하긴 했으나 까 보니 무고한 이들을 제물 삼은 게 아니라 원래라면 잡히는 즉시 처형될 만한 악질인 녹림십오채의 잔당들이다.

백모란은 약탈이나 방화나, 부녀자 겁탈 따위도 하지 않았다.

도리어 일이 마무리될 때쯤에는 피해 보상까지 해 오지 않았나. 창일당은 벌써 대들보가 세워져 뚝딱뚝딱 잘도 지어지는 중이었다.

유일한 피해자라면 남궁연뿐인데, 남궁연이 있기에 도리어 더 이상의 공격을 받지 않는 상황이라니. 게다가 이자가 내놓은 보화란 것도 도저히 거부할 수 없는 대단한 물건들이었다. 눈치를 보던 남궁세가 무영관(武英館) 당주(堂主) 남궁호정이 슬그머니 물었다.

"……그래, 다들 무얼 받으셨소?"

"받기는 무슨!"

"이 사람이 대체 무슨 큰일 날 소리를 하나."

큰소리들을 내는 모양이 도리어 무언가 받았다는 방증이나 마찬가지였기에 곧 겸연쩍은 침묵이 흘렀다. 남궁호정은 먼저 이야기를 꺼낸 만큼 먼저 솔직하게 털어놓았다.

"나는 현철(玄鐵)[12] 한 괴를 받았소."

"아니, 그 귀한 것을 말인가?!"

남궁호정이 고개를 끄덕였다. 백매화의 상단으로부터 이번 일에 대한 백모란의 보상이라며 받은 물건이다. 백련정강(百鍊精鋼)[13]이나 만년한철(萬年寒鐵)[14]만큼은 아니어도 현철은 충분히 귀한 금속이었다. 남궁호정은 세가에서 무사들을 직접 지도하는 이만큼 무(武)에 대한 집착이 강했다. 그런 그가 현철을 얻게 된 것이다. 어쩐지 세가가 이 지경인데도 표정이 오묘한 이유가 있었다.

"실은, 나도……."

여기저기서 금덩이를 받았느니, 보화를 받았느니 하면서 대답들이 튀어나왔다. 그들의 시선이 이내 호법장로 남궁인에게 향했다. 남궁사영이 폐인이나 마찬가지인 몰골이 되어 칩거하고 있는 상황에서 이 중 가장 서열이 높은 자라 해도 과언이 아니었다. 또한 그

---

12) 일반 철보다 강도가 높고 단단한 검은 색의 철
13) 백 번 망치질하고 연마하여 만든 금속이나 물건
14) 가장 단단한 것으로 알려진 몹시 희귀한 금속

는 평소 청렴하고 엄격하기로 소문이 난 사람이었다.

"……"

부정은 하지 않는 남궁인의 침묵에 다들 그 대단한 남궁인도 받았군 하는 얼굴로 고개를 돌렸다. 남궁인은 속으로 신음했다. 차라리 현철이나 금 덩어리, 보화 따위를 줬다면 거절했을 것이다.

하지만 백모란이 건네 온 것은 월하백엽정(月下白葉精)이었다. 잎사귀는 희고 보드레하였으며, 손가락 한 마디만 한 검은 뿌리 열매는 은은한 향기를 뿜고 있었다. 햇빛 아래에서는 자랄 수 없어 달빛만을 받아야 하며, 그렇다고 너무 어두운 곳에서는 자라지 않고 근처에 폭포수와 과실을 맺는 나무가 있어야만 겨우 자라는 약초!

몇 년 동안 이 약초를 구하려고 백방으로 알아보고 있던 남궁인은 물건을 보자마자 바로 알 수 있었다. 그의 딸이 앓고 있는 지병의 유일한 치료 방법이 아니던가. 남궁인은 차마 그 보상을 거절할 수가 없었고, 결국엔 떨리는 손으로 받아 들 따름이었다.

'이게 어디 받아서 좋다고만 할 일인가.'

남궁인이 침음하였다. 뼈가 굵은 무인에게는 현철을, 집안 사정이 좋지 않은 자에게는 금덩이를 준다. 병이 있는 가족에게 특효인 약초를 주며 서화를 모으는 취미가 있는 자에게는 그가 가장 좋아하는 화가의 귀한 작품을 선물해 준다. 이게 무엇을 의미하는가. 백모란이 그들에 대해 잘 파악하고 있다는 이야기였다.

단순히 호의와 책임감에서 주는 선물 따위가 아니다. 한편으로는 그들 약점을 잘 알고 있으며 힘뿐만 아니라 상당한 정보력과 재화를 지니고 있다는 이야기이기도 했다. 단순무식한 남궁호정 같은 자나 신났지 눈치 빠른 자들은 남궁인처럼 완전히 좋아하지만은 않았다.

"그럼 백모란을 이대로 내버려 둬야 한단 말인가?"

처음 이야기를 꺼낸 남궁지랑이 다시 말을 꺼냈지만 다들 서로의 눈치만 보았다. 왜 아니겠는가, 그 압도적인 힘을 경험하고 난 뒤 보상까지 받아 챙겼고 일도 좋게 좋게 마무리되는 듯하니 당분간은 분란을 일으키지 말자는 것이겠지. 한데 현철을 받고 좋아하던 남궁호정이 궁리랍시고 이리 내뱉었다.

"백모란이 연 공자와 생사를 함께한다는 게 무슨 뜻이겠소? 반대로 말하면 연 공자만 붙들어 매어도 그자를 마음대로 할 수 있다는 말 아니겠소?"

자리가 자리인지라 입 밖으로 꺼내지 않았지만 다들 그 말의 뜻을 알고 있었다. 생사를 함께한다. 남궁연과 백모란이 사술로 이어져 있으니 한 명이 죽으면 다른 한 명도 죽는다는 뜻이 아닌가. 하지만 남궁호정이나 그리 받아들일 뿐 다른 장로들은 쯧쯧 혀를 찼다. 그들이 정파라 비겁한 짓을 할 수는 없다는 이유는 아니었다.

"그자가 대체 왜 제 입으로 약점을 말했겠소? 말마따나 연 공자가 어찌 되기라도 하면 그자는 끝장인 일인데?"

"그건……."

백모란과 연이 생사를 함께한다는 말이 거짓이라고는 생각지도 않았는지 남궁호정이 말꼬리를 흐렸다. 다른 장로가 타박했다.

"연 공자를 내놓지 않았다고 남궁사영을 그리도 잡아 대는 모습을 보지 않았나? 잘못 처신했다가 다시 세가 박살 나는 꼴 보고 싶은가, 자네?"

만약 남궁연이 그자가 말한 것과는 달리 약점이 아니라면 괜히 역린을 건드리는 셈이 된다. 그자가 진심으로 분노해 세가를 뒤집어엎는 걸 상상만 해도 끔찍했다.

이미 이번 사건으로 남궁세가는 많이 타격을 입었다. 남궁세가의 힘은 바로 장로인 그들의 힘이나 마찬가지였으니 달리 말하면 그들에게도 큰 타격이었다. 그들은 더는 손해를 감당할 여력이 없었다.

다시 무거운 침묵이 깔렸다. 지금 상황에서 확실한 건, 남궁세가에서 더는 남궁연이 허약하여 세가에 오명을 미치니 어찌니 함부로 떠들어 댈 수가 없다는 사실이었다. 그 허약함 또한 백모란의 사술에 이용된 결과이지 않은가.

그들은 남궁연을 내준 덕에 백모란이 조용히 지내고 있어 안도하면서도 범을 뒤에 모시고 있는 기분에 한숨만 푹푹 내쉬었다.

연이 깨어난 건 눈가에 성가시게 머무르는 햇살 때문이었다. 미간을 찌푸렸더니 어른어른 그림자가 졌다. 살살 다시 잠에 들려는 순간 눈꺼풀을 간질이는 것이 있었다. 무어지, 이게? 부드럽고 얇은 게 천은 아니고…….

결국 눈을 뜬 순간 무언가 눈꺼풀 위에 얹어져 있던 무언가가 와르르 쏟아졌다. 고개를 돌려 보니 한 올 한 올 뜯어낸 꽃잎 더미였다. 이제는 꽃만 봐도 바로 모란이 떠오른다. 아니나 다를까 손에 꽃을 쥔 모란이 연분홍색의 꽃잎을 톡 떨어트렸다. 저도 모르게 콧잔등을 찡그리며 연이 몸을 일으켰다.

"잘 잤어?"

"……화정당이네?"

분명 그 초가집에서 옷을 갈아입던 것까지는 기억나는데 그 뒤로는 어느새 잠이 든 모양이다. 화정당이라니……. 모란이 후 바람을 불어 꽃잎을 바닥으로 치워 버리는 걸 보며 연이 미간을 접었다.

'정파연합과 싸웠다는 게 대체 무슨 소리지?'

분명 자신은 화정당의 사술을 펼쳤다 하여 쫓겨나지 않나. 다른 범죄도 아니고 사술이면 무림에서는 절대 용서받을 수 없다. 그래서 옥에서 모란의 목걸이를 이용해 탈옥할 생각을 할 때 연은 세가로 다시는 돌아올 생각을 하지 못했던 것이다.

부스스 일어나 창을 열고 밖을 보니 예전과 그대로인 정원이 보였다. 다 파헤쳐 놓았을 줄 알았는데.

……아니, 예전과 그대로는 아니군. 귀가 좀 붉어진 연이 시선을 돌렸다. 전과 달리 연못 뒤에 꽃망울이 진 모란꽃과 연꽃의 수련 잎이 보이지 않나.

"무엇을 했어?"

"뭘 하긴?"

"정파연합과 싸웠다면서? 대체 그게 정확히 무슨 이야기야?"

거의 죽었다가 깨어난 뒤로 사나흘 정도의 시간이 있었지만 물을 틈이 없었다. 이따금 비몽사몽 깨어 있을 때를 제외하면 대부분 죽은 듯이 자고 있었던 탓이다. 그렇게 자고 났는데도 여전히 졸렸다.

"별거 아니야."

"난 그 별거가 정확히 무엇이었는지 알고 싶어."

별생각 없이 침상에 놓여 있던 꽃다발을 집어 들었다가 연은 조금 이상한 걸 발견했다. 어쩐지 꽃이 모란이 피워 낸 게 아니라 마치 직접 꺾어 온 것처럼 줄기 끝이 상해 있는 것이다. 모란은 어깨를 으쓱했다.

"그냥 실력 행사 좀 하고 돈도 좀 먹이고……."

실력 행사는 또 무엇이며 돈은 또 어떻게 먹였기에 사술을 부렸음에도 연이 이렇게 세가에 멀쩡히 돌아올 수가 있나? 그러나 캐물어도 모란은 제대로 대답하지 않은 채 능청맞게 넘어가기만 했다. 마침 한위가 도착해 연은 더 묻지 못했다.

"형님!"

약간 울먹거리며 달려들려던 한위가 주춤 중간에서 멈추었다. 무슨 일인가 하여 보자 한위가 입을 조금 벌리고 연을 바라보다가 이내 감탄하는 소리를 흘렸다.

"형님, 정말 멋지세요."

"……그…러니?"

무어가 멋지다는 건지는 모르겠지만 한위가 그렇다니 연이 고개를 끄덕여 보았다. 모란이 씨익 웃으며 연의 어깨에 팔을 얹었다.

"그렇지, 멋지지? 게다가 이제는 완전히 건강해졌거든."

"정말인가요? 그럼 더는 아프지 않은 거예요?"

좀 졸리긴 하지만 모란은 빈말을 하는 타입은 아니니, 아마도 더는 아플 일이 없을 듯했다. 연이 잠시 제 가슴에 손을 얹어 보았다. 완전히 건강해졌다니. 정말 완치가 되었단 말인가? 실감이 나지 않았다. 하지만…….

"저도 형님처럼 되고 싶어요!"

"아, 그건 좀 곤란한데. 내 내단은 하나뿐이라서."

한위와 모란의 대화를 듣다가 연이 입술을 깨물었다. 그래, 완전히 건강해진 건 전적으로 모란의 내단을 얻은 탓이었다. 연의 시선이 자꾸만 모란의 배로 향했다. 지난번에 잘 봉합해 두기는 하였는데 과연 괜찮을지 확인해 보고 싶었다. 모란의 옷자락에 피가 묻어 있던 게 떠올라 연의 얼굴이 딱딱해졌다. 시선이 마주친 모란이 씨익 웃어 보였지만 연은 시선을 돌리고 말았다.

……그런데 왜 한위가 저처럼 되고 싶다는 걸까? 한위는 이미 건강하지 않은가. 혹시나 싶어 연이 손목을 잡아 맥을 짚자 한위가 그저 헤헤 웃어 보였다. 평소와 마찬가지로 한위는 건강 바로 그 자체였다.

오래간만에 본 김에 연은 한위와 함께 점심을 먹었다. 식후 차까지 마시며 대화를 하는 도중에 또 잠이 와르르 밀려들었다. 연이 그만 졸음을 이기지 못하고 대화 중에 꾸벅 졸고 말자 한위가 눈을 동그랗게 떴다. 미안하다고 하려 했는데 나오는 건 하품이라 무척 민망하였다.

"……어디까지 이야기하였지?"

411

"아니에요, 형님!"

한위가 벌떡 일어나더니 연을 침상에 밀어 넣었다. 그러고는 이불까지 끌어다가 덮어 주는 게 아닌가. 어지간히 민망했던 연이 다시 일어나려 하자 한위가 잡아 눌렀다. 뭐지, 하고 연이 눈을 깜박였다. 한위는 비장하기까지 했다.

"졸릴 때는 자야 건강에 좋은 법이라 하였습니다."

……대체 누가 그런 말을? 그보다 연은 요즘 하루 종일을 잠으로만 보내고 있지 않던가. 그러나 한위가 진지한 얼굴로 슬며시 연의 눈꺼풀까지 손바닥으로 덮어 눌러 주는 것에는 별수가 없었다. 모란이 큭큭 웃는 소리가 들렸다.

"그래, 졸릴 때는 자야 하는 법이지."

범인이 모란이었나……. 하지만 눈을 감자마자 견딜 수 없이 잠이 와 연은 그대로 항복하고 말았다. 의식이 가물거리는 와중에 어째서인지 한위에게서도 과잉보호가 보이기 시작하는 것 같다고 생각하고 말았다.

그가 다시 눈을 떴을 때는 해가 뉘엿뉘엿 지고 있는 중이었다. 십 분 정도 잔 것 같은데 벌써 해가 지다니, 자신이 매우 게을러졌다는 느낌을 지울 수가 없었다. 순식간에 하루의 반나절이 날아간 것이다. 미간을 누르며 연이 자리에서 일어났다. 정말이지 자도 자도 끝이 없었다.

"왜, 더 자지?"

들려오는 목소리에 고개를 드니 모란이 머리맡에 앉아 있었다. 연은 뒤늦게 자신이 모란의 다리를 베고 있었다는 걸 깨달았다. 흐트러진 머리를 단정히 하며 연이 한숨을 쉬었다.

"더 잤다가는 그게 어디 사람이야? 아니, 그보다…… 대체 언제까지 이렇게 졸린 건데?"

"한…… 일 년?"

"일 년?!"

저도 모르게 큰소리를 내었다가, 연이 다시 깊은 한숨을 쉬고는 입을 다물었다. 그래, 모란이 내단까지 내줘 가며 완치시켜 주었는데 겨우 일 년 정도 졸린 게 대수겠는가. 모란은 그런 연의 표정을 유심히 지켜보았다. 아직도 좀 졸렸지만 아까보다는 훨씬 나아서, 연은 꾸물꾸물 마치 늪과 같은 침상에서 벗어났다. 이불자락이 발목을 휘감는 듯했다.

"어디 가게?"

"저녁이니까 환자도 없을 거고, 사부님 뵈러 가야지."

이래저래 그는 참으로 사부에게 못난 제자였다. 최근 들어서는 계속 은록에게 걱정을 끼치는 일만 있지 않았나. 그의 조부나 형제에게도 걱정을 끼친 건 매한가지지만, 그래도 은록에게는 얼굴이라도 한번 비춰야겠다. 이왕이면 지금처럼 졸리지 않을 때에.

"자, 데려다줄게."

모란이 손을 내밀었으나 연은 잡지 않고 머뭇거렸다. 모란이 의아한 얼굴로 물었다.

"왜 그래?"

"마법 써도 몸은 괜찮은 것이지?"

"괜찮지 않을 것이 뭐 있어. 순간이동쯤이야."

씩 웃고는 모란이 먼저 연의 손을 잡았다. 항상 그렇듯이 순간이동을 할 때면 느껴지는 기묘한 느낌에 연이 눈을 질끈 감았다가 떴다. 눈 깜짝할 사이에 둘은 벌써 은록의 의원 뒤편에 서 있었다. 연이 저도 모르게 모란의 안색을 살피고는 걸음을 옮겼다.

마당을 지나 들어서니 환자는 없었지만 의원에는 아직 호롱불이 켜져 있었다. 연은 머뭇거리며 문 앞에 섰다.

"사부님, 연입니다. 들어가도록 하겠습니다."

안에서 그래, 하는 답이 들려오고 나서야 연이 문을 열고 들어섰다. 약초를 정돈하고 있던 은록이 뒤를 돌아보았다. 그런데 은록의 얼굴이 싹 굳어 버리는 것이 아닌가. 연이 자신이 어지간히 걱정을 끼쳐 드렸구나 해서 안절부절못하는데 은록이 성큼성큼 다가왔다. 먼저 맥을 짚더니 그다음으로는 몸 여기저기 혈도를 눌러 보았다. 마지막으로 그가 뚫어져라 안색을 살폈다. 연은 그저 면목이 없었다.

"……몸은 괜찮은 것이냐?"

"예, 괜찮습니다. 걱정 끼쳐 드려 죄송합니다."

그럼에도 은록은 한참을 연을 살피다가 이내 연의 뒤에 있는 모란에게 시선을 옮겼다. 무얼 생각하는지 모를 얼굴이었다.

"앉거라."

연이 고분고분 은록의 말대로 앉았다. 의원에 오면 항상 그렇듯이 무덤덤하니 시큰둥한 모란도 연의 뒤에 앉았다. 은록은 화덕에 주전자를 얹어 물을 끓였다. 거름망에 질 좋은 약초와 환약을 여러 가지 넣은 뒤 몇 번을 우려내자 은은한 다갈색 빛의 차가 되었다. 연은 감사히 받아 들었다. 향을 맡아 보니 척 보아도 자양강장에 좋은 차다. 한 모금 마셔 보니 몸에 훈훈한 온기가 돌았다. 마시다가 연이 문득 모란을 돌아보았다.

'요즘 몸도 안 좋을 텐데.'

따뜻한 찻잔을 만지작거리다가 연이 모란에게 권했다.

"마실래?"

"연이 너나 마시거라."

별로 차를 즐기는 편이 아니었기에 모란이 거절했다. 어차피 찻잔도 하나만 내온 것, 제자 먹이려고 우린 게 분명한데 그가 뺏어 마시겠는가……. 실은 그는 생각보다 저를 대하는 은록의 태도가 잠잠하여 내심 의아한 차였다. 아무리 의원 활동에 전념하고 있다고는 하나 눈과 귀가 있는 이상 최근 안휘성에 파다하게 퍼진 소문은 들었을 텐데? 만약 듣지 못하였다 하더라도 지금의 연을 보면 달라진 걸 모를 수가 없었다.

'아니면 남궁원 그자처럼 뭘 눈치챈 건가.'

한데 뜻밖에도 은록은 잠자코 찻잔 하나를 더 꺼내는 것이었다. 연은 감사해하며 찻잔을 받았다. 은록이 직접 주전자에서 차를 더 우려 모란에게 내밀었다. 모란이 떨떠름하게 찻잔을 받아 들었다. 찻물이 찻잔 안에서 미세하게 흔들렸다.

"몸에 좋으니까 마셔 봐."

그리 말하고는 연이 은근한 걱정을 담아 빤히 바라보는데, 이리도 귀엽게 구니 안 마실 수가 없었다. 모란이 한 모금 머금자 말대로 몸에 훈훈한 온기가 감돌았다. 차를 정말 훌륭하게 우리기는 하였다. 한 모금 더 마시던 모란은 순간 움찔했다.

'아니, 이 작자가…….'

바로 몸의 이상을 감지한 모란의 입꼬리가 파들파들 떨렸다. 어쩐 일로 이리도 잠잠한가 하였더니 은록이 모란이 마시는 찻잔에 독을 탔다. 그래도 의원이라고 생명에 지장이 가는 독은 아니었지만, 제 기가 급속도로 흐트러지는 걸 보니 꽤나 강력한 산공독의 일종인 게 분명했다.

모란은 오기가 생겨, 보란 듯이 차를 벌컥 마셨다. 독에 걸린 상태에서 해독 마법을 발동하니 속이 꼬여 울컥 피가 올라왔지만 이 역시 찻물과 함께 삼켜 버렸다. 모란이 꿈쩍도 하지 않자 이번에는 은록의 눈썹이 꿈틀했다.

"한 잔 더 마실래?"

그런데 연이 아무것도 모르고 다 마신 찻잔에 다시 차를 따르는 것이 아닌가. 모란이 속으로 한숨을 쉬며 다시 차를 삼켰다. 정말 연이 스승만 아니었다면 가만히 안 놔두는 것인데.

심지어 은록은 찻물에 독을 타는 것으로 끝내지 않았다. 약탕을 끓이는 척 교묘하게 수증기에 무언가를 섞어 흘려보내는데, 그게 모란이 먹은 독과 상승작용을 하는 모양인지 속이 뒤틀렸다. 그렇게 치명적인 타격까지는 아니었지만 모란의 심기를 크게 거스르고도 남았다.

'이렇게 나온다 이거지?'

연은 은록과 오래 있고 싶은 모양인데 그건 안 되겠다. 연이 스승 앞이라고 잠을 참으려 졸린 눈가를 꾹꾹 누르는 동안 모란이 입꼬리를 비틀었다. 은록이 눈썹을 찌푸렸다. 모란은 별것 하지 않았다. 그저 들으라는 듯 기침을 두어 번 했을 뿐이다. 그것만으로도 연은 화들짝 놀라 모란을 돌아보았다.

"왜 그래?"

"무어가?"

"분명히 몸 괜찮다고 했잖아."

나오는 목소리는 차게 굳었지만, 연은 자신이 퍽 속상한 표정을 짓는 줄도 모르는 것 같았다. 피를 삼키면서도 모란은 입매가 단단히 굳은 은록을 향해 보란 듯 히죽 웃어 보였다. 은록과 모란의 시선이 격렬하게 맞부딪치는데 그 형세가 마치 천둥 번개를 일으키는 듯했다. 혹여나 피가 묻어났나 모란의 옷을 살펴보는 연만 그 모습을 몰랐다.

"안색도 안 좋고……."

"신경 쓰지 마. 정말 괜찮으니."

짐짓 다정한 목소리를 내자 가증스러웠는지 약탕을 우리는 은록의 손에 힘이 꽉 들어갔다. 그 모습을 보니 모란은 참으로 마음이 좋았다. 부러 목을 가다듬는 소리를 내자 마침내 연이 자리에서 일어났다.

"사부님, 죄송합니다. 모란의 몸이 안 좋은 듯하여 이만 가 보도록 하겠습니다."

"그래, 밤도 늦었으니 가 보는 것이 좋겠다."

모란은 미소를 감출 수가 없었다. 겉으로는 태연한 척하여도 은록의 기분이 자신 때문에 꽤나 별로라는 게 다 보였기에……. 연이 인사를 올리는 동안 모란은 대놓고 히죽히죽 웃어 보였다. 은록의 입꼬리가 미세하게 굳었다. 기분이 썩 좋았던 모란이 의원을 나오면서 손을 잡자 연이 고개를 흔들며 놓았다.

"몸 안 좋잖아. 그냥 걸어가는 게 좋겠어."

"정말 괜찮다니까."

몸이 좋은 건 아니지만 순간이동 쯤은 약간의 아픔을 참기만 하면 되는 것이다. 괜찮다고 하자 연이 물끄러미 바라보다가 모란의 손목을 잡았다. 무얼 하는가 하여 멀뚱멀뚱 보고 있자 이내 복부를 더듬거렸다. 연이 자신을 만지니 굳이 사양할 이유는 없어 그냥 내버려 둘 때였다. 연의 손이 어느 부분을 콱 누르자 모란은 저도 모르게 켁 기침을 하고 말았다. 피가 울컥 치밀어 올라서 삼키지도 못하고 퉤 뱉자 연이 한숨을 쉬었다.

"……내상 입었잖아."

이런, 의원은 확실히 의원이로군. 모란이 뺨을 긁적였다. 꼬인 듯하였던 속은 한결 편해지긴 하였다.

'하긴 실리낙스의 눈을 먹었으니 기감이 훨씬 예민해졌을 터.'

연은 이어 옷자락을 들추어 상처 부위도 살펴보고는 침울해졌다. 돌연 아무런 말이 없어져서 타박타박 걷는 게 사흘 전과 비슷한 상태라, 모란은 어라, 싶었다. 단순히 걱정으로 우울한 것과는 거리가 있는 듯하지 않나.

"연아."

"……"

"……연아?"

뒤를 쫓아가며 연거푸 부르자 도리어 역정까지 내는 게 아닌가.

"그리 부르지 마!"

그럼 어찌 부른단 말인가? 달링, 허니, 자기, 여보? 그건 그렇고 연이 왜 이러는지 슬슬 감이 잡혀 모란이 흐음, 하는 소리를 냈다.

그가 하늘을 올려다보았다. 달이 휘영청 밝았다.

"미안해, 연아."

연이 우뚝 멈추었다. 어둠 속에서도 휙 뒤돌아보는 얼굴이, 눈가가 붉어진 것이 모란의 눈에는 잘 보였다.

"뭐가 미안한데?"

"더 일찍 오지 않아서."

모란의 말뜻의 의미를 바로 알아들은 연은 울컥 치밀어 오르는 것을 겨우 삼켰다. 연에게 다가서며 모란이 말을 이었다.

"화정당에 사람 묻어 놓은 걸 미리 말하지 않아서, 그런 걸 겪게 해서."

그런 것. 모란이 말하는 그런 것이 뭔지 잘 알고 있는 연이 이를 악물었다. 여러 가지 말이 두서없이 속에서 끓어올랐다.

그것 아나? 죽는다고 생각했을 때, 마지막 숨을 쉬었을 때……. 모란 당신만 생각했지. 나도 모르게 문을 바라보면서, 당신이 그 문으로 들어오길 바라면서. 살고 싶어서가 아니라 죽기 전 모란 당신이 보고 싶기에, 왜 모란 당신이 내 곁에 없나 그 생각 했다고. 내게 무슨 짓을 했기에 죽기 전까지 당신 생각만 나? 왜 오지 않았냐고 구차하게 생각하며 원망하게 만들지? 왜?

말도 안 되는 떼라는 건 잘 알았다. 하지만 그렇게 생각할 수밖에 없었다. 도리어 미안한 것이 연이기 때문이다. 모란이 그에게 뭘 해 주었는지 아는 까닭이다……. 그가 이 정도로는 눈 하나 깜짝 안 하는 대단한 사람이라고는 해도 연으로서는 자꾸만 눈에 걸리고 침울해지는 것을 어찌할 수가 없었다.

"사과하지 마."

그리 말하고는 연이 뒤돌아서 다시 남궁세가를 향해 걸었다.

연이라고 모를 리가 있겠는가. 모란이 자신을 어떻게든 완전히 치료하려고 애를 썼던 것을. 그러나 정말 죽는다고 생각했을 때의 감정이 연의 마음속에 깊은 흔적을 남겼다. 모란이 보기 싫은데 동시에 보고 싶었다. 심지어 모란이 바로 눈앞에 있을 때조차 그런 감정이 들었다. 그가 제 이름을 부르면 마음이 아픈 것처럼 조이면서도 깊은 감정으로 들끓는 것이다.

연은 난생처음 겪는 이 감정에 어찌 대처해야 할지 알 수가 없었다. 그러니 모란을 외면하게 되는 것이라. 다만, 그러면서도 완전히 외면은 못 해서…….

마음이 복잡해진 연이 남궁세가에 다다를 때 문을 지키고 있던 무사들은 당황했다. 연이 밖으로 나가는 걸 본 적은 없는데 밖에서 들어오니 당황할 수밖에. 그러나 바로 뒤에 모란이 어슬렁거리며 따라 들어오기에 무사들은 바짝 얼어 통과를 내어 줄 수밖에 없었다. 제 마음 추스르기에 바빠 연은 그런 무사들의 태도는 미처 보지 못했다.

남궁세가에 들어온 연은 잠시 서서 한숨을 쉬었다. 이 무슨 어린아이 같은 행동이고 마음가짐인가. 모란이 자신의 가장 귀한 것을 내주어 가며 연을 살려 내고 완치까지 시켜 줬으면 이런 태도는 말아야지, 스스로를 탓하면서도 쉬이 모란을 볼 수는 없었다.

'일단, 아까처럼 졸리지는 않으니 조부님을 뵙고 인사를 드려야지…….'

하다가도 그 생각은 바로 모란에 대한 원망으로 이어졌다.

'몸이 안 좋으면 걸어가야지, 왜 마법을 써서는……. 안 좋으면 쉬어야 할 것이 아니야. 내상 때문에 피까지 토할 정도면서.'

실은 속상함에 가까운 감정이었으나 아무튼 연은 모란만 생각하면 기분이 침울해지는 것이었다. 모란에게 약탕을 끓여 주어야지, 하고 속으로 이런저런 좋은 약초들을 배합하며 조부가 머무르는 정영당(靜影堂)에 당도했다. 한데 정영당에는 조부가 없는 상태였다. 잠깐 당황해 하던 그는 지나가던 무사를 붙잡았다.

"흐억."

무사는 소스라치게 놀라 얼어붙었다. 연은 무사의 태도가 화정당 사술 사건 때문이라고 대수롭지 않게 생각했다.

"조부님은 어디 계시느냐?"

"그, 그분께서는…… 어젯밤부터 폐, 폐관 수련에 들어가셨습니다."

전혀 뜻밖의 말에 연이 놀랐다. 폐관 수련? 남궁원은 무림에서는 다섯 손가락 안에 꼽힐 정도의 고수였다. 왜 갑자기 폐관 수련을 하는지 연으로서는 이해할 수가 없었다. 무슨 일이 있었나? 혹은 더 높은 경지에 오르고자 하심인가?

무사가 거의 숨도 못 쉴 지경이기에 더 묻고 싶어도 그럴 수가 없었다. 연이 마지못해 놔주자 무사는 그대로 도망치듯이 후다닥 뛰어갔다. 연이 미간을 접었다.

'어쩐지 딱히 나 때문에 그런 게 아닌 듯했는데.'

설마 하고 연이 모란을 바라보았다. 모란이 씩 웃는 표정을 보자 의혹은 설마에서 역시나로 번졌다. 실력 행사를 했다 하더니 어지간히 깽판을 친 듯했다. 연이 미약하게 한숨을 쉬고는 걸음을 옮겼다. 그러다가 멈칫하고는 주위를 둘러보았다. 이상하게 남궁세가의 풍경이 평소 보던 것과는 좀 다른 것 같았다.

"왜 그래?"

"아니, 어쩐지……."

밤이라서 그런가 하여 다시 둘러보다가 연이 고개를 흔들었다. 깨어난 지 얼마나 되었다고 또 졸렸다. 하는 수 없이 화정당으로 발걸음을 돌리면서도 연이 생각에 잠겼다. 자꾸 졸음이 와서 제대로 생각을 못 해 보았는데, 대체 모란은 어떤 식으로 실력 행사를 하고 돈을 먹었다는 걸까? 정작 모란에게는 물어도 제대로 답을 해 주질 않으니…….

화정당에 돌아오자 잠이 쏟아지는 바람에 연은 겨우 약탕을 달여 놓고서는 더는 생각하지 못하고 잠들어 버렸다. 모란이 친 깽판의 규모가 어느 정도인가 알게 된 것은 그다음 날이었다.

해가 중천에 뜨고 나서야 일어난 연이 모란에게 약탕을 내어 주어야지, 하고 잠기운에 늘어지는 몸을 억지로 일으켰다. 연이 잠자는 동안은 같이 내내 침상에 늘러 붙어 있던 모란이 머리 묶을 끈을 건네며 말했다.

"네 형님이 같이 식사하자는데. 아침부터 사람이 와서 기다리고 있어. 그러라고 전해 줘?"

"아, 응…….."

아직 정신이 없어 연이 별생각 없이 고개를 끄덕였다. 어서 준비하고 형님 뵈러 가야겠다 싶어 늦어도 한참 늦은 아침 소세를 하고 서둘러 옷을 갈아입었다. 한데 밖이 소란스러워지나 싶더니 갑자기 연오가 들이닥쳤다.

"연아!"

연오는 달려들려다가 말고 우뚝 그 자리에 멈추어 섰는데, 그 모습이 어째 한위가 저를 볼 때와 비슷한 것도 같았다. 형님? 하고 연이 되묻자 그가 이를 갈며 모란을 쏘아보았다.

"네놈……."

당장 검 손잡이에 손이 가기에 연이 기겁하여 연오의 앞을 가로막았다. 자초지종을 전혀 모르는 연으로서는 모란을 대하는 연오의 태도가 갑자기 바뀐 것으로 밖에 보이지 않았다. 심지어 단순히 화를 내는 게 아니라 모란을 철천지원수 보듯 했다. 연이 가로막으니 연오가 차마 검을 뽑지는 못하고 노기에 몸만 떨었다. 항상 침착한 형님만 봐 왔던 연은 다소 충격을 받았다.

"형님, 왜 그러십니까?"

연오는 연이 저를 막은 것도 막은 것이지만 생사를 함께하느니 어쩌느니 하던 것도 떠올라 속이 터졌다. 정말 혹여 그 사술 때문에 모란에게 간 타격이 연에게도 가면 어찌하나? 그것만 아니었어도 죽는 한이 있을지언정 모란을 연의 곁에서 떼어 놓는 건데…….

"왜 그러냐니. 당연한 일이 아니냐, 네 인생에 해악만 끼치는 자인데!"

연이 잠시 입을 열었다가 닫았다. 그, 아니, 모란이 좀 얄미운 구석은 있어도 제 인생에 해악을 끼치는 정도는 아니지 않나. 도리어 이것저것 많이 해 주었으면 모를까. 뭔 말 좀 해 보라고 돌아보았더니 모란은 딴청을 피우고 있었다.

"그간 얼마나 괴로웠느냐, 내가 진작 알았어야 했는데……."

침통한 연오의 말에도 연은 이해를 못하고 눈을 깜박일 따름이었다.

'대체 뭘 했기에 형님이 이러시는 거야?'

시선으로 묻자 다 알아들었으면서 모란은 여전히 모른 척했다. 연은 일단 최선을 다해 연오를 진정시켜 보기로 했다.

"저, 모란이 좀 껄렁해 보이기는 해도 제게 많은 도움을 준 사람입니다. 제 건강도 모란 덕에 많이 나아졌고요."

그런데 건강 이야기가 오히려 역린을 건드린 모양이었다. 연오는 벌컥 화를 내려는 모양새였다가 이내 어깨를 축 늘어트렸다. 그러더니 연에게 퍽 안쓰러운 시선을 보냈다. 마치 모란이 세상에서 가장 나쁜 놈이고 연은 그런 나쁜 놈에게 붙잡혀 있는 포로인 것처럼…….

아무래도 이상하여 좀 뭐라 말해 보라고 연이 재차 재촉하고 나서야 모란은 마지못해 성의 없는 태도로…….

"생각하고 있는 그런 게 아니라고 몇 번이나 입 아프게 말해야 할까?"

……이렇게 연오의 성미를 박박 긁었다. 덕분에 연만 중간에 껴서 식은땀을 흘려야만 했다. 연오도 연오지만 어째서 모란도 갑자기 연오에게 형식적으로나마 차리던 정중한 태도를 때려치웠는지 모르겠다.

잠시간 모란을 무시무시하게 노려보다가 식사를 하자는 제안대로 연오는 시비들에게 상을 차려 오라 했다. 그는 상이 차려지는 걸 기다리는 동안에도, 식사를 다 마치고 식후 차를 마시고 난 뒤에도, 연이 어떻게든 자지 않으려고 애쓰다가 버티지 못하고 짤막한 낮잠을 자고 일어났을 때도 한결같이 모란을 이글거리는 눈빛으로 노려보고 있었다. 정작 모란은 연오가 그러거나 말거나 신경도 쓰지 않는 태도였지만…….

그나저나 어젯밤부터 달이기 시작한 약탕이 다 만들어졌을 시간이라 연이 졸음을 떨치고 일어났다. 연오와 모란의 시선이 연에게 향했다.

"어딜 가느냐?"

"어디 가게?"

동시에 말하고는 연오가 모란을 냉랭하게 노려보았다. 모란이 눈썹을 들어 올렸다. 설마 잠깐 약탕 가지러 다녀온 사이 무슨 일이 있지는 않겠지? 연은 희미한 불안감이 들었다.

"잠시 가지고 올 것이 있어서……. 곧 돌아올 것입니다."

조심스럽게 문을 열고 나가면서 연이 미간을 접었다. 그는 사방이 모란의 적으로 돌변한 것 같은 느낌을 지울 수가 없었다. 은록도 은록이고, 연오도 그렇고. 대체 실력 행사를 어찌했기에? 무엇보다 모란을 대하는 연오의 태도가…… 마치 모란이 연에게 몹쓸 짓을 한 자인 듯 대하지 않나. 지탄을 받는다면 화정당 사술 범인인 연이 받아야 할 텐데.

모란의 약탕을 식히는 동안 연은 연오를 위한 약차도 우려냈다. 진정 역할을 하는 약초도 좀 첨가했다. 다행히도 연이 나가 있는 동안 분위기가 더 험악해지기는 했어도 둘 사이에 무슨 일이 일어나지는 않았다. 연은 연오에게 약차를 내놓은 뒤 모란에게는 약탕을 내놓았다. 연오가 노려보거나 말거나 별생각 없이 앉아 있던 모란은, 일단 연이 주니 약탕을 받아 들기는 하였다.

"……음?"

"계속 몸이 안 좋잖아. 기력 회복에 좋은 거야."

연의 말에 연오가 눈을 부릅떴다. 기력 회복이라고? 기력 회복이라고? 누가? 누구의 기력 회복을? 왜? 어째서?

동생이 가져다준 차라고 마시면서 좀 기분이 누그러지던—진정 효과가 나타나던— 연오가 손을 떨었다. 그는 백모란이 얼마나 경악스러울 정도로 강한 자인지 잘 알고 있다. 이제 보니 정말 연에게 세뇌 따위를 하였구나 싶어 분노가 이글이글 끓었다. 그러지 않고서야 연이 모란을 감싸 줄 리가 없었다.

연오는 모란이 연의 건강을 위해서니 어쩌니 했던 말은 죄다 믿을 수가 없었다. 그래, 어쩌면 정말 모란이 연의 건강을 위해서 그랬을 수도 있었겠지.

하지만 설사 그렇다 해도 연오는 모란을 받아들일 수가 없었다. 분명 그가 모르는 무언가가 있을 것이다. 그러지 않고서야 순하고 착하기만 하던 그의 동생이 어릴 적에 모란을 그리도 못살게 굴었을 리 없다. 이유가 있으니 못살게 군 것이지.

이젠 모든 것이 다 이해가 간다. 유독 크게 앓아누웠을 때, 혹은 모란을 못살게 굴었을 때 좀 더 알아봤었어야 했던 걸. 하나 지금은 늦은 것이다. 연이 모란에게 하는 태도를 보건대 십 년간 분명 세뇌를 당해도 단단히 당한 것이 분명했다.

"연아……."

연오가 그 해로운 놈에게서 떨어지라는 의미로 부르자 연이 아차 하였다. 그러고 보니 형님 계신데 너무 당당히 약차니 약탕이니 타 왔구나. 졸려서 정신이 나갔지 싶어 연이 얼른 대답했다.

"아, 이건…… 진은록 의원님에게 받아 온 것입니다."

연이 제 형님에게 그리 대답을 하는 걸 보자 모든 상황을 알고 있는 모란은 유일하게 연에게만 남겨 둔 자그마한 양심이 좀 찔렸다. 연오가 그렇구나, 하고 혼이 빠져나간 듯한 대답을 했다. 연은 그제야 제 대답이 어딘가 요점을 벗어났다는 걸 깨달았다.

"연아, 꼭 저자와 함께 여기서 지내야겠느냐? 혹, 협박을 당한 것은 아니더냐?"

"협박……이요?"

잠시 침묵을 지켰다가 이내 연이 미소를 지었다.

"전혀 그런 일은 없었습니다, 형님. 너무 걱정 마세요. 예전에 있었던 일에 비하면 지금은 이리 잘 지내고 있습니다. 그보다도 일이 많지 않으십니까?"

그가 연오를 잘 어르고 달랬다. 안 그래도 요즘 모란 때문에 사방팔방에서 서신이 날아오는 데다가 창일당 재건 때문에 일이 쌓여 가고 있었다. 이를 떠올린 연오가 마지못해 일어났다. 그나마 연오를 지도하고 이끌어 주던 남궁원은 폐관 수련까지 들어갔으니 그 일의 정도는 이루 말로 다할 수 없었다.

연오를 배웅까지 하여 완전히 보낸 뒤 연이 싹 굳은 얼굴로 모란을 돌아보았다. 모란이 눈을 굴리고는 한 모금씩 아껴 마시고 있던 약탕을 단번에 홀짝 삼켰다. 그 모습에 연은 어처구니가 없었다. 누가 줬다가 빼앗기라도 할까 봐?

"뭐야?"

"……음."

"사실대로 말해. 대체 그간 무슨 일이 있었어? 세가에 뭘 하였기에 형님이 저런 반응이야? 조부님 폐관 수련도 같은 이유 때문이지?"

모란은 이제는 솔직하게 털어놓기로 마음을 먹었다. 언제까지 숨길 수는 없는 노릇이다. 사실, 딱히 숨기려고 한 것도 아니긴 했지만……. 누가 연의 눈에 대해 말을 꺼내면 모란도 슬그머니 말을 꺼내 보려고 했는데 어째 만난 사람들 중 한 명도 연의 눈에 대해 지적하는 이가 없었던지라.

"안제테다에서 돌아온 날에 화정당에 가 보았더니 너는 없고 정원은 뒤집어져 있으니 내 속도 뒤집히는 것이 아니겠어.”

“……그래서?”

“그래서, 뭐……. 가볍게 창일당 좀 무너트려 줬지.”

연이 제 귀를 의심했다. 그가 벌컥 화정당 문을 열고 나갔다가 잠시 뒤에 황망한 낯으로 돌아왔다. 어쩐지 지난밤 세가의 풍경이 이상하다 했다. 세가 내에서는 어디서든 보이던 창일당이 안 보였으니 이상할 만도 하지!

아니, 무엇보다 창일당을 무너트렸다는 건 모란이 남궁세가에 완전히 정면으로 시비를 걸어온 것이나 마찬가지가 아닌가. 모란의 말이 사실이라면 가히 남궁세가의 철천지원수가 된 것이나 마찬가지였다. 모란은 태연하게 말을 이었다.

“다음으로는 일단 너를 찾아냈지. 그런데 다 죽어 가는 걸 보니 또 복장이 뒤집히는 게 아니겠어.”

“그래서…… 무얼 했는데?”

약탕 때문에 입맛이 쓴지 모란이 어디엔가 쟁여 두었던 귤을 두 개 스윽 꺼내 들었다. 연에게도 건네었지만 팔짱을 낀 채 받지 않자 어깨를 으쓱하고는 하나는 도로 집어넣었다.

“실력 행사를 하여 설득시켰지. 사술은 내가 부린 것이고 연이 너는 그저 그 희생자인 것으로. 남궁사영은 미리 눈치채고 널 빼돌린 걸로.”

“……뭐?”

황망하여 연이 입을 벌렸다. 어쩐지 연오의 반응이 이상하더라니. 왜 사람들이 자꾸만 연을 보면, 아니, 정확히는 모란과 함께 있으면 두려운 듯한 반응을 취했었는지 이제야 다 이해가 갔다. 모란의 말은 거기서 끝이 아니었다.

“그런데 정파연합이니 뭐니 귀찮게 하지 않아. 기어오르지 말라고 직접 찾아가서 하나하나 때려잡다 보니 사파에서도 튀어나오고…….”

침착하려고 했으나 그 노력도 소용없이 연은 그만 소리를 지르고 말았다.

"그 말은 무림 공적이 되었다는 의미잖아!"

그저 남궁세가의 원수가 된 것도 아니고 무림 공적이라니!

무림 공적이 무엇인가. 말할 수 없는 악행으로 인해 정파와 사파를 막론하고 그 어느 곳에서도 받아들여지지 않고 시시때때로 공격당하는 자였다. 단순히 누군가에게 원한을 산 정도로는 안 된다. 순전히 자신의 즐거움을 위해 수십의 사람들을 살해하고 다닌 정도여야 하는 것이다.

아니면 현실적으로 불가능하지만 온 중원의 문파와 세가를 공격하고 다니거나……. 문제는 모란이 불가능을 가능으로 만드는 자란 점이었다.

"다 때려잡지는 않았어. 중간에 화산파나 점창파 같은 곳에서는 먼저 화해를 청해 왔거든."

"그걸 말이라고……."

연의 어깨가 축 처졌다. 남궁세가에서만 깽판을 치고 다닌 게 아니라 중원 전체에 깽판을 치고 다녔구나. 자신이 모란에게 기력 회복을 하는 약탕을 준다 하였을 때 연오가 왜 그런 반응을 보였는지 알겠다. 어처구니가 없었겠지…….

왜 모란을 적대시하는지도 잘 알겠다. 창일당을 부수고 중원의 온 문파와 무가(武家)를 꺾어 버렸으니까. 화산파나 점창파가 어떤 곳이던가? 명색이 구대문파가 아니던가. 자존심이 하늘을 찌르는 듯하는 두 문파에서 먼저 화해를 청했다는 것만 봐도 모란이 얼마나 악…랄하게 굴고 다녔는지 짐작이 갔다. 무림 공적은 무림 공적인데 아무도 감히 못 건드리는 무림 공적이다.

"그래도 많이 봐준 거야. 한 명도 죽이지도 않았고, 또 피해 보상까지 해 줬으니까."

"……피해 보상?"

"지금 재건하고 있는 창일당, 내 돈으로 지어지고 있는 것이거든."

모란은 큰 아량을 베푼 듯 말하였으나 연은 알 수 있었다. 모란의 돈으로 창일당을 재건하였다 함은 남은 자존심마저 완전히 깔아뭉개는 것이라는 걸. 그 남궁세가가 창일당 지을 돈이 없어서 모란의 돈을 받았겠나. 모란의 돈을 받아 창일당을 재건한다는 건 결국 상대에게 승복하겠다는 것과 다름없는 의미였다.

'그래서 조부님이 폐관 수련에 드신 거로군.'

무림에서 손꼽히는 강자였기에 모란에게 패배했을 때 그만큼 충격이 크셨으리라. 연이 한숨을 쉬었다. 말하고 싶은 건 한가득이었지만 이내 입을 다물고는 꾹 눌러 참았다. 연에게 어찌 모란을 탓할 자격이 있겠는가……. 온 중원이 모란을 적으로 돌린다 하여도 연만은 그럴 수 없는 것이다. 그런 마음을 아는지 모르는지 모란이 씩 웃었다.

"이전에는 영웅이었으니 이번에는 악당이어도 괜찮겠지."

어처구니가 없어 입을 벌렸다가 연이 고개를 저었다. 분명 심각한 사안인데 모란의 태도를 보니 전혀 심각하게 들리지가 않는다. 하긴 실제로도 모란에게는 전혀 심각하지 않을 것이 분명하긴 했다.

……정말 이래도 되는 것일까? 항상 모란과 있으면 현실감이 사라져 버리곤 했다.

"그리고 또……."

이제 들을 것은 다 들었구나 하였던 연이 움찔했다. 설마 여기서 또 남은 게 있단 말이야?

"뭔……데?"

"실은 이걸 가장 처음으로 말해 주려고 했는데……."

남궁세가 창일당을 박살 내어 놓고, 온 중원을 적으로 돌린 이야기는 눈 하나 깜짝 안 하고 털어놓던 모란이 말꼬리를 흐리는 걸 보니 연은 그만 불안해지고 말았다. 대체 무엇이기에?

모란이 느릿느릿 몸을 돌리더니 무언가를 집어 건넸다. 면경이었다. 연이 반은 불안하고 나머지 반은 의아하여 면경을 받아 들었다. 그리고 제 얼굴을 들여다보았다.

"……?"

처음에는 햇살이 유독 밝게 비친 탓이라고 생각했다. 하지만 다시 보니 햇살 때문이 아니다. 연이 눈을 깜박였다. 면경을 내려놓았다가, 다시 들어 보았다. 두 번을 봐도 그의 눈동자 색은 변함없었다. 금색이었다. 아무리 각도를 달리해서 보아도 명명백백한 금안(金眼)이다. 그의 눈동자에 모란의 눈에서 종종 보던 그 금색 광채가 어려 있었다. 한참 들여다보다가 연이 침착하게 면경을 내려놓았다.

"눈 색이 바뀌었네?"

"음, 아주 예쁜 색으로 바뀌었지."

그리 말하면서 모란이 슬그머니 연의 눈치를 보는 것이다. 어쩐지 한위나 연오나, 만난 사람들이 하나같이 저를 보고 놀란다 했다. 연은 다시 면경을 보았다. 마치 눈에 햇빛이 고여 있는 듯했다. 그렇구나, 하고 연이 면경을 제자리에 돌려놓았다. 모란은 연의 반응이 의외라는 얼굴을 했다.

"별로 화 안 내네?"

"화를 낼 이유가 뭐가 있어? 건강해졌으면 되었지."

내공심법이나 복용하게 된 내단 때문에 신체 일부가 바뀌는 이들은 얼마든지 있었다. 눈동자 색이 바뀐 건 좀 놀랍긴 해도 그다지 충격적이지는 않았다. 실명한 것도 아니고 고작 색이 변한 정도인데, 완전히 건강해지는 대가에 비해 이 정도쯤이야 무엇이 문제인가. 아무런 문제도 없었다. 그런데…….

"이제 모든 게 괜찮지 않아?"

입을 꾹 다물고 있던 연이 그 말에 눈썹을 찡그렸다. 찡그리면서도 저는 그런 표정을 짓는지 모르는 모양이다. 모란이 턱을 괴고 말끄러미 바라보았다. 연이 뒤늦게 대답했다.

"……괜찮지."

"더는 네게 사술이니 뭐니 질책하지도 않을 것이고, 완전히 건강해졌고. 더는 문제가 없잖아."

"그래, 문제랄 것이 뭐가 있어."

연이 시큰둥하게 대답하며 고개를 돌렸다. 고개를 돌리는 대로 내버려 두지 않고 모란이 몸을 기울였다. 돌연 갑자기 몸이 가까워지니 연이 저도 모르게 몸을 뒤로 물렸다.

"한데 지난번 깨어난 뒤로 계속 기분이 침울한 것 같아서."

지난번 깨어난 뒤라 하면 오늘 잠에서 깬 것을 말하는 건 아니라는 걸 연은 잘 알았다.

"그다지 침울하지 않아."

바로 반박하면서도 연이 슬그머니 시선을 피했다. 그러면 됐고, 하면서 모란이 입술을 베어 물었다. 동그라니 놀란 금색 눈에 웃어 보이고는 모란이 다정하게 입을 맞추자 새삼 무언가 깨달은 모양으로 연의 몸이 움찔했다. 그제야 모란과 그가 연인 사이임을 떠올린 모양인지…….

몇 번 더 쪽쪽거리자 바짝 긴장했던 어깨에서 힘이 풀렸다. 끙, 하고 희미하게 앓는 소리를 내고는 연이 고개를 돌리며 모란을 밀어 냈다. 모란이 눈썹을 치켜 올렸다.

"탕약 먹고 바로 입 맞추지 마."

연의 말에 모란은 잠깐 침묵했다가 크게 웃음을 터트리고는 아까 따로 쟁여 두었던 귤을 꺼냈다. 전에 모란의 얼굴에 과일을 쏟았을 때 보이던 그 허공의 흉터 같은 곳에서 꺼내는 걸 보니 저것이 아공간이구나 싶었다.

'내 몸이 확실히 무언가 바뀌기는 바뀌었어.'

연은 모란이 건네는 귤을 받아 들고 반을 쪼개어 다시 돌려주었다. 하지만 그는 먹지 않고 연을 빤히 바라보기만 하였는데, 눈가에 묻은 눈웃음이며 눈빛이 세상 가장 귀한 것을 바라보는 듯한지라. 정말이지 가슴이 못 견디게 간질거리는 바람에 연은 그 시선을 마주보기가 힘이 들 정도였다. 결국 한숨을 쉬었다.

'……또 잠들었구나.'

눈을 뜬 연이 속으로 한숨을 쉬었다. 잠이 지나치게 많아져서 하루에 길어봤자 두 시진 정도 깨어 있는 것이 고작이었다. 아직 혼몽한 기운이 남아 있어 겨우 몸을 일으키자 열심히 방을 청소하던 시비가 공손히 고개를 숙여 보였다. 예전과 같은 희미한 적개심 따위는 느껴지지 않았다. 하루 종일 잠으로 하루를 보내야 하는 도련님에 대한 동정심마저 보일 정도였다. 확실히 모란이 한 일로 인해 연은 세가에서 자신의 평판이 많이 바뀌었다는 걸 느꼈다.

'모란이 악역을 자처했기 때문이지.'

한데 악역은 악역인데, 모란은 사람들이 그리 취급하든 말든 거의 신경을 쓰지 않았다. 신경 쓸 필요도 없다는 게 정확하겠지. 도리어 그 취급을 즐기기까지 하는 것 같았다. 보통 같으면 크게 신경 쓰였을 텐데……. 참으로 강인한 정신력이 아닌가.

연이 세가에 돌아온 지도 벌써 달포가 넘었다. 처음 며칠 동안은 신경이 바짝 곤두선 채로 지냈다. 모란이 무림에서 가장 주목받는…… 소위 악당이 된 후로 무슨 일이 일어나지는 않을까 싶어서였다. 그가 강한 것은 잘 알고 있었지만 피를 토하는 것을 보니 연으로서는 마음이 좋지 않고 불안했다.

하지만 그도 오래가지는 않았다. 이제 연은 몹시 졸릴 뿐 완전히 건강했고, 남궁세가에서 모란을 갑자기 공격하고 나서는 일도, 무림에서 연합하여 모란을 치는 일도 없었다.

처음에는 두려워 시선도 마주치지 못하던 화정당 시비와 하인들은 이제는 모란이 있어도 거의 신경도 쓰지 않았다. 연오도 모란에게 거의 말을 걸지는 않았으나 더는 검을 뽑으려 하지는 않았다. 창일당도 벌써 절반쯤 재건되었다.

연이 하는 일이라곤 그저 화정당에서 잠자고, 일어나서는 한위나 연오를 만나 이야기를 나누는 것이었다. 게다가 이제는 눈을 감을 때도 모란이 곁에 있고 눈을 뜰 때도 모란이 곁에 있지 않나.

모란의 말대로 정말 앞으로 아무런 문제도 없는 것일까. 그저 앞으로는 이렇게만 지내면 되는 것인가……. 연은 종종 면경 속 제 금안을 말끄러미 바라보며 생각에 잠기곤 하였다. 이렇듯 더할 나위 없이 평화로운데도 연의 표정에서는 침울함이 완전히 가시지는 않았다. 떠나지 않는 어떠한 생각이 있기 때문이었다.

"오래 외출도 못했는데 오늘은 주루에 다녀올까?"

창가에 앉아 따끈따끈 해바라기를 하고 있던 연이 모란의 제안에 뒤를 돌아보았다. 요즘 연은 예전에 모란이 달이 가렸니 해가 가렸니 말한 것들을 이해하고 있는 중이었다. 확실히 해와 달이 뜨면 원기가 활발해졌다. 양(陽)이라는 존재에서 오는 무언가가 있었다. 정확히 정체는 몰라도 최근 들어서는 어떠한 가닥이 잡히는 것들이 있는데…….

아무튼 갈등하느라 연이 미간을 접었다. 확실히 요즘은 침상에서만 지내다 보니 나가는 것이 좋기는 하지만…… 고민하는 이유가 있었다.

"나갔다가 또 그대로 자 버리면?"

잠이 때와 장소를 가리지 않고 쏟아지는 것이다. 처음에는 괜찮거니 싶어 잠에서 깨고 나면 폐월당이니 화월당이니 찾아갔다. 하지만 정신을 못 차릴 정도로 쏟아지는 잠에 가다가 비틀거리거나, 혹은 저에 대한 걱정으로 신경이 예민해진 연오—와 함께 있는 장로들까지 덤으로— 앞에서 기절하듯 잠들어 버리고 나니 더는 안 되겠다 싶었다.

게다가 이런 모습을 사람들이 목격할 때마다 모란에 대한 악명은 높아져만 갔다. 연의 몸은 이제 더할 나위 없이 건강한데 세가에서는 오히려 전보다 훨씬 병약한 것으로 소문이 나 버렸으니, 참으로 민망할 따름이었다.

"뭐가 걱정이야. 그러면 내가 다시 데리고 돌아오면 되는 것을."

맞는, 말인데…… 맞는 말이긴 하지만. 자칫하면 그 악명 높은 백모란에게 사술의 제물로 당한 남궁세가의 매우 병약한 차남이라는, 남궁세가에서 퍼진 소문이 안휘성 장안에도 짠하게 퍼지지 않겠는가. 연은 진지하게 고민했다. 밖에서 자 버렸다가 그대로 모란에게 안겨 돌아오는 부끄러움과 오래간만의 외출을 향한 갈망이 치열하게 싸웠지만 결국엔 후자가 이겼다.

마음을 정한 연이 외출할 옷으로 갈아입었다. 딱히 금안인 걸 보여 주목을 받고 싶지 않았기 때문에 이번에는 다른 목적으로 면사포를 썼다. 예전에는 이 계절쯤에는 분명 이보다 두터운 외투를 걸쳤었지. 그러고도 가끔 한기에 몸서리를 치곤 했는데. 이젠 두꺼운 옷 중 반절은 버려도 될 것 같았다. 연은 잠시 옷을 만지작거리며 생각에 잠겼다가 다시 잠이 쏟아질까 무서워 걸음을 서둘렀다.

이번에는 산책이 목적이기에 둘은 순간이동 대신 걸어서 주루에 가기로 결정하였다. 이런저런 대화를 나누며 걸으니 연의 마음이 산들산들 풀렸다. 확실히 봄은 봄이라, 이제 여기저기 꽃망울이나 개화한 꽃 따위가 보였다. 연은 정원에 심은 모란꽃과 연꽃을 떠올렸다. 정원의 꽃들은 모두 언제쯤 피게 될까? 피는 시기가 다른 꽃도 있으니 좀 기다려야 할 터였다.

"요즘 몸은 좀 어때?"

"언제나 그렇듯이 괜찮지."

모란은 태연하게 그리 대꾸했지만 연으로서는 종잡을 수가 없었다. 모란이 피를 토하는 걸 두어 번 목격하기는 했는데, 왜 피를 토해도 맥은 그렇게 건강하게 뛰는지 연유를 알 수가 없었다. 모란 정도의 고수가 되면 피 토하는 내상쯤은 별것도 아닌 것처럼 느껴 지게 되나?

'그러고 보니 이제는 무공을 다시 배워도 되겠군.'

연이 괜히 검 손잡이를 잡았다 놓았다. 의원이라 무의미한 살생 은 하지 않으니 검술은 아무래도 꺼려지는 부분이 있었다. 지금까 지야 제대로 배운 것이 검술뿐이라 그나마 검을 차고 다녔던 것이 지만 다시 배우게 된다면 검술 말고 권법을 제대로 단련하는 것도 괜찮겠다.

세가의 정문을 지나가자 지키고 있던 문지기가 모란을 보고는 뻣뻣하게 굳었다. 연은 못 본 척 지나갔다. 적은 적이되 공격을 하 지 못하는 적이라 세가 내에서 모란의 위치는 애매모호하기 짝이 없었다. 그러니 볼 때마다 사람들이 움찔하거나 얼어 버리곤 했다.

다행히도 세가 밖을 나가자 둘에게 시선을 주는 사람들은 없었 다. 다들 자기 할 일에 바쁘거나 모란이나 연을 알아보지는 못하는 모양이었다. 세가와는 다른 사람들의 반응에 연의 마음은 한결 더 편해졌다. 남궁세가의 분위기가 다소 침울한 것과는 다르게 안휘 성은 평상시와 다를 바 없었다.

"루주님, 어서 오십시오."

주루에 당도하자 기녀들이 반갑게 맞이했다. 기녀들은 연에게도 공손히 인사를 한 뒤 모란에게 손님이 와 있음을 알렸다. 기녀들의 안내에 따라 객실에 들어서니 과연 익숙한 얼굴이 있었다.

하오문의 문주 위정이었다. 오늘의 그는 젊은 봇짐장수의 모습 을 하고 있어서 연은 모란이 위정이라고 부른 뒤에야 정체를 깨달 았다. 언제 보아도 참 대단한 역용술이었다.

"연 공자님, 오랜만에 뵙습니다. 건강해 보여 다행입니다."

"저야말로 지난번에 도와주셔서 감사했습니다."

위정과 연이 예의 바르게 서로에게 포권지례를 했다. 연이 자리에 앉으며 면사포를 벗자 다과를 내오던 기녀가 연의 눈을 보고는 숨을 집어삼켰다. 위정이 쯧 혀를 차며 고개를 돌리자 기녀가 얼른 고개를 숙여 보였다.

"죄송합니다, 공자님."

"괜찮습니다."

연은 기녀의 행동을 이해했다. 기녀뿐만 아니라 최근 그를 보는 사람들마다 비슷한 반응을 보였다. 확실히 금색 눈이라니 보기 드문…… 아니, 세상에 거의 없을 색이기는 했다. 백안이나 자안, 벽안은 있지만 금안은 내공심법의 단련으로도 나오기 힘든 색이었으니. 모란이 고개를 까딱거렸다.

"그래, 여기는 어쩐 일로 왔지?"

위정이 여유롭게 차를 한 모금 마시고는 품에서 무언가를 꺼냈다. 붉은 공단 주머니였다.

"별것은 아닙니다. 그저 저희 하오문과 루주님 사이의 우호 관계에 예를 표하고자 하여 찾아왔습니다."

"어찌 내가 여기 올 것은 미리 알고 말이야? 우연이라 할 것은 아니겠지."

모란의 질문에도 위정은 그저 사람 좋은 낯으로 웃었다. 모란이 공단 주머니를 열어 보았다. 안에는 알이 꽤 굵은 붉은 홍옥이 들어 있었다. 지난번 모란이 하오문 분파 당주에게 주고 간 내단과 금덩어리보다 좀 더 비싼 보석이었다.

'그것으로 보답을 끝내지 않고 좀 더 장기간 관계를 이어 보자는 것이군.'

모란이 씩 웃었다. 하오문은 그에게 있어서도 꽤 유용한 집단이었다. 게다가 문파의 풍조가 썩 마음에 들기도 하였다. 건달, 기녀, 점소이, 장사꾼…… 온갖 이들이 자유로이 모여 큰 흐름을 이끌어 내지 않는가. 모란이 주머니를 받아 들었다. 이걸로 나중에 연에게 뭔가 해 주면 좋을 것이다.

"앞으로 나 역시 하오문의 성의에 예로 답하도록 하지."

둘이 화기애애하게 이야기를 나누는 걸 보며, 연은 당과나 먹었다. 단 건 그다지 선호하지 않았으나 요즘에는 부쩍 허기가 졌다. 이도 건강해진 덕분이었다. 아프면 식욕도 감소하기 마련이라 전에는 입맛이 짧았다.

그보다 위정을 보니 모든 문파가 모란을 적대시하는 건 아닌 모양이었다. 위정은 모란에게만 선물을 주지는 않았다.

"이것은 하오문 문도를 치료해 주신 연 공자님을 위한 보답입니다."

그러면서 위정이 묵직한 가죽 주머니를 건넸다. 그다지 보답을 바라고 한 일은 아니었기에 연이 고개를 저었다.

"저는 그런 것은 되었습니다."

"부디 받아 주십시오."

연은 거절하려 했으나…… 모란이 먼저 냉큼 받아 버렸다. 그러더니 미처 말리기도 전에 가죽 주머니를 열어 버리는 게 아닌가. 안에서 나온 건 볼품없이 잔금이 이리저리 간 주먹만 한 차돌 덩어리였다. 딱히 선물에 대해 별 기대도 생각도 없던 연이었지만 그저 돌로만 보이는 선물에는 의아할 수밖에 없었다. 모란이 덥석 돌을 쥐어 보더니 호오, 하는 소리를 냈다.

"한번 만져 봐."

그 무슨 선물에도 손도 안 댈 작정이었지만, 호기심을 이길 순 없었다. 연은 슬쩍 손을 대 보고는 놀랐다. 펄펄 끓는 정도까지는 아니지만 오래 쥐고 있으면 화상을 입겠다 싶을 정도로 돌이 매우 뜨끈하였다. 자세히 보니 잔금 안으로 희미한 붉은빛이 일렁였다. 또한 내뿜고 있는 양기(陽氣)가 실로 대단하였다.

"용암산에서만 발견되는 귀한 돌입니다. 보통 용두지열석(鎔頭之熱石)이라 불리며 황제에게나 진상되는 것인데, 문도 중 한 사람이 산에 갔다가 우연히 발견하였다고 합니다. 환자를 치료할 때 요

긴하게 쓰일 듯하여 가지고 왔습니다."

뜻밖의 선물에 연이 망설였다. 환자들은 보통 몸의 기가 허하고 양기가 부족해 몸이 차기 마련이다. 이 돌을 일각 정도 명치 위에 얹고 있기만 해도 상당히 몸이 좋아질 텐데. 위정은 연의 고민을 단숨에 눈치챘다.

"앞으로도 계속 하오문 문도를 치료해 주실 텐데, 그에 대한 보답으로 생각해 주십시오."

보통 하오문 문도 같은 평민들은 치료를 제대로 받을 수 없었다. 의원들이 대부분 돈이 있는 자를 상대하기 때문이다. 연이 앞으로도 계속 의원으로 활동하는 이상 많은 하오문 문도들이 필연적으로 연의 치료를 받을 터. 모란에게는 장기적인 이득을 셈하여 예를 갖추었다면, 연에게는 정말 예를 갖춰야 하기 때문에 이런 선물을 준비한 것이었다.

사실 연의 선물은 고르기가 참으로 까다로웠다. 남궁세가의 차남일 뿐만 아니라 백모란을 곁에 두고 있는 연에게 부족한 것이 무엇 있겠는가? 설사 있다 하여도 죽기 전까지 환자들을 돌본 연의 성정을 보아하건대 금은보화 따위는 받지 않을 것이 뻔했다. 해서 위정은 나름 궁리를 했다.

"……고맙습니다. 잘 쓰도록 하지요."

"선물을 잘 쓰신다니 제 기쁨일 것입니다."

용두지열석은 모란이 잘 챙겨 넣었다. 모든 용건을 마치자 위정이 자리에서 일어났다. 간단히 얼굴을 매만지는 것으로 그는 봇짐 장수에서 주루의 심부름꾼 하인으로 변하였다.

"참, 이번에 진을 치고 있는 자들은 양회문(諒會門)에서 보낸 자들입니다."

위정이 대뜸 던지는 말을 연은 이해하지 못했지만 모란은 바로 알아들었다. 위정은 가볍게 예를 취하고는 소리도 없이 걸어 사라졌다. 연이 미간을 접었다. 양회문? 모란은 연 앞의 다과가 상당히 사라진 것을 보고는 물었다.

"군것질로 배를 채우게? 식사를 내오라 할까?"

"양회문이 무엇인데?"

연이 답을 하지 않았지만 모란은 아랑곳하지 않고 식사를 내오라 하였다. 그는 양회문이 무언지 몰라서 묻는 것이 아니다. 양회문이라면 안휘성에서도 그럭저럭 잘나가는 문파 중의 하나로 창술이 특기인 가문이었다.

기다렸다는 듯이 기녀들이 곧장 따끈따끈한 식사를 내어 온 뒤에야 모란이 설명했다.

"오면서 보니 어느 피라미 같은 녀석이 날 보고는 부리나케 달려가더라고. 아무래도 날 기다린 모양이지. 지금 주루가 포위당해 있는 걸 보니."

그 말에 연은 갑자기 입맛이 뚝 떨어졌다. 주루가 포위당해 있다고? 창을 열어 내다보니 과연 검을 찬 무사들이 얼쩡거리기는 했다. 모란의 실력을 잘 알고 있으니 딱히 당하겠다는 걱정은 들지 않았지만…… 최근 평화에 누그러져 있던 마음이 다시 불편해졌다. 모란이 퍽 가소롭다는 얼굴로 코웃음을 쳤다.

"식사하고 있어. 상대 좀 하고 올 테니."

그리 말하고는 무어라 말하기도 전에 모란이 순식간에 그 자리에서 사라졌다. 연이 창밖을 내다보자 아까 어슬렁거리고 있던 무사 몇이 황급히 어디론가 달려가는 모습이 보였다. 잠시 후 아스라하게 누군가의 비명 소리가 퍼졌다.

연은 억지로 식사 몇 술을 뜨기는 했으나 얼마 못 가 다시 수저를 내려놓았다. 모란은 시간이 지난 뒤에야 다시 나타났다. 연의 시선이 모란의 옷에 묻은 핏자국에 향했다. 혹여나 하여 안색도 살폈다. 모란은 피 묻은 옷을 벗다가 음식이 거의 사라지지 않은 상에 의아한 얼굴로 물었다.

"왜 먹지 않고?"

"……아까 다과를 많이 먹어서."

눈썹을 들어 올린 모란이 손짓 한 번으로 피 묻은 옷을 없앴다. 하지만 연은 피 묻은 옷 때문에 입맛이 떨어진 게 아니다. 그는 의원이다. 환자를 치료하다 보면 피 같은 것에는 익숙해지기 마련이었다. 결국 얼마 먹지 않고 상을 다시 물렸다. 연이 느리게 눈을 깜박였다. 졸리기도 하고 기분도 그다지 좋지 않았다.

"슬슬 졸린 것 같은데, 돌아갈래."

"그럴까, 그럼. 걸어서 돌아갈 수 있겠어?"

연은 고개를 끄덕이고 싶었지만 자리에서 일어나자 몸이 한없이 축축 처졌다. 하나 정문으로 나왔으니 다시 정문으로 들어가지 않으면 최근 들어 모란에게 잔뜩 날이 서 있는 연오가 어찌 나올지 알 수가 없었다. 결국 모란이 연을 데리고 남궁세가 근처로 순간이동을 한 뒤 정문부터만 걸어 들어갔다. 연은 겨우 화정당으로 돌아와서는 기절하듯이 푹 잠에 빠져들었다.

그가 다시 눈을 떴을 때는 벌써 해가 저물고 달이 뜬 상태였다. 어쩐 일로 곁에 모란이 없어 창밖을 보았더니 그가 화정당 뒤뜰 정원을 거닐고 있었다. 찬찬히 살펴보던 그가 연꽃과 모란꽃이 심어진 연못 앞에 멈춰 섰다. 날이 약간 쌀쌀하여 연도 겉옷을 걸치고 나갔다. 모란이 뒤도 돌아보지 않고 입을 열었다.

"이제 시간이 좀 더 지나면 여기도 연꽃과 모란꽃이 피겠어. 참으로 보기 좋을 테지."

화정당에 모란꽃과 연꽃을 심으라 했던 제 지시가 다시 떠올라 새삼 부끄러웠던 연이, 부러 시큰둥하게 대꾸했다.

"평소에는 잘만 피워 댔으면서 요즘에는 어쩐 일로 안 피워?"

"그야, 이제는 꽃을 못 피우니까."

예상치 못한 대답에 연이 굳은 얼굴로 모란을 돌아보았다. 모란이 꽃을 피우지 않은 게 아니라 못 피우는 것인 줄은 몰랐다.

“……꽃을 못 피운다니, 왜 갑자기?”

그동안 모란이 얼마나 많이 꽃을 피워 댔는가. 어린 시절은 물론 이거니와 다시 만나게 된 뒤, 연이 꽃을 몹시 싫어할 때도 지긋지긋할 정도로 피웠었다. 이제는 꽃만 보면 모란이 생각날 정도였다. 연은 최근 들어 모란이 꽃을 피우지는 않고 꽃가지를 꺾어 잠자고 있는 제 머리맡에 두던 걸 떠올렸다. 모란은 별것 아니라는 어투로 말했다.

“내단을 네게 내주었으니까, 이제는 좀 힘들지.”

내단은 모란의 몸에서 넘치던 생기며 본원지기의 원천이었다. 넘쳐흐르는 생기로 꽃을 피우고 생장을 재촉해 오지 않았나. 어떻게든 연이 꽃을 덜 두려워하고 기억을 조금이나마 되살리게 하기 위해서. 하지만 지금 그리하기에는 그다지 상태가 좋지 않았다.

한데 모란의 그 말을 들은 순간 연은 기어코 눌러 참던 것이 터지고 말았다.

“왜……. 왜 그리 제멋대로야!”

다른 건 꾹꾹 별말 안 하고 넘어갔어도, 유독 모란이 꽃을 피우지 못 한다는 것은 연의 가슴에 아픈 쐐기같이 박혀 들어왔다.

제게 내단을 내주고, 치료해 주기 위해 안제테다에서 일 년을 또 고생하다 오고, 비열한 자를 자처해 가며 저를 다시 세가로 돌려보내고. 왜 꽃을 피우지 아니하고 꽃가지를 꺾어 머리맡에 두었는지 이제는 그 연유를 아니 분이 치밀어 올랐다.

아니, 이것을 분이라 할 수 있을까. 정말 모란이 제멋대로 굴었다고 할 수 있을까. 아니라는 걸 알지만 그럼에도 연은 참지 못하고 모란의 옷자락을 와락 쥐었다.

“영영화를 건드려서 이계로 쫓아 보낸 건 나잖아!”

“연아.”

모란이 옷자락을 꽉 쥔 연의 손 위에 제 손을 얹었다. 항상 혈기가 넘쳐 따뜻하다 못해 뜨끈하던 손은 이제 다소 서늘했다. 연이 입술을 깨물었다.

"화정당의 마법진이 왜 파괴되었는데? 내가 앱솔의 피가 묻은 옷을 연못 뒤에 파묻어서였어. 그도 모자라 정원에 꽃을 심으려 했어. 그래서 정원사가 발견한 것이라고."

그동안 연은 제 완치를 완전히 기뻐할 수가 없었다. 어렸을 적부터 지금까지, 끊임없이 제가 일을 저지르면 그 수습을 모란이 죄다 감당하는 느낌이었던 것이다. 아니, 느낌이 아니라 정말 사실이 그러하지 않나. 멱살을 쥔 연의 손에서 스륵 힘이 풀리는 걸 모란이 잡아채 손가락을 얽었다. 목소리가 퍽 다정하였다.

"너는 영영화를 그저 꽃으로만 알고 그런 것인 줄은 몰랐지. 또한 내가 충고를 받았는데도 경솔하게 화정당에서 일을 진행하였기에 네가 건들게 된 것이지 않아."

"……."

"화정당에 내가 너 몰래 그런 것을 묻어 놓은 사실 또한 알지 못했고."

"그래, 나는 몰랐지! 아무런 말도 안 했으니까……!"

그리 말하고는 연이 이를 악물었다. 모란이 그에게 해 준 것이 어찌나 지극하던가? 세가에서 사람들이 모란을 두려워하고 멀리할 때마다, 모란이 전과는 달리 깊은 잠을 자고 피를 토할 때마다 연의 가슴이 무겁게 내려앉았다. 모란이 괜찮다 하여도 연은 괜찮지가 않았다.

모란이 제게 준 것이 도무지 감당이 되지 않아서인가? 아니면 죄책감 때문에? 단순히 부담감이나 죄책감이라고 하기에는 어려운, 이리도 들끓는 이 마음은 무엇이기에?

연이 어찌할 바를 모르고 입을 꾹 다물고 있는 동안 모란은 조용히 웃었다. 제 말이 어린아이 투정처럼 들리는가 싶어서 연이 잠시간 입술을 깨물 때였다. 모란이 말했다.

"나는 도리어 좋아."

"······뭐가 그리도 좋은데?"

아직도 간에 구멍이나 뻥 뚫려 있으면서······. 연이 주먹을 꽉 쥐었다. 모란은 연꽃과 모란꽃이 심어진 부근을 잠시 돌아보았다. 연못과 화정당 정원, 그리고 마지막으로는 연을 보고는 입을 열었다.

"네 혼과 육신에 내 손길이 닿았고, 이제는 나의 것으로 이루어져 있지 않아? 그게 내게는 더할 나위 없이 만족스러운 것이지."

모란이 진심으로 기쁘고 만족스러운 얼굴로 눈을 접어 웃었다.

"심지어 연이 네가 나로 인해 이리 괴로워한다는 것조차 마음에 든다면 믿을 것이냐?"

모란의 말에 연이 잠시 입을 열었다가 닫았다. 모란이 그런 생각을 할 거라곤 한 번도 상상조차 한 적 없었다.

연인이란 게 마냥 애달프고 달기만 한 것은 아니라, 하고는 모란이 제 눈을 희미한 금빛으로 빛냈다. 그 익숙한 빛깔에 연은 미약하게 안도하였다.

"세상 다른 자들이 나를 어찌 여기든 그건 정말 아무래도 좋은 것이지. 하지만, 그래. 정 신경이 쓰이고 마음이 불편하면 이러면 어떻겠어?"

"무얼 어찌하면 되는데?"

눈앞의 연인의 모습이 모란에게는 어찌나 넘쳐흐르게 보이던지. 귀애(貴愛)하다 못해, 혼이며 육신 깊은 곳도 온통 자신의 것으로 해 놓고도 그럼에도 부족하고 또 부족하였다. 모란은 자신이 참으로 비겁하게 굴고 있다는 걸 알았지만 물릴 생각은 없었다. 연의 팔꿈치를 한 손으로 잡아 감싸면서 그가 경애(敬愛)하는 어조로 말했다.

"나의 반려가 되어 줘."

모란의 말에 연이 눈을 깜박였다. 지금 모란이 반려가 되어 달라 말한 게 정말 맞나? 한참 후에야 연이 겨우 입을 열었다.

"나와 혼인을 하자는 이야기야?"

"그와는 비교도 되지 않는 거야. 이전에 연리지 이야기를 했었지."

연이 고개를 끄덕였다. 예전에 자신을 치료하기 위해 설득할 적에 모란이 연리지를 비유로 든 적이 있었다. 본디 태어날 때 성질이 다른 것들이 잔뿌리부터 얽히기 시작해 나중에는 몸통까지 엉키게 되는 것. 풀려 해도 결코 풀리지 않는 것.

"반려라 함은 서로의 근원과 근원이 뿌리부터 줄기까지 얽히는 것이지. 상대의 운명이 나의 운명이고, 나의 운명이 상대의 운명이라. 네 오욕이 나의 오욕이 되며 나의 명예가 너의 명예가 될 테니."

팔꿈치를 감쌌던 모란의 손은 어느새 연의 몸을 두르고 있었다. 연의 눈동자에서 발하는 금빛이 모란의 눈동자 속에 어른거렸다.

전에는 모란이 이런 말을 할 때마다 뜬구름 잡는 소리라 생각했는데, 이제는 희미하게나마 이해가 가기 시작한다. 연은 모란이 건넨 반려라는 단어를 입 안에서 굴려 보았다. 반려.

근원과 근원이 엮여 인연(因緣)이 되고, 인연이 각각 상대의 운명이 되어 버려, 결코 끊을 수가 없는 것. 이번 생애에서도, 그 다음 생애에서도 만나게 되는 것. 실로 마음에 들었다. 연이 고개를 끄덕였다.

"어찌하면 되는데?"

"서로의 것을 나누어 가지면 되지."

"그럼 나누어 가져."

스스럼없는 연의 말에 모란이 빙그레 웃었다.

"우리는 이미 서로의 것을 나누어 가졌지 않아."

연의 가장 아픈 근원 조각을 모란이 가지고, 영영화를 흐트러뜨리기 전의 모란의 조각을 연이 가졌다. 서로의 것을 나누어 가졌으니 서로를 반려로 삼기에는 충분한 조건이 되고도 남았다. 남은 건 말과 행동으로 서로를 얽매는 것뿐이었다. 모란이 다시 반려가 되어 달라 입을 열 때였다. 연이 먼저 말을 꺼냈다.

"그렇다면 모란, 나의 반려가 되어 줘."

그리 말하고는 연이 모란의 손가락에 제 손가락을 얽었다. 손마디마다 결코 풀지 않을 것인 양 힘이 가해졌다.

"모란 당신의 오욕이 내 오욕이 되고, 나의 명예가 당신의 명예가 될 테니."

잠시간 연을 보다가 다정하게 웃은 모란이 연에게 입을 맞추었다. 서로의 혀를 얽매고 입술로 베어 물 적에 금빛의 색채가 서로에게 엉켜드는 것이 보였다. 한참을 농밀하게 나누다가 다시 떨어질 적에 연이 속삭이듯 말했다.

"연리지(連理枝)가 아니야."

"그럼 무엇인데?"

이제 반려가 되었으니 연리지가 아니라 한들 무슨 상관일까. 모란이 몇 번을 더 입을 맞추었다. 부족한 것이 채워지는 흡족함이었다. 연은 여전히 모란의 옷자락을 잡아당긴 채 웃었다. 모란은 그 웃음에 잠시 홀리었다.

"나무가 아니라 꽃과 꽃이 얽히었으니, 연리화(連理花)라 해야 맞는 말이지."

연의 말에 모란이 소리 내어 나지막이 웃다가, 무언가 떠올린 얼굴로 연의 손을 잡아끌었다. 둘은 연못 위로 걸어갔다. 그들 아래로 수련 잎이 깔리고 뒤로는 꽃망울이 맺힌 모란꽃이 자리했다.

"그렇지, 봐."

모란이 연의 손을 잡아 이끌었다. 깍지를 껴 단단히 얽매어 수면을 건드리자 연꽃이 피어나고 손가락이 향하자 모란꽃이 흐드러지게 피어났다. 순식간에 숨 막히는 꽃향기가 깔렸다.

"나 혼자서는 못 하지만 이리하면 꽃을 피울 수 있지."

잠시 주위를 둘러보다가 연이 웃었다. 그리고 모란에게 입을 맞추었다. 모란 역시 연에게 입을 맞추었다. 모란이 따뜻한 체온이 머무르는 손을 꽉 쥐었다. 그러자 이 정원이 언제 흙투성이로 뒤엎어졌었냐는 듯, 언제 꽃망울만 있었냐는 듯 이제 그들의 사방이 연리화로 가득 찼다.

비록 지는 것이 꽃의 운명이라지만, 피어나는 것 또한 꽃의 운명이라. 꽃은 어찌 지든 언제나 다시 피어나는 것이다.

가로지나 세로지나 꽃은 핀다 終

후일담

오늘은 어쩐지 날씨가 매우 화창하여 좋았다. 최근에 안 좋은 일만 있었기에 연오에게는 이런 날씨가 앞으로의 좋은 일을 의미하는 것처럼 느껴지기까지 했다. 이제 완전한 봄이라 세가에는 여기저기 꽃들이 화사하게 폈다. 거름이 좋았는지 지난봄보다 꽃들이 유달리 더 풍성하였다.

백모란이 제 악행과 더불어 숨겨 두었던 힘을 보여 준 지도 벌써 두 달째. 그간 남궁세가는 물론이고 여러 곳에서 어떻게든 모란을 중원에서 몰아내려고 갖은 노력을 했다. 그러나 연합 공격, 독, 금품, 여인을 이용한 유혹까지 그 어느 것도 모란에게 통하지 않았다. 중원에서 몰아내기는커녕 남궁세가에서 내보내지도 못한 것이다. 거기에 백모란이 태연하게 지내기만 하니 다들 지쳐 나가떨어지고 말았다.

이제는 언제 그런 일이 있었냐는 듯 안휘성은 예전처럼 평화롭기만 했다. 백모란의 모진 고초가 끝났음에도 날이 갈수록 초췌해지더니, 어느 날 갑자기 쓰러졌다가 깨어나 폐인 같은 몰골로 홀연

446

히 사라져 버린 남궁사영을 제외한다면, 장로들도 언제 모란에게 처참히 당했냐는 듯 다들 얼굴이 피기 시작했다.

하지만 연오는 아니었다. 그는 하루 종일 자기만 하는 동생을 볼 때마다 모란에 대한 적개심을 자글자글 태웠다. 뻔뻔하게도 모란이 아직도 화정당에 눌러앉아 살기에 더욱 그랬다.

'과거에 연이 모란을 화정당에서 살 게 할 수 없다 할 때 그러려니 했어야 하는 것을!'

하지만 후회는 늦어도 한참 늦었다. 이제는 차츰 줄어 가는 세가의 업무를 처리하다가 연오가 한숨을 쉬었다. 일이 영 손에 잡히지를 않았다. 결국 그는 화월당을 나가 창일당으로 향했다. 두 달 동안 열심히 지어진 창일당은 이제 처마 장식과 현판을 제외하면 거의 완성된 거나 마찬가지였다.

근처를 지나던 장로 남궁지랑이 가주님, 하며 인사해 왔다. 그도 창일당을 보며 흡족한 얼굴을 보였다. 전보다 건물의 높이가 여섯 자나 더 높고 더 넓었다. 백모란이 창일당을 지으라 댄 자금을 얼마 안 되는 금액으로 만들기 위해 세가에서 더 많은 돈을 들이부은 결과였다.

"슬슬 현판 제작할 곳을 알아봐야겠습니다."

현판은 건물의 상징이자 얼굴이나 다름없는 중요한 것이었다. 신경 써서 현판 장인을 알아봐야겠다는 남궁지랑의 말에 고개를 끄덕이며 연오가 입을 열었다.

"실은 창일당이라는 이름 대신 다른 이름을 붙이고자 합니다."

"그도 괜찮겠습니다."

연오의 말에 남궁지랑이 수긍했다. 불미스러운 일로 무너져 버린 건물이니 새로운 이름으로 붙이는 것도 나쁘지 않았다.

"길고 영원히 가라는 의미로 창영당(昌永堂)이라 붙이는 건 어떻겠습니까?"

"좋은 이름입니다, 가주님."

"다른 장로들의 의견도 한번 물어보고 확정하도록 하죠."

새로 지어지는 건물을 보니 연오는 창영당이라는 이름이 썩 괜찮게 느껴졌다. 화창한 날씨에 더불어 좋은 일이 있으니 마음 또한 좋아지는 것이다. 연오는 세가를 한 바퀴 돌아보고는 다시 화월당으로 돌아왔다.

'백모란도 이제 슬슬 세가 밖으로 나가지 않을까.'

최근 보고에 따르면 화정당에 내리 눌러살던 백모란은 최근 들어 유독 밖으로 나갔다가 돌아오는 경우가 많다고 했다. 그자를 힘으로 어찌할 수는 없으니 세가 밖으로 나가기만 해도 한결 마음이 평온해질 듯했다.

화월당에 돌아온 연오는 다시 업무를 처리하기 시작했다. 조언을 줄 그의 조부가 폐관 수련에 들어가기는 했으나 조부가 없어도 그의 주변에는 세가에 충실한 장로들이 있었다. 그들에게 조언을 구해 가며 일을 처리하다 보니 연오도 점차 익숙해져서 속도도 빨라지기 시작했다. 그런 그를 연이 찾아온 것은 일을 거의 마무리해 갈 무렵이었다.

"형님, 시간 괜찮으신가요?"

"아, 연아. 괜찮다. 어서 들어오거라."

연오가 두루마리를 내려놓으며 연을 반갑게 맞이했다. 시비에게 얼른 차를 내오라 하는 것도 잊지 않았다. 그가 연의 안색을 살폈다. 하루를 거의 잠으로 보내기는 하나, 그럼에도 이상하게 연의 얼굴은 전보다 훨씬 건강해 보였다. 추위도 훨씬 덜 타는지 아직도 두꺼운 겉옷을 걸치고 있을 예전과 달리 겉옷도 걸치고 있지 않았다.

연은 한위에 대한 이야기를 좀 나누다가 슬며시 찾아온 용건을 꺼냈다.

"저, 형님께서는 모란이 세가에서 나갔으면 하지 않습니까?"

"……그…렇기야 하다마는."

갑자기 직설적인 질문을 받은 연오가 떨떠름하게 대답했다. 그간 연이 유독 모란의 편을 들어 왔기 때문에 그로서는 이 질문이 뜻밖이었다.

"그럼 어떤 방법으로든 모란이 나가기만 하면 괜찮으신 것이지요?"

"그렇기는 하지만…… 왜 갑자기 그런 질문을 하는 것이냐?"

이상하게 연이 하는 질문이 영 찜찜하게 느껴졌다. 물어보아도 연은 그저 웃기만 하고 대답이 없었다. 이거 백모란이 드디어 본색을 드러내 무슨 수작을 부리는 건 아닌가, 좀 자세히 알아봐야 하나 연오가 생각할 때였다.

"실은 오늘은 드릴 말이 있어 이리 찾아온 것입니다."

"그래, 말해 보거라."

아까 꺼낸 말이 모란에 대한 것이었으니만큼 연오가 다소 긴장했다. 그러나 긴장한 것과는 달리 이어지는 연의 말은 기쁘면서도 놀라운 소식이었다.

"제 나이 벌써 스물, 저도 이제 혼인을 올리려 합니다."

"혼인 말이냐?"

그가 반색하였다. 스물이면 혼인을 올리기에 딱 적당한 나이이기는 하였다. 불현듯 연오는 전에 연이 좋아한다던 사람의 이야기가 떠올랐다. 그가 조심스럽게 물었다.

"혹시 전에 말한 그 사람이더냐?"

연오의 질문에 부끄러웠는지 연이 잠시 침묵하였다가 고개를 끄덕였다.

"예전에 어떤 사람과 혼인을 올리든 괜찮다고 하셨지요."

"그래, 어떤 사람이든지 상관없다."

그 남궁세가가 아니던가. 연오는 상대가 가난하거나, 혹은 아이를 가지지 못하거나 아니면 아이가 딸려 있거나 상관없이 전폭적으로 지지해 줄 의사가 있었다. 그가 혹시나 하는 생각에 다시 물었다.

"혹시 혼인하려는 사람이 백매화는 아니겠지?"

어째선지 연은 한참을 머뭇거리더니 고개를 끄덕였다.

"맞습니다. 백…매화……와 혼인을 하기로 하였습니다. 이미 안휘성에 살 집도 마련해 두었습니다. 그저 형님의 허락을 받기만 하면 됩니다."

"그렇구나."

연오가 고개를 끄덕거리고는 잠시 생각에 잠겼다. 그러고 보면 연도 어엿한 사내대장부로서 독립하여 가정을 이끌어 나갈 때도 되었다. 백매화가 백모란과 먼 친척 사이라는 것은 역시 마음에 걸렸지만, 아무래도 좋았다. 그래도 혼인하면 백모란이 전처럼 연의 곁에 눌어붙지는 않을 것이었다. 그런 자에게도 그 정도 염치는 있겠지.

연은 연오의 눈치를 살피다가 허락을 받으러 왔다면서 대답도 듣지 않고 슬그머니 자리에서 일어났다.

"그럼…… 전 이만 가 보도록 하겠습니다."

흐뭇해진 연오가 고개를 끄덕였다. 그뿐이랴, 연이 나가는 것을 배웅까지 해 주었다. 그가 잠시 화창한 하늘을 올려다보았다. 역시나 예감대로 좋은 일이 생겼구나. 퍽 기분이 좋아진 연오는 다시 일을 처리하기 시작했다. 아까와는 달리 연의 혼인에 관한 일거리를 새로 추가한 채였다.

그러나 이때의 그는 모르고 있었다. 백매화가 정확히 누구인지, 혼인식이 지나고 난 뒤 그를 덮칠 어마어마한 파란이 무엇인지……. 그저 하늘에는 구름만 평화로이 떠가고, 화월당에 새로이 피어난 꽃들만 산들거리며 흔들릴 따름이었다.

외전 : 어느 꽃피는 날에

　안휘성에 처음 온 사람들이 꼭 들러야 하는 세 가지 명소가 있
다. 첫째는 남궁세가의 그 으리으리한 대궐 같은 세가이다. 문지기
에게 잘 부탁하거나 인맥이 있으면 커다란 대문을 넘어 안을 슬쩍
구경해 볼 수도 있었다. 일전에 불미스러운 일에 의해 파괴되었다
가 재건되면서 전보다 여섯 자나 더 높아졌다는 창영당은 대문 밖
에서도 잘 보였다.

　둘째는 안휘성에서 가장 화려한 주루 금각루(金閣樓)다. 금각루
의 삼 층 전각 지붕은 그 이름에 걸맞게 도금이 되어 낮이면 금빛
으로 빛났다. 지붕에 금칠을 했으니 다들 금각루의 루주는 대단한
부자일 것이라는 추측들이 오갔다. 그중에서도 그 유명한 백모란
이나 안휘성에서 가장 잘나가는 상단의 주인 백매화가 주인이라는
의견이 유력하게 여겨졌다.

　셋째는 안휘성 남쪽에 위치한 한 저택이다. 사시사철 꽃이 흐드
러지게 피어나 그렇게 풍경이 아름답다고 하는 저택. 물론 그냥 꽃
이 아름답기만 한 저택이 아니다.

바로 그 백모란이 살고 있다고 알려진 저택이었다.

안휘성은 물론이거니와 무릇 중원에 사는 사람이라면 백모란에 대해 모르는 자가 없었다. 백모란은 삼 년 전, 어느 날 갑자기 나타나 남궁세가를 공격한, 실로 막강한 천하제일의 고수다. 남궁세가의 차남인 남궁연을 제물 삼아 자신의 수명과 힘을 늘리려 하는 중에 들통이 나 모든 사이한 계략이 밝혀진 것이다. 그러나 어찌나 대단한 고수던지 정파연합은 백모란 단 한 사람을 막지 못했다. 남궁세가는 물론이거니와 정파, 심지어 사파까지도 백모란에 의해 줄줄이 꺾여 나갔으니.

이자가 얼마나 강한지를 드러내는 일화는 수도 없이 많았지만, 그중에서도 제일 대단한 건 천일령 계곡 사건이었다.

당시 백모란에게 이리저리 두들겨 맞고 사기가 꺾일 대로 꺾인 정파연합은 강한 위기감을 느꼈다. 가장 처음으로 당한 남궁세가부터 제갈세가, 소림, 아미파, 점창파……. 그 외에도 여러 문파들이 우수수 꺾여 나갔다. 힘에서 완전히 눌렸으니 백모란이 봉문 혹은 사람이나 재물 등 무슨 요구를 해도 어쩔 수 없이 들어주어야 했을 텐데, 그는 오만하게도 꺾고 난 뒤에는 그대로 자리를 떴다.

정파연합은 이대로 있으면 큰일이 나리란 위기감에 손을 잡아서는 안 될 상대와 손을 잡았다. 어디까지나 임시이지만 사파와 동맹을 맺기로 한 것이다. 정파연합이 노리는 것은 단 하나였다. 사파가 소유하고 있는 벽력탄! 그 압도적인 위력으로 인해 벽력탄은 사용되는 것도 제조법도 철저하게 금지되어 있는 물건이었다.

그들은 백모란을 천일령 계곡에 불러내기로 했다. 그가 방심한 상태로 계곡에 나왔을 때 벽력탄을 이용해 돌더미 사이에 파묻어 버릴 작정이었다. 설마 그 백모란이라 해도 벽력탄에 당해 낼 수는 없을 터. 그들은 백모란의 오만함이 그를 죽이게 될 것이라고 확신했다.

마침내 천일령 계곡 작전이 시행되는 날, 예상대로 백모란은 유유자적 홀로 나왔다. 마치 산책이라도 나온 모양새였다. 그는 숨어 있는 이들이 무슨 짓을 할지 다 알겠다는 얼굴로 심드렁하게 팔짱을 꼈다. 그 태도에 내심 불안해하면서 그들은 준비했던 벽력탄을 터트렸다. 엄청난 굉음과 함께 백모란의 머리 위로 무시무시한 흙더미가 쏟아져 내렸다.

그의 머리 위로 흙과 돌들이 족히 스무 자[15]는 쌓였다. 산사태가 멈추었을 때 그들은 설마 아무리 그 백모란이라도 이 정도 공격에는 죽었겠지, 조마조마해하며 모습을 드러냈다. 일각이 지난 뒤에도 그의 모습이 그 어느 곳에도 보이지 않자 모두의 얼굴에 밝은 미소가 번졌다. 흙더미에서 불쑥 손이 솟아오른 건 바로 그때였다.

다들 설마 하여 입을 딱 벌리고 지켜보았다. 어떻게 인간이 이런 공격에서 살아남을 수가 있는가? 설마 지금 헛것을 보는 것이겠지? 그러나 그들의 기대와는 반대로 백모란은 흙더미를 아무렇지 않게 파헤치고 나왔다. 상체에 이어 하체까지 별 힘도 들이지 않고 빼낸 그는 옷에 묻은 흙들을 탈탈 털었다. 퉤, 피가 섞인 침을 뱉은 뒤 그가 히죽 웃었다. 그러고는 이렇게 물었다.

"이제 다 끝났나?"

다들 두려움에 질려 아무런 말도 하지 못하고 있자 백모란은 우득우득 소리가 나도록 몸을 이리저리 풀었다.

모든 일이 끝났을 때, 정신을 잃었다가 깨어나 보니 그들은 머리만 내놓고 흙더미에 파묻혀 있는 상태였다. 모란은 마치 밭에 작물 심듯 그들을 열까지 맞추어 산사태 흙더미 위에 심어 놓고 간 것이다…….

벽력탄 공격에도 겨우 피 섞인 침 뱉고 말 정도이니, 이쯤 되자 백모란에 의한 중원 통일이 되지 않겠냐는 이야기까지 나올 정도였다.

---

15) 약 육 미터

그나마 남궁세가에서는 백모란의 사술을 완성할 마지막 단계를 막기 위해 남궁연을 몰래 도피시켰으나, 협박에 이기지 못하고 결국 항복하고 말았다. 그렇게 사술은 완벽하게 완성되었다. 모든 것이 백모란에 의해 끝장나는가, 이렇게 암흑기가 도래하는 것인가, 정파연합은 좌절하고 사파는 백모란 밑에 붙으려 눈치를 보고 있을 때였다.

한데…… 놀랍게도 그 후로 아무런 일도 일어나지 않았다.

무너졌던 창일당은 창영당이라는 이름으로 다시 재건되었고, 정파연합과 사파는 다시 모란이 등장하기 전의 상태로 돌아갔다. 균형이 깨지거나 달라지는 일도 없었다. 백모란이 정파와 사파를 가리지 않고 고루고루 밟아 준 덕이다. 그렇게 백모란은 남궁세가를 무단 점거하고 있다가 이듬해가 되자 남궁연을 데리고 나갔다. 그러고는 곧장 혼인식을 올렸다.

"잠깐, 뭐라고?"

흥미롭게 백모란에 대한 이야기를 듣고 있던 진천야가 제 귀를 의심했다. 하마터면 발을 헛디딜 뻔하였다. 여중이 제 친구에게 주의를 줬다.

"자네, 산골에서 살다 왔다면서 왜 이리 산은 못 타나? 조심 좀 하게. 그러다 넘어져."

"아, 내가 잠깐 착각을 했어. 그자 이름이 백모란이라 하였지. 남자인 줄로만 알았네."

천하제일의 고수라고 해서 당연히 남자이겠거니 했던 진천야는 당황스러웠다. 하지만 생각해 보니 백모란이란 이름은 여인에게 어울리지 않는가. 그러나 여중은 친구의 말을 부정했다.

"백모란 그자는 남자일세."

여중이 제 친구의 불안한 발걸음을 흘깃거렸다. 산골에서 스승의 가르침을 받으며 살아왔다던 친구인데 왜 이리 오늘따라 산을 잘못 타는지 모르겠다. 안 그래도 황산은 꽤나 산세가 험악한 곳이라

주의를 해야 했다. 오래간만에 강호 유람을 한다고 안휘성까지 찾아왔기에 황산 구경 좀 시켜 주려고 데려왔더니 어째 불안하였다. 그 정도로 진천야는 백모란에 대한 이야기에 흠뻑 빠진 듯했다.

하긴 굳이 진천야뿐만이 아니다. 삼 년이 지난 지금까지도 사람들은 백모란에 대해 떠들어 대곤 했다. 그만큼 대단한 자였다. 이제껏 정파와 사파를 적으로 돌리고도 멀쩡한 사람은 천 년 전에 있었다는 혈선군주(血仙君主) 외에는 없었다. 혈선군주조차 그 치세는 일 년을 채 가지 않았다. 심지어 혈선군주와는 달리 백모란은 부하도 없이 혈혈단신이었다.

"하지만 백모란 그자가 남궁가 차남과 혼인식을 올렸다면서?"

"그게 좀 소문이 이상하게 났단 말이야."

영 불안했던 여중이 친구의 발 앞의 돌멩이를 걷어차 치웠다.

"분명 남궁세가에서 공표하기로는 백매화라는 여인과 결혼한다 하였는데, 혼인식에 참가한 사람들은 백매화가 아니라 백모란이라 하였으니."

안휘성에서 다시없을 성대한 혼인식이었다. 남궁세가의 가주 남궁연오와 제갈금려의 혼인식보다도 대단하여 안휘성에서 꽤나 산다 하는 자들과 중원에서 이름깨나 날리는 이들은 한 명도 빠짐없이 참석했다. 근처에 사는 사람들도 저택 문가라도 들르면 떡 한 줄 씩 얻어먹고 올 수 있을 정도로 인심이 넉넉한 혼인식이기도 했다.

그런데 참으로 이상한 점이 있었다. 어째서인지 혼인식에 참석했던 사람들은 신부가 백매화가 아니라 백모란이라 하는 것이다. 반면 남궁세가에서는 또 기를 쓰고 백모란이 아니라 백매화라고 우겼다. 감히 남궁연이 백모란과 결혼했다 떠드는 자들은 세가를 모욕한 것으로 간주하겠다고도 했다. 남궁세가가 그리 나오니 도리어 사람들의 호기심은 더욱 커져 가는 것이라, 온갖 허황된 소문이 횡횡하였다.

진천야는 여중의 말을 강력하게 부인했다.

"남사스럽게, 설마 남자가 남자와 혼인을 했을라고. 그것도 천하제일 고수라는 자가 신부 역까지 자처하면서! 말이나 되는 일인가?"

정파와 사파 앞에서 눈 하나 깜짝하지 않고 패왕(覇王)처럼 모두를 꿇렸던 백모란의 이야기는 가슴을 두근거리게 만드는 구석이 있었다. 그렇기에 진천야는 백모란이 신랑 역도 아니고 신부 역으로 남궁세가의 누구와 혼인식을 올렸다는 이야기가 영 못마땅하였다.

"모르지, 또. 그자가 남색을 한다는데 누가 뭐라 하겠는가? 눈 먼 용기를 가지고 있는 자만이 주둥이를 나불거릴 수 있을 테니. 엇, 자네 거기 조심……!"

"으악!"

여중이 미처 충고를 하기도 전에 진천야는 나뭇가지를 밟고 미끄러지고 말았다. 강호 유람 초행길이라 지나치게 들떠 있다 하였지, 여중이 혀를 찼다. 진천야는 몇 바퀴를 구르다가 멈춰 섰다. 그는 비틀거리며 일어나려 하더니 구역질을 했다. 그러고는 이내 기절했다.

머리를 세게 부딪친 모양에 서둘러 따라 내려온 여중이 기겁했다. 약초를 따다 생계를 유지하는 그는 산에서 죽은 사람을 여럿 봤다. 팔다리가 부러진 정도는 괜찮지만 머리를 심하게 부딪치는 건 대체로 예후가 좋지 않았다.

"자네 괜찮은가?!"

한데 머리에서 피를 흘리며 말을 제대로 못하는 모습이 아무래도 머리를 제대로 부딪친 것 같았다. 그래서 잘 좀 보고 내려오라 했건만……. 그는 급한 대로 지고 온 지게에 진천야를 얹었다. 그나마 산을 거의 다 내려온 마당이라 다행이었다. 여중은 얼른 헐레벌떡 뛰어갔다. 남궁연 의원이 있는 곳을 향해서였다.

안휘성에는 솜씨가 좋은 의원이 둘 있다. 한 명은 안휘성 남쪽의 진은록 의원이요, 다른 한 명은 북쪽의 남궁연이다. 진은록 의원이야 안휘성에서 뼈가 굵은 자라 다들 믿고 따랐지만, 작년에 처음 남궁연이 의원을 열었을 때는 다들 반신반의하였다. 그도 그럴게 그 남궁세가의 차남이 아니던가? 다른 할 일이 무궁무진한데, 아니, 백매화와 같은 부유한 상단의 주인을—혹은 그 백모란을—부인으로 맞이했으니 아무런 일도 하지 않아도 먹고살 텐데 무엇 하러 고생스럽게 의원을 한단 말인가.

때문에 돈깨나 있는 자들은 진은록이나 다른 솜씨 좋다는 의원을 찾아갔다. 하지만 돈 없고 가난한 자들은 그런 선택지가 없었는지라, 다들 지푸라기라도 잡는 심정으로 남궁연을 찾아갔다. 그리고 아주 증세가 심각하여 사경을 헤매는 자가 아니라면 놀랍도록 깨끗이 완치가 되어 돌아왔다.

남궁연은 기이하게도 말도 하기 전에 그 사람이 아픈 부분을 딱딱 잘도 집어냈다. 그리고 침을 놓는 것만으로 그 사람을 낫게 만들었다. 그러면서도 치료비는 진은록이 하는 것처럼 내고 싶은 만큼만 내게 했다.

다만 몸이 병약하여 이틀에 한 번 세 시진 정도 치료하는 것이 고작이라. 세 시진 정도의 치료 시간이 지나면 눈에 띄게 피곤해하곤 하였다. 남궁연이 비틀거리거나 벽을 짚고 서 있는 걸 목격한 사람도 여럿 되었다. 의원도 이틀에 한 번 열 뿐이라 진은록에 비하면 만나기 다소 힘들었다.

진천야에게는 다행히도 지금은 남궁연이 진료를 하는 시간이었다. 여중은 헐레벌떡 남궁연의 의원으로 날듯이 달렸다. 머리에서 피를 흘리며 지게에 얹힌 사람을 보고 환자들은 말없이 자리를 비켜 주었다.

"의원님, 의원님!"

여중은 허락도 구하지 못하고 벌컥 문을 열고 들어갔다. 침을 놓고 있던 남궁연이 자리에서 일어났다. 여중이 서둘러 조심스럽게 친구를 눕히자 연은 맥을 짚어 보고 눈꺼풀도 뒤집어 보았다. 잠시 살피다가 침을 두어 개 놓으니 놀랍게도 정신을 잃고 있던 진천야가 눈을 떴다.

"으, 으으……."

머리가 깨지는 듯한 통증에 진천야가 신음했다. 눈앞에서 흰 것이 어른거려 그가 손을 허우적거렸다. 친구의 헛짓거리에 여중의 얼굴에는 근심이 가득해졌다. 그러면서도 몇 번 연의 은혜를 입은 적 있기에 태도가 매우 공손했다.

"의원님, 이 녀석 상태가 많이 안 좋은 것 같습니다."

"부종이 있기는 한데……."

둘이 두런두런 대화를 나누는 동안 진천야는 조금씩 시야가 회복되었다. 코를 찌르는 약탕 냄새에, 그는 친구가 저를 의원에 데려왔구나 싶었다. 치료비를 내야 한다는 생각에 저도 모르게 전낭을 더듬거리려다가 진천야가 멈췄다. 자신의 손목이 누군가에게 잡혀 있었다. 의원이었다. 고개를 들어 의원의 모습을 확인한 그가 저도 모르게 입을 벌렸다.

금안이다!

살짝 내리깐 눈꺼풀 아래로 말간 금색 눈동자가 자리했다. 눈을 깜박일 때마다 드러나는 금안이 얼마나 신기한지, 진천야는 입을 벌리고 보지 않을 수 없었다. 여중이 이 무슨 실례냐고 툭 쳐도 진천야는 신경도 쓰지 않았다.

그는 이토록 아름답고 희귀한 눈은 난생처음 봤던 것이다. 아까 어른거리던 흰 것은 상대가 입고 있던 옷이었다. 연은 환자의 맥을 잡던 손을 거두었다.

"머리에 충격을 받긴 했으나 며칠 정도 가만히 누워 정양 생활을 하면 회복될 것입니다. 큰 걱정은 하지 않아도 됩니다."

"감사합니다, 연 의원님."

여중은 고개 숙여 인사하고는 주섬주섬 약초를 두어 다발 내밀었다. 진료비였다. 연은 약초를 살피고는 그중 서너 가지를 골라 다시 여중에게 건넸다.

"간이 안 좋으니 당분간 이 약초를 우린 물을 먹고, 술은 좀 자중하도록 하십시오."

"아, 가, 감사합니다."

안 그래도 지난번에 술 좀 그만 마시라고 지적받았기에 여중이 머쓱하게 목덜미를 긁었다. 그러면서도 연이 내민 약초는 소중히 따로 품에 집어넣었다. 그는 꾸벅 인사를 해 보이고는 아직도 남궁연만 바라보고 있는 친구를 지게에 다시 얹었다. 아까는 다급해서 잘 몰랐지만, 새삼 친구 놈의 무게가 무거워서 끙, 앓는 소리가 절로 났다. 그러거나 말거나 진천야는 표정이 멍했다. 단순히 머리를 부딪쳐서만은 아니었다.

"저 사람이······."

"그래, 그 남궁연 의원님이야."

이놈이 머리를 심하게 부딪쳤군 싶어 여중이 고개를 절레절레 저었다. 진천야는 의원을 나서 여중의 집에 이르기까지 멀거니 있다가 돌연 입을 열었다.

"눈이 금색이었어."

여중이 대수롭지 않게 답했다.

"이 근방에서는 유명하지. 백모란의 사술 때문에 그리 변했다는 이야기도 있고, 세뇌 때문이라는 이야기도 있고."

"세뇌?"

"그야, 백모란 때문에 그렇게 건강이 안 좋아지고 고초를 겪었는데도 이상할 정도로 사람이 얌전하니까."

연기를 삼켜 콜록거리는 바람에 여중은 진천야가 세뇌······ 하고 중얼거리는 건 미처 듣지 못했다. 다 소문이지만, 하고 여중이 중얼거리는 것 또한 진천야의 귀에는 들어가지 않았다. 여중에게 실려 가는 동안 진천야는 무슨 다짐을 했는지 불끈 주먹을 쥐다가 다시 두통으로 신음했다.

보통 연의 하루는 밀려드는 잠과 싸우는 것으로 시작했다. 일 년이면 이렇게 잠이 오는 게 괜찮아질 거라더니 이 년이 지나고 삼 년이 지나도 여전히 잠이 해일같이 몰려들었다. 그나마 다행인 건 점차 깨어 있는 시간이 늘어나고 있다는 점이었다. 이제는 하루에 다섯 시진[16] 정도는 거뜬히 깨어 있을 수 있었다.

오늘은 평소보다 좀 늦게 기상했다. 어젯밤에 늦게 잤기 때문이다. 딱히 의원을 열어 피곤해서가 아니다. 모란의 탓이었다. 다음 날이 쉬는 날일 때면 모란은 연을 붙들고 놔 주지 않았다. 덕분에 연은 아침에 일어나자마자 허리 아래의 뼈가 모조리 물렁하게 변한 듯한 느낌을 받아야만 했다. 겨우 엉금엉금 일어나 침소의 창문을 열자 잘 꾸민 정원이 바로 보였다.

한쪽은 사람 키를 훌쩍 넘는 큰 바위를 가져다 놓아 깎아지른 절벽 산처럼 배치했고, 그 바위 아래로는 큰 연못과 작고 아담한 정자가 자리했다.

졸졸 흐르는 개울과 나무, 그리고 화사하게 핀 꽃들까지 넘실거리니 세상에서 가장 아름다운 정원이라 해도 과언이 아니었다. 정원을 보며 어느 정도 잠이 깬 연이 머리를 단정히 하며 방을 나섰다.

"일어났네?"

"⋯⋯응."

아직 잠이 덜 깨어 연의 목소리는 평소보다 좀 낮았다. 혹은 어젯밤 그리도 소리를 질렀던 탓도 있을 것이다. 모란은 하던 일을 멈추고 자리에서 일어났다. 단둘이서만 지내는 저택은 고요하여 이따금 산새 지저귀는 소리만 났다.

---

16) 약 열 시간

"잠시만 기다려. 식사 가지고 올 테니까."

졸음기가 남아 고개만 끄덕이자 모란이 그 자리에서 사라졌다. 연은 멀거니 모란이 만들고 있던 걸 바라보았다. 무언가 하니 바로 꽃꽂이였다.

그렇다. 근 삼 년간 모란의 취미는 꽃꽂이였다. 그도 그럴 게 혼인 후로 툭하면 연과 손잡고 거닐며 이 저택의 곳곳에 꽃을 피우고 다니지 않았나.

넘치는 것이 꽃이었다. 처음에 연은 자고 일어나면 제 머리맡 화병에 풍성하게 꽂혀 있는 꽃가지를 볼 수 있었다. 모란은 퍽 심심했던 모양인지 꽃을 만지작거리며 꽃줄기를 엮어 만든 팔찌나 화관 따위를 만들기도 했다. 그러다 꽃꽂이에 심취하여 본격적으로 취미 생활로 삼기 시작했다.

덕분에 사방이 모란이 만들어 놓은 꽃꽂이 작품투성이였다. 이백오십 년간 쉴 틈도 없이 바쁘게 지냈으니 적어도 십 년 정도는 느긋하게 지낼 거라면서 모란은 집에서만 빈둥거리며 지냈다. 그러고는 연이 이따금 남궁세가에 다녀오거나 의원에 나갔다 오면 걸작이라 할 수 있는 꽃꽂이를 만들어 놓았다. 박제를 할 수 있다면 기꺼이 그러고 싶을 만한 작품이었다.

하나 모란은 시드는 것 또한 작품의 묘미라면서 꽃잎이 한 장 두 장 흩어지게 두고는 완전히 시들면 정원에 거름으로 주었다. 언제부터인가 모란은 꽃꽂이뿐만 아니라 정원에도 손을 대기 시작했다. 어느 순간 보니 저택의 정원은 마치 무릉도원이라고 해도 좋을 정도로 아름답게 꾸며져 있는 상태였다. 이따금 저택에 놀러 오는 손님마다 정원을 보고 감탄을 금하지 못했다.

그뿐만이 아니다. 모란은 거의 모든 일에 뛰어난 솜씨를 보였다. 얼마나 솜씨가 뛰어났던지 연이 먹는 것부터 입고 쓰는 것까지 모든 것들이 모란의 손길을 거쳤다.

연은 하도 자는 때가 많았던지라 처음 몇 달 동안 빨래며 청소, 식사까지 모두 다른 사람이 하는 줄만 알았다. 그런데 어느 날 보니 모란이 편안히 대청마루에 다리를 꼬고 앉아 마법으로 큰 물통의 물을 휘휘 저으며 빨래를 하고 있는 게 아닌가……. 연은 얼떨떨해서 이리 물었더랬다.

-지금…… 뭐 해?

-빨래하지.

-사람 안 시키고?

-심심하고 할 일도 없는데 뭐.

그러고는 손가락을 휘저어 옷을 통째로 허공에 들어 올려 탈수시키고는 히죽거리면서 이렇게 말하는 것이다.

-뭐어, 이런 게 신부가 하는 일이라고들 하던데?

신부…….

그렇다. 믿기지는 않지만 모란은 연의 신부였다. 혼인식을 올릴 때 연이 신랑 자리에, 모란이 신부 자리에 섰으니 어쨌든…… 그리되었다. 혼인식 날을 떠올리면 연은 지금도 얼굴이 벌겋게 달아올랐다. 그는 결코 그리 크게 혼인식을 올릴 생각이 없었다.

처음 모란과 반려가 되었을 때, 그 만족감은 퍽 큰 것이었다. 겉으로는 변한 게 아무것도 없었지만 연은 어쩐지 모란과 앞으로 계속 함께할 것이란 확신을 얻을 수 있었다. 그저 이름만 반려가 아닌 것이다. 한데 시간이 지나면서 차츰 이런 생각이 드는 게 아닌가.

'그래도 식 정도는 간단히 올리고 싶은데.'

해서 연은 모란에게 간단히 혼인식을 올리는 건 어떠한가 물었다. 모란은 연의 말에 흔쾌히 찬성했다. 연은 어찌하려 했냐면, 당장 다음 날 그냥 외진 곳에 있는 작은 빈집 따위를 좀 빌려다가 붉은 등 몇 개 걸어 놓고 붉은 천을 깔아 둔 채 술이나 나눠 마실 생각이었다. 한데 모란이 이러는 것이다.

　–나는 아무래도 상관없지만 그래도 나름 부친이라고 하는 사람이 죽었는데 일 년은 지나 혼인식을 올리는 것이 좋겠지?

　모란의 말이 일리가 있어 연이 수긍했다. 혐오스럽기까지 했던 자였으나 그래도 부친은 부친. 그래서 연은 일 년이 끝날 때까지 기다리기로 했다. 어차피 급한 일도 없었으니. 하지만 모란은 예의 상 일 년을 기다리자고 한 것이 아니었다. 정확히 말하면 이런 의미였다.

　'나는 욕먹어도 아무래도 상관없지만 네가 욕먹으면 좀 그러니, 그래도 나름 부친이 죽었는데 일 년은 지나 혼인식을 올리는 것이 남들 보기에 좋겠지?'

　혼인식을 어찌 치를 것인가부터 모란과 연의 생각은 심히 달랐던지라……. 예전 연오의 혼인식 때 자신이라면 더 크고 성대하게 연다 했던 모란의 발언을 별생각 없이 넘겼던 연의 착오였다. 모란은 정말이지, 정말 연오의 식보다도 크고 성대하고 화려하게 열고 싶어 했던 것이다.

　그렇게 서로의 조용한 오해 속에 시간은 흘러 어느덧 영명이 죽은 지 일 년하고도 두 달이라는 시간이 지났다. 이때 연은 어쩌고 있었냐면, 실은 혼인식에 대한 것을 거의 잊고 있었다. 매일같이 자는 것이 일상이라 날이 어찌 흘러가는지도 모르고 있었거니와 혼인식에 별로 큰 의의를 두지 않았던 것이다.

　–슬슬 우리 혼인식을 올릴까?

　모란이 이렇게 말하고 나서야 연은 혼인식을 올리자 했던 것을 떠올릴 정도였다.

　–그럼 올릴 장소는…….

　–우리 살 집에서 올리면 되지. 안휘성에 마련해 뒀어. 계속 세가에서 살 건 아니잖아?

-뭐어, 그건 그렇지.

한위에게는 좀 미안한 말이지만 연은 계속 세가에서 살 생각이 없었다. 세가에서는 모란의 운신이 그다지 편하지가 않았던 탓이다. 모란은 자신이 다 준비해 두었으니 연에게는 몸만 오면 된다고 말했다. 연은 모란의 말을 믿었다.

하지만 믿어도 너무 믿었다. 다음 날 연오가 연을 부를 때까지 그는 모란이 무슨 일을 진행하고 있었는지조차 전혀 모르고 있었다.

-연아, 내가 뭐 도와줄 일은 없겠느냐?

-무엇을 말입니까?

-네 혼인 말이다. 네 신부가 혼자서 너무 고생하는 것 같아 하는 말이다.

연오가 이렇게 말하고 나서야 연은 상황이 겨우 파악이 되었다.

-……예?

-이런, 매일 자고만 있어서 몰랐던 것이냐? 아무튼 네가 벌써 혼인식을 올릴 나이라니……. 참으로 놀라운 일이구나.

그리 말하는데 연은 등골에서 싸아악 핏기가 빠져나가는 소리를 들은 것 같았다. 도저히 침착할 수 없었던 그는 졸리다고 둘러대고서 서둘러 창영당을 뛰쳐나왔다.

모란이 대체 어디에 있더라? 왜 연오가 그들의 혼인식에 대해 알고 있나. 모란과 저 둘이서만 올리는 혼인이 아니란 말인가? 심지어 연은 우연히 만난 장로들에게서 혼인 축하한단 소리까지 듣고는 약간 얼이 나갔다.

연에게 마지막으로 정신적인 타격을 준 건 한위였다. 때마침 화정당에 한위가 놀러 왔기에 누구누구가 제 혼인식에 대해 알고 있느냐 물었다. 그러자 한위는 별생각 없이 해맑게 이리 대답하였다.

-안휘성에 사는 사람들은 다 알지요.

-안휘성에 사는 사람들은…… 다?

애써 태연하려 했으나 연의 말꼬리는 그만 떨리고 말았다. 요즘 주강과 안휘성 여기저기 돌아다니기에 바쁜 한위가 고개를 끄덕였다.

―그야 여기저기 방이 나붙었으니까요. 형님과 백매화라는 여인이 혼인을 한다고……. 저어, 그런데…….

한위가 주위를 두리번거리고는 아무도 듣지 않는다는 확신이 들고 나서야 소곤소곤 물었다.

―하지만 왜 모란 형님과 사귀면서 혼인은 다른 분과 올리시는지요?

―…….

일전에 연은 모란에게 입을 맞추다가 막 문을 열고 들어온 한위에게 들킨 적이 있었다.

모란은 태연하고 연만 얼어붙어 있는 가운데, 한위는 동그란 눈으로 둘을 바라보더니 조용히 자리를 비켜 주었다. 그 후로 아무런 말도 없기에 잊은 줄 알았는데……. 연이 가까스로 입을 열었다.

―이름만 백매화란다…….

―……? 아! 그러면 그 백매화란 분이 모란 형님이신 거지요.

연은 잠시 고뇌했다. 어째서 한위는 저가 모란과 혼인한다는데 아무런 거리낌도 없는가? 오랫동안을 그 하오문의 유모와만 지내서 그런 쪽으로는 제대로 배우지 못했기 때문일까? 하나 이제는 제법 보고 들은 것도 많아 알 것도 다 알 터였다.

―그런데 한위야, 음……. 보통은 혼인이란 건 남자와 여자가 올리는 것이거든.

―물론이지요. 아, 그야 모란 형님은 남자이시지만.

한위가 빙그레 웃었다. 한위 나이 이제 열일곱, 어느 순간부터 부쩍부쩍 자라더니 이제는 연과 얼추 키도 비슷하고 제법 사내의 태도 났다. 무술의 성취도 또래에 비해 남달라 장로들의 칭찬이 자자하다고 들었다.

　―어차피 모란 형님은 세상에서 제일 센 사람이 아닙니까.

　―그…렇기는 하지.

　그러니까, 그건가. 모란이 세상에서 제일 세니까…… 남자이든 무엇이든 아무래도 상관없을 것이라는…….

　하긴 일 년 전 창일당이며 온 중원을 그리 뒤집어 놓고 다녔지만 지금까지 그 누구도 모란에게 별말 못 하지 않는가. 연도 아무려면 어떤가 싶어졌다. 지금 중요한 건 안휘성을 떠들썩하게 만들고 있다는, 자신과 백매화의 혼인이었으니.

　한위가 돌아간 뒤 연은 모란이 오기만을 기다렸다. 며칠에 한 번 모란은 하오문과 주루의 일로 나갔다 돌아오곤 했는데, 하필 그날이 오늘이었다.

　'아니, 잠시만. 요즘은 유달리 외출이 잦았지. 그게 설마…….'

　혼인 준비 때문이었구나. 진작 알았어야 했는데. 연이 미간을 짚었다. 모란의 내단을 먹은 뒤로는 매일매일 잠이 몹시 오는 바람에 그는 안휘성에서 일어나는 여러 가지 소식들에 늦었다. 이번에는 늦어도 아주 늦었다.

　모란이 온 것은 연이 또 잠을 못 이기고 뻗어 버린 뒤였다. 살금 살금 이마를 만지작거리는 손길이 있어 눈을 떠 보니 모란이 무릎 베개를 해 준 채 내려다보고 있었다. 졸음을 떨쳐 내기 위해 눈을 깜박거리자 슬슬 옷자락을 들추었다. 잠이 확 달아난 연이 벌떡 일어났다.

　모란은 연이 막 깨어난 뒤나 혹은 졸려서 느른해하는 모습을 좋아해 자주 집적거리고는 했다. 그 집적거림을 내버려 두면 어느새 옷이 벗겨지고 모란에게 안겨 잠이고 뭐고 어느새 반쯤 울면서 흔들리는 일만이 남게 된다. 다행히 오늘은 별생각이 없었는지 모란은 뒤로 몸을 약간 젖히는 것으로 솜씨 좋게 이마를 맞부딪치는 걸

466

피했다.

－사과 먹을래?

모란이 넉살 좋게 권해 왔다. 그러고는 솜씨 좋게 사과를 반으로 갈라 아직 잠이 덜 깬 멍한 연에게 내밀었다. 사이좋게 사과 두 개를 나눠 먹고 나서야 퍼뜩 정신이 들었다. 지금 사과나 먹고 있을 때가 아니다. 설명을 듣고 싶어서 연이 조심스럽게 말을 꺼냈다.

－모란. 그, 혼인식 말인데.

모란은 제대로 된 이야기를 꺼내기도 전에 적극적으로 고개를 끄덕여 연의 말을 가로챘다.

－맞아, 안 그래도 혼인식에 대한 이야기를 해 주려고 했어.

그러고는 모란이 아공간을 휘적휘적 저어 무언가를 꺼냈다. 무언가 하고 보았더니 각각 종류가 다른 홍등 세 개였다. 그 뒤를 이어 종이로 만든 붉은 꽃과 화려한 자수가 놓인 천도 나왔다. 연이 눈을 깜박였다.

－종류도 여러 가지가 있더라고. 뭐가 더 좋아?

－그러니까, 이거…… 혼인식 때 쓸 장식?

모란이 흡족한 얼굴로 고개를 끄덕거렸다. 이렇게 좋아하는 걸 본 적이 없어서 연은 떨떠름하게 한참 장식들을 보다가 몇 개를 골랐다. 아니, 잠시만. 이거 진짜로 본격적인 것 같은데. 연오와 금려의 혼인 때 쓰인 장식들도 화려했으나 이것들보다는 덜 화려했던 것 같다.

－얼…마나 규모를 크게 열려고?

－음. 일단은 남궁세가 사람들은 죄다 초대해야지. 다음으로는 각 문파에도 몇 명 오라고 보내고……. 정원이 넓으니까 자리는 넉넉할 거야.

그럼, 그럼…… 못해도 하객이 몇백은 족히 된다는 이야기인데. 연은 잠시 까마득해졌으나 더한 것이 그를 기다리고 있었다. 모란이 매우 화려한 붉은 옷을 주섬주섬 꺼내 든 것이다. 남자와 여자의 것이었다. 한데 신부의 옷이 참으로 품이 넉넉하고 컸다. 연이 떨리는 손으로 붉은 면사포를 쥐었다.

-설마 모란 당신이 신부 역?

-어쨌든 명색이 백매화니까? 봐. 홍옥도 달았거든. 예쁘지 않아?

이쯤 되자 연은 될 대로 되라 싶었다. 그래, 아무렴 어떤가…….이렇게까지 준비했으니 도무지 훼방을 놓을 수가 없었다. 모란이 있는 정성 없는 정성 죄다 들인 게 보이는데 이제 와서 둘만의 혼인식을 올리자고 할 수는 없었다.

모란이 이때까지 제게 해 준 걸 떠올리면 혼인 정도는 원하는 대로 해 줄 수 있었다. 부끄러우면, 뭐, 당연히 부끄럽긴 하겠지. 하지만 어차피 한때의 부끄러움일 테니. 연은 모란과 함께 **뻔뻔해지기**로 결심했다.

그리하여 시간은 쏜살같이 흘러 대망의 혼인식 날이 되었다. 안휘성은 온통 떠들썩해졌다. 혼인식 날 백매화와 남궁연의 저택에 들르면 누구나 먹을거리와 약소한 선물을 받을 수 있다 했기 때문이었다.

모란이 전에 호언장담한 대로 매우 성대하고 화려한 혼인식이었다. 남궁세가에서 저택까지 이르는 길에 온통 홍등이 내걸렸고 저택 내부에는 아름다운 자수가 새겨진 붉은 천이 여기저기 걸렸다.

하객들이 속속 모여드는 가운에 연은 얼굴이 벌겋게 익었다. 화려해도 너무 화려하다.

안휘성은 물론이거니와 중원에 아주 방방곡곡 그들의 혼인식을 알리고자 작정을 한 것 같았다. 그는 차마 남궁세가에서 온 하객들과 다른 손님들을 볼 수가 없었다. 하객들은 신랑이 참으로 부끄러움을 타는 거라고만 생각했다.

-백매화가 그렇게 아름다운 여인이라며?

–어떻게 생겼는지 정말 궁금하네그려.

–그건 그렇고 남궁연 공자는 정말 눈이 금안이군.

–못 들었나? 남궁연이 금안인 이유가 그자의 사술과 세뇌 때문이라던데…….

연은 주위에서 들려오는 소리를 애써 못 들은 척하였다. 그저 뻔뻔하게 행동하려고 애를 쓸 따름이었다. 하지만 마침내 신부가 들어온 순간, 그 뻔뻔함은 흔적도 없이 사라지고 말았다.

보통 전통적인 혼례에서는 신부가 가마를 타고 들어온다. 그러나 온 하객들의 시선이 집중되는 가운데 정문으로 들어온 건 마차가 아니었다. 바로 위풍당당하게 저벅저벅 걸어 들어오는 신부다. 모란이 들어오는 걸 볼 적에 연의 입꼬리는 파들파들 떨리고 말았다.

'우, 웃을 것 같다. 아냐, 이건 울음이 나오는 것인가. 혹은 둘 다일지도.'

모란이 여자 옷을 입은 건 처음이 아니었다. 단연 이번이 최고이기도 했다. 신부가 걸어 들어오는 걸 보고는 하객들은 하나같이 입을 벌렸다. 첫째는 신부가 마차도 타지 않고 들어왔기 때문이요, 둘째는 풍채가 사내다운 탓이라. 머리 꼭대기까지 열기가 오른 채 연은 차라리 자신이 면사포를 쓰는 게 좋지 않았을까 뒤늦게 후회했다.

–……신부가, 어쩐지, 몸이…….

–꼭 남자 같구만.

–……남자 같은 게 아니라 혹시 남자, 아닌가?

–이 사람, 아무렴 신부가 남자일까.

모란은 주위 수근거림은 아랑곳하지 않고 저벅저벅 걸어와 연에게로 다가왔다. 그러고는 절차며 뭐며 다 무시하고 면사포를 약간 걷은 채로 대뜸 연에게 입을 맞추었다. 슬쩍 혀까지 섞고는 씩 웃는데, 그 웃음을 보니 연의 얼굴이 더욱 붉어졌다. 그가 누가 들을 까 속삭였다.

－……환각 마법을 사용할 줄 알았어.

－사용할 필요가 없는데 무엇 하러? 중요한 건 네가 누군가의 반려 가 되었음을 모두에게 알리는 것이지.

그러더니 모란이 또 면사포 아래로 쪽쪽 입을 맞추었다. 연은 모 란의 입맞춤을 받으며 저도 모르게 생각했다. 모란이 여장하는 것 도 좀 좋은 듯한데. 붉은 옷이 참으로 잘 어울린단 말이야.

하지만 역시, 이런 옷은 저와 단둘이 있을 때만 입으면 좋겠다고 도 생각했다……. 여러 가지 의미에서.

좀 이상하기는 했지만 하객들은 신랑과 신부가 참으로 사이가 좋구나 여겼다. 설마 신부가 남자에다가 그 백모란일 것이라고는 추호도 생각하지 못했던 탓이다.

모두가 그러려니 여기는 순간 모란이 등장할 때부터 부들부들 몸을 떨고 있던 연오만이 자리에서 벌떡 일어나 외쳤다. 그는 면사 포 아래로 씩 웃는 입매가 너무나도 익숙했던 탓에 그냥 지나칠 수 가 없었다.

－네 이놈!

큰 외침에 하객들이 다들 연오를 바라보았다. 아차 한 연은 다시 현실로 돌아왔다. 연오의 얼굴이 충격으로 붉으락푸르락했다.

－신부가 백매화가 아니라 백모란이지 않으냐!

아니, 어떻게 형님이 백모란이란 걸 알았지! 하고 생각하기에는 양심이 좀 찔렸다. 누가 봐도 모란은 건장하여 사내 같았다. 모란 을 흘끔 보고는 연이 속으로 한숨을 쉬었다. 그리고 일단은 모른 척 넘어가려고 시도해 보았다.

－형님, 그게 무슨 말씀이십니까? 제 신부가…… 백모란이라니요.

한데 정말이지 양심이 좀 심하게 찔렸다. 연오는 얼굴이 희어졌

470

다가 붉어졌다가 하더니만 주먹을 꽉 쥐었다. 경사스러운 혼인날을 이렇게 망치기는 싫었으나 그는 백모란이 연의 곁에 있다는 게 더욱 싫었다. 그냥 붙어 있는 것도 아니다. 지금 이 순간을 지나면 평생 붙어 있을 터였다.

–감히 내 아우를 현혹해 혼인을 시켜! 네가 백모란이 아니면 증거를 보여라!

이 말은 면사포를 걷어 얼굴을 보이라는 의미인지라. 상대가 정말 여인이고 신부라면 큰 실례지만 연오는 연이 백모란과 혼인한다는 사실에 이성을 살짝 잃은 듯하였다. 모란이 연오를 향해 몸을 돌릴 적에 연은 멀거니 하늘만 바라보았다. 오늘 날씨가 참으로 좋구나. 마법으로는 날씨 좋은 것도 알 수 있던가?

–이 무슨 무례인지 모르겠군. 나는 백매화가 맞다.

모란은 정말이지 지나치게 뻔뻔했다. 신부에게서 사내의 목소리가 흘러나오자 하객들이 입을 딱 벌렸다. 어처구니가 없어 연오가 차마 말을 잇지 못하고 있자 모란은 주위를 둘러보면서 히죽 웃었다.

–왜, 누구 내가 백모란으로 보이는 자 있으면 나와 봐.

저잣거리 왈짜패가 따로 없는, 실로 깡패다운 태도였다. 실제로도 중원의 깡패나 다름없는 사내이기도 했다. 모란의 말에 다들 딴청을 피웠다.

면사포를 걷지는 않았으니 사내가 아니라 여인으로 생각해 주겠다는 태도였다. 중원이 약육강식의 법칙에 철저히 따른다는 걸 보여 주는 모습이기도 했다.

'이건 눈 가리고 아웅이 아닌가…….'

연의 양심이 큰 고통을 호소했다. 그는 이래도 되냐고 외치고 있는 양심을 애써 무시한 채 하늘에 희고 말간 구름이 떠가는 것만 바라보았다. 연오에게 무척 미안했다.

-연아, 정녕 저자가 백매화라고 할 참이냐?

-무슨 말인지 잘 모르겠습니다, 형님.

애써 천연덕스럽게 대답한 연은 속으로 죄송합니다, 하고 중얼거렸다. 어차피 연오는 연이 모란에게 세뇌를 당했다고 생각하니 이도 그리 여기리라 믿으며…….

-아무리 보아도 백매화가 아닙니까?

연의 마지막 말에, 결국 연오가 마지못해 다시 자리에 앉았다. 그리고 이를 바득바득 갈며 모란을 노려보았다. 모란이 노골적으로 히죽거리는 게 얼핏 보이기에 연이 발을 콱 밟아 주었다. 그러고 나서야 혼인식은 다시 재개되었다.

그날, 끝끝내 연오는 참지 못하고 검을 빼 들어 모란에게 덤벼들고 말았다. 연은 모란에게 검을 휘둘러 대는 연오를 말리지 않는 것으로 도리를 다했다. 참으로 대파란의 혼인식이었다.

'그래, 그런 혼인식이었지…….'

그날은 장로와 한위에, 금려까지 만류하고 나서야 겨우 연오를 뜯어말릴 수 있었다. 연은 어쩐지 연오가 모란을 악당으로 생각하여 그리 길길이 날뛰는 게 아니라, 순수하게 모란이 마음에 들지 않아서 그러는 게 아닐까 하는 생각이 들었다. 장로들은 죄다 또 창일당이, 아니 창영당이 부서질까 염려되어 만류하는데 연오만이 앞뒤 안 가리고 모란을 적대했던 것이다.

그 후로 이 년이라는 시간이 흐르고 나서야 연오는 겨우 모란에게 대놓고 이를 갈지 않을 정도가 되었다. 모란은 나중에야 연에게 귀띔을 좀 해 주었다.

-아마 네 형이 나에게 배신감을 좀 느끼는 모양이지.

-배신감이라고?

왜 연오가 모란에게 배신감을 느끼는지 연은 당장 이해할 수가 없었다.

–그야 내가 네 살일 때부터 알아 왔잖아. 네가 날 괴롭혀서 나름 죄책감도 느끼고 주치의라고 신뢰도 하고 잘해 주지 않았어. 그런데 어느 날 갑자기 하루 만에 창일당을 죄다 때려 부수고 네가 아픈 것도 내가 원인이라 하였으니.

그럴싸하게 들리는 추측이었다……. 하긴 연오가 정말 모란이 이 모든 일의 범인이라고 여겼다면 이렇게 큰 소란을 피우지도 않았다. 진심으로 적으로 삼았으면 남들 보란 듯 큰소리를 내기보다는 조용히 절치부심(切齒腐心) 검을 갈고 있었겠지…….

연은 과거의 회상에서 벗어나 다시 현실로 돌아왔다. 예술적인 꽃꽂이를 가만히 구경하고 있자 모란이 음식과 함께 나타났다. 둘이 자주 가곤 하는 객잔이나 주루에서 가지고 온 요리다. 모란도 연도 딱히 요리를 잘하는 편은 아니었다. 과일은 잘 깎아도……. 연은 요리에는 재주도, 아는 것도 없었고 모란은 흥미가 없었다.

"이 집은 마파두부가 맛있네."

"나중에 다른 음식도 한번 사 와 보지."

음식을 식탁 위에 차려 두고 먹으면서 이런저런 이야기를 나누다가 연이 움찔했다. 모란이 슬그머니 발 장난을 걸어온 탓이었다. 움찔 뒤로 몸을 빼면서 연이 눈썹을 들어 올렸다. 어젯밤 그렇게 하고도 또 그럴 만한 기운이 있단 말인가? 하긴, 언제나 기운 넘치는 사내였지. 간에 구멍이 뻥 뚫리고도……. 아직도 모란의 늑골 바로 아래를 누르면 얕게 푹 들어갔다.

하지만 연은 모란과 달리 기운이 없었다. 그는 여전히 허리 아래로는 뼈들이 죄다 물렁거리는 것 같았다. 아침에 막 일어났을 때보다는 좀 굳었지만.

"오늘은 세가에 들러서 형수님에게 인사도 좀 하려고……."

"그래? 같이 갈까?"

"오늘은 형님이 안 계시니 괜찮겠지."

금려는 남궁세가에서 유일하게 모란을 거리낌 없이 평범하게 대하는 사람이었다. 게다가 연의 쌍둥이 조카들인 천우와 일우는 이상하게도 유달리 모란을 잘 따랐다. 가장 잘 놀아 주는 건 한위인데도 그랬다.

순간이동으로 단숨에 갈 수도 있겠지만 연은 모란과 함께 세가까지 걸어가는 방법을 선택했다. 세가 사람들이 깜짝 놀라거나 문지기가 모란이 정문도 지나가지 않고 세가에 들어갔다며 연오에게 보고하는 건 원하지 않았다. 또 무엇보다 예의도 아니었고.

남궁세가로 향하는 길은 늘 그러했듯 사람들로 활기찼다. 모란이 방금 막 생각난 모양으로 입을 열었다.

"그러고 보니 말야. 한위 그 꼬마, 꽤 실력이 늘었던데."

"한위야 원래 실력이 좋았잖아."

"그냥 실력이 좋은 수준은 아니던데. 그 왜, 뇌열쌍장(雷裂雙掌)인가 돼먹지 않은 별호를 가진 자 알아? 요즘 안휘성에서 꽤 유명하던. 그자도 이길 정도니 괜찮은 수준이지 않아."

"……한위가 뇌열쌍장(雷裂雙掌) 주자령을 이겼다고?"

뇌열쌍장 주자령은 안휘성의 중소문파 구곡문 출신으로 사매(師妹)를 죽이고 달아난 죄로 쫓기는 중이었다. 뿐만 아니라 여러 부녀자 겁탈로 그 악명이 자자하였다. 그럼에도 실력이 좋아 구곡문에서는 쉬이 처리하지 못하고 애를 먹고 있었다.

죄를 짓고 달아나게 만든 것도 모자라 악명을 떨치게 만들었으니 구곡문으로서는 큰 오명이었다. 그래서 최근 현상금까지 걸렸다 했는데……. 그런 자를, 한위가?

연은 뿌듯하기보다는 걱정부터 앞섰다. 마지막으로 봤을 때 어디 다친 곳은 없는 듯했는데. 표정도 밝았고.

"대체 어쩌다가 그자와 싸우게 된 거야?"

"몰랐어? 요즘 주강과 함께 현상 수배 걸린 자들 쫓아다니고 있던걸."

"뭐라고?!"

마침 막 정문을 지나가던 차였기에 소리를 좀 높이자마자 시선이 쏠아졌다. 아직도 남궁세가에는 모란을 경계하는 자들이 꽤 있었기에 연이 목소리를 낮췄다. 현상 수배가 걸린 자들을 쫓아다니다니, 대체…… 주강은 무슨 생각인가?

"그런 자들을 쫓아다닌다니, 위험하잖아!"

"이제 나이 열아홉이고 두 달 있으면 스무 살이잖아. 여러 가지 일들을 해 볼 때도 되었지."

그건, 그렇지만……. 연오도 이 나이 때에 온 중원을 돌아다니면서 높이 명성을 떨쳤으니 맞는 말이긴 하다. 하지만 한위는 동생이라 그런지 걱정이 드는 것이다. 처음 한위를 만났을 때 그 빼빼마르고 꼬질꼬질하던 모습이 아직도 연에게는 강렬한 기억으로 남아 있었다.

물론 지금 한위의 모습은 그때와는 완전히 다르긴 했다…….

일단 형수님부터 먼저 뵙자 생각하여 창영당으로 향했다. 정식으로 가주 자리를 승계한 뒤 연오와 금려는 화월당에서 창영당으로 거처를 옮겼다. 마침 창영당에서 조카들과 놀아 주고 있던 한위가 반가운 얼굴로 자리에서 일어났다.

"형님들!"

연은 한위의 모습을 새삼 다시 보았다. 열아홉, 이제 한위의 얼굴에는 앳된 기색은 보이지 않았다. 어엿한 청년의 모습을 하고 있는 것이다. 어릴 적 말랐던 팔이며 다리는 흔적도 없이, 근육으로 잘 단련된 몸만이 남아 있었다. 얼굴에는 활발하고 밝은 기색이 가득 찼고 키도 훌쩍 자라서 연보다도 한 뼘이나 더 컸다. 한위가 옆구리에 천우와 일우를 끼고 일어나자 좋아서 애들이 숨넘어가게 까르르 웃었다.

"형수님은?"

"연오 형님과 잠시 산책을 다녀오신다 하셨습니다."

이런……. 한동안 황산과 장강을 시찰 나갔다 오시는 게 아니었

나. 그럼 연오 형님 돌아오시기 천에 창영당을 떠야겠다. 그 전에 물을 건 묻고…….

"한위야. 네가 주자령과 싸워서 이겼다는 소문을 들었다."

"아, 그 소식 들으셨어요?"

천우를 가볍게 번쩍 들어 올리던 한위가 쑥스러운 얼굴을 했다. 연이 예상한 반응은 아니었다. 내가 형님의 과보호하는 성격을 닮은 것인가?

한위가 칭얼거리는 일우도 번쩍 들어 허공에 띄워 주는 동안 연이 주강에게 시선을 돌렸다. 전보다 많이 분위기가 부드러워지긴 했지만 여전히 주강은…… 주강이었다.

"다른 놈도 아니고 현상 수배범들만 쫓아다니다니, 너무 위험하지 않아?"

"위험한 놈들을 상대해야 돌발 상황에 대처할 수 있지. 아무리 실력이 있어도 경험이 없으면 실제 상황에서 몸이 굳어 버려."

구구절절 맞는 말이라 연은 뭐라 대꾸할 것이 없었다. 생각해 보면 주강은 마교인이었다. 마교는 대체적으로 무인들을 아주 거칠게 키우는 경향이 있었다. 그걸 고려해 보았을 때 주강이 한위를 지도하는 방식은…… 거친 축에도 끼지 않았다.

천우를 들어 줄 때는 일우의 투정을 듣고 일우를 들어 줄 때에는 천우의 투정을 들으며 난감해하던 한위도 주강의 말에 고개를 끄덕였다.

"그럼요. 걱정 마세요, 형님. 게다가 주자령은 그렇게 위험한 녀석도 아니었어요."

"……그래, 무인으로서 종종, 도전할 때도 있어야 하는 법이지."

연이 마지못해 동감했다. 아무리 그래도 구곡문에서 애먹은 주자령이 위험하지 않다고 하다니, 생각보다 한위의 실력이 대단한 모양이었다. 하긴 소룡대회도 거듭 연승을 했고……. 연오의 뒤를 이어 중원오룡이 될 예정이 아니던가.

"참, 형님. 내년에는 강호 유람을 가려고 하거든요. 같이 가시겠어요?"

천우와 일우를 팔에 매단 채 번쩍 들며 한위가 물었다. 완전히 건강해진 지금에도 연은 천우와 일우를 돌볼 때면 힘겨울 때가 있었는데 한위는 조금도 힘든 기색이 없었다.

강호 유람이라……. 그러고 보니 한위도 벌써 강호 유람을 떠날 때가 되었구나. 연은 기꺼이 고개를 끄덕였다. 한위의 얼굴에 환한 미소가 번졌다. 이제 한위에게서 어릴 적 불우한 시절을 찾아보기 힘들었다.

연은 조카들과 놀아 주면서 한위와 좀 더 이야기를 나누다가 연오가 금려와 돌아오기 전에 일어났다. 다른 때 같으면 괜찮겠지만 천우와 일우가 있을 때면 연오는 유독 모란에게 가시를 세우는 경향이 있었다. 모란도 대체로 연오가 그러거나 말거나 흘려보내는 편이기는 한데 이따금 울컥하는 모습을 보이기에 안 만나게 하는 게 상책이었다.

세가를 나온 둘은 주위도 좀 돌아다니고 주루도 들렀다가 집으로 돌아왔다. 한데 집 앞에 누군가가 서성이며 기다리고 있었다. 이제 연에게는 제법 익숙한 얼굴이었다. 벌써 이 년이나 봐 온 사람이었다.

"연 의원님!"

모용세가에서 보낸 심부름꾼이 연을 보자 반색하며 얼른 후다닥 다가왔다. 그가 공손히 인사를 올리고는 품에서 조심스럽게 서찰을 꺼내 내밀었다. 요녕성에서 안휘성까지 얼마나 열심히 달려왔는지 온몸의 행색이 말이 아니었다. 항상 그렇듯이 여독을 좀 풀라고 제법 돈을 쥐어 주자 피로한 와중에도 심부름꾼의 얼굴이 환해졌다.

"저는 항상 가던 객잔에 가 있을 테니 답신 보내실 적에 언제든지 저를 불러 주십시오.”

심부름꾼이 꾸벅 다시 인사를 하고는 임무를 마쳤다는 안도감에 발을 질질 끌며 사라졌다. 연은 서찰을 잠시 바라보았다. 모용천으로부터 온 것이다.

이 년 전, 남궁세가에서 나와 모란과 함께 살 집으로 옮길 때였다. 개인적인 짐을 정리하고 있던 연은 한동안 잊고 있었던 비녀를 다시 보고는 생각에 잠겼다. 그의 모친인 모용단리의 비녀…… 그러자 자연히 모용천도 떠올랐다. 마지막에 그의 외조부가 보여 준 쓸쓸한 뒷모습이 떠오른 것이다.

물론 모용천에게 자식이 모용단리 하나뿐인 것은 아니다. 게다가 아직도 연은 어린 자신이 모용세가를 찾아갔을 때 모용천이 얼굴 하나 비치지 않고 문전박대했던 일이 기억 속에 깊게 남아 있었다. 그럼에도 혼인식 때 저를 보던 외조부의 모습이 자꾸만 걸렸다. 경악 그 자체였던 표정이, 마치 작은 돌멩이 하나가 박힌 것처럼 연의 마음속에서 꺼끌거리는 것이었다.

결국 며칠 동안 끙끙거린 끝에 연은 붓을 잡았다. 마침 해가 바뀔 때라 간단히 새해를 축하하며 무병장수를 기원하는 서찰 정도는 보내도 될 듯했다.

연은 발이 재빠른 심부름꾼을 고용하여 서찰을 모용세가에 보내었다. 만약에 중간에 일이 생기거나 아니면 모용세가에서 들여보내지 않으면 어쩌나 하는 염려가 들었으나, 그렇다면야 어쩔 수 없는 일이었다. 그리 생각하며 연은 서찰을 보낸 사실 자체를 잊으려 애썼다. 보내고 달포가 지났을 무렵 답신이 돌아왔다. 선물과 함께였다.

선물까지는 딱히 기대하지 않았기 때문에 연은 다소 놀랐다. 좀 떨리는 마음으로 서찰을 뜯어보니 정갈한 글씨체가 보였다. 연이 보낸 것과 마찬가지로 간략하게 건강과 무운을 비는 서찰이었다.

다만 글씨 하나하나가 퍽 정성스러워 쓴 사람의 마음이 짐작 가는 것이었다. 같이 보낸 보따리 안에는 새 옷이 하나 들어 있었다. 연은 묘한 마음에 외조부의 답신을 한참 동안 보았다.

그렇게 연은 모용천과 근근이 답신을 주고받게 되었다. 거리가 거리인지라 한 달에 한 번 정도나 교류하는 정도였으나, 그 정도로도 연의 마음속 골은 차츰 메워지는 듯했다.

수도 없이 서찰을 교류하면서도 모용천은 한 번도 모용세가에 와 보라는 이야기를 한 적이 없었다. 하지만 저를 한번 보았으면 하는 마음이 서찰에서 느껴졌기에 최근 연은 한 번쯤은 모용세가에 들러도 되겠지, 하는 마음이 슬슬 들고 있었다.

"무슨 내용이야?"

"평소와 비슷해. 그나저나 이번에는 중추절(中秋节 : 음력 8월 15일) 오기 전에 한번 찾아뵐까……."

말을 잇다가 연이 모란을 보고는 먼저 선수를 쳤다.

"나 혼자 다녀올 거야."

"왜?"

"그냥……."

그냥이 아니다. 연은 모란에게 외조부로부터 온 서신의 내용을 직접 보여 준 적은 없었다. 사실 개인적인 서찰이기 때문만은 아니었다. 서신을 읽다 보면 연은 모용천이 모란을 마치 천하의 몹쓸 것 취급하는 것을 느낄 수 있었다. 연오와 비슷하게 저를 세뇌당한 것처럼 취급을 하거나, 이 서신이 감시당한다고 생각했는지는 몰라도 그 집에서 나와 모용세가에서 살지 않겠냐고 돌려 묻는다거나.

하나 서신을 보지 않아도 연이 왜 그러는지 훤히 예측하고 있는 모란이 히죽 웃었다.

"정 뭣하면 환각 마법 걸어서 백매화로서 같이 다녀올 수도 있는데."

"싫어……."

모란의 제안에 한순간 솔깃하지 않았다 하면 거짓말일 것이다. 하지만 그 제안을 거절한 데는 이유가 있었다. 연은 혼인식 후로는 모란이 여장한 걸 다시 보고 싶지 않았다. 아니, 여장한 것까지는 그럭저럭 괜찮다. 문제는 이상하게도 모란은 여장할 때에 특히나 더 변태같이 집요하게 군다는 점에 있었다. 혼인식 날 밤, 모란과 함께 보낸 밤은 얼마나 환…장적이었던가. 목소리도 쉬고 눈도 붓고 허리에는 도통 힘이 들어가지 않아서 연은 이틀을 그대로 침상에서 보내야만 했다. 그럼에도 모란은 조금도 반성의 기색이 없었다.

"그럼 시종으로?"

"……생각 좀 해 보고."

그건 그렇고 모란의 신경줄은 대체 얼마나 굵은 것인가. 모란이 온 중원에 시비를 걸고 다닌 뒤로 벌써 삼 년이나 지났다. 그럼에도 연오를 비롯하여 많은 사람들이 모란에게 아직도 이를 갈고 있었다. 그뿐인가, 중원의 제일강자가 되어 버린 탓에 못해도 달포에 한두 번은 겁 없는 자들이 도전장을 던져 왔다. 연은 고개를 절레절레 저었다.

"아니면 마부도 괜찮고."

모용천의 서신을 자개장에 잘 넣어 두다 뒤를 돌아보자 모란의 손이 은근슬쩍 허리를 감으려 들고 있었다. 연이 서랍을 닫으며 이게 뭐냐는 시선을 보내도 상대는 뻔뻔하게 굴었다.

"아니면 시비는 어때?"

"마부고 시비고 간에 이 손 좀 떼. 나 지금 졸리거든?"

모란의 음흉한 손길을 피하기 위해 졸리다고 하는 게 아니다. 더는 기절하듯이 자는 일은 없었지만, 여전히 연이 필요로 하는 수면 시간은 길었다.

실제로도 해가 뉘엿뉘엿 질 때쯤에는 졸음이 와르르 쏟아지곤 했다.

그런데 모란이 이렇게 말하는 게 아닌가…….

"그래, 연이 넌 자기만 하렴. 내가 다 알아서 할 테니."

"뭘, 알아서 한다는 건데!"

자는 사이에 무슨 변태 같은 짓을 하려고! 연이 버둥거려 보았으나, 언제나 그렇듯이 모란의 손길이 닿은 시점에서 모든 건 정해진 것이나 마찬가지였다. 히죽 길게 웃은 모란이 연의 덜미를 덥석 물었다…….

피를 토했다. 온 내장이 뒤틀리는 고통이 엄습해 이마와 목덜미에는 식은땀이 가득했다. 익숙한 고통이라고 생각했으나 죽음을 앞둔 고통은 전혀 익숙해지지가 않는 것이었다. 연이 신음하였다. 다시 왈칵 피를 토하면서 두려움에 떨었다. 불안함, 두려움, 원망……. 온갖 부정적인 감정들이 마음을 갉았다.

모란, 하고 연이 중얼거렸다. 눈을 질끈 감았다. 나를 완치해 준다 하였잖아. 이십 일 안으로 온다 했잖아. 이제 나는 곧 죽을 텐데, 어째서……. 죽기 때문에 원망하는 것이 아니었다. 이 감정의 근본은 원망이 아니다. 원망보다는 안타까움이었다.

모란, 모란 하고 애타게 몇 번을 더 중얼거리다가 연이 거꾸러졌다. 아득해지는, 고통스러운 현기증이 덮쳤다. 분명히 그는 침상 위에 누워 있을 텐데 몸은 한없이 추락하기만 했다. 모든 것이 연으로부터 멀어지기만 했다.

한참을 떨어져 심연에 잠길 때, 완전히 꺼져 버린 연의 무의식이 외쳤다. 이것이 죽음이다. 너를 맞이하는 이것이 바로 죽음이다…….

죽음. 그 얼마나 압도적이고 온기 한 점 없이 차가운 것인가. 장소인가? 아니다, 이것은 부분이었다. 모든 살아 있는 생명들이 그렇듯이 태어날 때부터 연과 함께해 온, 친숙하고 낯선 것이다. 필히 찾아오고 마는 종말이자 완벽한 무(無)였다…….

하나 그렇기에 아무것도 없는 공허한 곳에서 피어나는 황금빛 꽃은 얼마나 아름다웠는지. 찬란하게 빛나는 꽃잎, 그 뒤로 너울거리는 어떠한 것……. 거대한 생명체의 눈. 모든 것을 관통하는 이치가 연의 눈꺼풀 너머로부터 명멸했다.

"……연아, 일어나야지."

속삭이는 소리와 함께 닿는 입맞춤에 연이 그제야 눈을 떴다. 순간적으로 그의 눈꺼풀 위에서 부서지는 것이 있었다. 한데 너무 눈이 부셔서 햇살인지 아니면 금빛 꽃잎인지 알 수가 없다. 모란이 몸을 덮고 있어 연이 끙, 하고 앓는 소리를 냈다. 이마며 목덜미가 식은땀으로 축축했다.

"또 악몽을 꿨나 봐."

전에는 악몽을 꾼 적이 한 번도 없었지만 완치된 후부터 연은 종종 악몽을 꾸곤 했다. 영락없이 죽어 간다고 생각하며 모란이 오기만을 기다리던 그때의 일이다. 그 뒤로도 무언가가 더 있는 것 같은데 항상 몽롱하니 흐릿한 기억으로만 남아 있어 정확히 무엇이었는지는 떠오르지 않았다.

"악몽이라. 오늘 식사는 몸을 보신할 것으로 하도록 할까. 오리탕 같은 것으로."

"오리……."

아침이라 입맛이 없는데도 오리탕의 맛이 떠올라 연이 저도 모르게 침을 삼켰다. 이따금 모란은 황산을 뒤져서 엄선한 재료로 오리탕을 해 줄 때가 있었다. 대체 무엇을 넣었는지는 몰라도 은은하니 향긋하여 얼마나 맛이 그윽하고 좋은지……. 모란은 그런 연을 몰래 살펴보면서 잠시 혀를 찼다.

완전히 죽음을 맞이한 것은 아니나, 연은 분명 죽음이란 것을 겪었다. 그 자체로 실로 연은 대단한 무언가를 보고 온 셈이다. 다시 깨어나면서 평범한 인간의 인지를 넘어간 부분은 잊긴 했다. 하지만 실리낙스의 눈을 가진 연을 과연 평범한 인간이라 할 수 있을까? 잊은 부분은 어떤 식으로든 연의 의식에 큰 영향을 끼치는 것이다.

이따금 '악몽'을 꾸는 아침마다 실리낙스를 넣은 그의 오른쪽 눈꺼풀 위로 선명한 금빛이 아롱졌다. 모란은 그게 무엇이 될지는 아직 알 수 없었다. 어느 경지에 이르는 방식은 각자 천차만별이기 때문이다. 하지만 아직은 멀었지. 연이 이 모든 일의 의미를 알게 되는 건 먼 훗날의 일일 것이다. 모란은 속내를 삼키고는 빙긋이 웃었다.

"그럼 다녀와. 오리탕을 해 놓을 테니까."

"응……."

모란에게 입을 맞추어 주면서 연이 저도 모르게 생각했다. 그 백모란이 저를 위해 오리탕을 만들고 있다는 걸 다른 사람들은 아마 상상도 못 할 텐데……. 하긴 어젯밤 모란이 한 만행을 생각하면 오리탕 정도는 먹어야 마땅했다. 정말이지 기운을 빨리는 느낌이었으니. 연은 모란과 함께 아침을 먹고 난 뒤 나갈 채비를 마쳤다.

"오늘 옷은 이걸 입으면 좋겠는데. 날이 슬슬 더워지니까 좀 선선한 것으로."

"그럴까."

별생각 없이 연은 모란이 내미는 옷을 입었다. 의원에 갈 때면 입곤 하는 옷들은 죄다 흰 것이다. 그래야 혹여나 몸에 오물이 묻어도 확인이 용이했다. 옷을 입고 난 뒤 신발까지 신던 연이 멈칫했다.

'……뭐지?'

생각해 보니 살고 있는 집에다가 먹는 것부터 입는 것, 자는 것, 하다못해 가볍게 걸치는 노리개나 간식에 목욕뿐만 아니라 아침 소셋물 따위도 죄다 모란이 마련하고 있었다.

그야 상당수가 손 하나 까딱 안 해도 마법으로 해결되는 것이긴 한데. 단순히 모란이 부인…… 역할을 한다 치기에는, 이따금 연을 보는 모란의 시선이 지나칠 정도로 퍽 흐뭇해 보이는 것이었다.

　한편 모란은 어찌 생각하고 있었냐면…….

　'오늘도 완벽한데. 좋아. 완벽해.'

　모란이 속으로 고개를 끄덕였다. 오늘도 연은 머리부터 발끝까지 죄다 그가 해 준 것으로만 이루어져 있었다. 연이 남의 손 타는 일 없이 오롯이 그의 것으로만 살아간다는 건 이 얼마나 흡족한 일인가. 내일도, 모레도, 그 다음날도 연은 오로지 모란의 손만 거칠 예정이었다.

　아무튼 이런 속은 모르는 연은 제가 너무 모란을 성가시게 하는 건 아닌가 미안한 마음이 드는 중이었다. 의원 일도 일인데 하루 종일 잠만 자다 보니 대체 뭘 하지를 못하겠다…….

　그래도 조금씩 깨어나는 시간이 늘어나고 전처럼 기절하듯 픽 잠들어 버리지 않아서 다행이지. 한때는 의원 일을 한동안 접을까 심각하게 고민도 했다. 졸음에 환자 치료를 잘못할까 염려되었던 탓이다.

　모란의 배웅을 받으며 나와 연은 의원으로 자박자박 걸어 향했다. 집에서 걸어 십 분 거리에 있는 의원은 아침부터 환자들로 북적였다. 연이 도착하자 환자들을 줄 세우고 있던 장철이 달려왔다.

　"연 의원님! 어서 오십시오. 좋은 아침입니다."

　"좋은 아침입니다."

　연은 환자들 중 가난이 병 그 자체가 되어 버린 사람들을 따로 고용하고 있었다. 너무나도 가난하여 사흘에 한 번 묽은 죽을 먹으면 다행인 처지인 사람들이다. 의원에 찾아올 만큼 삶에 대한 애착이 강하나 정작 식사를 하지 못해 몸이 병이 나니, 그런 이들을 고용하여 며칠에 한 번이나마 의원에서 일하게 하고 있었다.

　연이 없을 때에는 환자들에게 의원이 어찌 돌아가는지 알려 주고 이처럼 정렬해 주기도 한다. 의원을 깔끔하게 청소하고 연의 잡일을 도와주기도 했다. 이리 일하고 일주일에 은자 한 푼을 받아 갔다. 많지는 않아도 굶지 않고 몸의 체력을 회복하여 자립하기에는 충분한 돈이었다.

그는 환자들을 살펴보며 증세가 심한 사람부터 골라냈다. 연의 고요한 금안이 사람들을 쭉 살폈다. 전과 달리 맥을 짚지 않고도 이리 보는 것만으로 누가 얼마나 아픈지 한눈에 보인다. 연에게 선택되지 못한 사람들의 얼굴에는 아쉬움이 가득했으나, 대신 간략하게 어떤 약초를 달여 어찌하란 처방을 받고는 돌아갔다.

"저, 연 의원님!"

한데 오늘은 돌아가지 않고 남아 있는 사람이 있었다. 머리에 붕대를 감고 있는 사람이었다. 연은 잠시 후에 그가 누구인지 떠올렸다. 자주 거래하곤 하는 약초꾼 여중이 데려온 진천야라는 사람이었다. 친구인데 산에서 굴렀다고 했던가? 아무튼 머리에 꽤 충격이 가해졌었는데, 며칠 누워 있으라고 했는데 겨우 이틀 만에 왜 의원에 찾아왔는지 모르겠다.

겉으로 보기에는 악화된 것 같지는 않았지만 혹시 모르기에 연이 의원에 들였다. 머리는 사람의 몸에서 가장 중요한 부위 중 하나다. 조심해서 나쁠 것은 없었다.

"일단 안으로 들어오십시오."

연은 진천야를 눕혀 두고는 다른 환자를 먼저 보러 갔다. 처음으로 본 환자는 팔이 탈구된 어린아이였다. 일단 침을 맞춰 고통을 경감시킨 다음 아이의 시선을 다른 곳으로 돌린 사이 가볍게 힘을 주어 뼈를 밀어 넣었다. 어린아이들은 관절이 약하고 물렁하여 자주 탈구가 일어나곤 했다. 방치할 경우 탈구된 상태 그대로 굳어 버릴 수도 있고 무엇보다 고통이 심하니 가능한 빨리 맞춰 줘야 한다.

그가 환자들을 치료하는 속도는 꽤 빨랐다. 잠시간 맥을 잡고 상태를 파악한 뒤 진단을 내린다. 침이 필요하면 침을 놓고 장기간 치료를 받아야 하는 환자에게는 약탕 처방을 내려 준다. 고통의 원인을 파악하는 것이 놀랍도록 정확하고 신속했다.

환자들은 그것을 연이 가진 금안 덕분이라고 여겼다. 어느 사람들은 사술의 흔적이라고들 하는 금안이 그들의 상태를 살필 때에는 유독 환하게 빛나기에 그럴 수밖에 없었다. 연도 환자들이 자신의 금안을 은근하게 떠받드는 걸 알고 있었다. 부정은 하지 않았다. 확실히 금안의 덕을 보고 있으니까 말이다.

기맥과 그 흐름이 연에게는 책 읽듯이 술술 보였다. 흐름이 엉망이고 꼬인 부분이 바로 고통의 원인이니 어찌 모를 수가 있겠나? 보통 맥을 한참 짚어야 감으로나마 알 수 있는데 맥을 짚지 않아도 본원지기며 기맥의 흐름이란 것들이 보였다. 모란이 봤던 걸 이제는 연도 볼 수 있었다. 의원에게 있어서는 더할 나위 없이 완벽한 안력(眼力)이었다.

"……허어."

진천야는 누운 채 연이 환자들을 치료하는 모습을 멍하니 지켜보았다. 움직임마다 수려하고 실로 근사하였다. 아무것도 모르는 눈으로 봐도 퍽 수준 있는 의원이란 게 확실했다. 연의 조치 후에 안색이 밝아지는 사람들만 봐도 알 수 있다.

잠시 후에 급한 환자들을 우선 처리한 연이 다가오자 진천야가 벌렸던 입을 얼른 다물었다. 사술의 흔적이라는 건 알겠지만, 그럼에도 금색의 눈동자가 얼마나 선연한지 눈을 뗄 수가 없었다. 연은 진천야가 무례하게 쳐다보아도 익숙한 듯 신경 쓰지도 않았다. 대놓고 연의 눈을 만지려고 한 사람들도 있었으니 이 정도 반응은 보통이다.

"여, 연 의원님. 저는 진천야라고 합니다."

맥을 짚다가 연이 잠시 물끄러미 바라보았다. 그 시선에 진천야는 가슴이 다 조마조마하고 뛰었다. 연이 하라는 대로 누워 있지 않고 오늘 기어코 의원에 찾아온 이유가 무엇이던가. 그는 연처럼 의로운 일을 행하는 이가 백모란 같은 질 나쁜 놈에게 이리저리 휘둘리는 걸 두고 볼 수가 없었다.

왜 강호 유람을 떠났나. 의(義)와 협(俠)을 행하기 위해서가 아닌가. 백모란을 두고도 가만히 있다니 안휘성의 이들은 죄다 비겁한 자들이었다. 진천야는 연이 저를 바라보는 시선에 괴로움과 슬픔이 있노라 저 좋을 대로 해석하였다. 저 침잠하는 눈동자를 보면 모를 수가 없었다.

"이틀 전 제게 이름을 알려 주셨는데, 혹 그 일이 기억나지 않는 겁니까?"

실상은 혹여나 단기 기억상실 따위가 아닌가 하여 바라본 것이다. 물론 진천야는 이 역시 좋을 대로 해석했다.

그가 누구던가. 의정문의 일일 계승자이자 금호 상단의 차남이다. 차남! 그러고 보면 남궁연도 차남이다. 공통점을 발견한 진천야는 어쩐지 기분이 좋아졌다.

아무튼 일단 남의 눈에 띄지 않고 자연스럽게 만나려면 핑곗거리가 필요했다. 진천야는 연의 질문에 느리게 고개를 끄덕였다.

"두통도 심하고, 또 기억도 좀 안 나고……."

단기 기억상실이 일어날 정도로 센 충격을 받은 것 같지는 않았는데. 연은 미간을 접었다. 머리에 약간 부종이 있긴 해도 맥의 흐름은 전체적으로 무난하였다. 다시 한번 맥을 잡아 보자 심박수가 좀 빠르긴 했다. 징검다리도 두드려 보자는 마음으로 연이 처방을 내렸다. 부종을 잡는데 탁월한 효과가 있는 약탕이다. 간에 약간 안 좋긴 하지만 장기 복용만 아니면 괜찮으니.

"아침저녁으로 달여 먹고, 혹 말이 어눌해지거나 손발이 마비가 되는 것 같다면 바로 의원을 찾아가십시오."

"알겠습니다!"

지나치게 크게 대답하였다 싶어 진천야가 저도 모르게 움찔했다. 헛기침을 하고는 하하 웃는데 연은 별 신경 쓰지 않고 뒤돌아섰다. 앗, 하고 진천야가 다시 붙잡았다.

"저, 그럼 내일 의원에 다시 찾아오면 됩니까?"

"의원은 이틀에 한 번만 여니 내일 와도 저는 없을 겁니다."

진천야가 크게 고개를 끄덕인 뒤 씩씩하게 의원을 나갔다. 연이 잠시 그 뒷모습을 뚫어져라 쳐다봤다. 아무리 봐도 아파 보이지는 않는데. 장철이 슬그머니 다가와서 목소리를 낮추어 물었다.

"다음에는 들이지 말까요?"

"……아닙니다. 어쨌든 환자이긴 하니까요."

환자라고 다 고분고분 의원 말을 듣는 것은 아니었다. 부상과 질병은 신분 고하를 막론하고 찾아온다. 사람의 됨됨이와도 무관하다. 또한 아프면 아플수록 사람은 짜증과 화가 늘기 마련. 아픈 사람도 그렇고 그 가족과 지인들도 마찬가지다. 몸에 여유가 없어지니 갈등과 오해가 생기는 것이 당연했다.

은록의 아래에서 의원 일을 배울 때에도 난장을 부리는 사람들이 꽤 있었다. 그나마 연의 경우에는 모란과 남궁세가가 뒤에 있다는 걸 알기에 거칠게 나오는 사람들이 드물었다. 연이 그런 사람을 절대 용납하지 않았기도 했고. 그럼에도 아주 없는 것은 아니라……

게다가 폭력적으로 나오면 차라리 낫지, 모란 때문이든 금안 때문이든 이따금 이상한 자들이 붙어 오곤 했기에 연은 일단 진천야를 잘 기억해 두었다. 한 번은 연의 눈을 뽑아 가려 한 미친 자도 있었던—물론 이 자는 모란에게 끌려간 뒤로는 영영 다시는 보지 못했다— 것이다.

그는 곧 진천야에 대한 생각은 잊은 채 환자들의 치료에 집중했다. 치료가 끝나고 집으로 돌아가 모란이 끓여 둔 오리탕을 본 순간 진천야는 완전히 잊히고 말았다.

그가 다시 진천야에 대해 떠올린 건 이틀 뒤였다. 의원에 나가니 기다리는 환자들 중에 그가 있었다.

"연 의원님!"

저를 부르기에 다가가 맥을 짚어 보니 이제는 부종도 완전히 사라져 더할 나위 없이 건강하였다. 원래 무인이니만큼 회복도 빨랐다.

"이제 완전히 회복되었군요."

그리 말하고 연이 스쳐 지나가자 진천야가 어어, 하는 소리를 내며 다가왔다.

"아닙니다, 저, 두통도 있고, 또…… 기억도 잘 나지 않고요."

새벽부터 기다리고 있던 병자들이 째려보거나 말거나 진천야는 연의 근처에서 얼쩡거렸다. 한숨을 쉬고는 연이 고개를 돌렸다.

"일시적일 수 있으니 그저 기다리며 회복을 기다리는 수밖에는 없습니다."

"하지만……."

그래도 진천야가 가지 않자 연의 시선이 싸늘하게 변했다. 안 그래도 하루에 겨우 다섯 시진 정도 깨어 있는 게 고작인데 이렇게 성가시게 굴면 짜증이 난다. 연이 차갑게 축객령을 내렸다.

"진찰에 방해가 됩니다. 집에 돌아가서 쉬도록 하십시오."

진천야는 무어라 더 말을 하려 했으나 장철이 연의 뒤에서 험상 궂게 눈을 부라리자 머쓱하게 입을 다물었다. 그는 그제야 저를 향한 환자들의 따가운 시선을 인식하고는 느릿느릿한 걸음으로 의원을 나갔다.

연이 다시 진천야를 본 건 모든 일을 마치고 난 뒤였다. 장철에게 뒷정리를 맡기고 의원을 나서는데 기다리고 있던 진천야가 불쑥 나타났다.

"연 의원님!"

"……."

이건 또 뭔가, 하는 시선으로 보고 있자 그가 들고 있던 작은 전낭을 연에게 내밀었다. 차츰 졸려 왔기에 연은 제 길을 가로막은 진천야가 못마땅했지만, 마지못해 물어는 주었다.

"이게 뭡니까?"

"연 의원님께서는 제 생명의 은인이십니다! 그 보답으로 약소하나마 선물을 가지고 왔습니다."

전낭은 꽤 묵직하니 안에서 짤랑거리는 소리가 났다. 꽤 많은 금은보화가 안에 들어가 있는 모양이었다. 그러나 연은 고개를 저었다. 누구라도 혹할 만한 양이었으나 연에게는 아니었다. 그가 의술을 펼치는 일은 자기만족과 스승에게서의 배움을 실천하기 위해서였지 금전적인 보상을 위해서는 아니었다.

게다가 남궁세가에서 물질적인 부족함 없이 자라기도 했고, 모란이 걸핏하면 아공간에서 주먹만 한 보석을 대뜸 내놓는 걸 몇 번을 보다 보니 전낭을 봐도 물욕은 거의 생기지 않았다.

"치료 대가는 여중으로부터 받았습니다. 또한 머리를 다친 소협을 여기까지 업고 온 것은 여중입니다. 보상은 그에게 하십시오."

그리 말하고는 연이 휙 그를 지나쳤다. 몸은 건강해졌어도 환자를 보는 일은 항상 심력이 요구되어 쉬이 피로하곤 했다. 한편 진천야는 연에게 깊은 감명을 받았다. 그는 금호 상단의 차남으로서 그의 재산을 보고 접근하는 자들을 수차례 봐 왔다. 한데 연은 조금도 진천야의 선물에 동요하지 않았다.

금호 상단이 최고 상단으로만 생각되는 진천야에게 연의 뒷배 ─남궁세가라든가 '백매화'의 상단이라든가─ 는 조금도 고려의 대상이 아니었다. 무엇보다 연에게 무한한 호감을 가지고 있는 지금, 그는 연이 물욕 없는 실로 의로운 의원이라 생각이 들었다.

'내 필히 연 의원님을 구해 낼 것이다.'

진천야는 의로운 마음가짐에 불타올라 주먹을 불끈 쥐었다. 안휘성에서 지내는 동안 그는 백모란에 대한 소문들을 꽤 많이 들었다. 백모란이 아주 옛날부터 비열한 계략으로 남궁연을 사술의 제물 삼아 힘을 갈취한 것도 모자라 겁박 혹은 세뇌하고 있다고…….

그는 일단 연에게 제가 도움을 줄 수 있다는 걸 알려 줄 참이었다. 백모란이 얼마나 악한 자인지 알려 준 뒤 자신의 재력과 힘으로 연을 안휘성에서 벗어나게 할 것이다. 비록 백모란이란 자를 이기지는 못하겠지만 그 정도라면 얼마든지 해낼 자신이 있었다.

"연 의원님! 혼자 괴로워하지 마십시오!"

뒤에서 들려오는 외침에 연이 미간을 접었다. 또 이상한 자가 꼬였잖아…….

의원을 연 뒤로 연에게는 네 종류의 성가신 사람들이 생겨났다. 첫째는 저를 이용해 백모란을 어떻게 해 보려는 이들이고, 둘째는 저를 이용해 백매화의 돈을 어떻게 해 보려는 이들이며 셋째는 제 금안에 얽힌 이상한 소문을 듣고 온 자들, 넷째는 정의감에 불타올라 백모란에게서 자신을 어떻게든 '구출'하려는 이들이었다. 네 번째 경우가 가장 성가셨다.

'지난 오곤령 사건 이후로 그런 자들은 사라진 줄로만 알았는데.'

오곤령 사건이 무엇인가 하면 아래와 같았다.

오곤령은 곤륜산 계곡에서 기거하는 다섯 명의 무인들을 일컫는 명칭이었다. 그들은 온 중원을 돌아다니며 의협을 행했다. 실로 인기도 높았다. 한 명은 곤륜의 수제자 중 하나였고 나머지 넷도 나름 쟁쟁한 문파며 세가에 속해 있었다. 중원오룡만큼 뛰어난 실력은 아니었으나 다섯의 합이 참으로 잘 맞아 상대하기도 힘들었다.

한데 무슨 연유에서인지 오곤령이 안휘성으로 온 것이다. 연이 한참 잠 때문에 정신을 못 차릴 때라……. 의원에서 몇 번 그 자리에서 잠들어 버린 전적이 있어 병약하다는 소문과 함께 모란의 악명이 높아지던 시기기도 했다.

정말 의협심에서인지 아니면 젊은 사람들 특유의 혈기에서인지 아무튼 오곤령은 겁도 없이 모란에게 덤볐다가 무참히 깨졌다. 심지어 그는 오곤령을 날파리보다도 못하게 여겼다. 아마 당시에는 이름도 제대로 알지 못했을 것이다.

한데 오곤령은 모란에게 깨지고 난 다음에 물러가기는커녕 뭘 했냐면, 병자인 척 의원을 찾아와서는 대뜸 연을 데리고 가려는 시도를 했다……. 하필 또 잠이 몰려들던 때라 부지불식간에 연은 오곤령을 따라나서고 말았다. 질질 끌려갔다는 게 더 정확한 말이지만…….

화도 나고 짜증도 났지만 일단 자고 일어나서 생각해 보자, 하고 자고 일어났더니 보이는 건 오곤령이 아니라 모란이라. 얼굴에 성질이 다닥다닥 붙어 있는 걸 보니 오곤령이 멀쩡한 사지로 안휘성을 나가지는 못하겠구나 싶었다. 그런데 놀랍게도 오곤령은 사지 멀쩡하게 안휘성을 걸어 나갔다. 아니, 정확히는 쫓겨 나갔다고 하는 게 정확했다.

차라리 모란에게 묵사발이 나 동정심이라도 얻었으면 좋았겠지. 그들에게 무엇이 중요한지 잘 아는 모란은 정말 잔인하게 굴었다. 무얼 했냐면 오곤령 오인의 과거를 하나하나 다 까발렸다. 남김없이, 모조리 다.

누구는 실제로 곤륜산의 수제자가 아니라 파문당한 자며, 누구는 도벽이 있고 누구는 이미 혼인하였거나 애인이 있는 자만 건드리고……. 또 누구는 과거에 부인과 애를 놓고 도망간 자라는 것 등등. 오곤령의 인기는 순식간에 바닥으로 떨어졌고 인망이며 신망도 모조리 사라졌다. 그렇게 합이 좋던 다섯 명은 뿔뿔이 사방으로 흩어져 안휘성을 떠났다.

원래 어떤 자들의 모임이었는가 생각해 보면 정말 모란에게서 연을 구출하려고 한 건 아니었을 터다. 다만 모란이 나름 연이 의원인 걸 고려하여 이제까지 누구도 죽인 적은 없었으니 저들도 안이하게 여기고 덤볐던 것이다. 하지만 죽이지는 않아도 심한 꼴을 겪을 수 있다는 건 알아야 했다.

이 오곤령 사건 이후 연을 성가시게 만드는 사람은 딱히 없었다. 모란에게 원한을 가진 자라면 모를까 변변찮은 정의감으로 덤비는 사람은 없었다는 이야기다. 한데 진천야는 오곤령과는 또 다른지라, 말하자면 어쭙잖은 정의감이며 신념을 가진 것이다. 그게 나쁘다는 건 아니다. 하지만 연에게는 참으로 성가신 일이었다. 자신이 무슨 말을 해도 세뇌를 당했다면서 들은 척도 하지 않으니.

'모란을 악당 취급하는 것까지는 좋아. 내가 피해자라고 여기는 것도 괜찮아. 하지만 대체 왜 내가 세뇌당했다고 생각을 하는 거야.'

아직도 뒤에서 저를 바라보는 진천야의 따가운 시선이 느껴져 연이 한숨을 쉬었다. 그래, 사정 모르는 사람들 눈에는 모란과 제 사이가 그리 느껴지기는 하겠지.

아니나 다를까 이틀 후 진천야가 다시 의원에 찾아왔다. 이번에는 누구의 조언을 들었는지 질 좋은 약초를 듬뿍 사 가지고 왔다. 연은 잠시 고민하다가 품속에서 전낭을 꺼냈다. 진천야는 어리둥절하여 전낭을 받았다가 안에 든 금화를 보고는 입을 딱 벌렸다.

"팔려고 가져온 것이 아닙니다!"

"압니다."

진천야가 딱 입을 다물었다. 누가 팔려고 가져온 게 아니란 거 모르나. 연은 별말 없이 약초를 가지고 의원으로 들어갔다. 진천야는 어깨가 축 늘어진 채 의원을 떠났다. 그가 떠나는 즉시 연은 신경을 껐다.

그날 의원 일을 마치고 집에 돌아오자, 바닥에 빈둥거리며 누워 꽃꽂이 하던 꽃잎을 한 장, 한 장 똑똑 따 먹던 모란이 대뜸 말했다.

"귀찮은 거 또 생겼네. 처리해 줄까?"

"시간이 흐르면 알아서 갈 곳 가겠지."

연이 대수롭지 않은 투로 대답했다. 보통 모란의 '처리'란 것은 쥐도 새도 모르게 행방불명되어 버리는 것이라……. 진천야가 악의를 가지지는 않았기에 이리도 성가신 것이다.

모란은 어깨를 으쓱했다. 의원에 있지는 않아도 그는 항상 연의 신상에 대해서는 꿰고 있었다. 이따금 의원에 그가 두고 가는 간식거리만 해도 그렇다. 환자 눈에만 안 보일 뿐이지, 환각 마법을 쓰고 찾아오는 경우도 종종 있었다. 어제만 해도 벌써 모란이 두어 번 의원을 들락거렸다. 진천야나 다른 환자들만 몰랐을 뿐.

"아닐 텐데."

모란이 오묘한 목소리로 부정했다. 연이 눈을 가늘게 떴다. 그리고 과연 모란의 말대로였다.

다음 날 아침, 연은 일어나는 대로 주섬주섬 외출할 채비를 마쳤다. 은록을 보러 가기 위해서였다. 모란은 주루나 하오문에 관련된 일을 처리하러 갔는지 자리에 없었다.

모란이 연을 따라오지 않는 장소가 딱 두 곳이 있다. 하나는 연의 의원이고 하나는 은록의 의원이다. 전자는 모란을 두려워한 환자들이 오지 않거나 진료를 받다 말고 도망가고, 혹은 심력이 약한 환자들의 경우에는 병세가 악화까지 되어서였다. 두 번째의 이유도 첫 번째와 비슷했다.

다만 환자 때문만은 아니다. 은록이 모란에게 산공독을 먹이고 있었다는 사실을 깨달은 뒤부터 연은 결코 모란과 동행하지 않게 되었다. 어쩐지 내상 회복이 더디더라니……. 게다가 모란을 보고서는 말도 안 하면서 왜 매번 차를 내오는가 하였다. 그런데 모란은 또 왜 부득불 은록에게 찾아가서 끝끝내 독을 마셔 대고 있는가 말이다. 자존심을 부릴 곳에 부려야지. 어느 날 몰래 피 뱉고 있는 걸 보지 않았으면 계속 모를 뻔했다.

그때 일을 회상하자니 연은 입맛이 좀 썼다. 그날은 처음으로 은록에게 언성을 높인 날이기도 했다……. 다행히도, 은록은 감히 사부에게 무례하게 군 제자를 관대히 봐주었다.

하나 그뿐이었다. 단순히 모란을 싫어하거나 적대하는 것과 실제로 해를 끼치려 했던 것은 달랐다. 아주 많이 달랐다. 다른 것도 아니고 산공독이 아닌가. 연은 예민해질 수밖에 없는 것이다. 그 후로 다시는 모란에게 독을 쓰지 않겠다 은록이 약조하기는 했으나 아무래도 모란과 동행하기는 매우 껄끄러웠다.

은록에 대해 떠올리니 또 혼인식 날이 떠올랐다. 연이 얕게 한숨을 쉬었다. 당연히 혼인식 날에는 은록도 초대했었다. 그런데 모란을 보자마자…… 은록은 완전히 냉랭해지더니 그대로 발길을 돌려 사라지고 말았다. 그의 사부는 봄철에도 한동안 겨울 서리 그 자체였다.

자신이 눈치가 없어도 어지간히 눈치가 없었지. 싫어하는 감정으로만 치면 연오보다도 은록이 훨씬 더한데. 모란도 마찬가지로 연오 앞에서는 태연하게 굴더니 은록 앞에서는 찬바람을 날렸다. 아무튼 둘이 만나 전혀 좋을 것이 없었기에 연은 가능한 은록과 모란이 얼굴을 마주하는 일은 없도록 노력하고 있었다.

'오늘은 사부님을 뵙고…… 약초도 좀 샀다가…….'

연이 오늘 하루 일정에 대해 이것저것 생각하며 집을 나설 때였다. 연 의원님! 하고 저를 부르는 소리가 있었다. 설마 하여 뒤를 돌아보니 진천야가 있었다. 내내 쪼그려 앉아 제가 나오기를 기다리고 있었는지 진천야가 옷자락을 털며 다가왔다.

"저……."

연이 싸늘하게 바라보자 진천야는 어물어물거렸다. 집은 어떻게 알았을까? 하는 생각이 잠시 들었지만 곧 사라졌다. 안휘성에서 가장 유명한 곳 중 하나가 모란과 자신이 사는 집이라는 건 연도 안다. 사방에 흐드러지게 핀 꽃 때문이기도 했고, 모란의 유명세 때문이기도 했다.

하지만 모란을 두려워해 이리 가까이 찾아오는 사람은 거의 없었다. 모란이 이따금 일부러 히죽거리고 웃으며 집 주위를 맴돌다가 지나가는 사람을 덥석 붙잡기 때문에…….

"여긴 어쩐 일입니까?"

"그게, 두통이⋯⋯."

"다른 의원을 찾아가십시오."

딱 잘라 말한 뒤 연이 다시 걸음을 옮기자 진천야가 어어, 하더니 얼른 달려와 앞을 가로막았다. 연이 한숨을 쉬었다.

"드릴 말씀이 있습니다. 잠시 시간을 내주십시오."

"시간 없습니다."

차게 일갈하며 지나쳐도 진천야는 성가시게도 줄줄 따라왔다. 연은 목적지까지 반쯤 당도했을 때에야 발걸음을 멈추었다. 따라다니건 말건 아무래도 상관없지만 은록의 의원까지 달고 갈 수는 없는 노릇이었다. 잠시 주위를 둘러보다 연이 인적 드문 곳으로 향했다.

'한 번에 다 처리해 버려야겠군.'

연의 속내는 모르고 진천야는 안색이 밝아져서는 얼른 뒤를 따랐다. 외진 곳에 당도하고 나서야 그가 진천야에게 시선을 주었다.

"무슨 일로 이리 방해를 하는 겁니까?"

"바, 방해가 아닙니다. 다만, 저는⋯⋯ 연 의원님을 도와 드리고 싶어서 그런 것입니다."

진천야가 주먹을 불끈 쥐며 외쳤다. 어쩐지 연과 단둘이 있자 목덜미가 후끈후끈하였다. 그는 잠시간 상상에 빠졌다. 연을 백모란의 손아귀에서 구출해 내어 그와 깊은 우정을 나누는 모습을⋯⋯. 그가 다시 현실로 돌아온 건 연이 미간을 찌푸렸기 때문이었다. 진천야가 긴장하여 마른침을 삼켰다.

"저는 의정문의 일일 계승자이자 금호 상단의 차남 진천야입니다. 저라면 연 의원님을 충분히 도와 드릴 수 있습니다."

"어떤 식으로 말입니까?"

얕게 한숨을 쉰 연이 물었다. 진천야는 잠시 당황하였다가 이내 당당히 말을 꺼냈다.

"제게는 의정문의 특별한 무공과 금호상단의 재력이 있습니다. 제가 비록 백모란 그자와 맞설 수는 없지만 연 의원님 한 몸 정도는 충분히 의탁해 드릴 수 있습니다."

연은 가만히 진천야를 보았다. 딱히 어떠한 의도는 없어 보인다. 오로지 순수한 선의로만 이루어진 행동이었다.

그렇기에 이렇게 말이나마 받아 주고 있는 것이지 아니었으면 상대도 안했다. 정말이지 세상 물정을 조금도 모르는 젊은 청년이었다.

"저는 남궁세가의 차남입니다."

"알고 있습니다!"

대답만은 참으로 당당하기도 했다. 의정문과 금호상단은 연도 들어 본 적이 있다. 그러나 어디까지나 들어 본 적이 있다 뿐이지 연의 입장에서는 대단하게 느껴지지는 않았다. 중소문파거나 그저 그런 상단이기 때문이 아니다. 그저 모란 같은 상식을 파괴하는 사람을 곁에서 보고 있으려면 남궁세가도 별것 아니게 느껴지는 것이다……

"또한 제 부인…… 백매화는 안휘성에서 제일가는 상단의 주인입니다. 제게는 힘도 있고 재력도 있습니다. 한데 제게 어떤 문제가 있으며 어찌 돕겠다는 겁니까?"

그제야 진천야가 아, 하는 소리를 냈다. 입을 벌렸다가 닫았다가 하는 모양이, 이제야 현실을 깨달았나 했는데 그는 요점을 달리 짚었다.

"연 의원님께서는 지금 세뇌로 인해 문제가 무엇인지 모르시는 겁니다. 백모란 같은 사악한 자에게 놀아나고 있을 뿐입니다! 연 의원님, 주위를 제대로 보십시오."

부르짖는 음성은 실로 안타까웠다. 연이 진천야를 향해 걸어갔다. 저벅저벅 제게 걸어오는 연을 보고는 눈이 휘둥그레진 그가 결연한 얼굴로 고개를 끄덕였다.

"제가 도와 드리겠습니다. 제 사부님께서는 식견이 매우 넓으십니다. 사부님께서 연 의원님께 걸린 사술을 푸실 수 있을 거…….."

진천야의 말이 딱 멈춘 건 연의 신형이 마치 바람이나 번개같이 제 곁을 스쳐 지나간 탓이었다. 연의 눈이 요요한 금빛으로 잠시 빛났다. 천풍신법(天風身法), 천뢰삼장(天雷三掌) 제 삼식 낙추화뢰(落墜火雷). 매의 발톱처럼 날카롭게 뻗은 연의 손이 날렵하고 끊어지는 동작 없이 매끄럽게 상대의 혈맥을 두드려 뭉개 놓았다.

순식간에 사내 둘이 뻣뻣하게 굳어 그대로 기절하더니 바닥에 나자빠졌다. 연이 괴한 둘을 처리한 뒤에야 진천야는 그들에게 줄곧 붙어 따라오던 이들이 있다는 사실을 깨달았다.

"누, 누구냐!"

더듬거리고는 검을 뽑은 진천야의 얼굴이 벌겋게 물들었다. 그는 누가 미행해 왔는지 감도 잡지 못했고 심지어 연의 움직임을 따라잡지도 못했다. 병약하고 또 허약하다, 소문만 들어 낮잡아 보았는데 연의 실력은 전혀 그런 것이 아니었다.

진천야에 비해 연은 지금 상황이 놀랍지도 않았다. 이런 일을 이미 몇 번 겪어 보았다.

모란에게는 적이 많다. 연은 일단 알려진 바로는 모란의 사술에 중요한 재료임과 동시에 그나마 가장 가깝다고 여겨지는 사람이기도 했다. 연을 인질 삼아 모란을 납치하려는 시도는 여러 번 있었다.

"남궁연! 순순히 따라와라. 그렇다면 피를 보지는 않을 것이다!"

연의 뜻밖의 실력에 당황하기는 했어도 수적으로 우세하다고 생각했는지 복면의 괴한이 윽박질렀다. 그도 그럴 것이, 두 명이 순식간에 쓰러졌어도 아직 다섯이나 남아 있었다. 연은 별말 없이 침착하게 소매만 단정히 걷어 올렸다. 그리고 발을 박찼다.

진천야는 연이 제 앞을 막아서는 걸 입을 벌리고 쳐다보았다. 괴한이 뭐라고 하거나 말거나 연은 다시 보법을 밟아 괴한들에게 튕기듯 쏘아져 나갔다. 아까도 그렇고 지금도 그렇고 참으로 앞뒤 안 봐주는 공격 방식이었다.

보통 권법이란 것은 검법에 비해 약하게 여겨지곤 했다. 상대를 공격하기 위해서는 바짝 다가가야 할 뿐만 아니라 공격을 막을 수단이 손밖에 없기 때문이다.

안전한 방어를 위해선 손에 호신강기(護身罡氣)를 씌우는 방법 외에는 없는데 이는 상당히 높은 무공성취를 해야만 가능한 일이었다. 해서 진천야는 어떻게든 연을 돕고자 했다. 하지만 그럴 틈이 없었다.

남궁세가의 무공에 왜 그리 천뢰(天雷)라는 말이 많이 들어가던가. 그만큼 무공이 번개처럼 빠르고 날렵하기 때문이었다. 연은 쉽게 상대의 검격을 피했다.

동시에 타격을 찔러 넣었는데 그 손에는 상당히 묵직한 무게감이 있어, 가격하면 몸이 울리는 소리가 날 정도였다. 그러면 공격을 당한 자는 견디지 못하고 뒤로 넘어지고 말았다. 그렇게 연의 손에 괴한 둘이 더 쓰러질 때였다.

"역시 남궁가인가! 하지만 내게는 당해 낼 수 없을 것이다!"

복면인 중 한 명이 검에 푸른 검기를 씌웠다. 연이 훌쩍 뒤로 물러나 거리를 벌렸다. 괴한이 낮게 웃었다. 연이 경계하는 모습을 보니 그제야 진천야는 정신이 들었다. 그가 검을 들어 올렸다.

"여, 연 의원님! 여기는 제게 맡기고 어서 도망가십시오!"

연이 다시 한숨을 쉬었다. 용기는 참으로 가상하지만, 이 자리에서 가장 실력이 없는 자는 바로 진천야였다. 또한 이 자리에서 두 번째로 실력이 좋은 자는 바로 저 복면인이었다. 연은 잠시 복면인과 제 실력을 견주어 보았다.

'해 볼 만한 것도 같은데.'

그러는 사이 진천야는 혼자서 실로 비극적인 어조를 냈다. 그가 떨리는 손으로 검 손잡이를 바로 잡고는 외쳤다.

"만약 제가 돌아오지 않으면 여, 연 의원님을 흠모하고 좋아하던 한 무인이 있었다는 걸 기억해 주십시오!"

그 말에 연이 멈칫하고는 진천야를 돌아보았다. 그 얼굴이 굳어 있어 진천야는 연 의원님이 제 진심을 알아주시는구나 홀로 감동하였다. 그리고 꼭 백모란의 손아귀에서 무사히 벗어나시라고 말하려던 때였다. 연이 정색하며 부정했다.

"그건 흠모하거나 좋아하는 것 따위가 아닙니다."

"······예, 에?"

"다른 것과 착각하고 있는 겁니다. 존경이라든가, 동경이라든가, 아니면 호승심이라든가."

지금 상황에 이게 대체 무슨 소리인가······. 진천야가 입을 벌리거나 말거나 연은 혼자서 심각했다. 착각이라니, 뭐가 대체 착각이란 말인가 하여 진천야가 반박하려 할 때였다. 복면인이 발끈하였다.

"어딜 한눈을 파느냐!"

"연 의원님!"

순식간에 검기를 두른 검 끝이 연의 앞에 들이닥치자 진천야가 소리를 질렀다. 차마 끔찍한 꼴은 볼 수 없어서 저도 모르게 눈을 질끈 감았다. 그러나 예상과는 달리 아무런 비명 소리도 들리지 않았다. 대신 다른 소리가 들렸다.

"상대를 앞에 두고 한눈을 팔면 안 되지, 연아."

낯선 목소리에 진천야가 번쩍 눈을 떴다. 분명 아까지만 해도 없었건만 어느 사내가 복면인의 검을 막고 있었다. 정확히 말하자면 손으로 검날을 쥐고 있었다. 그러자 놀랍게도 검기가 먼지처럼 흩어져 사라져 버렸다. 복면인이 눈을 부릅뜨는 사이 남자는 검을 쥐어 으스러트려 버렸다. 쨍강 소리가 나며 검 파편이 바닥을 나뒹굴었다.

"어, 어떻게······."

상대가 충격을 받건 말건 모란은 손가락을 까닥거리는 것만으로 땅에 내팽개쳤다. 그 모습을 보던 연이 미간을 찌푸렸다. 등을 후드려 맞기라도 한 듯 컥 소리를 내며 복면인이 피를 토했다.

땅에 들러붙기라도 했는지 몸을 버둥거렸지만 몸은 꼼짝도 하지 않았다. 마치 거대한 손가락에 짓눌린 모습 같았다. 으득으득 소리가 나며 몸이 좀 더 납작해지자 상대는 비명을 지르고는 이내 축 늘어지며 정신을 잃었다.

"그다지 한눈팔지는 않았어."

"귀찮았을 텐데 나 부르지 그랬어?"

진천야는 멍한 채 두 사람의 대화를 들었다. 상대가 연을 바라보는 시선이 마치…… 꿀이라도 떨어지는 것처럼 다정했다. 그는 저자를 처음 봤으나 그럼에도 누구인지 알 것 같았다. 바로 그 백모란인 게 틀림없었다. 그렇지 않고서야 누가 저런 실력을 내겠는가. 하지만 어째서일까, 두 사람의 모습이 소문과는 완전히 달라 보이는 것은.

"권법은 배워서 어디에 써먹으려고? 어느 정도 위험을 감수해야 실력이 생기지."

"흠……."

못마땅한 소리를 내고는 백모란이 뒤를 돌아 진천야를 바라보았다. 숨을 급히 들이쉰 진천야가 더듬더듬 검을 들어 올렸다. 그러는데 수치스럽게도 검 끝이 떨렸다. 모란이 히죽 웃는데 마치 범을 앞에 두는 듯했다. 아니, 범을 넘어선 그 무언가…….

"이건 한 패거리인가?"

용기를 내야지, 아무리 상대가 강하다 한들 물러나지 말아야지 하면서도 진천야는 모란이 제게 다가올 적에는 볼썽사나운 소리를 내고 말았다.

눈을 마주칠 때는 절로 발이 뒤로 물러났다. 그런 모습을 보고는 작게 한숨을 쉰 연이 모란을 잡아 멈춰 세운 뒤 진천야에게

다가왔다.

"진천야 소협이 착각하고 있는 게 있습니다."

"여, 연 의원님."

연이 모란을 다시 한번 보고는 눈썹을 찌푸렸다. 모란이 어깨를 으쓱했다. 연이 침착한 어조로 진천야에게 말했다.

"모란이 나를 이용하는 것이 아니라 내가 모란을 이용하고 있는 겁니다. 힘도 세고 돈도 많아서."

"예?"

반문하면서 진천야가 입을 벌렸다. 믿기지가 않았다. 하지만 연은 진지했다. 그는 진천야가 더는 자신을 성가시게 만들지 않으면 했다. 그를 위해서 이런 거짓말쯤이야 아무렇지도 않았다. 실은, 모란이 이것저것 해 주는 것들을 떠올리면 반쯤은 사실이 아닌가 싶기도 하지만.

"그러니 더는 쓸데없는 일 하지 마십시오."

연은 칼같이 돌아섰다. 진천야는 망연자실 연이 모란과 함께 걸어 사라지는 걸 지켜보았다. 둘이 완전히 사라진 뒤에야 진천야가 주먹을 꽉 쥐었다.

"연 의원님……! 제 목숨을 구해 주기 위해서 그런 거짓말까지 하시다니……."

연이 들었다면 전혀 아니라고 한숨 쉴 만한 오해를 한 진천야는 깊이 통탄했다. 제 실력이 부족해서 연을 돕지 못할 뿐만 아니라 폐까지 끼치고 말았다. 아니, 제가 연을 돕기는커녕 도리어 모란에게서 저를 구해 주지 않았는가.

그는 자신의 부족한 실력을 새삼 깨달았다. 그가 도우려고 했던 연보다도 실력이 부족하면서 주제도 모르고 어쭙잖게 나섰다. 지금까지 그는 우물 안 개구리나 마찬가지였던 셈이다.

"……돌아가자."

그가 중얼거렸다. 다시 의정문으로 돌아가 더욱 열심히 실력을 갈고 닦을 것이다. 그리하여 훗날에는 꼭 연 의원님에게 도움이 되고 말리라. 이 빚을 꼭 갚으리라. 굳게 다짐한 진천야가 무거운 걸음을 옮겼다.

이리하여 연은 뜻하지 않게, 훗날 그 유명한 정의검 청소군자(清素君子)—백모란에게 매번 필패하는—로서의 진천야의 길이 시작되게 만든 것이었다.

"그런 거 아냐."

"맞아."

"아니라니까, 글쎄."

"내 분명히 들었거든."

모란과 같이 집으로 돌아온 연이 옥신각신했다. 아까 그 소동 때문에 평소보다 많이 늦어, 은록에게 들렀다 오니 벌써 해가 저물고 이미 달이 뉘엿뉘엿 뜬 상태였다. 한데 모란과 달리 주장하는 연의 목소리에는 별 강단이 없었다. 사실은 사실이었기 때문이다. 모란이 단호하게 말했다.

"흠모하고 좋아한다 하였어."

모란이 의기양양하여 보란 듯 팔짱을 끼는 동안 연이 끙, 하는 소리를 냈다.

의원을 열고 난 뒤로 연에게는 참으로 여러 사람이 꼬였다. 보통은 백모란과 금안 때문이었으나 그중 종종…… 연에게 연모한다며 고백해 오는 이들이 있었다. 연이 '백매화'와 혼인한 유부남이건 말건 아무래도 상관이 없는 모양이었다. 물론 고백하건 말건 연은 아무래도 좋았다. 거절하면 그만이었으니.

문제는 이 년 하고도 달포 전 어느 날 밤, 서로 얼큰하게 술에 취했을 적에 했던 내기다. 그날은 왜 그리 흥에 겨웠던지 연은 평소라면 고려도 하지 않았을 내기를 냉큼 받아들였다. 내기의 내용은 다음과 같았다.

'모란은 집에 영물이 찾아올 때마다 연이 원하는 것을 하나 들어 준다.'

'연은 남으로부터 좋아한다는 종류의 말을 들을 때마다 모란이 원하는 것을 하나 들어준다.'

처음에는 실로 가벼운 내기였다. 이때는 연도 아직 의원을 열지 않았기 때문에 대체로 모란이 졌다.

영물 중에서도 삼족오는 참으로 여러 가지 새로 변하여 찾아오곤 했던 탓이다. 매, 참새, 부엉이, 물까치부터 이따금 닭까지도……. 처음 내기에서 이길 때면 연은 그가 좋아하는 오리탕을 해 달라는 등의 소소한 것을 요구했다. 앞으로도 자신이 죽 모란을 이기겠다 싶었다.

하지만 웬걸, 의원을 열자…… 많을 때는 한 달에 세 번도 더 모란에게 지게 되는 것이 아닌가. 연은 대체 영문을 알 수 없었다. 백매화와 혼인한 데다가 그 악명 높은 모란이 제 근처에서 어슬렁거리는 상황이다 보니 저를 좋아한다는 사람이 아예 없을 거라 여겼거늘.

모란은 기다렸다는 듯이 내기의 대가로 온갖 말하기도 민망한 것들을 해 댔다. ……물론 연도 아니 즐겼다고는 할 수 없지만.

"분명 아까 상대할 수 있었어."

연이 애써 화제를 돌리려는 시도를 했다. 모란이 입꼬리를 올려 웃었다.

"그래, 분명 이겼겠지. 하지만 십중팔구 다쳤을걸. 난 그런 건 이겼다고 안 봐."

연이 인상을 찌푸렸다. 상대하다 보면 다칠 때도 있고 그런 것이 아닌가? 하긴, 굳이 다쳐 가면서 싸울 이유도 없긴 하지만. 그가 무심코 제게 걸린 목걸이를 만지작거렸다.

모란이 그에게 걸어 준 목걸이는 한층 강화된 종류의 것이었다. 어떤 방식으로 작동하는지 모르겠지만 목걸이는 연을 향한 적대감을 감지하자마자 모란에게 바로 신호를 보냈다. 그럼 모란이 바로 연이 있는 곳으로 왔다. 연이 상대할 만한 놈들이다 싶으면 모란은 지켜봐 주었고, 그렇지 않으면 바로 나섰다. 연이 끙, 하는 소리를 냈다.

"참, 며칠 전 아공간을 정리하다 보니 말이야, 이런 게 나왔는데."

내기에서 다른 것으로 화제를 돌리고자 하는 연의 시도는 훌륭하게 실패로 돌아갔다.

"자, 이거."

모란이 흉터 같은 공간 틈 어딘가를 휘적휘적하더니 무언가를 꺼냈다. 연이 저도 모르게 입을 벌렸다. 그의 인생에 있어서 결코 잊을 수 없는 물건을 모란이 꺼낸 탓이었다.

"그걸 왜 가지고 있어!"

"당연히 가지고 있어야지. 버리기에는 아깝잖아."

연이 잠시 얼굴을 가렸다. 모란이 꺼내 든 건 여자 옷이다. 그냥 여자 옷도 아니고…… 예전 사술의 범인으로 몰려 하오문의 도움을 받아 도망쳤을 당시에 입었던 옷이었다. 하오문 분파에 있는 누군가가 알아서 치운 줄 알았는데 모란이 가지고 있을 줄이야.

"그래서 이거…… 입으라고?"

어쩔까, 하는 얼굴로 모란이 히죽 웃었다. 또 무얼 시키려고……. 연이 눈을 가늘게 뜨고 바라보자 그가 어찌할까 고민하는 척하고는 제안하였다.

"아니면 오늘은 만월이라 달도 근사하게 뜨고 운치도 있겠다…… 정자에서 할까?"

연에게는 모란의 속셈이 죄다 보였다. 분명 제가 얼굴을 붉히고 어찌할까 당황해 하는 모습을 보고 싶은 것이리라. 하지만 이제 모란과 한곳에서 산 지도 벌써 삼 년. 연도 모란의 어지간한 음담패설에는 얼굴도 붉히지 않을 정도가 되었다.

"그래, 그럼."

"응?"

연이 자리에서 일어났다. 모란이 빙그레 웃으며 턱을 괴고 하는 모양을 지켜보았다. 그가 웃은 건 어디까지나 연이 옷을 벗기 시작할 때까지만이었다.

가장 처음으로는 허리대를 풀어 던지고, 다음으로는 상의와 하의를 벗어 내려 두었다. 나신이 되기까지는 순식간이었다. 마지막으로 버선까지 내려 둔 뒤 연이 모란이 내어 둔 여자 옷 중 하늘거리는 푸른 겉옷 자락 하나를 집어 들었다.

올라갔던 모란의 입꼬리가 차츰 내려갔다. 연은 겉옷 한 자락만을 몸 위에 아슬아슬하게 걸치고는 태연하게 미소 지었다.

"정자에서 하자고 하였지."

연은 그대로 유일한 옷자락을 나풀거리며 뒤돌아 정원을 가로질러 갔다.

모란이 깔아 둔 돌길을 맨발로 다박다박 부드럽게 밟자 풀잎과 보드라운 꽃잎이 발등을 간질였다.

모란의 말대로 만월이라 정원의 분위기가 참으로 아름답기는 하였다. 연은 화정당에 있을 때처럼 큰 연못 중앙에 있는 정자로 향하는 작은 다리에 올라섰다. 반을 채 건너기도 전에 소리 없이 달려온 모란이 연을 낚아채 비틀거리게 만들었다.

"정말로 너무한걸."

집어삼키는 듯한 입맞춤을 하고 난 뒤 모란이 연을 뒷걸음질 치도록 밀며 속삭였다. 느릿느릿 옮기는 걸음마다 흰 꽃이 자박자박 피어났다. 등에 정자의 기둥이 닿는 걸 느끼며 연이 모르는 척 물었다.

"무엇이 너무한데?"

"항상 이래도 좋고 저래도 좋으니 참으로 내게는 너무 불리한 게 아니냐는 말이야.”

이래도 좋고 저래도 좋으면 그저 좋은 것이지 대체 그게 왜 모란에게 불리한 것인지 알 수가 없었지만 연은 그러려니 넘겼다. 그보다 더 집중해야 할 일이 있기 때문이었다.

“윽…….”

덥석 덜미를 깨물린 통증에 연이 미간을 찌푸렸다. 잘근잘근 덜미를 씹던 모란은 펄떡펄떡 맥이 뛰고 있는 목 줄기 연한 부분을 혀끝으로 핥아 맥박 뛰는 모양새를 맛보았다. 입술로 그 줄기를 살금살금 더듬다가 손으로 허리를 쥐었다. 손을 점차 내려 엉덩이를 꽉 쥐고는 쪽쪽 소리가 나도록 입술을 마주했다.

“밖에서 하는 것도 좋잖아.”

“벌레에게 물리지 않으니 망정이지, 아니었으면 절대 안 했어.”

다소 쌀쌀맞게 쏘아붙인 말투와는 달리 연은 더 깊은 입맞춤을 돌려줬다. 벌어진 입술 사이에서 혀가 야하게 얽혔다.

모란은 연이 옷을 벗을 때부터 단단해지기 시작한 물건을 허벅지 위에 문지르며 엉덩이를 바짝 쥐어 벌렸다. 어느새 향유를 꺼내 바른 손가락이 미끌미끌 밀려들어 올 때에는 연의 입에서 탄성이 터졌다.

“아, 아…….”

한꺼번에 검지와 중지를 밀어 넣은 모란이 질걱거리는 소리가 들리도록 거칠게 손가락으로 추삽질을 했다. 꾹꾹 연신 밀어 넣다가 다른 손의 검지와 중지도 삽입하고는 손가락을 구부렸다. 다시 크게 쥐어 주무르다가, 엉덩이를 잡아 벌리면서 뒤도 갈고리처럼 손가락을 넣어 벌렸다.

그러기를 두세 번 반복하자 향유가 바닥으로 뚝뚝 방울져 떨어지면서 연의 허벅지 안쪽이 떨렸다. 오늘따라 뒤를 풀어 주는 것이 다소 거칠었다.

“웃, 모란, 잠시만……. 서서 하는 건, 아, 너무 힘들……어.”

다시 모란의 손가락이 안을 들쑤시는 바람에 연이 입술을 깨물었다. 손가락 마디 끝까지 삼키도록 깊이 밀어 넣고는 안에서 갈작갈작 움직이면 등골에 오싹 소름이 돋았다.

"그래, 그럼."

모란이 전혀 힘들이지 않고 가볍게 연을 들어 바닥에 눕혔다. 길고 나풀거리는 푸른 옷자락을 바닥에 나비 날개처럼 늘어트린 연의 모습을 잠시 감상하다가 무릎을 꿇었다. 정원을 가로질러 걸어왔으니 깨끗할 리 없는 발가락을 서슴없이 깨물었다.

다리를 들어 올려 오금 안쪽 연한 살을 훑는데, 돌연 연이 모란의 멱살을 쥐어 제게로 잡아당겼다. 그대로 한 바퀴 구르자 어느새 모란이 아래에 위치했다. 연이 잠깐 웃으며 입술을 훑었다.

"오늘은 내가 조금…… 급한 것 같아……서."

그리하는 얼굴의 뺨이 홍분으로 열기가 올라 있었다. 연이 제 바지춤만 풀어 헤치는 것을 지켜보던 모란이 낮게 한숨을 쉬며 잠시 얼굴을 가렸다. 손가락 사이로 연을 바라보는 시선에 욕망이 어른어른하였다.

"이러니 불리하다 하지 않아. 나는 항상…… 네게 급한데."

모란의 손이 연의 허벅지를 꽉 쥐었다. 움찔하면서도 연은 손을 멈추지 않았다. 바지와 속곳을 헤치자 툭 튕겨 나온 모란의 성기가 어찌나 존재감이 크던지, 확실히 급한 것 같기는 하였다.

모란의 물건이 엉덩이 사이에 문질러지자 연은 저도 모르게 목울대를 울리고 말았다. 모란이 제게 얼마나 큰 쾌감을 줄 수 있는지 잘 알고 있는 탓이다. 모란의 시선이 한층 무거워졌다.

"아, 으읏!"

몸을 조금 들어 올렸다가 내리며 성급하게 모란의 성기를 삽입하던 연이 입술을 깨물었다. 겨우 귀두를 삼켰을 뿐인데 부피감이 대단하였다. 자세가 다른 탓인가 벌써부터 버거운 것도 같았다.

"연아……."

한숨 같은 숨을 뱉으며 모란이 바닥을 짚고 있던 연의 손을 잡아끌었다. 한 손을 잡아 핥듯이 손가락 마디에 입을 맞추다가, 다른 손도 끌고 와 깍지를 꾹 꼈다. 가쁘게 숨을 헐떡거리다가 연이 그대로 꾹 엉덩이를 내렸다. 제 몸에서 가장 부드러운 속살을 벌려 헤치는 감각에 절로 신음이 새어 나왔다.

"흐읏, 아, 깊……어…….."

항상 그렇듯이 참으로 몽둥이나 흉기 같은 물건이었다. 겨우 반 절 넘게 삽입한 것인데도 숨이 턱 막혔다. 그럼에도 그 흉기에 길들여진 몸은 정직하여서 연의 성기도 잘금잘금 말간 액을 흘려 내고 있었다.

모란은 참으로 인내심 깊게도 연이 움직이기만을 기다렸다. 그대로 엎어 잡아 누르고 난폭하게 흔들고 싶은 욕망을 참았다.

연은 깊은 삽입감의 고통을 참는 모양으로 몸을 앞으로 숙이고 떨다가 모란의 가슴에 이마를 문질렀다. 그러고는 다시 엉덩이를 들어 올렸다.

반쯤 빼내었다가 다시 밀어 넣으니 절로 헐떡이는 신음 소리가 흘러 나왔다. 배 속이 아프기도 했으나 한편으로는 온몸이 오싹오싹하여 기분이 좋았다. 주르륵 빠져나갔다가 다시 깊이 밀어 넣어 가만히 있으면 안에서 모란의 성기가 까닥거리는 게 느껴지는 것이다.

그쯤에서 모란의 인내심은 차츰 바닥을 보이고 있었다. 아파서 연이 소리를 내도록 아득아득 손가락을 깨문 뒤 허리를 쳐올리자 아니나 다를까 연이 악, 하는 소리를 냈다.

"잠…시만, 아, 아!"

"이만큼 잔인한 일 하였으면 충분하지, 않아?"

무얼, 잔인한 일을 하였다고? 그러나 모란이 몸을 일으키는 바람에 연의 생각은 거기서 끊기고 말았다. 오늘따라 잔뜩 흥분한 모란은 거의 으르렁거리는 것 같았다.

"아, 아직, 흐윽, 모란, 앗!"

완전히 앉혀지는 바람에 저도 모르게 몸을 빼내려 했지만 모란은 연의 골반을 꽉 잡아당겼다. 단숨에 살과 살이 바짝 밀착될 정도로 깊이 삽입하자 연이 발작적으로 몸을 젖혔다.

안을 깊게 찔리는 듯한 둔통이 일었다. 몸을 들썩여도 그저 엉덩이가 움찔하는 정도로 끝날 뿐, 아까와는 비교도 되지 않을 정도로 안이 빠듯하고 뻐근하였다. 모란은 괴로워하는 연의 귀를 잘근거리며 퍽 다정한 투로 말했다.

"깊은 건 이런 걸, 깊은 것이라 하는 거지."

벌건 손자국이 남도록 꽉 쥐고 있던 허리를 놔주기에 연은 저도 모르게 몸을 들썩였다.

모란은 그를 내버려 두었다가 다시 퍽 밀어붙였다. 연의 입에서 비명과도 비슷한 신음 소리가 흘러나왔다. 정확히 느끼는 안쪽을 찔린 것이다.

연의 안쪽이 움찔움찔 죄어들 때 모란의 이성은 죄다 날아가고 말았다. 연을 꽉 끌어안은 채 모란이 허리를 쳐올리기 시작했다.

"아, 아! 앗, 아아!"

모란이 있는 힘껏 박아 올릴 때마다 연은 시야가 까마득했다. 절로 몸을 뒤로 빼고 싶을 정도로 아프다가도 동시에 온몸이 떨리도록 쾌감이 지극했다. 모란의 다리 위에 앉은 채 쳐올려지던 연은 어느 순간에는 허벅지를 바짝 조이다가 또 어느 순간에는 떨며 몸을 바르작거렸다.

"흑, 천, 천히, 아흑, 윽······. 웃!"

매순간 한계까지 깊게 범해지는 건 도무지 감당하기 힘든 감각이었다. 너무 깊어, 하고 고개를 젓던 연이 모란에게 매달렸다. 마치 안을 두들겨 맞는 것 같았다. 아래에서 철벅철벅 물기 어린 소리가 연신 울려 퍼졌다.

몸을 떨며 모란을 밀어 내고, 매달렸다가도 고개를 젖히며 버거운 감각에 반쯤 우는 신음 소리를 냈다. 발가락이 절로 곱아들 정도로 흰 절정이 찾아와도 모란의 움직임이 멈추거나 느려지는 일이 없었다. 도리어 더 격렬해지고 빨라져서, 연은 소리도 내지 못하고 쾌감에 몸서리만 치는 것이었다.

"흐…… 아, 안, 돼, 응, 안 돼애, 아!"

"무어가 안 된다는, 것이야? 응?"

제대로 발음도 하지 못하고 겨우 숨만 헐떡이고 있는 걸 모란은 무자비하게 범하였다. 연은 몇 번이고 쾌감에 떠밀려 절벽에서 떨어졌다. 추락하고, 다시 내동댕이쳐지기를 반복하니 머릿속이 완전히 희게 흐려졌다. 떨리는 입술을 베어 물며 모란은 마침내 연의 안에 제 정을 토해 냈다.

물론 그것으로 끝이 아니었다.

연은 다음으로는 엎드린 채 모란을 받아들였고, 옆으로 뉘여져 다리 한쪽만을 들어 올린 채 흔들리기도 하였다. 각 자세를 취할 때마다 쾌감이 달리 지극하여 연은 내내 우는 신음 소리를 냈다. 벌어진 다리가 벌벌 떨렸다.

그렇게 몇 번을 자세를 바꿔 가며 정사를 나눈 끝에 마지막으로 취한 것은 처음의 자세였다. 모란은 퍽퍽 소리가 나도록 연을 밀어붙였다. 이러다가 죽는 게 아닐까 싶어 연은 필사적으로 모란에게 매달렸다.

옷자락을 쥐는 손마디가 희었다. 모란의 흉기 같은 성기가 안을 마구 들쑤셨다. 몸속 가장 깊은 곳을 찔리고, 또 수도 없이 찔린 끝에 연은 흰 절정에 완전히 무너지고 말았다. 모란도 얼마 안 가 움직임을 멈췄다.

"헉, 흐으, 아……."

한참 시달린 나머지, 연은 저도 모르게 길게 떨리는 신음 소리를 내고는 완전히 기진맥진하여 모란의 품에 무너졌다. 어찌나 격했던지 배 속이며 엉덩이가 다 얼얼할 지경이었다. 모란은 퍽 만족한 얼굴로 연의 엉덩이를 주물럭거렸다. 아직도 한참 예민해진 상태였기에 연이 끙, 하는 소리를 냈다.

"더……는 못 해."

"하긴 바닥이 딱딱하기는 하지."

양심도 없는 모란이, 엎드린 채 그를 받아 내느라 벌겋게 멍이 든 연의 무릎을 살살 문질렀다. 연이 미약하게 한숨을 쉬었다.

침소로 돌아가면 또 한판이 있을 모양이었다. 모란을 도발할 때부터 이런 결과는 짐작하고는 있었지만, 매번 참으로 버거웠다.

모란은 흡족해하며 연을 끌어안고 이곳저곳 쪽쪽거리며 지분거렸다. 그러다 행위 도중 완전히 벗겨져 버린 옷을 입혀 잘 싸매고는 더 꽉 끌어안았다. 연이 작게 켁 기침을 했다. 모란은 히죽 웃을 따름이었다.

"모두 다 네 탓이지 않아."

"뭐가……."

"항상 어여쁘게 굴면서 참기 힘들게 만드니."

언제나 생각하지만 참으로 간질거리는 소리도 잘한다. 어지간히 기분이 좋았는지 모란이 연의 손에 깍지를 끼고는 정자 바닥 위에 꽃을 피워 냈다.

손바닥으로 느리게 쓸자 그 자리에서 화사한 꽃이 금방 자라나 톡톡 꽃망울을 틔웠다.

연이 새삼 정원을 둘러보았다. 연 없이는 모란이 꽃을 만들어 낼 수 없기에, 이 정원에 핀 꽃들은 죄다 모란과 함께 거닐며 만든 것이다.

연못의 연꽃과, 그 뒤편에 핀 화중왕 모란꽃. 연못가에 한들거리며 바람에 잘게 흔들리는 방울꽃, 수풀 수북한 수국. 노오란 금잔화. 아담한 앵초꽃과 보드레한 제비꽃. 발간 해당화, 흐드러지게 핀 온갖 꽃들…….

전에는 그토록 꽃이 싫고 또 싫었는데, 지금은 이리도 달랐다. 모란도 그 꽃만큼이나 싫었을 때가 있었는데. 연이 희미하게 웃었다. 지금은 아주 옛날처럼 느껴진다. 물끄러미 모란이 피워 내는 꽃들을 보고 있다가 문득 떠올라 입을 열었다.

"들리는 소문으로는 북쪽으로 계속 올라가다 보면 그곳은 일 년 내내 겨울이라는데 궁금하지 않아?"

"내일 다녀와 볼까? 넉넉하게 한 달포 정도 지내고 오면 여름이 다 가 있을 텐데."

"달포 정도…… 좋지."

연은 조용히 대답하며 웃었다. 그리고 불현듯 애정이 샘솟아 모란에게 입을 맞추었다. 모란도 부드럽게 입술을 베어 물다가 혀끝으로 안쪽을 문질렀다. 서로에게 맞닿는 체온이 따뜻하여 기분이 좋았다.

"여행을 다녀오면 꽃이 다 시들어 있겠네."

입을 맞추다 말고 연이 문득 중얼거리자 모란이 무어가 문제냐는 얼굴로 씩 길게 웃었다.

"시들어도 아무렴 괜찮지 않아. 또 피우면 되는 것을."

그래, 시들어도 또 모란과 함께 피우면 되는 것이다. 꽃 하나를 따다가 어릴 적 한 것처럼 모란 귀에 꽂아 주며 연이 웃었다. 만월이라 분위기는 근사하고, 바람은 산들거리니 기분이 좋은지라. 달빛 아래서 꽃이 한껏 흐드러지게 피어났다.

외전 : 금꽃

　어느 화창한 날이었다. 연오가 세가에서 한자리하는 사람들을 죄다 불러 모았다. 남궁세가의 장로는 물론이거니와 최근 새로운 잠룡으로 떠오르는 남궁한위에, 이 세가의 안주인 제갈금려, 그리고 근래 세가에서 나름 요직을 차지하고 있는 주강까지 박박 긁어모은 것이었다.

　"모두 모였습니까."

　연오가 위엄 있게 자리에서 일어났다. 세가에 무슨 중대사가 있어 이리 불렀나 긴장한 사람들이 가주를 바라보았다. 그는 자신의 말만을 기다리고 있는 좌중을 한번 쭉 살펴보았다. 그리고 마침내 입을 열었다.

　"내가 이리 모두를 부른 건 연이의 이혼 때문입니다."

　형님께서 무슨 말씀을 하실까 바르게 앉아 주시하고 있던 한위가 제 귀를 의심했다. 자신의 청력을 의심하는 사람은 한둘이 아니었다. 무슨 중대한 일에 대해 말씀하시려나 했는데 뜬금없이 남궁연의 이혼이라니.

장로들은 벌써 껄쩍지근한 눈빛으로 발을 빼고 싶다는 기색을 보였다. 그동안 훌륭하게 세가를 잘 이끌어 나가던 젊은 가주가 왜 갑자기 이런 소리를 하나 싶어 남궁지랑이 조심스럽게 말을 꺼냈다.

"가주님, 어쩐 일로 갑자기 연 도련님의 이혼 이야기를 꺼내십니까?"

백모란이 얼마나 무시무시한 작자인지 잘 알고 있는 장로들의 태도는 떨떠름했다. 그들은 제 손주 뻘에 가까운 젊은 가주가 무엇을 하든 전폭적으로 지지하곤 했지만, 단 한 가지 일에 대해서라면 달랐다.

모란에게 단단히 찍힌 남궁사영이 어찌 되었던가. 어디서 무슨 일이 있었는지 심한 절름발이가 된 데다가 무슨 병에 걸렸는지 온몸에는 불쾌하고 기분 나쁜 붉은 선이 죽죽 그였다. 거기다가 그는 최근 완전히 백치처럼 정신이 나간 상태로, 황산 근처에서 나뭇잎을 이불 삼아 거지처럼 살았다. 이 중에 그런 꼴을 당하고 싶은 자는 아무도 없었다.

"말 그대로입니다. 연이 혼인이 얼마나 부당하고 말도 안 되는 것입니까? 진즉 무효로 했어야 마땅한 혼인입니다!"

연오가 단호하게 답했다. 올해 나이 육십이 세, 남궁지랑은 세가에서 호법장로로서 부와 명예를 충분히 누리기도 했겠다. 이제 슬슬 은퇴해도 좋지 않은가 하고 생각했다. 그가 전적으로 지지하던 연오 도련님도 이제는 별 탈 없이 가주가 되어 훌륭히 세가를 이끌어 나가고 계시고……

아니, 실은 백모란의 일에는 그다지 관련되고 싶지 않다는 게 더 정확했다. 연오가 이렇게 백모란에게 원한을 불태울 때마다 남궁지랑은 걱정이 되다 못해 온몸에 소름이 다 돋았다.

가주님께서 연 도련님을 지극히 여기시는 건 전부터 잘 알았지만 상대가 어디 보통인가 이 말이다. 게다가 그 보통 아닌 상대도 연오와 똑같은 상대를 싸고돌고 있으니.

"하나 가주님, 연 도련님께서는 혼인 후 평온하게 잘 지내고 계시지 않습니까. 왜 갑자기 이혼 말씀을 꺼내시는지 이 늙은이는 잘 모르겠습니다."

왜긴 왜인가. 다들 그 이유를 잘 알고 있었다. 연오는 그저 백모란이 연과 혼인했다는 게 세상 마음에 안 들 뿐이다. 물론 장로들도 혼인식 날에 백모란이 신부로 등장한 것을 보고는 경악을 금치 못했었다. 사내와 사내가 혼인이라니, 이리도 남사스러운 일이 있을 수가 있나.

그러나 벽력탄에 산사태, 독, 화공, 수공 등 온갖 공격에도 꿈쩍도 안 하는 중원 최고의 고수 앞에서는 감히 무어라 떠들어 댈 수가 없었다.

도리어 모란 같은 자가 연만 곁에 끼고 산다면 조용히 군다니, 다행스럽게 여겨지기까지 했다. 어쨌든 백모란도 혼인은 백매화라는 이름으로 했겠다, 다들 혼인식의 실체를 알면서도 모른 척 외면했다.

"평온은 무슨!"

뜻밖에도 연오는 남궁지랑의 말에 코웃음을 쳤다.

"평온하게 지낸다면 연이 어젯밤 그렇게 어두운 표정으로 세가로 피신해 왔겠습니까?"

이건 또 웬 말인가. 남궁지랑은 어쩐지 이 일에는 절대 관련되어서는 안 된다는 촉이 왔다. 그건 다른 장로도 마찬가지라 남궁호정 역시 고개를 번쩍 들었다. 그가 불안한 얼굴로 물었다.

"무슨 연유로 연 도련님이 여기에 다 오셨습니까?"

혼인한 후 연은 종종 남궁세가에 놀러 오기는 했으나 오래 머무르는 일은 없었다. 그런 사람이 아예 세가에 와 있다니……. 보통 연이 가는 곳에 모란이 있기에 가능한 한 모란과 마주치고 싶지 않은 장로들에겐 그다지 기쁜 소식은 아니었다.

"듣자 하니 백모란 그놈과 불화가 있었던 듯하니, 이번이 연이

와 백모란을 떼어 놓을 기회가 아니겠습니까."

남궁지랑이 헛기침을 했다. 백모란이 정파와 사파를 죄다 짓밟고 다녔던 이래로 벌써 육 년이라는 시간이 지났다. 매해 백모란에게서 쏠쏠하게 선물도 받고 있고 지금의 평온함이 마음에 들기도 하고……. 그는 이런 일에 대해서는 그다지 연오를 지지하고 싶지 않았다. 다른 장로들도 마찬가지였다. 남궁지랑이 슬금슬금 눈치를 보며 일어나자 다른 장로들도 헛기침을 하며 슬그머니 일어났다.

"그리 말씀하시니…… 전 이번 일에 대해 한번 알아보도록 하겠습니다."

"긴한 논의 중에 지금 다들 어딜 가는 겁니까?"

연오가 눈을 부릅뜨자 장로들이 어물어물 말을 빙빙 돌려 댔다.

"전 급한 일이 있어서 말입니다."

"저는 사태가 워낙 중대하니 일단은 어찌 된 일인지 좀 살펴보고……."

"게다가 부부간이니 지내다 보면 사소한 다툼이 있을 수도……."

부부라는 말은 연오의 심기를 크게 거슬렀다. 부부라니! 연오가 언짢은 기색을 드러냈다. 그는 세가 밖에서는 연이 백매화와 혼인했다 박박 우기면서도 세가 내에서는 백매화가 아닌 백모란이 연을 속여 넘겼다며 화를 내는, 다소 이중적인 태도를 취하고 있었다. 장로들이 우르르 나간 뒤에는 제갈금려도 자리에서 일어났다.

"부인."

"일우와 천우가 낮잠에서 깰 시간입니다. 이만 가 봐야겠습니다."

연오와 달리 금려는 모란에게 결코 적대적인 태도를 취하지 않았다.

연이 조카인 천우와 일우를 지극히 아끼는 이상, 모란이 은밀히 자식들의 뒷배가 되어 줬으면 되어 줬지, 결코 해가 갈 일은 없다는 걸 잘 알고 있는 사람 중 한 명이기도 했다. 물론 한 번도 입 밖으로 낸 적은 없지만 말이다. 괜히 제갈이란 성을 달고 있는 게 아니다.

제갈금려가 총총 걸어 나가자 방 안에는 머쓱하게 웃고 있는 한위와 이번 일에 별 관심도 없는 주강만이 남았다. 한위도 슬그머니 자리에서 일어났다.

"저도 이만…… 검술 수련을 해야 해서요."

모두의 비협조적인 태도에, 버림받고 홀로 남겨진 연오가 길게 한숨을 쉬었다.

"한위 도련님."

주강이 냉랭하게 말했다. 한위가 저린 팔을 애써 감추기 위해 손에 힘을 꽉 주었다. 눈 하나 깜박이지 않고 노려보자 주강이 이내 겨누고 있던 검을 거두었다. 한위의 어깨에서 힘이 풀렸다. 언제나와 마찬가지로 오늘도 주강에게 패배했다.

"오른발이 먼저 나가는 습관은 고치셨지만 아직도 왼쪽에서 들어오는 공격에는 방심을 하시는군요."

한위가 쓰게 웃으며 고개를 끄덕였다. 주강은 제가 왼쪽에서 들어오는 공격에는 방심을 한다고는 하지만 잘 모르겠다. 주강의 공격은 언제나 매서워서 오른쪽에서 들어오는 공격이든, 왼쪽에서 들어오는 공격이든 간에 피하기가 힘들었다.

주강이 검을 완전히 검집에 꽂은 뒤에서야 한위도 검을 거두었다. 숨을 고르며 몸에서 긴장을 풀고 있는데 주강이 다가와 한위의 팔을 잡아 왔다. 그러고는 여기저기 눌러 보며 상태를 확인했다.

'최대한 티를 안 내려고 했는데…….'

주강은 언제나 한위의 몸에 이상이 생기면 귀신같이 먼저 알아 차리곤 했다. 그는 언제나 한위의 뒤에 머무르며 등을 지켜 주었다. 냉랭하고 과묵한 사람이었으나 한위는 그가 자신을 신경 쓰고 돌봐 준다는 걸 잘 알 수 있었다. 한위는 멋쩍어하며 답했다.

"별 이상은 없습니다."

비무가 끝나자 주강은 평소대로 말을 낮추며 나무랐다.

"그래도 항상 주의해야지."

마침내 팔을 놓아 주며 주강이 가볍게 한위의 어깨를 두드렸다. 이내 손은 떨어져 나갔으나 그 친근한 행동이 좋아서 한위가 미소를 지었다.

이따금 한위는 주강이 마치 자신의 아버지처럼 느껴질 때도 있었다. 실제로도 아버지 같은 역할이었다. 주강은 한위에게 자신이 아는 모든 것을 알려 주었다. 부상을 입었을 때 조치하는 법, 위험한 상대를 만났을 때 취하는 행동, 도망치는 방법, 사냥, 추적……

그리고 살인하는 방법까지.

-무인으로 사는 이상 언젠가는 반드시 검에 피를 묻히는 날이 오기 마련이다.

어느 날 그리 말하며 주강은 한위를 데리고 안휘성을 나갔다. 그는 근처에서 악명 높은 자를 한위와 맞붙였다. 한위가 차마 상대의 목숨을 거두지 못해 거의 죽을 위기에 처해도 주강은 눈 하나 깜박하지 않고 지켜보았다. 마침내 한위가 살기 위해 울면서 상대의 목숨을 거두었을 때에야 가까이 다가왔다.

세가로 돌아온 그는 한위의 부상을 치료해 주고 검에 묻은 피를 직접 닦아 주면서 이리 냉랭하게 말했다.

-나를 원망해도 어쩔 수 없다. 난 네가 상대를 죽이지 못해 죽임당하는 건 원하지 않으니까.

주강의 사고방식은 철저했다. 그는 한위가 남궁세가에서 촉망받는 무인이자, 중원의 잠룡 중 하나로 주목받는 이상 언젠가 상대의 목숨을 앗게 되는 상황이 올 것임을 확신했다. 한위가 달고 있는 남궁이라는 성과 그 재능이 그럴 수밖에 없는 운명으로 만들 것이다. 남궁연이야 워낙 병약했던지라 유일하게 예외였을 뿐, 남궁연오도 사람을 죽이는 법을 알았다. 주강이 알기로 남궁연오의 첫 살인 대상은 녹림십오채의 도적 중 한 명이었다.

비단 남궁세가뿐만이 아니다. 검을 든 자는 모두 그럴 수밖에 없다. 남궁세가처럼 적이 많은 집단이라면 더욱이 그랬다. 불살이란 어려운 일이었다. 상대를 죽이지 않으면 자신이 죽는다. 아무도 죽이고 싶지 않다면 연처럼 아예 검을 버려야 했다. 혹은 백모란처럼 누구도 감히 넘볼 수 없을 정도로 강해지거나.

그 뒤로도 주강은 한위에게 몇 번 더 살인하는 법을 알려 주었다. 첫 번째 살인 이후로는 죽여도 될 때와 죽여서는 안 될 때를, 두 번째, 세 번째 살인을 지나면서 죽여야만 하는 사람과 살려도 되는 사람을 구별하는 방법을 가르쳐 주었다. 점차 한위는 상대를 죽여야만 하는 상황 앞에서도 침착하게 판단하는 법을 터득하게 되었다.

또한 주강은 자신이 마교 출신의 사람임을 밝히며 한위에게 마교의 인물을 구별하는 방법도 알려 주었다. 누이의 복수를 한다고 마교를 나오긴 했으나, 그는 마교가 자신을 그리 순순히 놔주지 않을 거란 걸 잘 알았다. 마교가 주강을 놔준 건 복수에 미친 그가 남궁세가에 큰 타격을 입히길 원했기 때문이었다. 언젠가는 마교의 손길이 자신에게 뻗쳐 올 게 분명했다. 그 손길이 주강의 선에서 끝나면 다행이었지만, 마교가 한위에게 관심을 가질지도 모르는 일이었다.

한위는 주강이 마교의 인물이라는 것에 잠시 충격을 받기는 했으나 이내 덤덤히 받아들였다. 그는 주강이 자신을 진정으로 걱정하고 염려하는 인물이라는 걸 더 중요하게 여겼다. 또한 자신에게 그런 큰 비밀을 알려 주었다는 걸 감사하게 여겼다. 그만큼 주강이 한위를 신뢰한다는 의미였으니까.

그렇게 주강과 시간을 보내면 보낼수록 한위는 영명에 대한 기억은 차츰 잊어 갔다. 어릴 때는 그렇게 간절하던 아버지였는데 이제는 아무렇지 않게 느껴졌다.

주강과 비무에 대한 이런저런 이야기를 나누며 검을 손질하다가 문득 떠올라 한위가 말했다.

"아, 이번 사냥은 좀 미루겠습니다. 아무래도 연이 형님과 이야기를 좀 나눠야겠어요."

'사냥'은 안휘성에서 지명 수배가 걸린 죄인들을 추적하는 일이다. 죄인들을 추적하고 붙잡아 관아에 넘기는 일을 통해, 주강은 실전 경험을 쌓음과 동시에 한위의 명성을 높이는 것도 노렸다. 오늘이 바로 그 사냥을 하는 날이었으나 한위는 잠시 미뤘다. 사냥보다는 그의 형님에 대한 일이 더 중요했다. 주강도 한위가 연을 얼마나 아끼는지 잘 알고 있었기에 고개를 끄덕였다.

현재 주강은 세가에서 어린 무사들을 맡아 훈육하는 일을 하고 있었다. 그가 일을 하기 위해 자리를 뜨는 걸 잠시 보다가 한위가 걸음을 옮겼다. 성큼성큼 걸어 지나가다 보니 시비와 하인들이 고개를 숙여 정중히 인사를 했다. 한위는 이따금 자신의 어린 시절을 떠올리고는 지금 세가에서 받는 대접이 새삼스러워지곤 했다.

'연이 형님이 아니었다면…….'

한위의 인생은 소룡대회를 기점으로 완전히 바뀌었다. 모든 것이 연과 모란의 덕이었다. 모름지기 무인이라면 은원을 확실히 해야 하는 법.

한위는 언제고 연과 모란을 위해 목숨을 걸고서라도 은혜를 갚으리라 항상 다짐하고 있었다. 물론 연이 그 다짐에 어찌 반응할지 잘 알기에 입 밖으로 내지는 않았다.

그는 곧 화정당에 당도했다. 세가에서 가장 꽃이 많고 풍성한 곳이다. 화정당의 시비가 한위를 보고는 얼굴을 다소 붉히며 걸음을 뒤로 물려 길을 텄다. 이제 나이 스물두 살. 한위는 안휘성의 젊은 여인들로부터 인기가 많았다. 다정하고 호감 가는 모양새며 제법 크고 잘 빠진 체격에 그 남궁세가의 잘나가는 젊은 무인이기도 하니 연서도 심심찮게 날아들곤 했다.

"형님, 한위입니다. 들어가도록 하겠습니다."

대답이 없었음에도 한위는 조용히 문을 열고 들어갔다. 제가 아는 사람 중에 연이 제일 잠이 많은 이인 걸 잘 알기 때문이다.

아니나 다를까 벌써 해가 정오에 뜬 시간인데 연은 침상에서 죽은 듯이 누워 잠자고 있는 중이었다. 혹여나 연이 깰까 조심스럽게 의자에 앉으면서 한위는 전혀 변한 구석이 없는 형님의 얼굴을 물끄러미 바라보았다.

'이상하기도 하지, 어쩐지 형님은 나이를 안 드시는 것 같아.'

육 년이라는 세월이 지나는 동안 한위는 껑충 자라났고 연오도 주강도 조금씩 연륜이라는 것이 외모에 스며들어 가는데 연만이 오로지 그대로였다. 연과 함께 안휘성을 돌아다니다 보면 한위는 이따금 연과 동갑내기로 착각받기도 했다. 하긴 연만이 아니다. 모란도 거의 나이가 들지 않았다.

왜 그런 것일까 잠시 고개를 갸웃하다가 이내 한위는 무심하게 고개를 돌렸다. 연이 깨어날 때까지 서책을 읽기로 하며 그는 조용히 독서에 빠져들었다.

연이 깨어난 건 한위가 당도한 뒤로부터 한 시진이 지난 후였다. 부스스 일어난 연은 한위가 곁에 있다는 걸 깨닫고는 움찔 놀랐다. 눈을 비비고는 잠을 털어 내기 위해 고개를 흔들었다.

"왔으면 깨우지 않고."

"온 지 얼마 안 되었습니다. 형님 오셨다기에 뵙고 싶어 왔어요."

밝게 대답하며 한위는 연의 눈치를 슬쩍 보았다. 그렇게 기분이 나빠 보이지는 않았다. 아직도 잠기운이 남았는지 비틀거리며 자리에서 일어난 연이 더듬거리며 창문을 열었다. 방 안이 순식간에 환해졌다. 햇살을 받은 연이 눈을 찡그렸다. 금색 눈동자에 햇빛이 물처럼 말갛게 고였다.

"식사는 안 하셨지요?"

"그래. 한위 너는?"

아직 안 먹었다 대답하며 한위가 주위를 살폈다. 워낙 소리 소문 없이 나타나곤 하는 모란 때문이다. 한데 연오의 말처럼 불화가 있기는 했는지 그 어디에도 모란의 모습이 없었다. 모르는 척 시치미를 떼며 한위가 슬그머니 물었다.

"그런데…… 모란 형님은요?"

"모란은 일이 있어서."

연이 짤막하게 대답했다. 그 말투에는 어딘가 쌀쌀맞은 구석이 있었다. 그래, 확실히 무슨 일이 있긴 있으셨구나, 한위는 생각했다.

연은 시비에게 식사를 내오라 일렀다. 식사가 차려지는 동안 한위는 무슨 일이 있나 물을까 말까 고민했다. 일단은 먹고 이야기하는 게 좋겠지. 배가 차면 연의 기분도 좀 나아지지 않을까?

식사가 차려진 후 연은 느리게 손을 뻗어 식기를 집어 들었다. 요즘 세가의 말썽꾸러기가 된 천우와 일우의 이야기를 하던 한위는 잠시 고개를 갸웃했다. 어쩐지 연의 움직임이 부자연스러워 보였다. 입맛이 없는지 평소보다 느릿느릿했으며 이따금 젓가락이 음식을 집기 직전 머뭇거리곤 했다.

'어딘가 이상한데.'

모르는 척 한위는 연을 유심히 주시했다. 팔을 다치셨나? 하지만 손목이나 팔의 움직임은 뻣뻣하지는 않았다. 고통을 참는 기색도 없었다. 하지만 뭔가 몸에 이상이 있는 건 분명했다. 연이라면 의원이니 한눈에 확실하게 알아차렸을 텐데……. 한데 저 움직임은, 마치……. 설마, 아니겠지.

제 형님에게 정확히 무슨 문제가 있는지 알게 된 건 연이 실수로 찻잔을 쳐서 뜨거운 찻물을 엎질렀을 때였다. 다행히도 델 정도로 찻물이 뜨겁지는 않았다. 한위가 벌떡 일어나 시비에게 닦을 것을 내오라 하며 가까이서 연의 상태를 유심히 살폈다. 이유를 깨닫자 곧장 낯빛이 희게 질렸다.

"형님, 설마 한쪽 눈이 안 보이시는 겁니까?"

연은 아니라고 부정할 모양인지 입을 열었다가 시비가 내민 찬 수건을 받아 들었다. 한위가 끈질기게 대답을 기다리자 연이 마지못해 대답했다.

"별것 아니다."

"눈이 안 보이는 게 어찌 별것 아닌 게 됩니까?"

한위는 연오가 연의 눈에 이상이 있다는 사실을 모른다는 걸 확신했다. 알고 있었다면 오늘처럼 유순한 반응은 결코 보이지 않았을 터였다. 연은 잠시간 말이 없다가 이렇게 물었다.

"아무래도 형님은 바로 아시겠지?"

한위가 눈치를 챌 정도였으니 연오는 바로 알아차릴 게 분명했다. 한숨을 쉬며 연이 품 안을 뒤적여 안대를 하나 꺼냈다. 한위는 걱정 가득한 얼굴로 연이 머리카락 뒤로 안대 끈을 가로질러 묶는 걸 지켜보았다. 아닌 척하다가 지금처럼 들키고 상대의 걱정을 사느니 차라리 눈병이 났다고 할 셈인 것 같았다.

"다치신 겁니까? 아니면 일시적인 겁니까? 나을 수는 있는 것이지요?"

그러나 연은 별 대꾸하지 않더니 잠시 뒤에 글쎄, 하고 애매한 대답만 흘렸다. 의원이니만큼 자신의 눈이 어떤 상태인지 누구보다 잘 알고 있을 것이다. 한위는 더는 묻지도 못하고 걱정에 한숨만 쉬었다. 문득 떠오르는 것이 있어 다시 물었다.

"혹시 모란 형님과 싸운 것이 눈 때문입니까?"

모란의 이름을 담자 연은 숨기지도 못하고 못마땅한 기색을 드러냈다. 눈 때문에 싸운 게 맞긴 맞구나. 하지만 왜? 한위가 아는 모란은 연이 아프면 세상에서 가장 귀한 약을 구해다가 알뜰살뜰 보살폈으면 보살폈지 싸울 사람은 아니었다. 그러나 연은 제법 심기가 좋지 않았는지 더 이상 대답하지 않았다.

식사가 끝난 뒤 한위는 연과 좀 더 대화를 나누다가 화정당을 나왔다. 대체 형님 눈에 무슨 문제가 있는 걸까 걱정하며 타박타박 걸음을 옮기다 그는 연오와 마주쳤다. 마치 일부러 기다리고 있기라도 한 모습이었다.

"한위야. 연이는 좀 어떻더냐?"

한위는 연오의 질문이 '연과 모란의 사이가 어떠한가' 하는 의미임을 잘 알았다. 한위가 볼 때에는 딱히 둘이 헤어질 것 같지는 않았으나 연오는 포기를 몰랐다. 그는 정말 모란을 싫어했다. 한위가 보기에는 딱히 모란이 연에게 해를 끼쳤다고 여겨서 싫어하는 것 같지는 않았다. 다만…….

삼 년쯤 전인가 연오가 모란을 받아들이고 인정하려 할 때가 있기는 했다. 나름 세가의 연회에도 초대를 했다. 연회 초반에는 분위기도 화기애애했다. 하지만 그 결말이 어찌 났던가? 파멸이라고 해도 과언이 아니었다. 그날 연오가 얼마나 화를 냈나 떠올려 본 한위가 내심 고개를 저었다.

세상에는 이유 없이 맞지 않는 사람도 있는 법이었다. 연오에게 있어 모란이 그랬다. 정작 모란은 연오에게 별 신경도 쓰지 않았다. 상대가 뭐라 하건 말건 '뉘가 짖느냐……' 하는 얼굴로 앉아 있는 것이었다. 그런 무심한 태도가 연오의 화를 더 불러오는 요인 중 하나였다.

"평소와 비슷하셨습니다."

연오의 질문의 의미를 알면서도 한위는 모르는 척 대답했다.

"그렇다니 다행이구나."

그리 말하면서도 연오의 표정은 다행과는 거리가 멀었다. 그는 솔직하여 표정을 잘 숨기지 못하는 편이었다. 연오는 잠시 동안 화정당을 바라보다가 걸음을 옮겼다. 한위도 연오와 똑같이 그곳을 바라보다 뒤를 따랐다. 눈에 별 이상이 없는 것이어야 할 텐데, 근심이 뒷덜미를 채는 듯했다.

연이 화정당에 머무른 지도 벌써 사흘이 되었다. 한위는 매일같이 찾아갔으나 연의 눈은 여전히 회복될 기미를 보이지 않았다. 게다가 사흘 내내 모란 또한 모습을 보이지 않았다. 정말 둘 사이에 무슨 일이 있는 것인가, 한위의 근심은 나날이 갈수록 커지기만 했다. 왜 연의 눈이 저렇게 되었는지, 모란은 왜 모습을 보이지 않는지…….

며칠 동안 슬슬 모란을 한번 찾아가서 무슨 일인지 물어봐야 하는 게 아닌가 고민하였다. 그러던 중 한위는 주강과 함께 사냥을 나섰다. 한데 누굴 잡아 볼 것인가 하여 관아에 갔더니 현상 수배 범들의 씨가 싸그리 말랐다는 말이 돌아왔다. 듣자 하니 요 며칠 사이에 누가 죄다 잡아다가 관아에 넘겼다는 게 아닌가. 주강이 눈썹을 찌푸렸다.

"한 명도 없단 말입니까?"

"잡범들까지 죄다 들어와서 한 명도 없소."

관아에서도 신기한 일이라며 고개를 절레절레 흔들었다. 혹시나 하는 생각이 들어 한위는 현상 수배범을 잡아 넘긴 자의 인상착의 에 대해 물어보았다.

"글쎄, 좀 껄렁해 보이는 사내였지. 키는 이만하던가. 제법 크고. 아, 그래. 검도 없이 맨손으로 잡아 와서 놀랐소."

묘사를 들어 보건대 그 사람은 모란인 게 분명했다. 모란 외에 이런 짓을 할 사람이 없었다. 이제는 더는 안 되겠다 싶어, 한위는 마침내 모란을 찾아가 보기로 했다. 함께 가겠냐 묻자 주강은 고개를 저었다. 그는 모란을 상대하는 걸 가급적 피하는 편이었다. 한위는 혼자 연과 모란의 사저로 향했다.

연과 모란이 사는 저택은 안휘성에서 꽤 유명했다. 일단 백모란이 사는 곳이라 유명했고, 두 번째로는 저택 근처에 철도 모르고 한가득 피어난 꽃들 때문이었다. 사시사철 꽃이 얼마나 흐드러지게 피어나는지 백모란에 대한 두려움을 무릅쓰고 종종 꽃구경을 하고 가는 사람들도 있을 정도다.

저택 문을 열고 들어가니 다행히도 모란이 있었다. 그는 시큰둥한 얼굴로 커다란 관상용 바위 위에 앉아서 연못의 잉어들에게 먹이나 한 알씩 뿌리는 중이었다. 한위를 흘끗 보더니 모란이 손안에 있던 먹이를 와르르 털어 버리고는 바위 아래로 뛰어내렸다. 잉어들이 먹이 쟁탈을 하며 요란하게 첨벙거렸다.

"연이는 좀 어때?"

모란이 인사도 없이 다짜고짜 연에 대해서 물어보았으나 한위는 마음이 상하거나 하진 않았다. 모란은 그다지 살가운 유형의 사람은 아니었다. 언제 보아도 무릉도원처럼 아름다운 정원에 잠깐 시선을 빼앗겼던 한위는 잠자코 제 대답을 기다리고 있는 모란에게 대답했다.

"눈 한쪽이 안 보이시는 걸 제외하면 괜찮으세요."

그 말을 듣고 나서도 모란은 별 반응이 없었다. 얼굴 표정에 별 기복이 없어서 무슨 생각을 하는지는 모르겠지만 그다지 기분이 좋지 않다는 건 잘 알 수 있었다. 생각에 잠긴 얼굴로 그가 설렁설렁 안으로 걸어 들어갔다. 한위는 조용히 뒤를 따라갔다.

모란은 조용히 차를 한 잔 한위에게 내밀었다. 모란 나름의 손님 대접이었다. 아무에게나 해 주는 게 아님을 알기에 한위는 감사히 받아 들었다.

일단 한위는 현상 수배범에 대한 건부터 슬그머니 물어보았다.

"관아에 가 보니 현상 수배범의 씨가 완전히 말랐다는 이야기를 하던데요."

한위에게는 차를 대접해 놓고 정작 제 찻잔에는 술을 따르며 모란이 심드렁하게 대꾸했다.

"심심하고 할 일도 없어서."

누구나 심심하고 할 일 없다고 현상 수배범 잡아다가 관아에 넘기는 일을 할 수 있는 건 아니지만, 상대가 모란이니 한위는 그러려니 여겼다. 당분간은 안휘성 말고 다른 지역에 가서 사냥을 해야겠다 생각했을 뿐.

한위는 느릿느릿 차를 마시며 끈질기게 기다렸다. 인내심이라면 자신이 있었다. 하염없이 시간이 흘렀다. 그래도 인내했다. 예상대로 차를 두 잔째 마시기 시작했을 때 모란이 무슨 일이 있었는가를 털어놓기 시작했다. 그런데 대화의 첫 시작이 꽤 충격이었다.

"내가 연이 죽었을 때 살리려고 오른쪽 눈에 박아 넣은 게 있거든."

"……예?"

한위의 얼굴에서 핏기가 싹 가셨다. 연이 죽은 건 또 무엇이고 오른쪽 눈에 박아 넣은 건 또 무엇인가? 그러나 한위의 반응이 어떻건 간에 아랑곳하지 않고 모란은 죽 말을 이어 나갔다. 일방적으로 불친절한 대화는 계속되었다.

"내 생각엔 오른쪽 눈이 먼 게 실리낙스의 눈 때문인 것 같단 말이야. 원래는 공성전 무기나 성벽 구축 마법진에나 사용하는 물건이라 그런 건지……."

실…… 무슨 눈이며, 공성전 무기는 또 뭐고 구축 마법진은 또 무엇인가. 모란이 대체 무슨 말을 하는지 한위는 조금도 이해하지 못했다. 하지만 모란은 딱히 상대의 이해를 바라고 말하는 게 아니었다. 한위는 그냥 얌전히 눈치껏 이야기를 파악하며 듣기로 했다.

"이론상으로는 좋으면 좋았지 해가 될 게 없어. 무슨 속성이 있는 것도 아니고, 순수한 마력정이니 오히려 시력이 좋아져야지. 애초에 질병에 걸릴 몸인 것도 아니지. 내 내단도 줬겠다."

한위는 그저 음, 네, 어, 그렇죠, 정도의 대답만 했다. 방금 내단이 어쩌고 했던 것 같기도 한데 그저 이해하지 않는 게 좋을 것 같아 한 귀로 듣고 한 귀로 흘렸다. 그러고 보면 예전에도 내단 어쩌고 했던가…….

한위가 가장 알고 싶었던 부분은 시간이 좀 더 지나서야 나왔다.

"그러니까 아무래도 내 책임이지, 연이 오른쪽 눈이 그렇게 된 건."

"음……."

전부 이해하지는 못했지만 한위는 모란이 연을 살리기 위해 어떤 영약 같은 것을 먹였고, 그 영약 때문에 오른쪽 눈이 그리되었다는 건 알 수 있었다. 굳이 인과 관계를 따지자면 연의 오른쪽 눈이 그리된 건 모란 때문이 맞는 것 같다. 하지만 그 일로 모란을 비난할 수 있는 자는 아무도 없을 것이다. 연도 마찬가지였을 테고. 한위는 슬슬 연이 왜 모란과 싸웠는지 이해가 갔다.

"그래서 실리낙스의 눈에 대해 누구보다도 잘 아는 사람을 찾아가 물어보려고 했단 말이지. 전 같으면 그냥 넘어가서 물어봤을 텐데 지금은 몸이 좀 안 좋아서 대가를 지불하고 가야 하거든. 아무런 대가 없이 갈 수는 없는 곳이라. 한데 별것도 아닌 대가로 그렇게 화를 낼 것은 또 뭐야?"

"그 별것…… 아닌 대가가 뭐기에 그렇습니까?"

"내 수명 약간?"

한위는 잠시간 침묵을 지켰다. 수명 약간?

"마녀의 술법 중 신체 능력을 넘겨주는 것이 있어. 나야 어차피 외눈으로 오랫동안 산 적이 있어서 그리 사는 것에 익숙하니까 내 눈 주겠다고 한 건데 그리 화를 내면서 집을 나가 버리고…….."

마녀의 술법? 신체 능력을 넘겨줘? 모란이 외눈이었다고? 하나도 이해를 못 하겠다…….

어쨌든 이야기를 들어 보니 연이 충분히 화내고도 남을 듯했다. 모란이 정파고 사파고 박살 내고 다니며 천하제일의 공적을 자처하고 다닐 때부터 알아봤다. 그는 종종 아주 막 나가는 구석이 있었다.

그런데 연이 화난 일에 대해 털어놓는 모란의 기분은 뜻밖에도 나빠 보이지는 않았다. 말꼬리를 흐리다가 희미하게 히죽 웃고는…….

"나 때문에 그리 화내고 가출하는 게 오죽 귀여워야지."

이렇게 말하는 게 아닌가. 한위는 한숨을 쉬며 자리에서 일어났다. 연오가 알면 실망하겠지만 모란과 연 사이에 별문제는 없겠다. 괜한 걱정을 했다.

"저는 이만 가 보도록 하겠습니다."

"아, 잠시만."

모란이 이제 세가로 돌아가 보려던 한위를 붙잡았다. 그리고 어디론가 가더니 잠시 뒤에 풍성한 꽃다발을 하나 가지고 왔다.

화사한 노란 꽃다발 한가운데 빨간 산딸기 열매가 조롱조롱 박혀 있었다. 한위가 잠시 꽃다발을 말끄러미 바라보았다. 연오도 금려에게 잘해 주는 편이지만 모란은 정말이지 연에게 세상 다정하게 굴었다.

"연이 가져다줘."

"아, 네."

"그리고 이건 너 먹거라."

심부름 값 주듯 모란이 한위의 손바닥 위에 나무 열매를 한 알 떨어트렸다. 눈처럼 흰 색의 열매로 서늘하다 못해 차가웠다. 이게 대체 뭔가 하여 한위가 미간을 좁혔다. 생긴 건 개암처럼 생겼는데 아무리 봐도 개암은 아닌 것 같다.

"이름은 모르겠는데……. 먹으면 몸에 좋겠지. 그런 종류니까."

모란이 대수롭지 않게 말했다. 그는 이따금 지금처럼 한위에게 이런저런 먹을 것들을 준 적이 있었다. 그저 좀 특이하게 생긴 작

---

17) 사람 모습을 한 산삼

은 삼인줄 알고 먹었는데 알고 보니 인형설삼(人形雪參)[17]이요, 아주 향기로운 버섯이라 생각했는데 부르는 게 값인 진귀한 약초였고, 산딸기라고 생각했는데 먹고 나니 내공이 증진되어 깜짝 놀란 적이 한두 번이 아니었다. 아마 이번도 그 비슷한 것이겠지…….

예전에 사양했다가 모란이 그대로 그 귀한 물건을 그대로 잉어 먹이로 주는 걸 본 적이 있기에 한위는 감사하게 받았다.

꽃다발을 들고 오는 내내 한위는 사람들의 시선을 샀다. 안휘성에서 꽤 유명세를 날리고 있는 젊은 무인이 커다란 꽃 한 다발을 들고 가고 있으니 그럴 수밖에 없었다. 적령기의 어여쁘고 젊은 여인들의 설레는 시선이 한위를 스치고 지나갔다. 한위는 부끄러움에 걸음을 빨리했다.

세가에 도착했을 때 연은 의원 일을 하러 나간 터라 자리에 없었다. 한위는 탁자 위에 꽃다발을 내려 둔 다음 시비에게 일러 화병에 물을 담아 오도록 지시했다. 연을 기다리는 동안 마시라고 차도 같이 내왔으나 아까 모란과 대화하며 질리도록 차를 마신 한위는 거의 손도 대지 않았다.

연은 오후가 되어서야 돌아왔다. 한쪽 눈만 보이기 때문인지 다소 피로한 얼굴로 미간을 꾹꾹 누르고 있었다. 여전히 안대가 그의 얼굴을 가로지르고 있었다. 그는 자신을 기다리고 있는 한위와 탁자 위에 올려진 꽃다발을 발견하고는 잠시 놀랐다. 그러더니 꽃다발을 누가 주었는지 곧장 깨달은 듯했다.

"모란이 줬지?"

"예, 형님."

연은 침착한 얼굴로 다가와 꽃다발을 살폈다. 그러나 딱히 기뻐하는 기색은 없었다. 그는 줄기를 하나로 묶고 있던 끈을 끄른 뒤 산딸기는 접시 위에 올려 두고 꽃들을 볕 잘 드는 곳에 가지런히 펼쳤다. 한위는 연이 꽃을 잘 말려 오래 보관하려고 그러는 줄로만 알았다. 그런데 꽃을 잘 펼친 뒤 연이 이렇게 말하는 게 아닌가.

"한위야, 잘 알아 두어라. 이렇게 생긴 꽃은 말린 뒤 뜨거운 물에 우리면 해열 효과가 있으니 위급할 때 사용하면 좋단다."

"해…열이요……."

한위가 어색하게 대답했다. 한위에게 연은 다정한 형님이긴 하였으나, 기본적으로 성격에 쌀쌀맞고 냉랭한 구석이 있었다. 준비해 둔 화병이 무색하게 되었다. 연은 이어서 말했다.

"그래. 이렇게 쓸모없어 보이는 잡초도 다 약초로 활용할 수 있지."

해열 작용 꽃에 이어 잡초 취급까지……. 어지간히 모란에게 심기가 상한 것 같았다. 그리고 과연 한위의 생각대로였다. 산딸기도 한위 먹으라고 내놓은 뒤 연은 조용히 차만 마셨다. 어쩐지 차가 유달리 빨리 식는 것 같다고, 오늘로만 주전자 하나 분량의 차를 마시며 한위가 조용히 생각했다.

"모란이 나를 생각해 주는 건 잘 알겠어."

얼마나 시간이 흘렀을까. 찻잔을 내려놓으며 연이 입을 열었다. 한위는 모란 앞에서 그랬던 것처럼 경청하는 자세를 취했다. 이유는 알 수 없지만 이상하게도 모란이나 연은 한위 앞에서는 유독 편하게 속내를 툭툭 털어놓을 때가 있었다.

"하지만 그것도 어느 정도여야지. 아무리 자신의 몸이라지만 그리 쉽게 가져다 버려? 왜 그렇게 함부로 대하는 건지……. 안 그래도 전보다 몸도 안 좋은 사람이."

모란과의 대화가 정보 부족 때문에 일방적이라 한다면, 연과의 대화는 공감할 수 없어서 일방적이었다. 한위는 잠시 모란이 어떤 사람인가에 대해 떠올려 보고 지금 연과 자신이 같은 사람을 주제로 대화하는 게 맞나 다시 한번 확인했다.

"모란 형님이요?"

아직도 정파와 사파에서는 이름만 들어도 질겁하고, 심심하다고 맨손으로 현상 수배범 죄다 잡아다가 관아에 넘기는 사람 말입니까? 심지어 한위는 모란이 대수롭지 않게 돌멩이를 손안에서 굴리다가 가루를 내던 걸 눈으로 본 적도 있었다. 그다지 손에 힘도 주지 않았다. 그런데도 돌멩이는 그냥 부석부석 모래처럼 부서져 내렸다.

연도 그런 강함을 모르지는 않을 텐데도 모란을 마치…… 종종 아프고 다치기도 하는 보통 사람처럼 말하고 있었다. 한위는 아무리 생각해도 그 혈색 좋은 얼굴과 몸의 어디가 안 좋은 것인지 당최 알 수가 없었다. 상대가 납득을 하거나 말거나 연은 진중하게 말을 이었다.

"한위 너도 잘 유념하거라. 나중에 연인이 생겼을 때 아무리 상대가 좋아도 일방적으로 희생하는 건 바람직하지 않아. 함께 헤쳐 나갈 줄 알아야지."

모란이 희생이라……. 여전히 공감이 가지는 않았지만 형님 말 잘 따르는 아우로서 한위는 그저 얌전히 예, 하고 대답할 따름이었다. 그리고 그날 이후 한위는 당분간 차는 입에도 대지 않았다.

연이 처음 자신의 오른쪽 눈의 이상을 깨달은 건 며칠 전 아침이었다. 눈을 비비며 일어나려다가 그는 제 시야가 좁아졌다는 걸 알았다. 오른쪽 눈이 아예 보이지 않았다. 당황한 연이 일단 침착하게 제 상태를 살폈다. 면경을 가지고 와 동공을 살폈으나 아무런 상처도 없었다. 두통이 있는 것도 아니고 몸에 어디 이상한 곳도 없다. 그냥 하루아침에 갑자기 눈이 보이지 않게 된 것이다.

─일어났어?

먼저 일어나 정원을 가꾸던 모란이 연이 깨어난 걸 눈치채고 다가왔다. 이마며 뺨에 다정하게 입 맞추던 그는 일어나자마자 깊은 생각에 잠긴 연의 모습에 의아해했다. 모란에게 오른쪽 눈의 이상을 숨겨야 할까 고민하다가 연이 고개를 저었다. 다른 사람도 아니고 모란이니 당장 들킬 것이 분명했다. 연이 침착하게 말했다.

–몸이 좀 안 좋네.

–……몸이? 어디가 어떻게? 왜? 아플 이유가 없을 텐데.

모란은 여전히 의아한 기색이었다. 그도 그럴 것이 모란의 내단을 받은 뒤로 연은 한 번도 잔병치레를 한 적이 없었다. 그만큼 몸이 매우 건강해진 것이다. 그는 마치 감기에 걸렸다고 말하는 투로 대수롭지 않게 말했다.

–오른쪽 눈이 안 보여.

그제야 모란의 얼굴이 굳었다. 그가 당장 연의 눈을 살폈다. 금색 빛이 흐드러지는 눈으로 꼼꼼히 살피던 미간에 점차 골이 패였다.

–아예 아무것도 안 보이는 건가?

–전혀. 짐작 가는 이유도 없어.

모란의 손가락이 조심스럽게 연의 눈가를 더듬었다. 살살 두드려 보기도 하고, 숨결이 닿을 정도로 바짝 들여다보기도 했다. 그러나 그도 왜 연의 오른쪽 눈이 갑자기 그리 되었는지는 알아내지 못했다. 그는 그날 하던 일을 모두 관두고 연의 곁에 머물렀다. 심각한 얼굴로 턱을 문지르며 생각에 잠겼다가 연에게 마법이라 여겨지는 무언가를 걸어 보기도 했다.

연은 어땠냐면…… 오른쪽 눈이 없어도 의원 일은 할 수 있겠다고 냉정하게 판단을 내리고 있었다. 그도 오른쪽 눈의 시력을 잃는 건 원하지 않았다. 당연히 불안하고 마음이 무거웠다. 하지만 세상에는 어쩔 수 없는 일도 있는 법이니 최악의 상황을 염두에 둘 수밖에 없었다.

그런데 모란은 결코 그리 생각하지 않았는지 저녁이 되어서야 입을 열었다.

－예전에 지내던 세계 좀 다녀와야겠어.

　－거긴 왜?

　－아무리 생각해도 오른쪽 눈이 그렇게 된 게 실리낙스의 눈 때문인 듯해. 그럼 그 눈에 대해 알고 있는 사람에게 물어봐야지.

　－안 돼.

　연이 얼굴을 찌푸렸다. 모란은 그걸 다른 의미로 이해하고는 웃었다.

　－걱정 마. 아무리 길어도 하루밖에 안 걸릴 거야. 알지 않아, 거기와 이곳 시간의 흐름이 무척 다른 걸.

　－그 때문에 그러는 게 아냐. 모란 당신이 그곳에 갈 여력이 안 되니까 이러는 거지.

　연이 딱 잘라 말했다. 모란은 잠시 침묵했다. 실리낙스의 눈을 가진 이래로 연은 이따금 놀라울 정도의 통찰력을 보여 주고는 했다. 환자의 건강을 한 번에 읽어 내는 것뿐만이 아니라 마법사인 모란의 상태까지도 알아채는 것이다. 그것이 연은 한 번도 배운 적 없는 마법의 영역인데도 그랬다.

　－내상을 입고 피를 토하는 정도로는 안 끝나지. 그렇지?

　－조금도 다치지 않고 다녀올 수 있는 방법도 있어.

　모란이 슬그머니 회유를 시도해 봤다. 그러나…….

　－무슨 방법? 대가가 무엇인데?

　연의 목소리가 서늘했다. 모란이 무슨 종류의 회유를 할지 훤히 꿰뚫고 있는 목소리였다. 모란은 잠시 제 몸의 상태를 떠올려 보았다. 연에게 내단을 넘겨준 뒤로 전보다 안 좋아진 건 사실이다. 점차 회복되어 가고 있긴 하지만 전과 같은 상태가 되려면 한참은 더 있어야 했다. 마법 중에서도 공간 마법은 가장 어려웠고, 공간 마법 중에서도 차원을 넘어가는 마법은 제일 까다롭다. 더군다나 지금 모란은 마력이 절대적으로 부족했다.

다만 이 부족한 마력을 충당하는 방법이 있었다. 마녀의 술법 중에서도 '거래'는 가장 위험하면서도 습득해 두면 위급한 상황에 사용하기에 가장 좋았다.

–약간의 수명?

단번에 연의 눈초리가 서늘하다 못해 싸늘해졌다. 모란이 내심 혀를 찼다. 자신이 얼마나 오래 살지 알기에 그 약간의 수명쯤 별거 아니라고 생각했으나 연에게는 아닌 모양이다. 하긴 의원이다 보니 자신의 몸을 함부로 하는 일에 예민하긴 했다.

–정 가고 싶으면 가. 수명을 대가로 하든, 몸이 걸레짝이 되든.

그런 식으로 말하면 또 그렇게는 못 하지. 모란이 뺨을 긁적였다. 사실 차원을 넘어간다 하여 방법을 알아낸다는 확신도 없으니 일단은 다른 방법을 도모하기로 했다.

그렇게 이런저런 방법들을 떠올리다가 제 눈을 넘겨준다는 제안도 했다. 외눈으로 사는 것이 익숙하니 이왕이면 자신이 외눈으로 살겠다, 정말 진심으로 제안했건만 연은 그 후부터 급속히 차가워지더니 모란에게 말도 붙이지 않았다. 그러고는 슬슬 환절기니 감기에 걸릴지도 모를 조카들을 보겠다는 핑계로 집을 훌쩍 나가 세가로 가 버렸다.

제안하면서도 화를 낼 거라고 예상하긴 했다. 하지만 정말이지 모란은 그저…… 연에 비하면 모든 것이 별거 아니었을 뿐이다. 남은 수명이 아직도 한참인 데다가 이백 년을 넘게 외눈으로 살았으니 아무렇지 않았다.

연도 그렇게 여겨 줬으면 좋겠는데 한편으로는 화를 내 주니까 좋기도 하고……. 차갑게 화를 내는 모습은 보기 드물고 귀해서 그도 나름대로 귀엽고 볼만했다. 하지만 오래 보고 싶지는 않았다.

화 좀 풀리라고 세가에 보내 놓고 모란은 연의 오른쪽 눈을 어찌 회복할 방법을 여러 가지로 궁리했다. 그러나 정말 방법이 없었다.

연금술을 배워 놓았다면 인공 안구라도 만들어 낼 수 있었을 터다. 하나 연금술을 배우려면 이 또한 차원을 건너가야 한다. 게다가 가장 큰 문제는 연의 오른쪽 눈에 실리낙스의 눈이 담겨 있다는 점이었다. 인공 안구를 삽입하려면 기존의 안구를 적출해야 하는데 실리낙스의 눈도 같이 제거될 염려가 있었다. 게다가 안구를 적출한다는 사실 자체도 마음에 들지 않았다.

'만에 하나 한다 해도 적출은 또 누가 하고.'

연에게 시킬 것인가, 아니면 모란의 손으로 직접 할 것인가. 둘 다 싫었고 다른 사람에게 맡기기는 더더욱 싫었다. 결국 모든 게 생각하면 할수록 시간 낭비일 뿐이라 모란은 훌훌 털고 일어났다. 며칠 지났으니 이제 연의 화도 슬슬 풀리지 않았을까 싶었다. 그러다 모란이 잠시 멈췄다.

"아니면 아발리의 샘이라든가……."

몸의 비정상적인 상태를 완벽하게 치유할 수 있는 방법이 있기는 했다. 다른 차원으로 넘어가지 않아도 된다. 아발리의 샘이라 하여 이 차원에서도 만들 수 있는 인공적인 샘물이 있다.

이 샘물을 마시거나 몸을 씻으면 그 어떤 상처나 질병이라도 모두 치유되는데, 문제는 그 재료다. 재료를 구하는 것이 매우 까다로웠다. 샘 하나 만드는 데 작은 아공간이 하나, 그리고 천 명의 눈물과 천 명의 양수, 천 명의 피, 천 가지의 독, 그리고 천 가지의 강물과 샘물이 필요했다.

아이낙스는 황제인지라 아발리의 샘을 어렵지 않게 만들었다. 천 명도 넘는 신하들이 있으니 한 명당 하나씩만 가지고 오라 하면 끝 아닌가. 하지만 모란이 구하려면 문제다. 눈물이나 피야 대충 만만한 놈 잡아다 쥐어짜라 그러면 되겠지만 나머지의 난이도가 하늘을 찔렀다.

"정 방법이 없으면 왕이나 되어 볼까."

일단 샘물 하나 만들어 두면 두고두고 쓸 곳이 많을 터였다. 앞으로 만에 하나라도 연이 다칠 만한 상황이 생길 수도 있고…….
다만 아발리의 샘 하나 만들자고 왕이 되기에는 너무 귀찮은 일들
이 많고 시간도 오래 걸린다. 귀찮은 건 딱 질색인 데다가 연이 그
다지 좋아할 것 같지도 않다. 모란은 미련 없이 세 번째 방법을 접
었다. 아직 원인을 모르니 일단은 시간을 두고 지켜봐야겠다.

모란은 남궁세가로 향했다. 처음엔 걸어가려다가 중간에 생각을
바꿨다. 안 그래도 연의 오른쪽 눈 때문에 신경 쓰이는데 연오까지
상대하고 싶지는 않았다. 바로 화정당으로 이동하니 연은 한위와
함께 있었다. 예의 바르게 화정당 문을 똑똑 두드리자 잠시 후에
문이 열렸다. 모란이 다정하게 웃는 얼굴을 보였다.

"조카들은 보고 싶은 만큼 많이 봤어?"

"……."

연이 대답은 하지 않고 눈을 가늘게 뜨고 보는 동안 한위가 겸연
쩍은 얼굴로 인사를 해 왔다. 이 자리를 벗어나고 싶은 기색이었으
나 연이 문 앞에 서 있는 바람에 한위도 그 곁에 어정쩡하게 섰다.
모란의 웃음이 약간 사그라들었다.

"안대를 했네……."

"사람들에게는 눈병 났다고 둘러대려고 했어."

막상 안대를 한 걸 보니 모란은 마음이 별로, 아니 아주 안 좋았
다. 정말로 오른쪽 눈의 시력은 영영 가 버린 것일까? 모란의 손이
안대에 닿자 연이 눈을 감았다. 그가 살금살금 안대를 만지다가 벗
겨 냈다. 왼쪽 눈과 다른 점 없이 아름다운 금색의 눈동자가 모란
을 향했다. 모란이 혀를 찼다.

"정말 안 되겠어?"

"안 돼."

"내게는 정말 아무렇지 않은 것들이라니까."

연이 차분하게 모란의 손에서 안대를 다시 받았다. 모란은 연이
안대를 다시 하는 모양을 못마땅하게 바라보았다. 끈을 묶으며 연

이 무덤덤하게 말했다.

"만약 모란 당신이 외눈이 되어서, 내가 내 눈을 주겠다고 하면 받아 주겠어? 혹은 수명이 짧아져서 내 수명을 내주겠다고 하면?"

"당연히 안 되지."

모란은 모란이고 연은 연이지 않은가. 둘은 아주 달랐다. 연에게 무거운 게 모란에게는 가벼운 것이다. 얼마든지 버릴 수 있는 것들이었다. 그의 선은 오로지 그에게 있어 소중한 존재를 위해서만 존재했다. 모란의 선이 존재하는 이유가 이렇게 말했다.

"그러니 모란, 당신이 아무렇지 않다고 해서 나도 아무렇지 않을 것 같아?"

모란이 무어라 대답하기도 전에 연이 쏘아붙였다.

"당신이 무슨 걸어 다니는 만병통치약이라도 돼? 내가 아플 때마다 곁에 두고 하수오나 장뇌삼처럼 따다가 먹으라고?"

그것도 나쁘지는 않겠다. 그러나 모란은 현명하게 그 말을 입 밖으로 내지는 않았다.

"죽었다 살아난 대가로 눈 하나 정도면 싸지."

연이 단호하게 말했다. 모란이 말없이 물끄러미 연을 바라보는 동안 한위만이 이 상황에서 벗어나고 싶어 시선이 이리저리 허공을 방황했다. 다른 연인들은 돈이나 질투, 혹은 바람난 일로 싸운다던데 모란과 연은 눈을 주니 어쩌니 하며 다투고 있으니…….

"난 당신이 아프고 괴로운 게 싫어. 하지만 당신은 내가 당신 때문에 괴로워하는 것마저 좋다며? 그럼 이것도 그런 거라고 해."

"내가 좋아하는 괴로움은 그런 게 아니라…….."

말을 하려다 말고 모란이 말꼬리를 흐렸다. 연은 모란이 무슨 의도로 그런 말을 하는지 다 알고 있다는 얼굴이었으나 그저 뻔뻔하고 당당하였다.

"그래…….."

모란이 한숨처럼 웃었다.

"내가 이렇게나 더 좋아하니 져 줘야지. 그래도 나 때문에 눈이 그리된 것이나 마찬가지니 내 앞에서 안대는 하지 말아 줘. 응?"

고개를 끄덕인 연이 안대를 다시 벗었다. 곁에서 쭉 이 모습을 본 한위는 알 수 있었다. 이제까지 모란이 연을 다정하게 아끼기만 한다고 생각했는데, 그게 아니구나. 그도 그럴 것이 저 때문에 눈이 그리되었다 말할 때 연을 바라보는 모란의 눈빛이……. 글쎄, 무엇이라고 할 수 있을까? 한위는 아직 그런 감정은 알지 못했기에 표현도 하지 못했다.

"오랜만에 화정당에 왔으니까 조금 있다가……."

안대를 벗던 연이 눈을 찡그렸다. 모란과 한위의 시선이 당장 연에게 향했다.

"왜 그래? 어디 아파?"

"아니, 오랫동안 안대를 해서 그런가. 눈이 부셔서……."

한위가 고개를 갸웃했다. 눈이 안 보이는데 눈부실 것이 뭐가 있단 말인가? 가만, 그럼 눈이 부시다는 말은……. 한위와 똑같은 생각을 한 모란도 연에게 바짝 가까이 다가갔다. 연은 이제 아, 하고 신음 소리를 내며 눈썹을 찡그렸다. 마치 무언가를 받아 내기라도 하는 모양으로 그가 오른쪽 눈을 가렸다.

"잠깐만, 비비면 안 돼."

"비비려는 게 아니라……."

모란이 억지로 손을 떼어 냈을 때 한위는 연의 눈가에서 무언가 굴러떨어지는 걸 볼 수 있었다. 마치 햇빛이 고인 것 같기도 했고 혹은 빛이 아롱지는 금 같기도 했다. 모란이 바로 손으로 받아 냈다. 그의 손바닥 위에서 아주 작은 금빛 조각이 반짝거렸다. 연이 눈을 깜박였다.

"이제는 잘 보이는데……. 이때까지 이것 때문에 눈이 안 보였나 봐."

놀라서 입을 벌리고 있던 한위가 가까이 다가갔다. 정작 이상한 걸 눈에서 흘려 낸 장본인인 연이 멀뚱하게 바라보는 가운데 모란이 유심히 금빛의 조각을 살폈다. 모란의 눈에도 금색 이채가 잠시 감돌았다가 사라졌다. 이내 모란이 연에게 물었다.

"이게 무엇 같아?"

모란은 이게 무엇인지 안다. 실리낙스의 눈에서 나온 부산물이다. 연의 혼이 미처 다 흡수하지 못하고 떨어져 나온 부스러기 같은 것이었다. 그러나 이게 '진짜' 무엇인지는 연만이 알려 줄 수 있었다. 실리낙스의 부산물이기 이전에 연에게서 난 것이니.

연은 느리게 꾹 눈을 감았다가 떴다. 그리고 모란을 한번 바라보고는 말했다.

"씨앗……이야."

놀랍게도 연이 그렇게 말하고 나자 모란의 손바닥 위에서 빛나는 금빛 조각은 이제 금색의 씨앗으로 보였다.

"그래, 씨앗이네."

수긍한 뒤 모란은 잠시 더 씨앗을 들여다보았다. 연은 신기해하며 씨앗을 바라보다가 이내 이상할 정도로 빠르게 흥미를 잃었다. 마치 눈에서 씨앗을 흘려 내는 게 아무렇지 않은 사람 같았다.

한위는 이렇게 계속 둘에게 일어나는 일을 지켜보고 있으면 세상에 그 어떤 것도 자신을 놀랍게 만들 수는 없을 거란 생각이 들었다. 그렇게 연의 눈은 정상적으로 회복되었다. 모란도 한위도 진심으로 다행히 여겼다.

이왕 온 김에 모란은 저녁까지 연과 함께 화정당에 머물렀다. 한위도 오래간만에 둘과 즐거운 시간을 보냈다. 시간이 되어 둘이 집으로 돌아가기 전, 모란이 무언가 생각난 얼굴로 뒤를 돌아보았다.

"아, 그렇지. 이건 너 가지거라."

모란이 던지는 걸 한위가 반사적으로 받았다. 아까 연에게서 나온 씨앗이었다. 한위가 당황했다.

"이걸…… 제가요?"

"그래. 먹어도 좋고, 아니면 심어도 되고. 그냥 버려도 돼."

모란이 씩 웃었다. 어쩐지 귀한 물건 같은데 자신에게 이렇게 그냥 주고 가도 되나 싶었다. 그러나 한위가 고개를 다시 들었을 때 모란과 연은 그 자리에서 사라진 뒤였다. 이걸 어찌할까 잠시 고민하던 한위는 화정당 정원으로 향했다. 아무리 그래도 연의 눈에서 나온 것이니 버리거나 먹기에는 꺼려졌다. 괜찮은 자리를 골라 부드러운 흙을 파낸 뒤 씨앗을 심었다. 까만 흙을 덮고 물도 뿌렸다.

그 후로 한위는 매일매일 찾아와 씨앗에 물을 주었다. 씨앗은 일주일이 지난 뒤에야 자그마한 싹을 틔웠다. 겨우 새끼손톱만 한 싹이지만 퍽 보기에 좋고 흐뭇하여 한위는 한참을 들여다보다가 갔다.

싹은 착실히 자라 줄기를 뻗고 손바닥만 한 잎들도 펼쳤다.

그러던 어느 날이었다. 여름 장마철이라 이틀 내내 무거운 폭우가 쏟아졌다. 한위는 하릴없이 실내에서만 지내다가 비가 멈춘 뒤에야 자신이 심었던 씨앗 생각이 났다. 혹여나 비가 내려 떠내려갔을까 걱정이 되어 서둘러 화정당 정원으로 향했다. 그리하여 정원에 당도해 자신이 심었던 씨앗을 찾아본 한위가 아, 하고 탄성을 흘렸다. 씨앗을 심었던 자리에는 화사한 꽃이 피어 있었다.

보드레하고 아주 노란, 실로 아름다운 금꽃이었다.

가로지나
세로지나
꽃은핀다

1판 1쇄 찍음 2017년 6월 29일
1판 1쇄 펴냄 2017년 7월 7일

지은이 | 카르페XD
펴낸이 | 정 필
펴낸곳 | (주)뿔미디어
편집장 | 박경희
디자이너 | 김수지
기획·편집 | 양동은, 최재훈, 박주현

출판등록 | 2002년 9월 11일 (제1081-1-132호)
주소 | 경기도 부천시 원미구 소향로17 303(두성프라자)
전화 | 032)651-6513 / **팩스** | 032)651-6094
E-mail | bnm2011@hanmail.net
블로그 | http://blog.naver.com/bbulbnm
비북스 | http://www.b-books.co.kr

ISBN 979-11-315-8021-9 04810
ISBN 979-11-315-8019-6 04810 (SET)